經典的形成、流傳與詮釋
第一冊

林慶彰
蔣秋華　主編

張穩蘋　編輯

臺灣學生書局　印行

《經典的形成、流傳與詮釋》

序　言

林慶彰

中國所謂「經典」，是指儒家的《十三經》。《十三經》包括《周易》、《尚書》、《詩經》、《周禮》、《儀禮》、《禮記》、《春秋左氏傳》、《公羊傳》、《穀梁傳》、《論語》、《孝經》、《爾雅》、《孟子》等十三種。所以能成為經典，必須具備兩個條件，一是聖人及門弟子的著作，或經聖人刪定。二是經當時政府認可，立於學官。所以，所謂「經典」，是聖人集團的制作、編訂，加上官學化的結果。

被列入經典的著作，由於官方的支持，傳習者多，流傳也廣，所以這十三部經典，歷來為它們作注疏或研究，多者數千種，少者也有百種。但是，古代的著作不僅這十三種而已，性質和《尚書》相近的有《逸周書》，和《左氏傳》相近的有《國語》、《戰國策》，和《論語》、《孟子》性質相近的有《墨子》、《老子》、《莊子》、《荀子》、《管子》、《韓非子》、《呂氏春秋》等所謂先秦諸子。上述這些著作，由於未能列入經典，歷代傳習者少，有些幾乎亡佚。

　　二〇〇三年，中央研究院為提振中國古典研究，委由本院中國文哲研究所、語言學研究所及歷史語言研究所等，共同籌畫「中國古代文明的形成」研究計畫。計畫下分為「經典與文化的形成」與「古代中國及其周邊」兩項先期計畫，進行先期研究及規畫事宜。期望藉此結合國內外相關學門之研究者，共同組成研究群，以新方法、新觀點、以漸進方式推動中國上古史相關主題之研究及人才培育，期在國際學術界中建立臺灣在此研究領域之領銜地位。其中，中國文哲研究所所負責的「經典與文化的形成」計畫，在為期兩年半先期規畫計畫的執行期間，大抵著力於三大主題，一是經典的形成與流傳；二是經典的詮釋；三是經典所反映的文化面相。茲分別敘述如下：

一、經典的形成與流傳

　　中國今存最早的文獻資料，應是《周易》、《尚書》、《詩經》，接著是《春秋》、《儀禮》等。這些著作，到戰國時逐漸被稱為經，也有許多解說經的注解性文獻出現，如解說《周易》的有《易傳》、解說《尚書》的有《書序》，解說《詩經》的有《詩序》、《毛詩詁訓傳》，解說《儀禮》的有各種傳、說、記，解說《春秋》的有《春秋左氏傳》、《公羊傳》、《穀梁傳》等。這些傳、序、說、記本來只是解經的文字，後來地位漸高，逐漸變成經，甚至凌駕原來經的地位。既是經典，就有其權威性。其權威性格如何形成？一旦權威性格被消解，經典的地位又如何？

　　近年，由於文獻出土，對當時經典的形成和流傳，也有相當的修正。如《周易》的傳，本來只有《十翼》，但是馬王堆出土的帛

書《周易》材料，有《二三子問》、《易之義》、《要》、《繆和》、《昭力》，都不在《十翼》中，可見《十翼》並不是當時解說《周易》的全部文獻。又如《詩經》有《詩序》，上博楚簡中的《孔子詩論》，性質和《詩序》有點相近，但觀點有相當的出入。可見，《詩序》也不是當時解釋《詩經》的唯一材料。

除出土材料增多，有助於經典形成的研究外，新出土的帛書《周易》、阜陽漢簡《詩經》、《孔子詩論》等，都可見看出經典文字與今本有相當的出入，可見，在先秦漢初流傳的經典，尚未定型化，何時定型化也有進一步探討的必要。

進入漢代，從文帝、景帝起，經典開始立於學官，武帝時立有五經博士，宣帝起今文學興起，有所謂章句之學，東漢初今文學家開始引緯書來解經。漢末更以今文學的文本刊刻石經。同時，古文學派開始受到重視。從兩漢經書的流傳過程，有許多問題值得研究：⑴官學化的過程，如何影響經書的性格？⑵今文學家用以鞏固其地位的師法與家法，對經書產生甚麼樣的影響？⑶今文家利用緯書來解經的時代背景和意義？⑷刊刻石經如何鞏固經典的地位？

如將先秦思想家的著作也視為經典，則各家著作的形成與流傳，也有可探討的地方。前人或以為《老子》書後於《莊子》，郭店出土竹簡《老子》甲、乙、丙三本，可證明此種說法並不正確。至於諸子思想形成過程中，與《周易》、《尚書》、《詩經》、《春秋》等經典的關係，也值得討論。另外，諸子著作在漢代的流傳情形，鮮有深入論究，這也是值得研究的課題。

如把《史記》、《漢書》視為經典，可研究的論題也不少，是什麼的動機和背景讓他們創造出與前代史書不同的體例？他們在寫

作的過程中，所受儒家經典價值觀的影響如何？

　　前代學者受材料的限制，對經典的形成與流傳，往往因襲成說，近數十年來地下文獻出土，如：武威漢簡、馬王堆帛書、阜陽漢簡、山東臨沂竹簡、郭店竹簡、上博楚簡等，對研究先秦經典的形成與流傳，解決某些疑惑，更糾正不少前人錯誤的觀點。如能充分利用這些出土文獻，對經典的形成與流傳，應有更合理的解釋。

二、經典的詮釋

　　《周易》、《尚書》、《詩經》產生的時代較早，春秋以前人所作的解釋，沒有較具體的文獻留傳下來，解釋的方法和方向如何，不得其詳。從春秋時代起，像《國語》、《左傳》、《論語》、《墨子》等書，對經典都有零星的解釋。戰國以來解釋《周易》的有《易傳》，解釋《尚書》的有《書序》、《尚書大傳》，解釋《詩經》的有《詩序》、《毛詩詁訓傳》，解釋《儀禮》的有各種傳、說、記，解釋《春秋》的有《左氏傳》、《公羊傳》、《穀梁傳》。各種解釋不但豐富了這些經典的內涵，也塑造經典的性格。

　　到了漢代，經學立於學官，今文學有師法、家法，在師法、家法規範下的經典，解釋的方法有所謂章句之學。此外，今文學家援引緯書解經，也增強經書的神秘性和神聖性。從春秋戰國到東漢末，經典的解釋者如何重塑經典的性格，深化經典內容的探討（如探討書中的微言大義），塑造經典的神聖化都有待進一步研究。

　　如視先秦部分思想家的著作為經典，早在戰國時期，《韓非子》一書就有《解老》、《喻老》。《呂氏春秋》和漢代的《淮南

子》，東漢的高誘也有精闢的注解。如就史書來說，《國語》有韋昭注，《戰國策》有高誘注，《史記》有三家注，《漢書》有顏師古注。如就當時的文學作品來說，《楚辭》有王逸的《楚辭章句》。這些都是現存保留較早的古注。他們的注和當時的注經有何異同？也是值得研究的課題。

詮釋經典的著作，有所謂序、傳、說、記、注等。前代學者研究《周易》時，將經傳合併討論；研究《詩經》時，太重視《詩序》，而忽視《詩經》詩篇的本來意義。研究《春秋》和《三傳》時，又往往太重視傳而忽視經，甚或以傳改經。研究《儀禮》和《禮記》時，不能將作為經的《儀禮》與作為傳、記的《禮記》對照通讀。這些都是經傳詮釋不能密切配合的例子。本計畫將對經、傳的詮釋關係，作深入的探究，彌補前人在此方面的不足。

三、經典反映的文化面相

經典本來是當時人們文化活動的部分記錄，歷史飛逝，當時的文化情境無法重現，要了解當時文化的面相，就必須靠留存的書面文獻，或各種文物資料。由於各種經典僅能是當時文化面相的部分記錄。所以，要能比較精準的呈現當時文化的面相，必須將各種經典反映的各類文化資料作詳細的考辨，和出土文獻、文物互相補足，試圖重現當時的文化面貌。

如就傳統經典來說，《周易》本是占筮之書，除反映當時占筮的實況外，占筮用的卦爻辭，反映了當時哲學、政治、經濟、社會、教育、語言、藝術等狀況。《尚書》是當時公文書和相關文獻的彙編，反映了當時政治思想、歷史事實和文章寫作的技巧。《詩

經》是樂歌總集，其中有科學、政治、戰爭、祭祀、社會風俗、美學等方面的材料。《周禮》是周代理想政治制度的反映。《儀禮》紀錄士大夫所應遵循的禮儀規範，包含古代婚、冠、喪、祭等方面的材料。《禮記》對部分禮儀規範作深入的解釋。《春秋左氏傳》、《公羊傳》、《穀梁傳》既是歷史著作，也反映了政治、社會、經濟等思想的面相。

如將諸子著作也納入研究體系，可以發現有諸多可會通的地方，如《小戴禮記》的〈月令〉，《大戴禮記》的〈夏小正〉，《呂氏春秋》的十二月紀，《淮南子》的〈時則篇〉，內容雖繁簡不一，但都反映了古代時令與施政的關係。《逸周書》有〈官人篇〉，《大戴禮記》也有〈官人篇〉。《荀子》有〈勸學篇〉，《大戴禮記》也有〈勸學篇〉，都可一起來研究。又如《荀子》中論禮的諸多文字，與《大、小戴禮記》也有不少相重複的地方，可以反映當時禮學思想的發達。

前人由於受當時圖書分類的影響，經、史、子、集的壁壘分明，且太重視經部，而輕視子、集部。因此，研究經的學者，不涉其他三部。今人研究史、子、集部者，又不太探究經書。以致不能將古代留下的典籍視為一文化的整體，大部分學者都侷限於自己的研究領域來看待古代文化。本計畫視大部分文獻資料為經典，作整體性的探究，希望能以經典作為切入點，探討經典與中國古代文明形成的關係。

為推動國內外對中國經典學的研究，「經典與文化的形成」研究計畫的先期規畫計畫，每月策劃至少一次讀書會，聘請國內外相關研究專家進行導讀，鼓勵國內文史科系研究生參與，培養此一研

究主題相關的研究人才。此一先期規畫計畫自 2003 年 7 月 1 日開始執行，至 2005 年 12 月 31 日結束，總計進行了將近三十場讀書會及專題演講。期在密集而有質量的研討過程中，利用新材料、新方法來建立新的學術觀點，並作為強化古代史研究的基礎。

此外，為了讓國內中文學界的經典研究者，能了解國外研究中國經典的狀況，我們選擇較有代表性的論文，邀請精通外文的青年學者譯為中文，這兩年多完成的有將近十篇。為了讓更多的學者有更多參與的機會，也舉辦了有關經典注釋的座談會。為了讓這兩年半的學術活動留下忠實的紀錄，我們從三十場讀書會及專題演講中選出論文九篇，編為「論述篇」；將近十篇譯文中精選六篇，編為「翻譯篇」；又將「中外學者論經典詮釋問題」的座談會紀錄整理出來；並附錄「經典與文化的形成」研究計畫讀書會學術活動一覽表。本先期規畫計畫雖已結束，但 2006 年 1 月 1 日起為期三年的「儒家經典之形成」則接著登場，將來執行成果也將陸續出書，為強調兩者間的延續性，將本書定名為《經典的形成、流傳與詮釋》第一冊，希望第二、三冊，會緊接著出版。

本先期規畫計畫承李遠哲院長、朱敬一副院長、劉翠溶副院長、許倬雲院士、黃寬重所長、王汎森所長之大力支持，特誌謝忱。

2007 年 7 月

林慶彰 誌於中央研究院
中國文哲研究所 501 室

經典的形成、流傳與詮釋

目　次

附 錄

論述篇

古今文獻與史家之喜新守舊[*]

顧史考[**]

一、前　言

　　《論語・八佾》載孔子（551－479B.C.）之言曰：「夏禮，吾能言之，杞不足徵也；殷禮，吾能言之，宋不足徵也。文獻不足故也，足則吾能徵之矣。」此古今文獻學者所推以為宗之名言。誠然，欲徵求乎前代之典章制度，圖借鏡於古人之歷史經驗，固非以其文獻為途徑不可。然古代文獻之不足徵者多矣，而其所以不足之

*　本文的研究與寫作得到傅爾布萊特學術交流基金會（臺灣項目）及臺灣文化建設基金管理委員會的資助，在茲特致謝意。本文初稿曾發表於上海舉行的「中國上古史：歷史編纂學的理論與實踐」國際學術研討會（上海大學古代文明研究中心、芝加哥大學東亞語言文化系、上海博物館及《歷史研究》編輯部共同舉辦），2004 年 1 月 8 日。在本次中國文哲研究所發表後，又發表於 2004 年 3 月大阪大學文學院舉辦的「国際シンポジウム戦国楚簡と中国思想史研究」；收入大阪大学中国哲学研究室編輯：《中国研究集刊：特集号「戦国楚簡と中国思想史研究」》（第三十六号），頁 57－74。

**　顧史考，美國郡禮大學東亞語言文學系副教授，中央研究院中國文哲研究所訪問學人。

***　編案：本書【論述篇】作者之單位職級，以發表時所登載為主。

故亦非一端。或以古籍既缺，而指津者亦寡；或以古文難曉，而今字乃乖戾；或以師徒相承，增益不休，而時序先後相混；或以歷代相傳，抄錯遺漏，而篇章不成文義。要之，今日所面對之傳世文獻，已遠非昔日所目睹之原作，而今人對古文之體會與理解，亦無法與古者相比。然而通過嚴謹的文字、音韻及訓詁等學門，再加以文本的校勘與句法的分析，庶幾古人之言與先聖之制尚可考徵其一二焉。

然我們當今研究上古文獻比起歷代學者顯然具有兩種條件讓我們能夠佔到某種優勢。其一是我們可以利用歷代前賢已有之成果，其二則是我們正處於考古發掘的簡帛文獻大量出土之際。自從王國維（1877－1927）提出所謂「二重證據法」以來，即「紙上之學問賴於地下之學問」，研究中國歷史之學者乃特別重視出土資料。基於王氏之認識，如李學勤（1933－）、裘錫圭（1935－）等當代名儒亦經常指出今日所出的簡帛古抄本之發掘正如過去孔壁中書、汲冢竹書的發現一樣，而我們當前對之所進行的整理工作亦好比西漢、西晉時儒者用此古文資料來與傳世的今文文獻相互校讎那樣。❶眾

---

❶　見裘錫圭：〈考古發現的秦漢文字資料對於校讀古籍的重要性〉（1980 年 5 月著），收入氏著：《古代文史研究新探》（南京：江蘇古籍出版社，1992 年 6 月），頁 1；李學勤：《簡帛佚籍與學術史》（1994 年 11 月編寫；南昌：江西教育出版社，2001 年 4 月），頁 3。夏含夷指出，經過考古發掘而得的、與傳世文獻相應的古本，其最可貴之處並不在於其可借以糾正傳世本錯誤的「直接證據」本身，而在於其對我們瞭解古人著書與傳書的過程所提供的「間接證據」與訊息；此堪稱中肯之論。見 Edward L. Shaughnessy, *Rewriting Early Chinese Texts*（Albany: State University of New York Press, 2006 年），第一章。本文多受此三位學者在此方面之論著的啟發。

所周知，西漢惠帝四年（西元前 191 年）「除挾書之律」而「大收篇籍，廣開獻書之路」之後，當時通行文字已與秦以前的六國文字有所隔絕，且因「書缺簡脫，禮壞樂崩」之局面，而武帝乃「建藏書之策，置寫書之官。」❷到了孔壁書發現時，古文字學已為一種專門學問，用六國文字寫的古書必須加以隸定才可為一般學者所能讀，故《史記·儒林列傳》形容孔安國之整理孔宅《尚書》曰：「孔氏有古文尚書，而安國以今文讀之，因以起其家。」❸《漢書·藝文志》形容稍後（宣帝時）的京兆尹張敞之古文特長則曰：「《蒼頡》多古字，俗師失其讀，宣帝時徵齊人能正讀者，張敞從受之，傳至外孫之子杜林，為作訓故，并列焉。」❹此皆足以說明西漢時人讀古文字已相當困難（更何況西晉時）。❺再及成帝河平

---

❷ 見《漢書·藝文志》所敘及《漢書·楚元王傳》所載劉歆〈移太常博士書〉；〔漢〕班固撰：《漢書》（北京：中華書局，1962 年），頁 1701、1968。

❸ 《史記·儒林列傳第六十一》；〔漢〕司馬遷撰，顧頡剛等標點：《史記》（北京：中華書局，1963 年），頁 3125。參看王葆玹：〈今古文經學之爭及其意義〉，收入《中國哲學》編輯部編（姜廣輝主編），《經學今詮初編》（《中國哲學第二十二輯》）（瀋陽：遼寧教育出版社，2002 年 6 月），頁 300−301。

❹ 《漢書·藝文志》，同注❷，頁 1721；錢穆：《兩漢經學今古文平議》（1958 年；臺北：東大圖書公司，1989 年 11 月三版），頁 8。

❺ 《晉書·束晳傳》謂汲冢書之初況及其整理曰：「初發冢者燒策照取寶物，及官收之，多燼簡斷札，文既殘缺，不復詮次。武帝以其書付祕書校綴次第，尋考指歸，而以今文寫之。晳在著作，得觀竹書，隨疑分釋，皆有義證」（列傳第二十一）。〔唐〕房玄齡撰：《晉書》（北京：中華書局，1974 年），頁 1433。

三年（西元前 26 年）「求遺書於天下」後❻，劉向（77－6B.C.）
校中秘內外古今文書，而「多誤脫為半字，以『趙』為『肖』，以
『齊』為『立』」，或「以『夭』為『芳』，『又』為『備』，
『先』為『牛』，『章』為『長』」❼，此劉氏所見古今書間之假
借及形近誤字的狀況，正如我們今日所看到的一樣。然則前人對於
先秦書籍的整理事業確實有得與我們今人對出土文獻之工作相比。

　　然則我們當今面對新出土的古本資料而以之進行對傳世今本的
校讎整理時，應該採用何種的處理方式，該以何種標準而定兩者之
間的善惡是非？此問題即涉及一種雙面性的複雜事實。一方面，傳
世本皆或多或少早已經歷了一種整理過程，再加上後代傳抄者的誤
抄與「妄改」，而當今的傳世本中所存在的問題堪稱比比皆是，確
實值得與出土本相對校讎。然另一方面，我們今日整理出土文獻的
能力與基本條件不見得要比過去的人好，而我們亦必須經歷與他們
相同的整理過程，遇到相同的困難，因而為了避免種種誤解，亦非
將傳世本拿來與出土本相互校勘不可，如此才能確切地瞭解出土文
獻中的「肖」、「立」、「芳」、「長」究竟應該如何釋讀。本文
擬針對古今兩本間差異性的處理此一問題進行進一步的探討，希望
藉此考慮如何避免某些至今仍然見到的學術偏見與障礙。

---

❻　《漢書·成帝紀》；《漢書》，同注❷，頁 310。
❼　分見劉向〈戰國策書錄〉及〈晏子書錄〉佚文；〔清〕嚴可均輯，任雪芳審
　　訂：《全漢文》（北京：商務印書館，1999 年 10 月），頁 379、382。可參
　　余嘉錫撰：《古書通例》（上海：上海古籍出版社，1985 年 7 月），頁 99－
　　101。

二、喜新與守舊

　　清末學者張之洞（1837－1909）曾寫過一段頗饒興味之文曰：「讀書一事，古難今易。無論何門學問，國朝先正皆有極精之書。前人是者證明之，誤者辨析之，難考者考出之，不可見之書采集之……此皆積畢生之精力，踵纍代之成書而後成者，故同此一書，古人十年方通者，今人三年可矣。」❽是說良是，今一讀新出土之書，其難度之於今本則一目瞭然。然其所以古難而今易者，其理由有二：一則以此「證、辨、考、采」之功夫實已明是非而揭難曉，其二則以原不誤者誤非之，實微妙者簡化之，以致今之校定本雖易讀，而實已非其本然面目。然而儘管第二種情況時時有之，亦未足以磨滅前賢在此校讎及考證上的雄偉成績。因而我們今日用出土資料來校對傳世文獻，與其說是為了糾正前人之錯誤，無寧說是為了繼續前賢的這番工作，接踵於歷代所累積而成者。然為了正確地利用出土文獻而進行這番工作，所該持的研究心態究竟如何？

　　竊謂當我們開始校讀今古兩本時，必須事先做一番「心齋」的功夫，好讓我們將兩種不同的、自然而有的成心給消除，以便以實事求是的心態而進。此二種成心，其一謂之「喜新厭舊」，其二謂之「忠貞不渝」。❾「喜新厭舊」之心，謂新見的古文出土本一

---

❽　此從余嘉錫《古書通例》轉引；見余嘉錫撰：《古書通例》，同注❼，頁3－4。

❾　裘錫圭曾舉過類似的對比，將前者稱為「立異」、後者稱作「趨同」；「趨同」「主要指將簡帛古書和傳世古書中意義本不相同之處說成相同」，而「立異」則「主要指將簡帛古書和傳世古書中彼此對應的、意義相同或相近的字說成意義不同。」見其〈中國古典學重建中應該注意的問題〉，《北京

出，乃竭力執之以糾正傳世本之非，以追求新意為尚，以不顧傳統之成說為心，不考慮出土本本身的缺點，而一力推新以代舊。譬之若人一目及未曾見過的美貌姑娘，乃想輕易罷休舊妻以盡力追求新愛，忘懷往情舊恩而一心皆以新愛為是，全不顧及前妻的好處及其累年所積來的貢獻，而同時又忽略新妾的種種缺陷。「忠貞不渝」之心，則謂一心一意擁護舊有的今文傳世本，祇想強迫出土本服從於其早已奠定的標準，因而一概忽視出土本的長處，不容任何新意侵犯到傳世本的寶座。又譬若人之因為懷念舊情之故，乃全心誇張己妻之美麗與賢慧，無法認識妻子之短處或其他女子之優點，不敢承認愛妻有任何可向之學習之處。此二種心理確實有時會不知不覺地作怪，因而我們不得不時而加強防備。在茲先用兩種實例說明之，然後再加以進一步的探討。

　　《上海博物館藏戰國楚竹書（二）》中的〈民之父母〉篇❿，有相當篇幅與《禮記·孔子閒居》（以及《孔子家語·論禮》）重複，似可視為同一篇（或同一個故事）在傳授過程中的不同演變。篇中孔子提到「民之父母」必須「至（致）『五至』」、「行『三亡（無）』」，而當子夏問到何謂「五至」時，依楚簡〈民之父母〉則孔子的答案如下：

　　　　孔子曰：「『五至』乎！勿（物）之所至者，志亦至安

　　大學中國古文獻研究中心集刊》第二輯（北京：北京燕山出版社，2001
　　年）。承蒙裘先生向筆者指出此文。
❿　見馬承源主編：《上海博物館藏戰國楚竹書（二）》（上海：上海古籍出版
　　社，2002年），頁17－30；濮茅左釋文，頁155－180。

（焉）；志之〔所〕至者，豊（禮）亦至安（焉）；豊
（禮）之所至者，樂亦至安（焉）；樂之所至者，哀亦至安
（焉）。哀樂相生，君子以正。此之謂『五至』。」⓫

〈孔子閒居〉相應的一段則云：

> 孔子曰：「志之所至，詩亦至焉；詩之所至，禮亦至焉；禮
> 之所至，樂亦至焉；樂之所至，哀亦至焉。哀樂相生。是故
> 正明目而視之，不可得而見也；傾耳而聽之，不可得而聞
> 也。志氣塞乎天地。此之謂『五至』。」⓬

案，今本〈孔子閒居〉實有兩種大誤，正可通過〈民之父母〉來糾
正。其一是「正明目」至「塞乎天地」二十八字，實與「五至」無
關，而該如〈民之父母〉將之排到「三無」的敘述當中，此顯為錯
簡所致。⓭〈民之父母〉的「哀樂相生，君子以正」，亦正好以韻
文為結（「生」、「正」皆耕部），與下面「三無」之言「君子以
此，皇（橫）於天下」的情形相近（「此」即支部，「下」乃魚

⓫ 同前注，頁 19－20、158－160。

⓬ 《禮記·孔子閒居》；〔清〕孫希旦撰，沈嘯寰、王星賢點校：《禮記集
解》（北京：中華書局，1989 年 8 月），頁 1275。

⓭ 此點陳劍已指出過；見其〈上博簡〈民之父母〉「而得既塞於四海矣」句解
釋〉，原載於《簡帛研究》網站（2003 年 1 月）。錯簡之字數為 28 字，而
若假定〈孔子閒居〉當時竹簡字數為平均 27 至 28 字的話，則該簡恰好錯放
於第五簡之後。

部，旁轉可通韻）。其二則是〈孔子閒居〉的「志」、「詩」、「禮」、「樂」、「哀」的次序頗難說通，似不如〈民之父母〉的「物」、「志」、「禮」、「樂」、「哀」之為簡樸好解。如季旭昇（1953－）指出，傳抄者將原屬第二至的「志」字寫成「詩」而又將第一至的「物」改為「志」，以便牽合於「詩」、「禮」、「樂」三經之目頗有可能，❹而相反的情況則可能性不大。濮茅左於〈民之父母〉釋文直接用括號表示「勿」讀為「志」，「志」讀為「詩」，以附和於傳本；而於注釋中則但云「『勿』，疑『志』之誤寫，但『勿』讀作『物』，似亦通。」即使傳本與簡本兩者之優劣尚屬見仁見智之問題，然「勿」與「志」實非形近之字，並無相互訛誤之理，因而像濮氏那麼嚴謹的學者，其釋文該以簡本原文為準，而於注釋中再說明傳、簡兩本間的異同才是。至於顯而易見的錯簡問題，則濮氏並未正面論到，於此傳世本的大缺陷絕口不提，似可說是過份尊重傳本。❺

再討論郭店楚簡的〈窮達以時〉篇。此篇極短，而大部分內容亦見於《荀子·宥坐》、《韓詩外傳》卷七、《說苑·雜言》及《孔子家語·在厄》等文。其中有一段論及呂望之遇周文王云：

---

❹ 見季旭昇主編：《〈上海博物館藏戰國楚竹書（二）〉讀本》（臺北：萬卷樓圖書公司，2003 年），頁 7，注 10。

❺ 然而雖對其以上的判斷提出質疑，亦不可逕謂濮氏本人為「忠貞」之筆，如其於「五起」之說所指出：「竹書的出現，使我們看到『焚書』之前孔子說『五起』的原序」，就是其對簡本的價值之肯定的一例（《上海博物館藏戰國楚竹書（二）》，頁 152）。先秦古本勝於今本的例子很多，本文祇舉其一以略見一斑。其他例子，請參看裘錫圭：〈考古發現的秦漢文字資料對於校讀古籍的重要性〉（見注❶）。

　　呂望為牂垚濿，戰監門垚陉。

　　顏世鉉（1963－）詮釋此文，將「牂」讀為「藏」（如裘錫圭
說），解為「守藏小吏」，又將「戰」隸定為「戜」，讀為
「守」，似可從。然有趣的是其對「濿」（編案，簡文「濿」）
「及「陉」二字的解釋。「濿」字雖（如裘氏說）可讀為「津」，
然顏氏指出「濿」字本可訓為水氾濫之義；而「陉」雖可釋為
「地」，而顏氏則讀之為「阤」，即《說文》所謂「小崩也」。然
則他將整句釋為：「呂望不遇之時……去看管倉庫則遇到水災，去
守城門則遇到城牆崩塌，此正可見其當時時運之不濟。」❻此說頗
饒趣味，以兩句對稱為文，確可錄以備一說。然而顏氏自己終已不
採其初說。❼其道理何在？因為傳世文獻處處皆以「棘津」為呂望
未達時所活動之地，而「棘津」與「來濿」聲近可通假，因而若以
「來濿（津）」與「來地」為地名，則不用任何曲解而完全可說明
簡、傳兩本之間的異同關係。❽反過來，若以此種新的解釋為是，
則祇能將傳世文獻中所有讀「棘津」為地名的文句視為訛誤，或將
「棘津」與「來濿」的通假關係視作莫大的巧合，方能說得通；然

---

❻　顏世鉉：〈郭店楚墓竹簡儒家典籍文字考釋〉，《經學研究論叢》第六輯
　　（臺北：臺灣學生書局，1999 年 6 月），頁 171－187。

❼　此據顏世鉉與筆者私下討論。顏氏初說頗有創意，然他終尚願意改變初見，
　　可見其實事求是之心。

❽　《韓詩外傳》卷七曰：「呂望行年五十，賣食棘津」；《說苑·雜言》相
　　同，唯「棘津」前多一「於」字。均未涉及「為藏」或「守監門」之事，然
　　地名似乎指的是同一所在。

而相對之下，此種可能性小得多，且並無必要如此讀之。然則顏氏
已認識到其初說或為過份新穎，雖可備一說，而並不足以代替與傳
世文獻之對校所得來的解釋。

　　以上是兩種「守舊」與「喜新」之小例。下面將再舉一個更加
複雜的例子，以便進一步分析我們校對古今文本而進行選擇時所必
須考量的因素及該採用的標準。然在作此分析之前，先就校勘學的
一些基本原理略加以必要的探討。

三、誤誤而不誤於誤

　　清代大儒王念孫（1744－1832），於其《讀書雜志·淮南內
篇》之後記中，曾對《淮南》內篇各本中之錯誤進行分類，曰：「凡
所訂正，共九百餘條，推其致誤之由，則傳寫譌脫者半，馮（憑）
意妄改者亦半也。」接著又將「傳寫譌脫」及「憑意妄改」者分為細
目，前者十六種，後者二十八種；此外又在一般「失其義」、「失其
句讀」之外者亦特列了因譌脫或妄改而「失其韻」者十八種；凡六
十二種。❶若將相近者以類相聚，則大略有如下幾種情況：

　　有不審文義而妄改、妄加（包括妄加字而失其句讀者、妄加
　　　　數字至二十餘字者）或妄刪者
　　有因字不習見而誤／妄改者

❶　〔清〕王念孫：《讀書雜志》：中國訓詁學研究會主編：《高郵王氏四種之
　　二》（南京：江蘇古籍出版社），志九之二十二，頁 1－29，總頁 959－
　　976。王氏自數（頁26上）「六十四事」，比筆者所數的多兩種。

有因古字、隸書、草書或俗書而誤者

有因〔不識〕假借之字而誤／妄改、妄加、妄刪或〔妄〕顛
　　倒其文者

有因兩字誤為一字或誤字與本字竝存而誤者（及旁記之字而
　　闌入正文者）

有衍／脫至數字或至數十字者

有錯簡者

有因誤〔字〕而致誤／誤（妄）改；既誤而又妄改、妄加或
　　妄刪者；既脫／衍而又妄加或妄刪者

有正文誤入注或注文誤入正文者（及〔正文〕誤而〔注〕兼
　　脫者；失其句讀而妄移注文〔入正文〕者；既誤而又改、
　　增或移注文者；既改而復改、增或刪注文者；〔正／注
　　文〕既脫且〔注文〕誤、〔正（／注）文〕既誤且〔正
　　文〕改及〔正文〕誤且衍而又妄增、改或妄加注文者）

有因字誤、脫、倒而失其韻者；因句倒而失其韻（且或又移
　　注文）者；錯簡而失其韻者；改字或加字而失其韻（或
　　改以合韻而實非韻或反失其韻〔且或又改或刪注文〕）
　　者；句讀誤而又加字以失其韻者；既誤且脫、倒或改而
　　失其韻者；既誤或脫而又加字以失其韻者

若是不管是無意識之「誤」還是有意識之「妄改」，不管此誤是否
涉及韻文，且撇開涉及注文者及誤上加誤者不談，則大致上此「致
誤之由」可以分為五大類：(1)因不審文義而誤；(2)因不識形體而
誤；(3)因不識假借而誤；(4)因衍文或脫文而誤；(5)因錯簡而誤。王

氏所分析的對象雖為西漢時的作品及其於後代傳抄過程中所發生的
種種錯誤，然卻很容易看出，我們整理先秦竹簡時，以上五種情況
也通通都要面對。衍文、脫文、誤寫，甚至殘損、佚失等等，皆為
出土竹簡中所客觀存在的障礙。再加上我們自己因為學識或資料之
不足而對簡帛古本中的文義之不理解、字體之不認識及假借之不熟
悉等，則我們自己對古本將有誤解或妄改的可能並不在歷代抄傳者
之下。我們閱讀簡書，不識者固然多，而即使祇單純加以隸定時也
很容易犯上同樣的錯誤，更何況有望文生義之心的時候。因此，沒
有傳世本可對照的簡書，經過不少專家的努力之後，而至今多處仍
然文不成義，無法正確釋讀，正可說明我們之「不習見」或「不
識」假借及古字等問題。然而有傳世本可對照者，自然比較沒這個
問題，因為傳世本有許多處恰可以幫我們解決疑問，使我們對假借
之由來、古字之釋讀及文義之脈絡都一目瞭然。然則歷代傳抄者固
然有其不識不習之缺失，而傳世今本乃不足全信；然我們自己亦有
相同的不認不熟之缺，而出土古本亦有其錯亂及無法解釋之處。因
而我們必須進行的仍然是一種校讎的功夫：既要拿古本以糾正今本
之訛誤，而又要拿今本以探究古本之奧秘。不可偏愛，亦不可偏廢。

　　試問此校讎之功夫，其目的何在？顯然是以文本中有不可通之
處，而將經過對諸本的校勘以使其窮者復通，恢復此文本的本來面
貌。此其不可通者，即王念孫所謂「失其義」、「失其句」及「失
其韻」者等。此目的之中已含有個假定，可識作文本整理的一個最
基本的原理，即是文本所載的話語，當其最初寫成文字時，應該即
具有比較完整的意義，足以使讀者能明白其內涵。這並不是說此文
義必須是完美無缺的；古人著書，對語句之對稱、韻律之均勻等要

求，或並不如後人嚴謹。我們若是硬要其完美的對稱、均勻等，乃容易踏上「妄改」、「妄加」或「妄刪」的陷阱。然而若是文本中有文不成義、語不成韻或文氣未足等現象，則至少可說文本中有訛誤的嫌疑，或字形及假借之未識的可能，因而必須經過一番校讎的功夫，試圖給這些現象以某種合情合理的解釋，以便恢復文本的原貌。

然而今本對於古本的價值以及文本原貌的可讀性這兩個前提最近受到西方某位漢學家的挑戰。此一挑戰可說是持之有故而言之成理，因而使得我們不得不正面迎戰以待之。下面分別加以說明。

美國漢學家鮑則岳最近寫過一篇論文提醒我們：「凡是我們對有關『錯字』及書寫上的差異之類的問題有不成熟的假想時，我們都必須先用其他可能的解釋去檢驗一下我們的推測。」[20]即是說我們遇到出土本與傳世本有差異字時，不管是異體字還是假借字，都不要太隨便去認定此古本字即為彼今本字的異體、假借或錯字而已，而更要謹慎考慮到其是否該讀為另外一個詞，所代表的意思是否不一樣。換句話，鮑則岳勸我們不要自己輕易犯上因「古字」或「假借」之「不習見」而「憑意妄改」古本之罪。此固然可以說是一種恰當的勸戒，然而話說回來，我們同時也要防備「喜新」之心理作怪，千萬不可走到另一個極端，即因同樣的「不習見」而憑意否認今本。鮑則岳多處強調，凡是傳世本所定的字「很可能只是一

---

[20] 〔美〕鮑則岳（William Boltz）：〈古代文獻整理的若干基本原則〉，收入〔美〕艾蘭（Sarah Allan）、〔英〕魏克彬（Crispin Williams）原編，邢文編譯：《郭店〈老子〉——東西方學者的對話》（北京：學苑出版社，2002年9月），頁57。

人之見、一家之說，只不過從某種角度講，這個說法後來習以為常地變成了權威」，「無非是因為古代某一整理者所作的決定，後來在歷史上變成了權威……但是他實際上不比別的觀點更帶有甚麼權威性，因為它本身並不是那麼肯定。」㉑鮑則岳此說言之有道理，然同時我們尚有一點必須考慮到，即是此一「古代整理者」所憑藉以作決定的資料很可能比我們現在所能見到的豐富多了。何以知其然？按，在古代整理先秦書籍之人士當中，無疑可以先推西漢的劉向為最重要的代表人物。劉向〈孫卿書錄〉云：「所校讎中《孫卿書》凡三百二十二篇以相校。除複重二百九十篇，定著三十二篇，皆已定」；〈晏子書錄〉云：「凡中外書三十篇，為八百三十八章。除複重二十二篇，六百三十八章，定著八篇二百一十五章。」㉒然則劉氏所見〈晏子春秋〉平均每章該有四本可以相互校對，而〈荀子〉甚至每篇有接近十五本之多。如此以類推，則劉向當時書籍之豐富絕匪夷所思，對因此所「習見」之古文字的認識可能遠比今日雄厚，其權威性固非全是歷史光陰的荏苒所贈與的，焉可斷然否認其在古籍校勘史上的特殊地位？其所校古今書籍中固然蓋亦偶有單篇零章，再加上後世傳抄過程中所介紹的訛誤等因素，因而即使定於劉向之手者，確實不可過於尊重而盲然信從，更何況出於晉代汲冢之中者。然而儘管如此，由於古代整理者在若干方面所特有的優勢，也就不可不給予適當的尊敬，謹慎考慮到其所下過的「決定」、所給予的「今讀」，也許並非那麼的「不肯定」。此種考慮

㉑　同前注，頁 52、55。

㉒　〔清〕嚴可均輯：《全漢文》，同注❼，頁 382－383。

出於情理所推，並非徒為了「好古」而尊之。

如此說來，傳世本之好處在於，其早已經歷過校勘者的「今讀」，早已加過隸定而按照漢代已規劃而成的文字系統以「正確」的偏旁寫定，而此其「今讀」雖未必全是正當無誤的，我們至少可較確切地知道漢人（或晉人等）對文本的理解如何，而此其理解很可能有比較豐厚的資料為依據的。然而至於戰國時人的竹書，因為是以未經規劃的文字而寫的，因而單憑一本則往往無法確定抄者對該書的理解如何，所以經過漢人整理的版本自然就成為我們讀起出土古本時所不可低估的參考依據——儘管此依據本身亦有種種不可忽視的不可靠之處。

然則傳世的今本與出土的古本皆有其值得我們尊重的地方，而正可以用來相互校讎，以便斷定其間的訛錯與正確的讀法如何。然而當我們遇到古今兩本有差異字時，是否有甚麼可靠的標準可用來判斷其之間的先後是非？針對此種問題，鮑則岳又提出一種極其有趣的論點：「當有兩個或兩個以上的可能性時，比較或最偏僻、最難懂的讀法最有可能是最原始的讀法」（以下此說簡稱之為「難懂讀法」之說）。這一借自西方文本學理論的原理儘管表面上似乎未合常識，然卻有其較難以否認的道理在，即：「難解的文字比較有可能被整理者換成一個比較容易懂的文字，反之則非常少見，甚至根本不存在。」❷❸其實此種「難換成簡」的過程亦即王念孫所謂

---

❷❸ 鮑則岳：〈古代文獻整理的若干基本原則〉，同注❷⓪，頁 53。前一句翻譯為「讀法」的英文詞為「variant」，其實也許該譯為「差異字」比較恰當。然在此仍沿原譯。

「因字之不習見而妄改」之類，祇是王氏並未將之說成一種牽涉到可能性問題的原理。毫無疑問，當我們校對文本時，這個原理確實值得謹慎考慮到，然同時也不可以一律根據此原理而行，因為它本身也有不少問題存在。

這些問題何在？最根本的，乃是假若將此原理的邏輯推到極點，豈不是說最晦澀難懂的文本才是最可靠的嗎？然而上面已論過，一般的校讎功夫的目標在於將底本中難以理解或根本不可通之處，以他本所提供的證據來找出合理的「致誤所由」的解釋以便加以糾正。當然此種錯誤偶而也是因為抄者之「不習見」而誤將意思給簡化了，然往往此「不習」之結果是適將意思弄得更難懂而已。然則鮑則岳彼「難懂讀法」的原理，與傳統校勘學的假定基本上可說是相背而馳的。前者也許在西方文本學中算是一種比較可靠的原理，然而古代中文跟西文有兩種很大的不同點使得這種原理遇到困難，也就是字形之多而容易混淆以及假借字之普遍運用兩點。鮑則岳固不是不瞭解中文的這兩個特徵，然其對「難懂讀法」的定義似乎還是不夠嚴謹的，尚有待於更清楚的交代。遇到假借字時，至少必須先說明最「原始」的差異字並不一定是最「正確」的。比如郭店〈緇衣〉中的「好美女好茲衣，亞亞女亞巷白」，比傳世《禮記》本固然難懂，而「原始」該是較原始沒錯。然而以後代的觀點來看，則反而並不如《禮記》本「正確」，因為需要通過「假借」的解釋方能讀通。不然，難道先秦儒家會勸我們「好美女」嗎？「亞女」指的是哪一種？所以必須依賴於我們對古文中通假習慣的理解以及傳世本所給予的信息才能尋出正確的讀法，知道「女」之

讀為「如」、「亞」之讀為「惡」等。❷又如郭店《老子》甲第十三簡曰：「道恆亡為也，侯王能守之，而萬物將自化」，而第十八到十九簡則曰：「道恆亡名……侯王如能獸之，萬物將自賓」（此外第二十四及第三十八兩簡亦借「獸」字以為「守」）。❷然則郭店《老子》中，「守」字時而如本字寫出，時則借野獸之「獸」以為之，其異同間毫無深義，並無規律可尋，皆由抄者隨心任意去挑選。以難度而論，「獸」字既難寫，又難成文義，然而「獸」字焉有因此而居為「原始讀法」之理？「守」字則商代金文即已有之，且顯明較符合《老子》此數章原始的詞意，而郭店簡屢借「獸」字為之，可見古人通假之任意性，並說不出個所以然。❷以上二例的讀法，想必鮑則岳亦不會有異言。然這種例子，與鮑則岳自己所認同為「難懂讀法」之例，不知有何種實質性的差異？如果有，則此差異在於何處，鮑則岳似乎尚可加以進一步的說明。

---

❷ 再舉一個英文例子來說明。假若有一個英文劇本有兩句寫著「She loves you. She wants to marry you.」（「她愛你。她想要跟你結婚。」），而後來出土了一個古本卻寫著「She loves ewe. She wants two merry ewe.」（「她愛母羊。她缺乏兩隻愉快的母羊。」），那我們雖然會認為後者較原始，而不太可能會說後者因為較難懂而正確，王念孫也絕不會說前者是經過抄者的「妄改」。祇是英文中比較不可能會發生這種狀況（儘管古英文中不同拼法也不少）。然而類似的情況，於先秦古本中則屢見不鮮。

❷ 前兩例分別相當於今本的第 37、32 兩章中文。甲本第 24 簡文是「至虛極也；獸中篤也」（第 16 章）；第 38 簡文則是「金玉盈室，莫能獸也」（第 9 章）。

❷ 這種假借的習慣可能也牽涉到裘錫圭所謂戰國時「同一個詞在不同的國家裡或用本字或用假借字，以及不同的國家裡使用不同假借字的現象。」見裘錫圭：《文字學概要》（北京：商務印書館，1998 年），頁 57。

　　至於字形之混淆，則如「天」之誤作「而」、「夫」之訛作「天」等，楚簡中此種訛錯比比皆是。㉗如此種差異，尚屬顯而易見之誤，而明明無法套上「難懂讀法」之理，因為其皆屬於所謂「非常少見」的易讀字反而變成難通字之例（其實凡是真正的「誤」改，往往便屬於此類，而鮑則氏所唱的「難改為易」者，則多屬王氏所謂「妄改」之類）。實際上，楚簡到處證實，此種狀況並沒那麼「少見」。然有時則情況並沒那麼清楚，以至於差異字之由來是否屬於形近而誤之類，或者其中孰正孰誤等都會成為問題。然而同樣地，亦不能因此而一律以「難懂讀法」之原理視為判斷其是非的一準圭臬。在此再舉一個較為複雜的例子來說明。

　　還是回到〈緇衣〉的首章。郭店〈緇衣〉首章的全文如下：

> 夫子曰：「好𡥩（美）女（如）好茲（緇）衣，亞（惡）
> 亞（惡）女（如）亞（惡）𠨠（巷）白（伯），則民𣱛
> （臧〔咸〕）𣶒（𠬝）而𠧟（刑）不屯。《寺（詩）》
> 員（云）：「𢤒（儀）𠧟（刑）文王，萬邦乍（作）
> 孚。」㉘

㉗　郭店及上博簡中此種錯寫或誤摹的字例實在不少；可參看裘錫圭：〈談談上博簡和郭店簡中的錯別字〉，收入廖名春編：《新出楚簡與儒學思想國際學術研討會論文集》（北京：清華大學思想文化研究所、臺灣：輔仁大學聯合主辦，2002 年 3 月），頁 13—25。

㉘　荊門市博物館編：《郭店楚墓竹簡》（北京：文物出版社，1998 年 5 月），頁 17、129。「𠬝」字右旁的隸定是按照裘錫圭按語。

《禮記》本〈緇衣〉（第二章）則作：

> 子曰：「好賢如〈緇衣〉，惡惡如〈巷伯〉，則爵不瀆而民
> 作愿，刑不試而民咸服。〈大雅〉曰：「儀刑文王，萬國作
> 孚。」❷⑨

兩本頗有出入，而有些字的釋讀會影響到如何理解全文的意義。李
學勤以及筆者本人都曾經寫過文章，認為傳世本在某些方面要比郭
店本佳❸⓪；而李零（1948－）、夏含夷（1952－）等人則多依據郭
店本，來判斷他們認定為今本之訛誤或甚至其妄改。上海博物館藏
楚簡本出來後，亦給我們一些新的信息與新問題要考慮，然為了敘
述的方便起見，茲將上海本移到後面再講，而先來分析郭店、《禮
記》兩本之間的異同。

　　郭店本之於今本主要的不同點有三：(1)「好賢」作「好美」，
且「茲（緇）衣」與「巷白（伯）」之前各多了一個「好」或「亞

---

❷⑨　〔清〕孫希旦撰，《禮記集解》，同注❷，頁 1322。

❸⓪　李學勤，〈論楚簡《緇衣》首句〉，收入廖名春編：《清華簡帛研究・第二
　　輯》（北京：清華大學思想文化研究所，2002 年 3 月），頁 20－22；Scott
　　Cook (顧史考), *"The Guodian Laozi: Proceedings of the International Conference,*
　　Dartmouth College, May 1998 書評," *China Review International* 9.2 (2002 年春
　　季)。以下的分析多已見於筆者彼文。筆者當時未得看到上博簡資料，李氏之
　　文則已提到上博簡〈緇衣〉篇與郭、《禮》二本間的異同。李氏該篇的結論
　　是：「出土的簡帛書籍固然是古本，但不一定甚麼地方都勝於今傳本。今傳
　　本每每是經過歷史上的學者整理校定，也會有許多優長。我們在研究中還是
　　要比勘各本，兼收並取，才能做到持平無誤」（頁 22），亦堪稱中肯之論。

（惡）」字；⑵缺乏「爵不瀆而民作愿」七個字；⑶「刑不試而民咸服」作「民□□而□不屯」。第一點，李學勤已提出一些理由，認為今本勝於出土本；而至於第二點，是今本所加還是古本所漏，也是一個極其值得探討的問題；然這兩點並非本文所要論述，今不贅述本人之見。先就第三點加以分析。按，□□二字，李零〈校讀記〉說：「疑上字是『咸』之誤，下字讀為『力』（是盡力、竭力的意思）」；上博本前字正作「咸」，亦可證郭店本之誤。❸如此說來，「民咸放」與《禮記》本的「民咸服」可說是大同小異，指的皆是人民服從於君主而為之效力的理想結果。然則關鍵在於如何解釋君上之「好美惡惡」的另一個結果，即所謂「□不屯」。一種辦法當然便是按照《禮記》本來作解釋。按，古文中「刑」、「型」、「□」三個字形本來即是完全可以互用的。連《禮記》本所引的「儀刑文王」之「刑」，雖然明當「模型」之「型」來解，然還是以「刑」字寫之。然而其「刑不試」之「刑」，如同其前一章「刑不煩矣」及後一章「齊之以刑」之「刑」一樣，顯明當「刑罰」之「刑」解，而《禮記》本「刑不試」乃為「刑罰不用」之義。然如果郭店本「□不屯」之「□」亦可當「刑罰」之「刑」解，則「屯」字如何處理呢？一種較合理的答案便是，因為楚文

---

❸ 李零：〈郭店楚簡校讀記〉，收入陳鼓應主編：《道家文化研究》（北京：生活・讀書・新知三聯書店，1999 年 8 月），頁 485。亦可參同書的增訂本（北京：北京大學出版社，2002 年 3 月），頁 65，補注二。周鳳五則將「放」字解釋為「以力服人」的專字；見周鳳五：〈郭店楚簡識字札記〉，收入《張以仁先生七秩壽慶論文集》（臺北：臺灣學生書局，1999 年 1月），頁 351。

「屯」作「 」，而「試」之音符「弋」作「 」，二字形體相近，而顯然有因形近而誤寫之可能。❷然則若將「屯」字視為「弋」字之訛，將「弋」讀為「試」，則郭、《禮》兩本實際上可說是基本無所不同。

然如此斷然了事之前，固然必須先考慮到其他的可能性。按李零的釋文，「 不屯」可直接隸定為「型不頓」，而於其校讀中，說此「 」「疑應讀為『型』」，因為他認為此字應當相應於下文所引《詩》文「儀型」之「型」才對；至於「頓」如何理解，則未加以說明。❸夏含夷對於「型」字之讀法給予相同的解釋，認為此章所推崇的風行草偃之理，與刑罰之用並無所涉，而對「屯」字及「頓」的讀法則加以進一步的闡發，認為「弋」是訛字、「屯」才是正字，而讀為「頓」之「屯」該解釋為「壞掉」或「粉碎」的意思；即是說如果君上所好所惡懇切而彰明，他的「模型」（模範）就不會瓦解。❹此種說法有其一定的理由，值得我們給予充分的考慮。然其亦有可以商榷之處，而以筆者之見，終不如「刑不試」說之有道理可講。其一是〈緇衣〉篇的作者，本來就是把君上之彰好彰惡、風行草偃的道理，與刑罰之可錯而不用，視作一體的兩面；這便是（郭店本）第十二章的「教之以德」與「齊之以刑」之分，

---

❷   周鳳五及李學勤亦皆認為「屯」是「弋」之訛，然周氏則將此「弋」讀為「忒」（「差也，過也」），不讀為「試」；見周鳳五：〈郭店楚簡識字札記〉，同前注，頁351。

❸   李零：〈郭店楚簡校讀記〉，同注❶，頁485。

❹   見 Edward L. Shaughnessy, *Rewriting Early Chinese Texts*, Albany: State University of New York Press, 2006.

以及第十三章的「教之不成」則「刑罰不足恥」的關係。所以「刑」之「不試」與「文王」之「儀型」相提並論實際上是很有道理的，因而讀此「**羊**」為「型」雖有其可能，但卻也沒有必要。至於「型不頓」之說，則問題在於模型儘管可以「壞」，而不一定就可以「頓」。「頓」雖然有時被訓為「壞」，但此種「壞」有其限定的意義，也就是因受到磨損而變得不銳利的意思（與「鈍」字通）。泛覽先秦古籍，所有形容為「不頓」的物體都是兵刃、屠刀等刀刃類的物件。如《孫子兵法·謀攻》云「兵不頓，而利可全」，《戰國策·趙策三》引趙王云「不鬥一卒，不頓一戟」，以及《左傳·襄公四年》之云「師徒不動，甲兵不頓」**❸❺**，皆是其例。因而，「型不壞」雖可通，而「型不頓」則似乎有點牽強，因為模型並不是銳利之物。

　　然而假如理解為「刑不試」呢？乍看先秦及西漢文獻，即可看出「不試」是一種比較普遍的詞語，經常與「不用」一語搭配，而通常指的是刑罰、兵器等霸道的工具。如《鹽鐵論·世務》載文學之形容王者至德之治時云「兵設而不試，干戈閉藏而不用」，或如《禮記·樂記》描述「樂達」之境云「兵革不試，五刑不用」，皆是如此。再者，這些例子如同〈緇衣〉一樣，是以刑罰（或兵戈）之不試用當作德教（禮教、樂教）的自然結果，其思路是完全一致的。此一點，《荀子·議兵》講得最清楚：「下之和上也如影響，有不由令者，然後俟之以刑。……是故刑罰省而威流，無它故焉，由其道故也。……傳曰：『威厲而不試，刑錯而不用』，此之謂

---

❸❺　此「甲」因連於「兵」方以「頓」蓋之，非謂鎧甲本身可「頓」。

也。」㊱此不但以刑罰之不試用視作德教的美好結果，而且所用的詞語與郭店儒書的習慣語相當接近：「下之和上也如影響」便是〈緇衣〉篇的基本論調，而「由其道」乃是郭店儒書中常見到的套語，指的即是以禮樂為中心的德教。㊲既然如此，則〈議兵〉篇所引用的「傳」語，與〈緇衣〉之旨並無二致，而如果說此「傳」指的乃是〈緇衣〉之類的傳統文獻，似乎也無所不可。然則「刑不試」的讀法，既是相當合理的，又有其他文獻可相對，則無非是一種極有說服力的解釋，而傳世本於此確實可說有其勝於出土本之處。

如此說來，「型不屯（頓）」無論如何要比「刑不試」難懂，那麼按照鮑則岳的原理，最「原始」的讀法該是「型不頓」才對。的確，鮑則岳不但贊同李零及夏含夷的說法，而甚至認為凡是不以此「𠂤」讀為「型」者，都是受到了傳世本的欺騙而犯了一種莫大的方法上之錯誤。㊳這應該可說是他喜新厭舊之心理作怪所致。

㊱　〈宥坐〉篇亦云：「是以『威厲而不試，刑錯而不用』，此之謂也。」上下
　　文與〈議兵〉篇亦相當類似。

㊲　請參拙著，〈從楚國竹簡論戰國「民道」思想〉，收入廖名春編：《新出楚
　　簡與儒學思想國際學術研討會論文集》，同注㉗，頁 187－200。

㊳　此話是按照其於 2001 年美國亞洲年會第十四會組「地下禮儀」
　　（"Underground_Ritual"）所發的討論人演講。〔本文寫完後，亦得讀鮑則氏
　　最近在德國所發表的一篇有關郭店〈緇衣〉的論文。彼文中，他將「屯」譯
　　為"blunted"，乃等於明認其為「變得不銳利」之義，然而還是認為此可用來
　　形容「模範」而大概為該文「原始」的讀法；祇是這次說得沒那麼絕對。見
　　William G. Boltz, "*Liijih* 'Tzy i' and the Guodian Manuscript Matches," 收入
　　Reinhard Emmerich、Hans Stumpfeldt 編：*Und folge nun dem, was mein Herz
　　begehrt: Festschrift für Ulrich Unger zum 70. Geburtstag* (Hamburg: Hamburger

李、夏二氏之解說固然有其合理之處，提出來當作可能的讀法給大家參考是應該的，但絕沒有理由說一定得如此讀方可。因為上面已提過，漢字之於西文的一個大不同點在於其字形容易混淆，所以將「弋」寫成「屯」這一類的錯誤本是常有的事，並不能說傳抄者將容易懂的文字「換成」難解的文字是件「非常少見」、「甚至根本不存在」的事。鮑則岳「難懂讀法」之說最根本的缺陷在於，他並未如王念孫將「誤」改與「妄改」加以區分，以至於沒有充分考慮到中文所獨有的一些「致誤之由」。

最後，我們考慮一下〈緇衣〉首章的另一種解釋。上博楚簡此章與郭店本是大同小異的；以剛討論的本句而言，「藏」作「咸」，「𢼎」作「𢽡」（亦從「力」），「𦱤」作「型」，而「屯」作「𠛬」（屯＋刀），與郭店此句相近。❸❾上博簡蓋出於與郭店簡相同或相近的地帶，因而兩本的傳承關係亦該是相當的緊密，假若有相似的訛錯則一點也不足怪。然問題是加「刀」字旁該不是件偶然之事，那麼上博本「屯」字又何以從「刀」呢？顯然，從「刀」之字該與模型之毀損毫無所涉，然同時又難以解釋「試」所從之「弋」如何既訛為「屯」而又會加「刀」字旁。然則是否尚可另找答案？我們前面的討論都是以「弋」、「屯」二形之相訛做

Sinologische Gesellschaft e.V., 2002 年 [Hamburger Sinologische Schriften 8])，頁 216、218。]

❸❾ 馬承源主編：《上海博物館藏戰國楚竹書（一）》（上海：上海古籍出版社，2001 年 1 月），頁 174－175。按李學勤的「揣測」，「𢽡」可能本是「服」字，而「因形近訛為楚文字的『𢼎』」，又被誤認為『旀』，轉寫為（聲音相近的）『𢽡』。」見其〈論楚簡《緇衣》首句〉，同注❸❿，頁 21。

為假設，到現在尚未充分探討「屯」字通假的各種可能，因而也未曾考慮到二字是否代表意義相近之詞。其實《郭店楚墓竹簡》的編者本來即是採用此種解釋，將「屯」讀為「蠢」而又將後者訓為「動」，那就與「試」之義不遠；然此通假本身雖沒有問題（「屯」就是「春」的音符），而讀法卻似乎有點勉強。後來劉信芳依照王逸注《離騷》之「屯余車」所云「屯，陳也」之說，認為「刑不屯」即「刑不陳」❹；而上博楚簡出來後，顏世鉉亦依此說而加以申論，說明「刑不屯」即指「不用刑之意」（或「不宣示法律之事」）。❹不知為何諸家未曾指出，「陳」（定母真部）與「屯」（定母文部）為雙聲旁轉字，則亦有通假的可能。因此，這種解釋可說是相當合理的，祇是並未說明此讀為「陳」的「屯」字如何可以從「刀」；豈是如「列」之從「刀」同理歟？此二種說法之外，也許尚可通過通假關係而找出另一種解釋，即是將「屯」（或加刀）字讀為「懲」。按，「屯」為定母文部，「懲」乃定母蒸部，即雙聲通轉字，雖韻部關係稍疏，然而仍在通假的範圍之內。「懲」之初文或從「刀」❹，正與懲罰之義相符，因而「屯」字若能借為「懲」，則加一個「刀」旁也是合理的。《周易·繫辭

---

❹ 劉信芳：〈郭店簡《緇衣》解詁〉，收入武漢大學中國文化研究院編：《郭店楚簡國際學術研討會論文集》（武漢：湖北人民出版社，2000 年 5 月），頁 166。涂宗流與劉祖信也給予相同的說明，釋「屯」為「屯列，猶陳列」；見其〈郭店楚簡《緇衣》通釋〉，收入同書，頁 182。

❹ 顏世鉉：〈上博楚竹書（一）、（二）讀記〉，《臺大中文學報》第 18 期（2003 年 6 月），頁 6—8。

❹ 見何琳儀：《戰國古文字典：戰國文字聲系》（北京：中華書局，1998 年 9 月），頁 140。

下傳》引孔子之謂小人曰「不見利不勸，不威不懲」，《禮記·表記》引子曰「以德報德，則民有所勸；以怨報怨，則民有所懲」，而《管子·內業》亦云「賞不足以勸善，刑不足以懲過」，則「懲」本可視作「勸」之反面，而此「懲」之管道便是刑罰。然則在此種推測之下，〈緇衣〉的「刑不懲」當然不是說刑罰是不足以懲戒的，而祇是說由於風行草偃的效果，所以刑罰就用不著了，根本即沒有懲戒的機會（同樣的句法，或見於上博簡〈容成氏〉之形容堯之治：「賞不勸而民力，不刑殺而無盜賊，甚緩而民服」；「賞不勸」與「刑不懲」句法相同）。**❸**這種說法當然祇是一種嘗試性的推測，但因為其剛好可與其他先秦文獻相對而提供一種較合乎情理的解釋，所以尚可算是值得錄以備一說。然而儘管如此，或終不如將「屯」字視為「弋」之訛之為合理易解。**❹**

　　以上的種種解釋有一個共同之處，亦即其皆以傳世本〈緇衣〉所給予的信息為出發點來尋求一種合情合理的讀法。這是因為若是不顧及此種啟示，不但將難以入手，而且等於是拋棄了一種值得尊重的珍貴參考依據。我們當然不可排除正確而原始的讀法在於今本之外的可能性，然在尚未於「今讀」之外找出合理而有說服力的解釋之前，絕不能事先放棄今本而專以晦澀難懂而新穎的解釋為務。

---

❸　〈容成氏〉簡 6；見馬承源主編：《上海博物館藏戰國楚竹書（二）》，同註**❿**，頁 254。釋為「賞」之字，下從「貝」而上部與其他「賞」字不似；然李零注文云：「據上文第四簡『不賞不罰』，疑是「賞」字之誤」，似可從。

❹　上博本「屯」字之有刀旁，可能是其既已訛為「屯」字而或被理解為「頓〔鈍〕」字之後才加的；缺乏更多證據，也難以判斷其「致誤之由」。

「茇不屯」之解固然尚無定論，然而無論如何，當我們當作現代的古籍整理者而遇到相類的問題時，必須先進行一番「心齋」的功夫，將「喜新」與「守舊」之心一概摒除，而以實事求是為要，方可望於將錯誤當作錯誤，而不反被錯誤所誤。

　　——本文發表於「經典與文化的形成」研究計畫第五次讀書月會（2004 年 2 月 28 日）。

古文字資料對
先秦古籍的補正舉例

魏慈德[*]

前　言

　　利用出土文字資料來整理古書的工作開始的相當早，從西漢景帝末年魯恭王劉餘壞孔子舊宅而發現戰國時的經書，包括《禮記》、《尚書》、《春秋》、《論語》、《孝經》（依《說文·序》）等數十篇古文抄本後，當時孔安國就曾以之與用隸書寫定的經書，即今日我們說的今文經校對，雖然其時孔安國家曾以之上獻於帝，但因遭逢巫蠱事件而未被列於學官，但這門學問後來也經由孔安國的後人及學生們傳了下來。❶四百多年後，西晉武帝太康元

---

*　魏慈德，東華大學中國語文學系助理教授。

❶　對於孔壁古文的字體當屬戰國何系文字，今有不同的看法，王國維早年在〈桐鄉徐氏印譜序〉中就提出魏石經及《說文》所出壁中古文為當時齊魯間書。近來李學勤則舉郭店簡的道作「衍」與《汗簡》所引古《尚書》一致，及魏石經《尚書·多士》逸字所從的「兔」作「𠘧」同於上博楚簡《性情論》，認為孔家壁藏竹簡書籍是用楚文字書寫的。〈論孔子壁中書的文字類

年，在今河南汲縣西南的戰國晚期魏墓中也出土了一批古書，包括
《紀年》、《師春》、《瑣記》及《易經》、《穆天子傳》等等，
武帝便命時任中書監的荀勖和中書令和嶠負責整理，除為之撰次
外，並以隸字注寫，「以為中經，列於秘書」。❷後來在惠帝永平
元年時秘書監摯虞又請時任秘書丞的古文大家衛恒重新考正竹書，
但因衛恒未迄而遭難，其友佐著作郎束晳便續成其事，此為第二次
的整理。❸當時簡上的字體今日已不復得見，但從當時的記載看來
似乎有籠統將之稱為「科斗文」及反對此名的兩派意見。❹到了宋

型〉，《中國古代文明研究》（上海：華東師範大學出版社，2005 年 4
月），頁 200。楊澤生則針對此種現象提出因郭店楚墓竹簡中有些並非「楚
簡」，非以楚國文字寫成，故會出現郭店簡和《說文》古文有相同字形的情
形出現。〈孔壁竹書的文字國別〉，《中國典籍與文化》2004 年第 1 期，頁
76。

❷ 荀勖、和嶠兩人素不合，《世說新語·方正篇》載「晉武帝時，荀勖為中書
監，和嶠為令。故事：監、令由來共車。嶠性雅正，常疾勖諂諛。後公車
來，嶠便登，正向前坐，不復容勖。勖方更覓車，然後得去。監、令各給
車，自此始。」（臺北：廣文書局，1987 年），頁 80。

❸ 汲冢周書的《穆天子傳》今人多有研究，對於當時可能的錯隸字也提出許多
看法，參見陳煒湛：〈《穆天子傳》疑難字句研究〉，《中山大學學報》
（社會科學版）1996 年第 3 期（1996 年 5 月），頁 77—81（復收入氏著：
《陳煒湛語言文字論集》，上海：上海古籍出版社，2005 年 10 月）及朱淵
清：〈《穆天子傳》的古本舊注〉，《出土簡帛文獻古代學術國際研討會論
文集》（臺北：政治大學，2005 年 12 月 2 日），頁 39—52。

❹ 「科斗文」之名段玉裁在《說文·序》「魯恭王壞孔子宅」下注以為「（壁
中書）晉人謂之科斗文。王隱曰（《晉書·束晳傳》）『太康元年，汲郡民
盜發魏安釐王冢，得竹書漆字科斗之文。科斗文者，周時古文也。其字頭粗
尾細，似科斗之蟲，故俗名之焉。』據此則科斗文乃晉人里語。」而《晉
書·衛恒傳》則說「漢武時魯恭王壞孔子宅得尚書、春秋、論語、孝經。時

代由於出土商周銅器較多，因此學者開始對青銅器進行有意識的搜集研究，如北宋的呂大臨就編有《考古圖》，該書除了著錄銘文外復加以考釋，因而至南宋時學者便能以青銅器上的文字對字書中的說法加以勘正，如鄭樵（1104－1160）在《通志·六書略》中就依其所見銅器銘文「止」皆像足趾之形，指出《說文·二篇上·止部》止字許慎（30－124）以為「下基也，象艸木出有阯」之說誤。❺清代中葉以來，由於傳統金石學的發達及考古學的興起，學者們大量利用出土文獻資料來校正古籍，如段玉裁（1735－1815）、王筠（1784－1854）均從所見銅器銘文對《說文》加以補充，❻清末的金石學家方濬益（？－1899）、陳介祺（1813－

人以不復知有古文，謂之科斗書。漢世秘藏希得見之。魏初傳古文者，出於邯鄲淳。恒祖敬侯（衛覬）寫淳尚書，後以示淳不別。至正始中立三字石經，轉失淳法，因科斗之名，遂效其形。太康元年，汲縣人發魏襄王冢，得策書十餘萬言。案敬侯所書，猶有髣髴」。說到汲冢書字體和衛覬所寫形近，而其筆法乃出於邯鄲淳，和用科斗文寫的三字石經字體風格不同。容庚曾懷疑「科斗」之名起於鄭玄〈書贊〉，並依王國維說以為魏三字石經中之古文，皆頭粗尾細若科斗也。容庚：〈金文篇序〉，《頌齋文稿》（臺北：中央研究院中國文哲研究所籌備處，1994年6月），頁9。

❺ 鄭樵指出的還有「立」像人立地上之形，非《說文》所言「從大立一之上」，「天」像人之仰首張足而奔之形，非《說文》言「從天止，天者屈也」。宋人已開始把青銅器上所見銘文分別開來編成字典，首先是見於呂大臨的《考古圖釋文》，其次見於王楚《鐘鼎篆韻》二卷、薛尚功《廣鐘鼎篆韻》七卷。後兩種書今已失傳，但薛書可從元代楊鉤《增廣鐘鼎篆韻》中窺見其貌。容庚：〈清代吉金書籍述評（下）〉，《學術研究》1962年3期（1962年3月），頁68－83。

❻ 段玉裁以金石文字來補正《說文》之處，可見斳（一下·艸部）字下注「古鐘鼎款識多為祈字」，引薛尚功《鐘鼎彝器款識法帖》為說。鉴（十四篇

1884）、吳大澂（1835－1902）、王懿榮（1845－1900）、孫詒讓
（1848－1908）等人也都憑藉著對青銅器銘文的熟悉，以之與傳世
文獻對照，因而勘定了古書中不少錯誤。❼直到王國維（1877－
1927）明確提出「二重證據法」，❽才把這種方法向前推進，也使
這種利用出土的文字資料來考證經史的研究漸漸落實成一門學問。

而王國維的〈殷卜辭中所見先公先王考〉〈續考〉便是二重證
據法原則下所寫出的最具代表性的作品。其以甲骨文中所載的殷人
世系和《史記·殷本紀》中的商先公先王名作比較，從而證明〈殷

上·金部）字下注曰「古金石文字作攸勒或作鋚勒。」王筠則見《說文釋
例》卷十一補正部分引積古齋、筠清館等書，卷十二「衍文」日字下，引積
古齋的頌壺等器為證。

❼ 方濬益、劉心源由青銅器銘文中「商」多讀為「賞」，指出《尚書·費誓》
「馬牛其風，臣妾逋逃，勿敢越逐，祗復之，我商賚爾」的「我商賚爾」當
釋為「我賞賚汝」，而《偽孔傳》作「我則商度汝功賜與汝」之說非。吳大
澂指出因為金文「文」字多從心，與「寧」字相似，因而在《尚書·大
誥》、〈君奭〉等篇中「文王」被誤為「寧王」。關於看出《尚書》中的
「寧王」當為文王之誤這點，裘錫圭認為王懿榮早在同治末年就跟陳介祺說
過類似的看法，見《陳簠齋尺牘》所收同治十三年十月十三日陳氏致潘祖蔭
札。參見氏著：〈吳大澂〉，《文史叢稿》（上海：上海遠東出版社，1996
年 10 月），頁 174。孫詒讓在《古籀拾遺》中指出金文中常將史官稱為「作
冊」，因此《尚書·洛誥》中的「王命作冊逸祝冊」，「作冊」乃逸的官
職，舊時不明「作冊」義，將「作冊」視為王所命令進行之事。參見李學
勤、裘錫圭：〈新學問大都由於新發現〉，《文學遺產》2000 年第 3 期，頁
4－17。

❽ 王國維除明確指出「二重證據法」外，在〈毛公鼎考釋序〉中又提出考釋文
字和通讀銘辭的「六項原則」。王國維：〈毛公鼎考釋序〉，《觀堂集
林》，《王觀堂先生全集（一）》（臺北：文華出版公司，1968 年），頁
275－277。

本紀〉所述商一代世系,「雖不免小有舛駁而大致不誤」,也進一步指出《史記》所據之《世本》全是實錄,進而推知《史記》所載〈夏本紀〉當也是可信的記載。

下面將舉幾個前人以出土文字資料來佐證古書的例子,所舉古書只針對先秦的儒家經典,如《書》、《詩》、《易》、《禮》而言。所舉證的出土文獻資料不及言近出的郭店和上博簡的材料,因考慮到這二批楚簡份量多且較為學者們熟悉之故。

一、尚書部分

以古文字資料大量的來和《尚書》內容作比較始於王國維,其《觀堂集林》卷一所收及卷二首二篇文章內容均試圖利用甲金文材料來通讀《尚書》。卷一所收包括〈生霸死霸考〉、〈高宗肜日說〉、〈與林浩卿博士論洛誥書〉、〈周書顧命考〉等,卷二首二篇則為〈與友人論詩書中成語書〉一、二兩篇。而王氏系統且全面對《尚書》內容考訂的看法,則見於吳其昌(1904-)的〈王觀堂先生尚書講授記〉和劉盼遂(1896-1966)的〈觀堂學書記〉,今兩文都收入《古史新證——王國維最後的講義》中。❾以下略舉幾個王氏以甲金文來輔證《尚書》的例子。

〈盤庚上〉的「恪勤天命」,當作「勞勤大命」,「勞勤大命」為古之成語,金文中屢見不尟,一見於單伯鐘,再見於毛公鼎。〈酒誥〉「越百姓里居」,「里君百生」為古之成語,史頌敦

---

❾ 王國維:《古史新證——王國維最後的講義》(北京:清華大學出版社,1994年12月),頁231-299。

有「里君百生」，故此「里居」當作「里君」，「百姓」當為「百生」。〈堯典〉「曰若稽古帝堯」，漢人以「曰若稽古」為句，馬融注「順考古道」，鄭康成（127－200）注為「稽古同天」，其實當以「曰若稽古帝堯」六字為句，「曰若」為語助詞，如小盂鼎云「霙若翌日乙亥」。〈酒誥〉言「我西土棐徂」，「棐徂」與「匪且」通，「且」有「往」義，如〈費誓〉「徂茲淮夷」即彔卣所言的「叡淮夷敢伐內國」。〈立政〉「以觀文王之耿光」，「觀」讀為「勤」，即毛公鼎「勞勤大命」。❿

　　王氏之後還有于省吾（1896－1984），其在《雙劍誃尚書新證》中也以甲金文材料大量的來和《尚書》作比對，如指出〈盤庚〉中的「由乃在位」乃「粵王位」之訛，語見毛公鼎、番生簋。〈西伯戡黎〉「大命不摯」的「摯」，乃「埶」之訛，番生簋「擾遠能埶」即「柔遠能邇」，埶、邇兩字同音得相通，因此「大命不摯」者，「大命不近」也，與《詩·雲漢》「大命近止」辭例近。又言「凡《尚書》勸多應作觀，〈君奭〉『割申勸寧王之德』，〈多方〉『不克終日，勸于帝之迪』，勸皆為觀之訛。」〈君奭〉

---

❿　分別見王國維：《古史新證》，同前註。頁 235、245、261、277、292。其中〈費誓〉的「徂茲」當即嘆詞「嗟嗞」、「嗟子」。而「勞勤大命」一語，李學勤認為當讀作「悠勤大命」。裘錫圭則以為此字為從凡（同）聲之字，當為訓「功」「勞」的「庸」之本字，舊釋為勞、拑、奉、爵皆不可信。參見氏著：〈甲骨文中的幾種樂器名稱〉，《古文字論集》（北京：中華書局，1992 年 8 月），頁 204。「悠勤大命」又見眉縣楊家村逑盤。〈眉縣楊家村新出青銅器研究〉，《文物》2003 年 6 期。董珊以為當釋作「恭」，可通「功」。見〈略論西周單氏家族窖藏青銅器銘文〉，《中國歷史文物》2003 年第 4 期。

「殷既墜厥命」的「墜」，盂鼎及魚鼎匕作「述」，述、墜古同聲。〈費誓〉「徂茲淮夷徐夷並興」的「徂」，小臣謎簋作「虘」，語詞，可證偽孔傳訓徂為往非是。❶

　　以下再舉幾個比較重要的例子。

㈠ 四方風名

　　甲骨文中的四方風名為胡厚宣（1911－1995）所發現。❷方名和風名的記載今日主要見於《甲骨文合集》14294 版大骨和 14295 版大龜上。兩處文字有些許差異，正確的方名與風名為「東方曰析，風曰協。南方曰因，風曰髟。西方曰彝，風曰夷。北方曰夗，風曰殳」。其所代表的意義為四季草木變化及四時農作之事。其也被保留在〈堯典〉中，如言分命羲和等四人宅四方時所說到的「厥民析，鳥獸孳尾」、「厥民因，鳥獸希革」、「厥民夷，鳥獸毛毨」、「厥民隩，鳥獸氄毛」。其中析、因、夷、隩即源於甲文四方名，而鳥獸四時變化之狀則從風名誤衍而來。

　　然〈堯典〉所保留的四方風內涵後人已不知，故《偽孔傳》就

---

❶　見于省吾：《雙劍誃群經新證》（上海：上海書店出版社，1994 年 4 月），頁 71、75、82、108、110、128。而〈君奭〉「割申勸寧王之德」一語，于氏將「害」讀為「曷」，「由」讀為「乃」，「勸」作「觀」，寧王作文王。後來郭店簡〈緇衣〉引〈君奭〉此文作「割紳觀文王德」，「割」通讀為「曷」，「申」有重義，與于說大同小異，可見于氏卓識。

❷　胡厚宣：〈甲骨文四方風名考〉，《責善半月刊》第 2 卷第 19 期（1941年）。及胡厚宣：〈釋殷代求年於四方和四方風的祭祀〉，《復旦學報》1956 年第 1 期。而陳直在《史記新證》（天津：天津人民出版社，1979 年 4月），頁 2，的「五帝本紀」部分早已引其說，而今人《尚書》譯注之書卻多不見引。

將載有厥民及鳥獸之語釋成「言其民老壯析」、「因謂老弱因就在田之丁壯，以助農也」、「夷，平也，老壯在田與夏平也」、「隩，室也，民改歲入此室處，以避風寒」。雖然誤解原義，以農民四時的舉措來解釋四方及四風名，但仍然保留了四季的特質，把中國古人空間和時間相結合的思想流傳下來。

(二) 中宗祖乙

卜辭有「中宗祖乙」者，王國維指出「此辭（《戩》第 3 葉，「中宗祖乙牛告」）稱祖乙為中宗，全與古來《尚書》家之說違異。惟《太平御覽》引《竹書紀年》曰『祖乙滕即位，是為中宗，居庇』。今由此斷片知《紀年》是而古今尚書家說非也。《史記·殷本紀》以大甲為大宗，大戊為中宗，武丁為高宗，此本諸《尚書》今文家之說，今徵之卜辭則大甲祖乙往往並祭而大戊不與焉。」[13]

歷來今古文家都以「大戊」說中宗，王國維根據甲骨文認為中宗當是「祖乙」。

(三) 高宗肜日說

王國維在〈高宗肜日說〉文中依殷卜辭所表現的肜祭特性，指出《大傳》以為〈高宗肜日〉乃武丁祭祀成湯之說不可信，當是祖庚祭於高宗之廟。

蓋彡祭為商人周祭卜辭的五種祭祀（翌、祭、煑、劦、彡）之一，如帝乙時的黃組卜辭有「癸亥王卜貞：旬亡畎。在四月，甲子

---

[13]　王國維：同註[9]，頁 32。卜辭中「中宗祖乙」之名多見，如《合》27239「其至中宗且乙祝」、《合》27242「中宗且乙告」等。

彡羌甲，王固曰大吉」（《合》35656），「丙申卜貞：王賓外丙
彡日亡尤，庚子卜貞：王賓大庚彡日，亡尤」（《合》35566）。
都是在與先王干支相同之日祭祀，且由後嗣商王祭祀。因此高宗肜
日當是其後君祭高宗武丁之祭，非武丁祭先祖之祭。

四 **其在祖甲，不義為惟王**

　　〈無逸〉周公告誡成王之語有「昔在殷王中宗，嚴恭寅畏天
命……其在高宗，時舊勞於外……其在祖甲，不義惟王……」，這
一段話今古文經本多異，今文家以「太宗」、「中宗」、「高宗」
為次，並以為即太甲、太戊、武丁三人；古文家以「中宗」、「高
宗」、「祖甲」為次，並以為即太戊、武丁、祖甲三人。而《偽孔
傳》及王肅調合兩家之說，將古文家的「祖甲」解為湯孫太甲。

　　對於今古文經字的不同，段玉裁（1735－1815）曾在《今古文
尚書撰異》說到「據此，則今文尚書祖甲二字作太宗二字，其文之
次當云，昔在殷王太宗，其在中宗，其在高宗，不則今文家末由倒
易其次弟也，今本史記同古文尚書者，蓋或淺人用古文尚書改
之。」認為今古文經所說的殷三宗當是相同的三人，不當分作四
人。

　　今由卜辭知商王祭祀時，將父輩先王為稱作「父某」，而將祖
輩以上先王皆稱作「祖某」。如武丁父小乙，武丁卜辭中稱為「父
乙」，而在武丁之子祖甲時，則稱為「祖乙」。其後為了區別廟號
相同的先祖，才又有大中小及上下的區別。因此「太甲」在當時也
可稱為「祖甲」。而且在〈君奭〉中周公舉殷四賢王以告君奭，其
中包括成湯、太甲、大戊、武丁。太甲、大戊、武丁即〈殷本紀〉
所說的太宗、中宗、高宗。而中宗已如上述當為祖乙，故太甲、祖

乙、武丁為周人所盛讚之三宗。兩處對照之下，〈無逸〉中的殷三王也當是此三人，故祖甲以湯孫太甲為是。❹

㈤ 卜辭用語可和《尚書》互證者

1.「無害」。

卜辭中有一從止從它的「叀」字，商王經常卜問是否「有叀」、「亡叀」或「某人叀」，早期把這個字釋作「它」，但「它」作動詞之例未見於古書，後來裘錫圭（1935－）先生改釋作「害」，其除了可在睡虎地秦簡中找到字形的根據外，在《尚書》中也可看到相同用語，如〈金縢〉記周公卜得吉兆後，「啟籥見書，乃并是吉。公曰『體，王其罔害』」，「罔害」即「亡害」。又《詩・邶風・泉水》和〈二子乘舟〉中同樣出現的「不瑕有害」可以為證。❺

2.「不惠」與「惟」。

卜辭中多以「不惟」與「惠」或「惟」與「不惠」對言，如「王固曰：叀，佳庚。不佳庚，叀丙」（《合》5775）。「惠」在卜辭中作虛詞，其也可在《尚書》中找到例證，如〈君奭〉中有一段話，「公曰：君予不惠若茲多誥，予惟用閔於天越民」，《偽孔傳》解為「我不順若此多誥而已，欲使汝念躬行之閔勉也。我惟用勉於天道加於民」。把「惠」釋為「順」，「我不順若此」文意難

---

❹ 蔡哲茂：〈論《尚書・無逸》「其在祖甲，不義惟王」〉，《甲骨文發現一百周年學術研討會論文集》（臺北：中央研究院史語所，1998 年 5 月），頁 91。

❺ 裘錫圭：〈釋害〉，《古文字論集》（北京：中華書局，1992 年），頁 11－16。

通，但若將「惠」視為虛詞則句義渙然冰釋。**⓰**

3.**異與翼**。

〈大誥〉「若考作室，既底法，厥子乃弗肯堂，矧肯構。厥父菑，厥子乃弗肯播，矧肯獲。厥考翼其肯曰：『予有後，弗棄基』」。「翼」字在此要作虛詞解。翼從異聲，而甲骨文中正有以「異」為虛詞者，如「丁丑卜，翌日戊王異其田，弗悔，亡災，不雨」（《屯南》256）、「甲子卜，狄貞：王異其田，亡災」「甲子卜，狄貞：王勿巳田」（《合》30757）。**⓱**

其次，卜辭中有「王若曰」語。如《合》32156 有「王若曰羌女☒」，《合》10145「癸巳卜，爭貞：曰若茲妻隹年☒」。董作賓先生在〈王若曰考古義〉中曾引前一版甲骨，以為「姜女」可讀為「羌汝」，辭即「王如此說，羌你……」。「王若曰」之詞多見於《尚書》中，故推測當時即出現了誥這種文體。**⓲**此外，卜辭中有「有秋」、「告秋」，如「其告秋上甲二牛」（《合》28206），

⓰ 裘錫圭：〈閱讀古籍要重視考古資料〉，《北大學者談讀書》（北京：北京圖書館出版社，2002 年 1 月），頁 211–219。卜辭中以正面用「惠」反面用「勿惟」為常，又近用「惠」遠用「于」。

⓱ 裘錫圭：〈卜辭「異」字和詩、書裏的「式」字〉，同註**⓯**，頁 122–140。

⓲ 甲骨文中的「王若曰」為董作賓在對《甲》2504 片的釋文始揭出此辭，論定其產生在文武丁時代。其又在〈毛公鼎考古年注釋〉中謂周人用「王若曰」即承自商代，並撰〈王若曰古義〉發表在《說文》月刊第四卷，以王若曰為書面體用語。陳夢家：〈西周銅器斷代（三）〉，《考古》1956 年 1 期（1956 年），頁 110–114，「九、周書中的王若曰」，後收入《尚書通論》（北京：中華書局，1985 年），頁 164–170，「王若曰考」及于省吾：〈王若曰釋義〉，《中國語文》1966 年 2 期（1966 年），頁 147–149 轉 136，都有提及。

亦見〈盤庚上〉「若農服田力穡乃亦有秋」，《逸周書·大開武》「告歲之有秋，今余不獲，其落若何」。有「作大邑」語，如「貞：作大邑於唐土」（《英》1105），亦見〈召誥〉「旦曰：其作大邑，其自時配皇天」、〈多士〉「今朕作大邑于茲洛」。

㈥ **青銅器銘文可和《尚書》互證者**

王國維在〈與友人論詩書中成語書二〉中曾以〈金縢〉「敷佑四方」和盂鼎「匍有四方」比對，而得「佑」為「有」之假借；以〈多方〉「越惟有胥伯小大多正」和毛公鼎「藝小大楚賦」比對，知〈多方〉中的「胥伯」即是毛公鼎的「楚賦」，而「小大多正」則指布縷粟米力役諸征。除此之外，金文可和《尚書》比對的地方還有：

1.矧。

《尚書》中有一個被《偽孔傳》解釋為「況」的虛詞「矧」，見於〈盤庚上〉「今不承于古，罔知天之斷命，矧曰其克從先王之烈」、〈大誥〉「若考作室既底法，厥子乃弗肯堂，矧肯構」、〈康誥〉「元惡大憝，矧為不孝不友」、〈大誥〉「今天其相民，矧亦惟卜用」等處。然以「況」讀之，則後二句難通。因此王引之在《經傳釋詞》中指出「矧」除可訓「況」外，猶「亦」也，如〈康誥〉「元惡大憝，矧惟不孝不友」、〈君奭〉「小臣屏侯甸，矧咸奔走」；猶「又」也，如〈大誥〉「今天其相民，矧亦惟卜用」、〈酒誥〉「矧大史友，內史友，越獻臣百宗工，矧惟爾事」。❶認

❶ 〔清〕王引之、孫經世：《經傳釋詞/補/再補》「所、矧」（臺北：漢京文化事業公司，1983年4月），卷9，頁211。

為「矧」有時可讀為況，有時則要讀成「亦」、「又」。

這種釋作「況」或「亦」的「矧」字，也見於金文中，而寫作「引」。如毛公鼎有「引唯乃知余非，墉又聞」、「無唯正聞，引其唯王智」，毛公旅鼎有「其用友，亦引唯考（孝）」。依王引之的說法則「引唯乃知余非」即「亦惟乃知余非」，「無唯正聞，引其唯王智」，即「連（正長）都不知道，何況是王呢（怎會知道）」。而毛公旅鼎的「亦引為考」則是「亦又為孝」，正確無礙。

又〈大誥〉「洪惟我幼沖人」、〈多方〉「洪惟天之命」，于省吾以為「洪」字在金文中皆作「弘」，裘錫圭先生則進一步認為「弘」是「引」的錯釋，故原文當是「引（矧）惟我幼沖人」、「引（矧）惟圖天之命」之誤。即「引」被誤為「弘」，進而被錯寫成「洪」。⓴

2. 由金文中嚴、恭、寅、畏的意思來對〈無逸〉「昔在殷王中宗嚴恭寅畏天命自度治民祗懼不敢荒寧」作斷句。

上引〈無逸〉這段話歷來有不少斷法，或斷作「昔在殷王中宗，嚴恭寅畏，天命自度，治民祗懼，不敢荒寧」，或作「昔在殷王中宗，嚴恭！寅畏天命。自度治民。祗懼，不敢荒寧」、「昔在殷王中宗，嚴恭寅，畏天命，自度。治民祗懼，不敢荒寧」。而從青銅器銘文中可知「嚴」「恭」「寅」「畏」四字都可作「敬」義

⓴ 裘錫圭：〈說金文「引」字的虛詞用法〉，同註⓯，頁 359－363。《尚書》中的「洪」在金文中皆作「弘」，此點于省吾已指出，見《雙劍誃尚書新證》（臺北：藝文印書館，1951 年），頁80。

解，如楚王戈「楚王熊章嚴恭寅作萃戈」、陳肪簋「恭寅鬼神」、秦公鐘「嚴恭天命」，說明此句應斷為「昔在殷王中宗，嚴恭寅畏天命，自度治民，祗懼不敢荒寧」。**㉑**

　　有學者曾利用《尚書》篇章內容用語來推定其寫定時代，如郭沫若（1892－1978）見〈堯典〉中有「百姓如喪考妣三載」語，參之金文皆以「祖」配「妣」，「考」配「母」，未見有以「考」「妣」相配之例，而提出「考妣」相配是戰國以後的事，進而論斷〈堯典〉寫定的時代在戰國以後。

　　其次，金文中的成語見於《尚書》中的還有「得純」、「畝天疾畏」、「龏事厥辟」等等。

　　金文有「得屯」，見於師望鼎「得屯無敃，錫釐無疆」及虢旅鐘「御于厥辟，得屯亡敃」。《尚書》中亦多見「得純」，不過將「屯」作「純」，如〈多方〉「惟天不畀純，乃惟以爾多方之義民，不克永于多享」、〈文侯之命〉「殄資澤于下民，侵戎我國家純」。金文有「畝天疾畏」見於毛公鼎，師詢簋則作「昊天疾威」，其又見《逸周書・祭公》，作「昊天疾威」及《詩・節南山之什・雨無正》作「昊天疾威」。毛公鼎又有「用克龏紹成康之業」語，史墻盤作「龏事厥辟」。〈祭公〉則作「用克龏紹成康之業，以將大命」。李學勤先生曾據此三個文例將〈文侯之命〉的「用會紹乃辟」，改作「用龏紹乃辟」，並以為「會」字係「龏」字之誤，可稱絕識。但 2003 年陝西眉縣出土的逨盤上見有「會召

㉑　唐鈺明：〈據金文解讀《尚書》二例〉，《中山大學學報》（哲學社會科學版）1987 年第 1 期（1987 年），頁 139－142。

康王，方懷不廷」語，因此是否宜將「會紹」改成「龕紹」或許還有疑慮。㉒

二、詩經部分

除了上海簡的《孔子詩論》外，與《詩經》文本有關的出土文獻還有 1977 年安徽阜陽發現的西漢汝陰侯夏侯竈墓中的《詩經》殘簡。

阜陽漢簡《詩經》非屬於齊、魯、韓、毛四家中任一家，今僅存〈國風〉、〈大雅〉兩部分，其價值主要在於《詩經》異文的比對。胡平生先生曾指出阜詩詩句中使用的虛詞每每比《毛詩》少，㉓故可推測《毛詩》系統在當時應該是一個比較適合吟詠的本子。而阜詩所用的虛詞也往往與《毛詩》異，如阜詩中的虛詞主要有「掎」、「矣」、「也」，然其和《毛詩》的「兮」、「矣」、「也」並非對等。如《毛詩》用「兮」處，阜詩多半用「掎」，也見用「也」（S015「□實七也」為〈摽有梅〉「其實七兮」）。但阜詩作「掎」處卻也見《毛詩》為「矣」者（S057「□之東掎」為〈桑中〉「沬之東矣」），然阜詩本身即有「矣」（S071「□之洛矣」為〈氓〉「桑之洛矣」），這種現象似乎說明在漢初時《詩經》中語助虛詞尚未完全固定下來。而上博簡〈孔子詩論〉第 22 簡「〈鳲鳩〉曰『其儀一兮，心如結也』，吾信之。」亦即

㉒　李學勤：〈論史牆盤及其意義〉，《新出青銅器研究》（北京：文物出版社，1990 年 6 月），頁 81。蔡哲茂先生以為「會紹」不宜改為「龕紹」。

㉓　胡平生、韓自強：《阜陽漢簡詩經研究》（上海：上海古籍出版社，1988 年 5 月），頁 26。

今本〈鳲鳩〉首章五六兩句的「其儀一兮，心如結兮」。今本「心如結兮」簡本作「也」。這種以「也」為「兮」的例子正見阜詩中。

以下略舉甲金文中可和《詩經》互證的辭例。

㈠ 卜辭用語可和《詩經》互明者

1.引。

甲骨文中常見一兆語作「ㄓ吉」，早期釋作「弘吉」，後來于豪亮（1917－1982）發現睡虎地秦簡和馬王堆帛書中的「引」字與此形同，而改釋為「引吉」。「引吉」亦見《周易》，如〈萃·六二〉爻辭有「引吉，無咎，孚乃利用禴」。卜辭中有「丁丑貞：其替御自蕈。丁丑貞：其ㄓ御」語（《合》32892），❷❹「ㄓ」字與上述「引」字同形。此二辭對貞，知內容相對，而《小雅·楚茨》正見「子子孫孫勿替引之」語，《毛傳》「替，廢也；引，長也」，《鄭箋》「願子孫勿廢而常行之」。知詩中「替」、「引」意思相對，也間接證明卜辭中的「ㄓ」就是和「替」相對的「引」字。❷❺

2.萬。

---

❷❹ 「替」字為張政烺所釋出，見〈中山王響壺及鼎銘考釋〉，《古文字研究》（北京：中華書局，1979年8月），第一輯，頁208－232。

❷❺ 于豪亮：〈說引字〉，《于豪亮學術文存》（北京：中華書局，1985年1月），頁74－76。《易·萃》六二爻辭中有「引吉」之語，高亨在《周易古經今注》，中根據甲骨卜辭常見的所謂「弘吉」，說《周易》的「引吉」是「弘吉」之誤。今證明「弘吉」其實是「引吉」的誤釋，《周易》並無錯。裘錫圭〈中國古典學重建中應該注意的問題〉（日本東京：文明與古典會議論文），2000年3月。

甲骨文中常見令「萬」舞者。如「王其呼萬舞☒」（《合》31032）、「惟萬舞，盂田，有雨」（《合》28180）、「萬惟美奏，有正。惟庸奏，有正」（合 31022），前二辭問命萬人跳舞祈雨之事，後一辭則問要萬人奏美或奏鏞，何者較好。花東卜辭亦見「丁丑卜：在絭。子其更舞戉，若。不用」「子弜更舞戉于之，若。用。多萬又災引𣎆。」（《花東》206），亦卜萬舞，知商時「萬」是善於樂舞的一類人。而〈簡兮〉中有「公庭萬舞」、《魯頌·閟宮》「萬舞洋洋」、《商頌·那》「萬舞有奕」，這些「萬舞」當與卜辭中的萬人有關。

3. 暴虎。

《小雅·小旻》有「不敢暴虎，不敢憑河」，《毛傳》曰「徒涉曰馮河，徒博曰暴虎」。而《周禮》中通常把這個「暴」字寫作「虣」。甲骨文中有「壬辰卜，爭貞：其🦴獲，九月。壬辰卜，爭貞：其🦴弗其獲」語（《合》5516）。「🦴」字作以戈頭對準虎頭之形，即《周禮》「虣」的本字，也即〈小旻〉「暴虎」之「暴」，因知「暴虎」乃以戈搏虎之義，非如毛傳說的「徒手搏虎」。❷⑥

(二) 青銅器銘文和《詩經》可互證者

王國維作〈與友人論詩書中成語書二〉大量利用金文和《詩經》中的成語互證後，❷⑦其學生徐中舒（1898－1991）繼之而作

---

❷⑥ 裘錫圭：〈說玄衣朱襮袊──兼釋甲骨文中「虣」字〉，同註❶⑤，頁351。

❷⑦ 王國維以金文和詩書中成語作比較者，散見於其著作各篇內，如在〈克鼎銘考釋〉中就指出克鼎的「擾遠能埶」即《大雅·民勞》、〈顧命〉和〈文侯之命〉中的「柔遠能邇」，其又見於番生敦。毛公鼎的「舍命」即《鄭風》

〈金文嘏辭釋例〉，也嘗試用《詩經》裏所見成語來和金文的嘏辭作對照，所論者有無惠鼎、兮甲盤中的「眉壽」即〈七月〉「以介眉壽」、〈南山有臺〉「遐不眉壽」的「眉壽」。❷❸宗周鐘「參壽唯琍」及者減鐘「若召公壽，若參壽」的「參壽」即是《魯頌·閟宮》的「三壽作朋」。師虘父鼎「黃耇吉康」、曾伯桼簠「叚不黃耇」所言「黃耇」又見〈南山有臺〉「遐不黃耇」和〈行葦〉「以祈黃耇」。齊夷鎛「其萬福屯魯」、秦公鐘「以受屯魯多釐，眉壽無疆」中的「屯魯」在《詩經》中又作「純嘏」，❷❾見於《小雅·賓之初筵》「錫爾純嘏」和《大雅·卷阿》「純嘏爾常矣」。而宗周鐘「有成亡兢」、毛伯簋「亡兢厥烈」可和〈烈文〉「無競維人」作比。史伯碩父鼎「縮綽永命」、蔡婼簋「旂丏眉壽綽縮」即是〈淇澳〉的「寬兮綽兮」。其次，于省吾的《澤螺居詩經新證》則是繼王氏之後，大量全面以青銅器銘文來和古書作印證的力作，

中的「舍命不渝」，又見克鼎（〈毛公鼎銘考釋〉），兩文均收於《古史新證》（同註❾）中。

❷❸ 徐中舒還以銅器銘文的「用丏眉壽」和《詩經·七月》的「以介眉壽」作比較，提出介、丏古同音字，同為見母祭部字，故得相通。「以介眉壽」、「以介景福」之介，毛傳訓助，鄭箋云大，義皆難通，以金文丏釋之，則怡然理順矣。〈金文嘏辭釋例〉，《中央研究院歷史語言研究所集刊》6 本 1 分（1936 年 3 月），頁 1—44。又「眉」字在金文中常假「釁」字為之，其即「沫」的初文。

❷❾ 方濬益在《綴遺齋彝器考釋》卷一「克編鐘」下曾舉出「純嘏」彝器銘文作「屯魯」，則以嘏魯聲近相通也。若《左傳》楚之陽丏，字子瑕，晉之士丏，字作瑕，其皆有取義於此。蔡哲茂〈方濬益的金文研究和成就〉，《第一屆國際清代學術研討會論文集》（高雄：中山大學，1993 年 11 月），頁 693—714。

可以參見。

　　西周青銅器中引成語較多者如史牆盤、毛公鼎、師詢簋，及近出的逨盤、逨鼎等，東周時則以中山三器等引詩書較多。❸而有時金文中的難解字可透過和《詩經》比對而得解，進而釋讀出另一個金文語辭。如史惠鼎有「日遣月匤」之語，透過和《詩經》比對，知其是《周頌·閔予小子之什·敬之》的「日就月將」。而銘文的就字作「遣」形，若和《說文》「就」比對（五篇下·京部），知「就」的籀文為「遣」之誤。而金文中另一常見成語「紳遣乃命」（大克鼎、師兌簋），可知當正確讀為「紳就乃命」。

　　此外，出土的石刻文字也可以用來和《詩經》的用語作對照。如石鼓文中有以「員」為語助詞的現象，見〈車攻〉「君子員邁，員邁員遊」。這個「員」在《詩經》中作「員」、「云」、「爰」或「言」，如《鄭風·出其東門》「縞衣綦巾，聊樂我員」、〈邶風·簡兮〉「云誰之思，西方美人」、《小雅·斯干》「爰居爰處，爰笑爰語」。員為匣母文韻，云為匣紐文韻，爰、言為匣紐元

---

❸　中山王𧬎壺引「夙夜篚解」、「於摩攸才」、「不敢怠荒」、「不貳其心」，鼎銘引「克順克卑」、及《大戴禮·武王踐阼》「與其溺於人也，寧溺於淵」。圓壺有「大啟邦宇」、「隹邦之幹」、「其會如林」、「四馬汸汸」、「霖霖流涕」等。而對於這種現象張政烺曾說「古人文章互相抄襲，故章學誠有『言公』之說。周代銅器銘文中常抄說雷同，蓋皆例行公事，遂不免『年年依樣畫葫蘆』，而對文義不明，時出錯字，竟亦不辨。早年讀石鼓文，覺其有亂套《詩經》之處，讀詛楚文疑其摹仿呂相絕秦之文，秦國當然有檔可查，其抄襲恐怕也不止一次。蚉壺模仿《詩經》字句特多，生吞活剝，文義不貫。」張政烺：《中山國胤嗣𡘫蚉壺釋文》，《古文字研究》（北京：中華書局，1979 年 8 月），第一輯，頁 246。

韻，四者可通。

最後舉一個以金文和簡文配合來訂正《詩經》用字的一個例子。

《大雅·韓奕》說到周王賜給韓侯的器物中有「鞗革金厄」一項，「鞗革」為「轡首銅也」，「金厄」則見於西周的彔伯 簋蓋，毛公鼎作「右厄」，番生簋蓋作「右厄」，厄字作「𠂤」形。王國維在〈毛公鼎銘考釋〉中曾說「吳閣學吳中丞釋為厄字，上象衡，下象厄。《毛詩·大雅傳》『厄，烏喙也』，《釋名》『鳥喙向下叉馬頸』。〈既夕禮〉『楔狀如軶上兩末』，是厄有兩末以叉馬頸。「𠂤」字正象之，後訛作厄。失其形而存其音，小篆又添車作軶，遂為形聲字矣」。❸

後來望山二號墓所出遺簡所記車馬器中也有「衡厄」一語（簡6），其厄作「𠚕」和金文「𠂤」字形近，皆像叉馬頸之物，知其為一字。❸然厄字本像人跪踞而左上有一畫形（《說文》小篆作「𠂤」，「從卩厂聲」），❸與此二字字形不類。比較之下知「軶」之「乙」為金文「𠂤」下部訛變，戶則由上半變化而來。「軶」正是「厄」的後起本字，王國維說「軶」為「厄」之訛字，

---

❸　〈毛公鼎銘考釋〉，同註❾，頁143。

❸　湖北省文物考古研究所、北京大學中國語言文學系：《望山楚簡》（北京：中華書局，1995年6月），頁117。

❸　裘錫圭以為甲文中的厄字作人跪踞形而左上一短畫。見〈釋「厄」〉，《紀念殷墟甲骨文發現一百周年國際學術研討會論文集》（北京：社會科學文獻出版社，2003年3月），頁125−133。其也指出前人多謂「厂」非「厄」字聲旁，「厄」可能本是一個表意字，但字形所要表示的意思已難以確知。

非是。戹、厄古音可通，厄當是假借字。故〈韓奕〉「鞗革金厄」
當作「鞗革金戹」才是。

三、易經部分

關於《易經》和出土文物文字可以互證的地方，早期屈萬里
（1907－1979）曾以卦畫上下的順序和甲骨刻辭的順序一致，及易
卦爻位的陽奇陰偶和甲骨刻辭的相間為文有關推論易卦源於龜
卜。❸而後來由於證明了甲骨青銅器上的某些特殊符號為易數字
卦，更經將《易經》的年代大大提前。此外，出土簡帛和易有關者，
有馬王堆漢墓的帛書《周易》和江陵王家台秦墓所出《歸藏》，及
近出的《上博簡三·周易》、《新蔡葛陵楚簡》，這些簡上都已出
現卦畫，用兩種不同的符號來表示陰陽，是數字卦的進一步發展。

《歸藏》一書已佚，今天僅能從類書或輯佚書中見其卦辭佚
文，而經過比對證明王家台易簡為三易中的「歸藏」。李家浩先生
指出秦簡《歸藏》可能是戰國晚期秦人的抄本，而傳本《歸藏》從
當中的避諱可看出是出自漢代的抄本。王家台《歸藏》簡出土的最
大價值在於證明《歸藏》並非偽書。❸

---

❸ 屈萬里：〈易卦源於龜卜考〉，《書傭論學集》（臺北：臺灣開明書店，
1969 年 3 月），頁 48－69。

❸ 李家浩指出傳世本《歸藏》的避諱有，將邦、姮、啟作國、常、開。其又言
馬王堆帛書《周易》出土後，于豪亮發現有兩個卦名與傳本《歸藏》卦名有
關，一是咸卦，帛書《周易》和《歸藏》都作欽卦；一是臨卦，帛書作林，
歸藏作林禍。〈王家台秦簡「易占」為《歸藏》考〉，《傳統文化與現代
化》1997 年第 1 期（1997 年），頁 46－52。

甲骨或青銅器上的數字符號為八卦符號，為張政烺（1912–）所釋出。甲骨上的數字卦可見《合》29074，上有「六七七六」四個數字，《屯南》4352 有「八七六五」四個卦數。❸而鳳雛周原甲骨的數字卦則見 H11:7「八七八七八五」、H11:81「七六六七六六」、H11:85「七六六七一八」和 H11:177「七六六六七六」。還有一些殘卦如 H11:90「□□□六六七」、H11:91「六六七七五□」。

以上數字卦中僅鳳雛甲骨 H11:85 在卦後有字作「曰其□既魚」（依曹瑋釋），❸這些文字當是卦辭，這也是目前僅見最早的卦辭。「七六六七一八」為蠱卦，今〈蠱〉的卦辭為「元亨。利涉大川，先甲三日，後甲三日」和甲骨上所載完全不同，可見當時易卦發展中的多樣性。

其次，殷商甲骨四爻卦所代表的意義，張政烺曾以漢人的互體來作解釋。而青銅器上的數字卦則見於史游父鼎，有「七五八」三個卦號、董伯鼎「八五一」、效父簋「五八六」和中方鼎有「七八

---

❸ 張政烺：〈殷虛甲骨文中所見的一種筮卦〉，《文史》第 24 輯（1985 年）及〈試釋周初青銅器銘文中的易卦〉，頁 1–8，《考古學報》1980 年第 4 期（1980 年），頁 403–415。

❸ 「曰其□既魚」，徐錫臺《周原甲骨文綜述》作「曰其□□既魚」，陳全方《西周甲文注》作「曰其亢既魚」。李學勤曾根據兩家摹本作「曰其矢□魚」，並以「矢魚」為《左傳·隱公十五年》「公矢魚於棠」的「矢魚」，即「陳魚而觀之」義。《周易經傳溯源》（吉林：長春出版社，1992 年 8月），頁 136。然若由 H11:2 及 H11:3 的「至」字來看，此字並非「矢」，而像「交」字。「既魚」與 H11:48「□魚既吉茲用」辭例相近，「魚」當讀為「魯」，表嘉、善之義。所以「既魚」也有「元亨」之義。

六六六」及「八七六六六六」二組卦號。❸

〈既濟‧九三〉爻辭有「高宗伐鬼方，三年克之，小人勿用」，〈未濟‧九四〉爻辭也有「貞吉悔亡，震用伐鬼方，三年有賞于大國」。這個「鬼方」曾見載於甲骨文中，李學勤就指出即甲骨卜辭中的「鬼方昜」（《合》8591、《合》8592）即鬼方首領之名。❹周原鳳雛甲骨也見「周方伯」之名（如 H11:82「典冊周方白」），其即史書上的「周文王」。

又卜辭中常見卜問「亡尤」語，「尤」字作手上一短橫，丁山以為「象手欲上伸而礙於一」形，「無尤」屢見於《易經》中，如〈賁‧六四〉〈象〉曰「六四，當位疑也，匪冠婚媾，終無尤也」，〈剝‧六五〉〈象〉曰「以宮人寵，終無亡尤也」，兩者可以互明。❹

而帛書《周易》的出土證明了當時存在一些與後來十翼內容不相同的地域學術易學教材，且最值得注意的則是其上六十四卦的卦序和四象八卦卦氣說。而《要》篇末二章〈夫子老而好易〉與〈孔子繇易〉章記載孔子于《易》居則在席，行則在囊，每至〈損〉、〈益〉未嘗不廢書而嘆。除可證孔子晚年好《易》的事實外，由

❸　史游父鼎《集成》2373；董伯鼎《集成》2156；效父簋《集成》3822；中方鼎《集成》2785。劉雨：〈殷周青銅器上的特殊銘刻〉，《故宮博物院院刊》1999 年第 4 期（1999 年），頁 13－18。

❹　李學勤：《甲骨百年話滄桑》（上海：上海科技教育出版社，2000 年 8月），頁 36。

❹　丁山：〈殷契亡尤說〉，《史語所集刊》第一本第一分（1928 年 10 月），頁 25－28。

〈損〉〈益〉的次序，也可見孔子所讀《周易》順序。且其中子貢和孔子的對話內容還可和上博簡二〈魯邦大旱〉的內容作印證。

四、禮經部分

1959 年甘肅武威縣磨嘴子漢墓出土三種《儀禮》抄本，陳夢家（1911－1966）將其分作甲乙丙三本，甲乙為木簡，丙本為竹簡。其中甲本抄有〈士相見〉、〈特牲〉、〈少牢〉、〈有司〉、〈燕禮〉、〈大射〉及〈服傳〉七篇，乙本僅有〈服傳〉一篇，丙本則〈喪服〉與〈喪服記〉各一篇。高明（1909－）曾透過其和今本及古文本（鄭注所指出的古文作某）文字的比較，認為武威簡本《儀禮》是目前所見的第三個漢本，不同於傳高堂生、后蒼的二戴本和劉歆的別錄本。❹

沈文倬曾以武威簡〈服傳〉和今本《儀禮·喪服·傳》對照，而指出武威簡〈服傳〉中有引《禮記》的說法，故其成書年代在當在《禮記》論禮諸篇成書之後。❷又甲乙二本《服傳》和今本〈服

---

❹ 沈文倬最早反對陳夢家以武威《儀禮》為慶普本的看法，認為簡本《儀禮》是古文或本。後來高明通過對武威本的研究，考察兩漢時期今古文實質和變化得出結論，認為武威簡本《儀禮》是目前所見第三漢本；據校今古文及簡本的差異主要是各自使用本字和假借字。見王子今：〈陳夢家與簡牘學〉《簡帛研究彙刊》（臺北：中國文化大學，2004 年 5 月），第二輯，頁 381－410。高明所謂的第三漢本指一個今古文雜錯之本，因武威漢簡《儀禮》無論經文或字體都無法分辨它是今文本或古文本。〈論武威漢簡《儀禮》與《儀禮》鄭注〉，《周秦文化研究》（西安：陝西人民出版社，1998 年 11 月），頁 890－906。

❷ 武威〈喪服傳〉中有引他書為說者，文中作「傳曰」。如〈齊衰杖期〉章

傳〉比較後，有可以佐證鄭玄說法處。❹如《喪服》「大夫之妾為君之庶子。女子子嫁者未嫁者為世父母叔父母姑姊妹」，鄭玄注曰「舊合讀大夫之妾為君之庶子、女子子嫁者、未嫁者，言大夫之妾為此三人之服也」。而今本〈服傳〉曰「嫁者其嫁於大夫者也；未嫁者，成人而未嫁者也。何以大功也？妾為君之黨，服得與女君同。下言為世父母叔父母姑姊妹者謂妾自服其私親也。」前半「嫁者其嫁於大夫者也；未嫁者，成人而未嫁者也」針對經文「女子子嫁者，未嫁者」作解，「何以大功也？妾為君之黨，服得與女君同」則是對「大夫之妾為君之庶子」作解。文末「下言為世父母叔父母姑姊妹者謂妾自服其私親也」，是對「為世父母叔父母姑姊妹」為解。因此是接近鄭玄說的「合讀大夫之妾為君之庶子、女子子嫁者、未嫁者，言大夫之妾為此三人之服也」一類的說法。

今漢簡《服傳》則作「大夫之妾為君之庶子女子子嫁者未嫁者為世父母叔父母姑姊妹。傳曰嫁者其嫁於大夫者也未嫁者成人而未

「出妻之子為母期，為外祖父母無服。傳曰，絕族無易（移）服，親者屬。出妻之子為父後則為出無服。傳曰，與尊者為體，不敢服其私親也」。其中「絕族無移服，親者屬也」與《禮記·大傳》文同。此種現象還可見〈不杖期〉章傳「繼父同居者，何以期也」下所引，與〈喪服小記〉文義同。兩者所引「傳曰」皆出自《禮記》。這顯然是武威漢簡《儀禮》襲用《禮記》的證據。沈文倬：〈漢簡《服傳》考（下）〉，《文史》第 33 輯（1990 年），頁 19—56。

❹ 《服傳》未著錄於《漢志》，但《白虎通德論》卷三〈封公侯〉、卷六〈王者不臣〉、卷八〈姓名〉、卷九〈嫁娶〉曾引《禮·服傳》，文字與此稍有異同，即此篇。沈文倬：〈漢簡《服傳》考（上）〉，《文史》第 24 輯（1985 年），頁 73—95。

嫁者也何以大功也妾為君之黨服得與女君同」。「大夫之妾為君之
庶子，女子子嫁者，未嫁者為世父母、叔父母、姑姊妹」為簡文所
引經文，傳曰以下為簡文〈服傳〉解經語。然簡文〈服傳〉僅針對
「女子子嫁者未嫁者」和「大夫之妾為君之庶子」作解，未有今傳
「下言為世父母叔父母姑姊妹者，謂妾自服其私親也」語。即以
「大夫之妾為君之庶子」以上為一段，下面為另一段起。因知簡文
服傳的看法比較接近鄭說。❹

其次，還有利用出土實物來和《儀禮》作比較者，如陳公柔
（1919－2004）先生曾以《儀禮》〈士喪禮〉和〈既夕禮〉中所記
隨葬物組合跟考古發掘所見實際情形對照，認為〈士喪禮〉〈既夕
禮〉反映的大約是戰國初期的情形。如〈士喪禮〉中有「掩，練
帛，廣終幅，長五尺，析其末。填用白纊，幎目用緇，方尺二寸，
赬裏，著組繫」。鄭注以為「掩，裏首也」、「幎，覆面者也」。
而春秋及戰國墓葬中，常見死人臉上有不同形式的玉片構成人面
形，玉片上有穿孔，推測是將玉片用線穿連在一起，或綴附在織
物，用以覆蓋在死人臉上，即〈士喪禮〉上的「幎目」。又〈既夕
禮〉說「知死者贈，知生者賻。書賻於方，若九若七若五，書遣於
策」。今日出土墓葬中多見記載隨葬物的竹簡，其即所言「遣
策」，如望山二號墓所出竹簡即是。❺

---

❹ 沈文倬指出大夫之妾為之親服私服，還可見〈齊衰三月〉章「女子子嫁者，
未嫁者為曾祖父母，傳曰，嫁者其嫁於大夫者也；未嫁者，其成人而未嫁者
也。何以服齊衰三月也，不敢降其祖也」互明。

❺ 陳公柔：〈士喪禮、既夕禮中所記載的喪葬制度〉，《考古學報》1956 年第
4 期（1956 年），頁 67－84。今已收入《先秦兩漢考古學論叢》（北京：文

　　張長壽先生亦曾指出灃西井叔墓裏發現的銅魚是古書中所說的棺蓋飾物，❹而這類棺飾正見載於《儀禮・既夕禮》及《禮記・喪服大記》中。〈既夕禮〉把棺飾叫「見」，如「卒，祖，拜賓，主婦亦拜賓，即位，拾踊三，襲。賓出，則拜送。藏器於旁，加見」章，❹鄭注「見，棺飾也，更謂之見者，加此則棺柩不復見矣」。而棺飾內容〈既夕禮〉「商祝飾柩，一池，紐前經後緇，齊三采，無貝」章，鄭注「飾柩為設牆柳也，巾奠乃牆，謂此也。牆有布帷，柳有布荒，池者象宮室之承霤，以竹為之，狀如小車。」

　　《禮記・喪服大記》也說「飾棺，君龍帷，三池，振容，……魚躍拂池……。大夫畫帷，二池，不振容，……魚躍拂池……。士布帷，布荒，一池，揄絞，繡紐二，緇紐二，齊三采，一貝……。」鄭注「君大夫以銅為魚，懸於池下，揄，揄翟也，青質五色畫之於絞繒而垂之，以為振容，象水草之動搖，行則又魚上拂池」。校之考古發現，西漢以前墓葬未有牆柳及荒帷的痕跡，僅見有四阿式頂的長方形帳架，與書中牆柳的木框架大致相似。江陵馬山一號墓在棺木外有一亞字形棺罩，推測即〈既夕禮〉中的「荒帷」。江陵鳳凰山 167 號西漢墓出土的棺飾有二層細絹棺罩，中間隔著一層張編竹，內層的棺罩為褚，外層的棺罩即「帷荒」，兩者間的編竹即「池」，三者合稱為「柳」。而張家坡西周墓地中發現

物出版社，2005 年 5 月），頁 79－100 中。

❹　張長壽：〈墻柳與荒帷——1983～1986 灃西發掘資料之五〉，《文物》1992年第 4 期（1992 年 4 月），頁 49－52。

❹　依陳祖武校之姚際恒：《儀禮通論》（北京：中國社會科學出版社，1998 年10 月），頁 477－478 斷句。

各式各樣的銅魚，無疑是懸在池下的飾物，〈喪服大記〉鄭注所謂「魚躍拂池」也。

　　另者，曾侯乙墓簡上記載了大量的車馬和兵器，據載車子至少六十九乘，馬超過二百匹，戟約二十件，戈為四十餘件，殳為十六件。而墓中出土之兵器多於簡文的記載，估計簡文所記的大量兵器已全部埋入墓內，但墓中只有車馬器沒有車馬，這種不葬車馬的事實，正同於〈既夕禮〉所說的士的葬儀遷柩於祖廟後，要在庭中陳車和明器，行薦馬之禮。到墓地後，車馬和明器陳於墓前，下葬時明器埋入墓內，車馬不隨葬。及《周禮·春官·巾車》說的「大喪飾遣車，遂廞之行之。及葬，執蓋從車，持旐。及墓，呼啟關，陳車」和《荀子·禮論》記載的「輿藏而馬反」同。故孔穎達言「葬柩朝廟畢，將行，設遣奠，竟取遣奠牲體臂臑折之為段，用此車載之以遣送亡者。」❹

　　在《周禮》方面，除有以西周金文所見官制與《周禮》比較的《西周金文官制研究》外，還有從金文中的約劑、訴訟記載來和《周禮》加以比較研究者。近年來晉侯墓地的發掘也更正了《周禮·冢人》中關於昭穆制度的記載。❹而郭店楚簡〈緇衣〉和《禮記·淄衣》比對後，證明今本〈緇衣〉首章為流傳過程中附加上去

---

❹　裘錫圭：〈談談隨縣曾侯乙墓的文字資料〉，同註❶，頁 405－417。沈文倬：〈宗周歲時祭考實〉，《雪泥鴻爪——浙江大學古籍研究所建所二十周年紀念文集》（北京：中華書局，2003 年 8 月），頁 264。

❹　張亞初、劉雨：《西周金文官制研究》（北京：中華書局，1986 年 5 月）。李伯謙：〈從晉侯墓地看西周公墓墓地制度的幾個問題〉，《考古》1997 年第 11 期，頁 51－60。

的，❺這些都是以古文字來和三禮比對研究後所得的成果。

結　語

　　以上略舉了利用出土文字資料來輔證《書》、《詩》、《易》、《禮》的內容，以及沒有文字的出土實物和古書記載相證之例。其中以所見器物來考證書中所言之事，古人早已有之。如王肅據當時出土的牛形古銅尊糾正經書中提到的犧尊、象尊是指其紋飾或裝飾的誤說，認為應該是牛形尊、象形尊的簡稱（《詩·魯頌·閟宮》）。而今日出土器物不僅有犧尊、象尊，還見有豬尊、盠駒尊、兔尊等，更可證成其說。❺以及《考工記·桃氏》下鄭玄即以當時所見匕首釋「身長三，其莖長重五鋝」的下士所服之劍、顏師古在《漢書·匈奴列傳》中注「犀毗」，以為「總一物也，語有輕重耳」、高誘在《淮南子·主術》中注「駿壽」以為「駿壽讀曰私鈚頭，二字三音也」等等均是。❺而今日我們能以更多的出土文字及非文字資料來考證古書中所載，這不能不歸功於此一「大發見時代」之賜。

---

❺　江林昌：〈考古發現與先秦兩漢學術文化〉，《雪泥鴻爪：浙江大學古籍研究所建所二十周年紀念文集》（北京：中華書局，2003 年），頁 388。

❺　馬今洪：〈鳥尊、豬尊、兔尊二題〉，《晉侯墓地出土青銅器國際學術研討會論文集》（上海：上海書畫出社，2002 年），頁 456－469。

❺　張以仁以為這是以漢語和胡音對讀的結果，見〈淮南高注「私鈚頭」唐解試議〉，《中央研究院歷史語言研究所集刊》五十九本第四分（1988 年 12 月），頁 1012。

後記：本文曾宣讀於中央研究院中國文哲研究所舉辦的「中國古代的文明形成」先期計畫之一「經典與文化的形成研究計畫」（2004年 3 月 27 日）上，並即將刊於中央研究院中國文哲研究所印的《經典的形成、流傳與詮釋》。本文發表時經林慶彰、蔡哲茂、許學仁、蔣秋華、蔡長林諸位先生提出寶貴的修改意見，特在此致謝。

——本文發表於「經典與文化的形成」研究計畫第六次讀書月會（2004 年 3 月 27 日）。

古義與新疏——從新疏薈萃清代經學之成果談起

張素卿[*]

　　中國經學發展了二千多年，不同時期的經學家面對當時學術課題，各有其解釋經典的重心，並衍生出傳、注或疏等各具特色的經解。這篇論文由清代「新疏」作為薈萃一代經學成果的經解談起，進而論述醞釀「新疏」形成的「古義」，梳理其發展脈絡。從「古義」到「新疏」的發展脈絡，正是清代經學在「漢學」典範下的一股主流趨勢。

一、群經新疏

　　漢儒治經，以章句、箋、注等解釋經和傳；唐人復上承南北朝義疏之學，撰述諸經正義，各經選定某家傳、注並依以疏釋辨證，這通稱為「疏」，相對的，漢以及魏、晉人解釋經傳之作則通稱為

---

[*]　　張素卿，臺灣大學中國文學系副教授。

「注」。❶及至宋代，繼中唐以來啖助（724－770）、趙匡一派的學風，擺落漢、唐注疏而獨抒新意，甚至不依諸傳而直接解經，這是相對於漢唐舊注的新注，甚至逕以「傳」名其書；宋儒的新傳注，經元、明儒者之疏釋闡發，《五經、四書大全》是纂集這一階段經說的代表作，堪稱宋學傳注之「疏」。❷相較之下，清儒常自許當朝學術以經學為最盛，而最能代表這一代經學總成績的著述，又莫過於諸經之「新疏」。梁啟超（1873－1929）在《清代學術概論》中曾說：

> 清學自當以經學為中堅，其最有功於經學者，則諸經殆皆有
> 新疏也。……此諸新疏者，類皆擷取一代經說之菁華，加以

---

❶ 顧炎武曰：「先儒釋經之書，或曰傳，或曰箋，或曰解，或曰學，今通謂之『注』。……其後儒辨釋之書，名曰正義，今通謂之『疏』。」說見〔清〕顧炎武撰，〔清〕黃汝成集釋，樂保群、呂宗力校點：《日知錄集釋》（石家莊：花山文藝出版社，1991年），卷18，頁799－800。

❷ 依林慶彰考察，經學的歷史可分為漢唐之學、宋學和清代漢學三個大階段，漢唐之學發展至《十三經注疏》告一段落；然後，宋學另開一番新局面，至明初修纂《五經、四書大全》，為彙集宋學經說之集大成。說見林氏：〈《五經大全》之修纂及其相關問題探究〉，《明代經學研究論集》（臺北：文史哲出版社，1994年5月），頁33。本篇論文以論述清代「漢學」之新疏為主，初稿曾在2005年6月10日舉行的「經典與文化的形成」第十七次讀書月會上宣讀，會中多蒙林先生指教，並對漢唐之學、宋學之「疏」有所補充，大意轉述如下：其實宋學和漢學都是三個層次，經傳之外，漢、魏人的「注」，以及六朝、唐、宋人的「疏」，這樣是三個層次；宋人只能作「注」，那「疏」的層次就是元、明人，最具體的成果當然是《五經、四書大全》，這是宋學傳統的三個層次。所以說漢學有漢學的疏，宋學有宋學的疏，而清代漢學的疏則是所謂「新疏」。

別擇結撰，殆可謂集大成。❸

清儒治經，既不取宋人獨抱遺經而自出新解的途徑，也非如漢人之依傳作注，並且有別於唐人之舊疏，往往另據漢儒之舊注古訓加以申說辨證，所以稱之為「新疏」。

光緒卅一年（1905），鄧實（1877－1951）發表〈國學今論〉一文，他回顧當朝學術之概況時曾說：

> 自惠、戴以來，諸儒治經，各守其家法，別為義疏。其裒然成書，專門名家者，於《易》有惠棟《述》，江藩、李松林《述補》；於《書》有江聲《集註音疏》，孫星衍《今古文注疏》，王鳴盛《後案》；於《詩》有胡承珙《後箋》，陳奐《傳疏》；於《禮》有金榜《箋》，《儀禮》有胡培翬《正義》；於《春秋左氏》有劉文淇《正義》；《公羊傳》有陳立《義疏》；《穀梁》有鍾文烝《補注》；於《論語》有劉寶楠《正義》；於《孟子》有焦循《正義》；於《孝經》有阮福《義疏補注》；於《爾雅》有邵晉涵《正義》，郝懿行《義疏》：皆一代之傑作，曠古所僅見者也。余讀諸經新疏，較之舊釋，蓋有進矣，諸儒之白首一經，辛勤補綴，其功亦烏可沒哉！❹

---

❸ 梁啟超：《清代學術概論》（臺北：臺灣商務印書館，1985 年），頁 81－82。

❹ 鄧實：〈國學今論〉，《國粹學報》第 1 年第 4 號（1905 年 4 月），頁 6b－7b。

鄧氏更認為:

> 本朝學術實以經學為最盛,而其餘諸學皆由經學而出……。
> 是故經學者,本朝一代學術之宗主,而訓詁、聲音、金石、
> 校勘、子史、地理、天文、算學者,經學之支流餘裔也。❺

經學作為清代學術的宗主,流衍而進一步促成訓詁、聲音、金石、校勘、地理、天文、算學及諸子、史學等專門學問之發展。溯其淵源,此一趨勢當推始於惠棟(字定宇,號松崖,1697－1758)、戴震(字東原,1723－1777),其後「諸儒治經,各守其家法,別為義疏」,各種解經之名家專著紛出,而結撰新疏尤為特色所在。

　　孫詒讓(1848－1908)對當朝經學也有類似的考察和省思,推崇諸家新疏「例精而義博」、「義證宏通」,而且「扶微擴佚,必以漢詁為宗」❻,這是清儒自信足可超軼前人之處。

　　一系列新疏之中,惠棟《周易述》堪稱是首開其端者。惠氏於乾隆十四(1749)年開始撰述《周易述》,未竟而卒,乾隆廿四(1759)年由盧見曾(1690－1768)為之刊行❼;《周易述》刊行

---

❺　同前註,《國粹學報》第 1 年第 5 號(1905 年 5 月),頁 5a－b。

❻　〔清〕孫詒讓:《籀廎述林‧劉恭甫墓表》(臺北:藝文印書館,1963 年影印《孫籀廎先生集》本),第 2 冊,卷 9,頁 499－500;說並參拙著:〈李貽德《春秋左傳賈服注輯述》述論〉,《臺大中文學報》第 23 期(2005 年 12 月),頁 371－374。又,孫氏列舉群經新疏較鄧氏嚴謹,如鄧氏所列王鳴盛《尚書後案》、金榜《禮箋》、胡承珙《毛詩後箋》、鍾文烝《穀梁補注》等,嚴格而言,並非「疏」體,故此類專著孫氏均未列舉。

❼　惠棟之子承緒、承萼撰〈周易述題識〉,謂「先子研精覃思於漢儒《易》

後不久，江聲（1721－1799）繼起，在乾隆廿六至卅八年間（1761－1773）纂述《尚書集注音疏》**❽**；邵晉涵（1743－1796）又隨即

學，凡閱四十餘年，於乾隆己巳始著《周易述》一書……，今年夏，《周易述》二十卷先已刻竣，蓋距先子之歿已踰小祥矣。」己巳為乾隆十四年，《周易述》刻竣於乾隆廿四年己卯，說參陳祖武、朱彤窗：《乾嘉學術編年》（石家莊：河北人民出版社，2005 年），頁 160。《周易述》一書，錢大昕描述說：「專宗虞仲翔，參以荀、鄭諸家之義，約其旨為注，演其說為疏，漢學之絕者千有五百餘年，至是而粲然復章矣。書垂成而疾革，遂闕〈革〉至〈未濟〉十五卦及〈序卦〉、〈雜卦〉二篇。」說見錢氏撰，呂友仁標校：《潛研堂集·惠先生棟傳》（上海：上海古籍出版社，1989 年），卷 39，頁 699。又，凌廷堪〈周易述補序〉曰：「元和惠君定宇著《周易述》二十卷，未竟而卒。闕自〈鼎〉至〈未濟〉十五卦，〈序卦〉、〈雜卦〉二傳。德州盧運使序而刻之，其闕帙如故，慎之也。……蓋自東漢至今，未析之大疑，不傳之絕學，一旦皆疏其源而導其流，不可謂非豪傑之士也。予讀其書而惜其闕，思欲補之，自懼寡陋，未敢屬草。癸卯春，在京師聞旌德江君國屏為惠氏之門人，作《周易述補》，心慕其人，未得見也。次年客揚州，汪容甫始介余交江君，讀其所補十五卦，引證精博，羽翼惠氏，皆余所欲為而不能為者。……」說見凌氏撰，王文錦點校：《校禮堂文集》（北京：中華書局，1998 年），卷 26，頁 238－239。〈革〉卦，惠氏其實也只完成初九爻，後來補其闕者，有江藩、李松林兩家《周易述補》。依凌廷堪所述，則江藩在乾隆四十九年已大致完成〈鼎〉至〈未濟〉十五卦。

❽ 依江聲《尚書集注音疏》之〈前述〉與〈後述〉，此書始撰於乾隆廿六年辛巳，至乾隆卅二年丁亥先完成「集注」，後又經過六年始完成「疏」，則全書完成於乾隆卅八年癸巳。說見江氏：《尚書集注音疏》（臺北：藝文印書館，1962 年影印《皇清經解》本），卷 402，頁 13a－16a。江氏師事惠棟，〈後述〉謂其書「竊比先師之《周易述》」。孫星衍〈江聲傳〉曾略述其撰作動機與體例，謂江氏「病唐貞觀時諸經《正義》，《詩》、《禮》、《公羊》外，皆取晉人後出之注，而漢儒專家師說反不傳。惠徵君既做《周易述》，搜討古學，聲亦撰《尚書集注音疏》，存今文二十九篇以別梅氏所上二十八篇之偽造，……輯鄭康成殘注及漢儒逸說，復以己見而為之疏，以明

於乾隆卅八年至五十年間（1773－1785）撰成《爾雅正義》❾；孫星衍（1753－1818）之《尚書今古文注疏》，「為書始於乾隆五十九年，迄于嘉慶廿年」❿；而焦循（1763－1820）撰《孟子正義》始於嘉慶廿三年（1818），翌年七月已成初稿，再經修改刪定，於嘉慶廿五年（1820）定稿。⓫上述諸書大抵成書於乾隆、嘉慶年間，絡繹相續，此一風氣縣延至道光、咸豐以降，劉寶楠（1791－1855）、劉文淇（1789－1854）、陳立（1809－1869）諸儒砥礪互勉，相約撰寫新疏之盛事更為大家所熟知，這裡不再贅述。⓬大體說來，這股學術潮流，始於乾隆之時，醞釀至道光年間而益盛，其

其說之有本。」說見孫氏：《平津館文稿》（臺北：藝文印書館，1967 年影印清嘉慶《岱南閣叢書》本），卷下，頁 36a－b。

❾ 邵晉涵於乾隆卅八年致書朱筠，已提及「《爾雅正義》隨時編輯，尚未得定本」，依其〈自序〉，則乾隆四十年乙未始具簡編，歷經十載而成書於乾隆五十年乙巳，說參陳祖武、朱彤窗：《乾嘉學術編年》，同註❼，頁 228 及頁 361。

❿ 〔清〕孫星衍撰，陳抗、盛冬鈴點校：《尚書今古文注疏·序》（北京：中華書局，1986 年），頁 3。

⓫ 焦循之弟焦徵述及成書經過，曰：「自戊寅十二月起稿，迄己卯七月撰成《孟子正義》三十卷。又復討論群書，刪煩補缺，庚辰之春，修改乃定。」〔清〕焦徵撰，沈文倬點校：《孟子正義·目錄》（北京：中華書局，1987 年），頁 8。然則，自嘉慶廿三年戊寅至廿五年庚辰，《孟子正義》已經成書，至於付刻則在焦循去世之後，竣工時已是道光五年乙酉。

⓬ 依陳鴻森考察，劉寶楠與劉文淇相約分疏《論語》、《左傳》，事在嘉慶廿五年前後，及道光五年焦循《孟子正義》刊成，二劉復於道光八年秋試不第後，重申前約，並囑陳立治《公羊傳》，而由梅植之分任《穀梁傳》。陳先生論述甚詳，說見〈劉氏《論語正義》成書考〉第二節「二劉等相約分疏諸經之原委」，《中央研究院歷史語言研究所集刊》第 65 本第 3 分，頁 478－488。

餘波則一直緜延至清末猶未歇。舉其犖犖大者而言，如廖平（1852
－1932）《穀梁春秋經傳古義疏》約成書於光緒十年（1884）**⑬**，
又於光緒十六年（1890）撰成《春秋古經左氏漢義補正》（後改名
為《春秋左氏古經說疏證》）**⑭**；孫詒讓《周禮正義》尤其是眾所
矚目的一部新疏，於光緒廿五年（1899）成書，刊印時已是光緒卅
一年（1905）。**⑮**至於《春秋左氏傳舊注疏證》一書，由劉文淇草
創，長編已具，但僅寫定一卷，傳至其孫劉壽曾（1838－1882），屬
稿至襄公四年而卒，今存上海圖書館的原稿止於襄公五年，或許是
其弟貴曾（1845－1898）或富曾（1846－1928）續撰而成；後來第
四代的劉師培（1884－1919）仍有意續撰成書，可惜齎志以歿。**⑯**

---

⑬ 除《禮記》外，諸經皆有新疏，其中，《穀梁》之學如劉師培所言：「有侯
　　康（《穀梁禮證》）、柳興恩（《穀梁大義述》）、許桂林（《穀梁釋
　　例》）、鍾文烝（《穀梁補注》），咸非義疏。梅毓作《穀梁正義》，亦未
　　成書。」說見劉氏：《經學教科書》，《劉申叔先生遺書》（1936 年寧武南
　　氏校印本），第一冊第三十三課，頁 24b－25a。梅植之及其子梅毓欲撰《穀
　　梁正義》，可惜並未成書，論及《穀梁》新疏，廖平《穀梁春秋經傳古義
　　疏》可聊備一家。

⑭ 廖平：《春秋左氏古經說疏證》，收入李耀仙主編：《廖平選集（下）》
　　（成都：巴蜀書社，1998 年），頁 181 及頁 187。

⑮ 孫詒讓撰〈序〉於光緒廿五年，初印本為光緒卅一年乙巳孫氏家藏鉛鑄版，
　　見〔清〕孫詒讓撰，王文錦、陳玉霞點校：《周禮正義·序》（北京：中華
　　書局，1987 年），頁 5；以及〈前言〉，頁 4。

⑯ 說參拙著：〈李貽德《春秋左傳賈服注輯述》述論〉，同註**⑥**，頁 373－
　　374，註 4。又，據聞南京有一位九十高齡的學者吳靜安（1915 年生），約於
　　1980 年撰成《春秋左氏傳舊注疏證續》，接續劉氏《疏證》，完成襄公六年
　　至哀公廿七年部分，凡一百二十萬字，輯錄舊注五十餘家，疏證引述達一百
　　八十餘家，說參梅鶴孫著，梅英超整理：《青谿舊屋儀徵劉氏五世小記·前

　　清儒之新疏「擷取一代經說之菁華」，有功於經學，自不待言，若與漢、唐或宋三個時期的經解作概略之對照，結撰新疏也是清代經學的重要特色。

二、直承兩漢

　　為什麼清儒紛紛另撰「新疏」呢？

　　傳本用以解經，漢儒舊注賡續諸傳再加解釋，義疏又承繼傳、注加以申述論辨。自漢至唐的經學發展，解釋經傳之箋注日增，釋義既多，學者面臨長短是非之抉擇，唐人正義專依某傳、某家注，就是一種抉擇，其背後自不免涉及長短優劣之分判。至北宋時，學者趨向迥然不同的思考，認為漢、唐學者沒能真切掌握聖人之道，所以在上接道統的前提之下，以「為往聖繼絕學」自居，標榜直承孔、孟，闡發義理之精微。此一學風盛行至元、明，至清代仍然位居官學要津，乾嘉諸儒乃起而針砭其鑿空臆造之弊，反對「宋學」，進而標榜「漢學」，認為漢人講求師法，訓詁經說淵源於孔門，於是以直承漢儒相標榜，傳承其說以解釋經義。

　　惠棟是確立此一「漢學」門徑的大家，戴震曾這樣推崇惠氏：

　　言》（上海：上海古籍出版社，2004 年），頁 13-14；以及徐寶曾：〈自強不息，厚德載物——學術和品格雙馨的吳靜安先生〉，《南京曉莊學院學報》第 19 卷第 3 期（2003 年 9 月），頁 114。本人於 2004 年 7 月赴北京作短期研究，曾在中國社會科學院圖書館獲睹《春秋左氏傳舊注疏證續》之抄本。吳氏書據說在李學勤的關心之下，列入東北師範大學出版社之出版計畫，正由編輯整理中，說見胡曉明、張碩：〈傳承文明的默默耕耘者——著名語言文字學家徐復教授談吳靜安先生的學術成就〉，《南京曉莊學院學報》第 19 卷第 1 期（2003 年 3 月），頁 117。

先生之學，直上追漢經師授受、欲墜未墜、薀蘊積久之業，
而以授吳之賢俊後學，俾斯事逸而復興。**❼**

惠氏之後，「漢學」寖盛，其再傳弟子江藩（1761－1831）撰《國
朝漢學師承記》，述其傳承發展，而阮元（1764－1849）為此書作
〈序〉時也說：

讀此可知漢世儒林家法之承授，國朝學者經學之淵源，大義
微言，不乖不絕。**❽**

清儒治經，以「漢學」自我標榜，就是為了彰顯經學的淵源，直追
兩漢經師之業。不僅承其學，而且秉持漢儒謹遵師說的精神，強調
立說須徵實有據，因而博考漢儒之舊注古訓，以為解經憑藉。這樣
解經，庶能使「大義微言，不乖不絕」。既以舊注古訓為憑藉，則
趨向於依注作「疏」，而且是有別於唐人正義的「新疏」。

唐人為了統一經義，專依某家注以撰定《五經正義》，其餘諸
經之義疏後來也次第撰成，至宋代而有《十三經注疏》。其他各家
注解在未獲重視的情況下，或因戰亂，或因衰微日久，於是漸漸散
佚失傳。清儒不滿意唐宋以來的經學發展，宋儒臆斷蹈虛固然有
弊，而唐人《五經正義》的傳、注選擇也未必允當。惠棟曾說：

---

❼　〔清〕戴震：《戴東原先生全集·題惠定宇先生授經圖》（臺北：大化書
　　局，1978 年影印 1936《安徽叢書》本），卷 11，頁 8b，總頁 1113。

❽　〔清〕阮元撰，鄧經元點校：《揅經室集·國朝漢學師承記序》（北京：中
　　華書局，1993 年），卷 11，頁 248。

> 唐人疏義，推孔、賈二君，惟《易》王弼，《書》用偽孔
> 氏，二書皆不足傳。⑲

對《周易》、《尚書》二經之疏，最為不滿。此外，他還曾引述其
父惠士奇之語，曰：

> 家君子嘗言：經學荒于晉，何晏注《論語》，王弼注
> 《易》，杜預注《左》，而漢儒之說廢矣。⑳

惠棟傳承家學而光大之，正式大張「漢學」之幟，而與「宋學」分
道揚鑣。「宋學」固多臆解，而魏、晉時玄學盛行，何晏（190－
249）、王弼（226－249）俱倡玄言，有意會通孔、老，注解《論
語》、《周易》時，頗援道入儒，不如漢儒之純粹不雜。對於
《易》學，惠氏曾指陳：

> 王輔嗣以假象說《易》，根本黃、老，而漢經師之義，蕩然
> 無復存者矣。㉑

王鳴盛（1722－1797）論「唐人《周易疏》之謬」時亦云：

---

⑲ 〔清〕惠棟撰，劉世珩校刊：《松崖文鈔·北宋本禮記正義跋》（臺北：藝
　文印書館，1970年影印《聚學軒叢書》本），卷2，頁1b。
⑳ 〔清〕惠棟：《九曜齋筆記·「經學荒于晉」條》（臺北：臺灣學生書局，
　1971年影印臺北國立中央圖書館藏舊鈔本），卷中，頁206。
㉑ 〔清〕惠棟：《松崖文鈔·易漢學自序》，同註⑲，卷1，頁6b－7a。

> 唐初，漢《易》學見存，孔〔穎達〕北人，偏廢漢《易》，
> 用王、韓《易》。根本已失，其疏又何足道？㉒

標榜「漢學」，意在表彰漢儒之經說古訓，而唐人正義中，《周
易》依王弼、韓康伯注，深受詬病；而《尚書》採取偽《古文尚
書》及偽孔傳，同樣是清儒重新解釋的首要對象。傳注選擇不精，
則「根本已失」，這又涉及唐人的經學見解實未必高明，因此，不
僅《周易》、《尚書》，以及採魏何晏集解的《論語》、依晉杜預
（222－284）注的《春秋左氏傳》等需重新解釋，漸漸地，連
《詩》、《儀禮》、《周禮》、《春秋公羊傳》等依漢注者，清人
也紛紛為之撰「古義」、寫「新疏」。針對此一趨勢，淩廷堪
（1755－1809）概述說：

> 《易》不獨掊擊輔嗣也，將荀、虞之是宗焉；《書》不獨指
> 摘古文也，將馬、鄭之是從焉；《毛詩》不獨闢淫奔也，將
> 以《箋》、《傳》為趨向焉；《左氏》不獨排杜《注》也，
> 將以賈、服為依傍焉。其視唐以還固無足重輕矣，且欲軼
> 魏、晉而上之。㉓

輕唐以還而超軼於魏、晉之上，可見乾嘉「漢學」，嚴格而言並不

㉒ 〔清〕王鳴盛：《蛾術編》（清道光廿一年〔1841〕刊世楷堂本），卷 1，
　頁 16a。

㉓ 〔清〕淩廷堪撰，王文錦點校：《校禮堂文集·辨學》，同註❼，卷 4，頁
　34。

包含唐、宋義疏㉔，清儒之「新疏」乃有意取而代之。

　　然而，許多漢儒舊注已經散佚，所以清人意欲重新解經，往往須先輯存舊注，再加以申說證明，「古義」的解釋類型就這樣應運而生。

三、輯述古義

　　那麼，何謂「古義」？

　　「古義」是表徵清代「漢學」撰述特點的一種解釋類型，往往成為清人撰述「新疏」的先期工作，是清儒重新解釋經義的重要憑藉；相對的，「新疏」以此為憑藉，乃「擷取一代經說之菁華」的最終成果。從「古義」到「新疏」的整體脈絡，正是清代以「漢

㉔　惠棟針對「宋學」而標榜「漢學」，其初未必有意概括歷代經學流變而二分之，至〔清〕紀昀等撰《四庫全書總目·經部總序》（臺北：臺灣商務印書館，1983 年影印武英殿刻本），則謂兩漢至清初之經學，凡有六變，而總歸兩家，即「漢學」、「宋學」兩家（卷 1，頁 53–54）。依陳逢源〈乾嘉漢宋學之分與經學史觀關係試析──以《四庫全書總目·經部總序》為中心〉所言，「就其時間而言，兩漢、魏晉至五代及清初可以說是屬於漢學流布的領域，而宋代、元明，以及明末則是宋學擅場時期。」說見蔣秋華主編：《乾嘉學者的治經方法(上)》（臺北：中央研究院中國文哲研究所籌備處，2000 年 10 月），頁 158。其實，〈經部總序〉所謂「宋學」，固然包含宋、元、明之主流，也可以兼含清代承續程、朱之學者；至於「漢學」，大致概括兩漢迄唐、五代的經學主流，既未細分今、古文之學，更兼含唐代義疏之學。不細分今、古文之學，略合惠、戴等之「漢學」觀；但以「漢學」兼含魏、晉，以及唐代義疏之學，則又顯然有別。《四庫全書總目》所謂「漢學」，似乎仍沿襲明人的見解，比較寬泛；嚴格而言，論述清代「漢學」，自應以乾嘉學者之中堅如惠棟、戴震、錢大昕、凌廷堪諸儒之說為準。

學」治經的主流趨勢。

惠棟《九經古義》是「古義」此一解釋類型的重要代表作。
《九經古義·述首》曰：

> 經之義存乎訓，識字審音乃知其義，是故古訓不可改也，經
> 師不可廢也。㉕

依準古訓以通經而知其義，成為「漢學」典範下的經學進路，「經
之義存乎訓」可說是表徵惠氏以來諸家「古義」之作的宗旨。惠氏
認為，漢儒重視師法，經義猶存乎古訓之中，故學者應當遵守漢儒
古訓，並依其識字審音的訓詁方法以通經釋義。錢大昕（1728－
1804）認為：

> 詁訓必依漢儒，以其去古未遠，家法相承，七十子之大義猶
> 有存者，異於後人之不知而作也。㉖

解釋方法轉向訓詁之學，並特意標榜漢儒古訓，這是著眼於漢人
「去古未遠」，其詁訓比後世具有相對優勢；更重要的是，漢儒之
「家法相承」，則其詁訓猶能保存孔門之微言大義，自非私臆造作
可比。「近古」和「家法」之外，阮元提出另一項理由：

㉕　〔清〕惠棟：《九經古義》（臺北：藝文印書館，1962 年影印《皇清經解》
　　本），第 6 冊，卷 359，頁 1a。

㉖　〔清〕錢大昕撰，呂友仁標校：《潛研堂集·臧玉林經義雜識序》，同註
　　❼，卷 24，頁 391。

> 兩漢經學所以當尊行者，為其去聖賢最近，而二氏之說尚未
> 起也。……兩漢之學純粹以精者，在二氏未起之前也。㉗

阮氏此一說法，呼應惠棟「王輔嗣以假象說《易》，根本黃、老」
之言，指出漢儒古訓比魏、晉以降諸儒之說優越，在於未受道家，
乃至佛家之影響，都有意強調漢儒經說之純粹不雜。既有上述優
勢，「漢學」乃成為多數學者服膺的新門徑，主導一代潮流。然
而，如戴震所言：

> 漢儒訓詁，各有師承，又去古未遠，使其說皆存，用備參稽，
> 猶不足以盡通於古，況散逸既多，則見者可忽視之乎？㉘

漢儒舊注多已散佚，偶見群書引錄或摘述，故自惠、戴以下，清儒
治經常先致力於輯存古訓，興起一股蒐求舊注的風潮。誠如《四庫
全書總目》所言，「古義」之作，正是輯存「漢儒專門訓詁之學得
以考見於今者」。㉙

「古義」的名稱之外，此類解釋類型或也稱為「義」，如臧庸
（1767－1811）《馬（融）王（肅）易義》；或稱「義考」，如戴
震《尚書義考》；或稱「考」，如邵晉涵《韓詩內傳考》；或稱

㉗　〔清〕阮元撰，鄧經元點校：《揅經室集·國朝漢學師承記序》，同註⓭，
　　卷 11，頁 248。

㉘　〔清〕戴震撰，戴震研究會等編：《尚書義考·義例》，《戴震全集(第三
　　冊)》（北京：清華大學出版社，1994 年），卷 1，頁 1668。

㉙　〔清〕紀昀等撰《四庫全書總目》，同註㉔，卷 33，頁 678。

「遺說」，如臧庸《韓詩遺說》；或稱「拾遺」，如陳鱣（1753－
1817）《三家詩拾遺》；或稱「古注輯存」，如嚴蔚《春秋內傳古
注輯存》；或稱「補注」，如惠棟《左傳補注》等等。究其內涵，
實不外乎輯存漢儒之經說古訓，據以解釋經義，甚或進而補證、申
述。概括而言，「古義」的解釋類型以輯佚、考據為基礎，「述」
古訓以解經，而尤注重漢儒經說，往往廣蒐博引而斷語相對簡要，
要而言之，總以依循識字審音的訓詁進路解釋經義為原則，對其中
涉及禮制典章者尤多關注。雖然「古義」的案語通常很簡要，甚至
付諸闕如，絕非沒有抉擇裁斷，而是有意「述而不作」，以避免臆
造之譏。❸ 「古義」跟一般的輯佚書最主要的差別在於有無明確的
學術宗旨，有些「古義」之作，純粹輯佚，未及申說，因此，若採
取比較寬泛的標準，針對漢儒舊注的輯佚書或亦不妨歸入此類。❸

　　輯存舊注古訓編成「古義」類的專書，除了蒐求散逸外，也跟
清儒普遍認同徵實考據的學風有關，陳壽祺（1771－1834）曾這樣
表述說：

---

❸　關於「古義」，說詳拙著：〈「經之義存乎訓」的解釋觀念——惠棟經學管
　　窺〉，收入林慶彰、張壽安主編：《乾嘉學者的義理學(上)》（臺北：中央
　　研究院中國文哲研究所，2003 年 2 月），頁 303－307；及〈惠棟的春秋
　　學〉，《臺大文史哲學報》第 57 期（2002 年 11 月），頁 108－112。

❸　孫星衍〈孫忠愍侯祠堂藏書記〉將圖書分為十二類，經學居第一，其下先以
　　「古義」，附以「雜說」，孫氏曰：「漢魏人說經出於七十子，謂之師傳，
　　亦曰家法，唐人疏義，守之不失；以及近代，仿王應麟輯錄古注，皆遺經佚
　　說之僅存者：學有淵源，謂之『古義』。」說見孫氏：《五松園文稿》（臺
　　北：藝文印書館，1967 年影印清嘉慶《岱南閣叢書》本），卷 1，頁 8 下。

　　若夫古人傳注之體，莫不臚舉前言以為左證，《公》、《穀》之稱尸子、司馬子、女魯子、子沈子，即其權輿也。子夏傳《禮》，兼復引記；毛公詁《詩》，亦引高子、孟仲子、仲梁子；高密鄭君注《周禮》，必先舉杜子春、鄭大夫、鄭司農、馬季長諸儒之說，然後乃下己意。自杜預注《左氏傳》，排棄先儒，奮筆私叛。其善者多出賈、服，而深沒本來；其謬者每出師心，而恒乖經意。覽其全篇，曾無援據經典，徵信六藝。惟「作丘甲」一條引《周禮》「四丘為甸」之文，不明言其出《司馬法》；而所說長轂一乘云云，即係服虔《左氏注》，原文見《毛詩·信南山·正義》，而掩為己有。攘善之病，不獨謬解諒闇，悖禮害道也。㉜

　　清儒很重視古代傳注「臚舉前言以為左證」的風範，至如杜預《春秋經傳集解》之「排棄先儒，奮筆私叛」則倍受批評。杜氏隱括賈逵、服虔等舊注而沒所從來的「攘善」之病，常引為警惕，相對的，無論「古義」或「新疏」均不憚繁瑣，詳徵博考。梁啟超綜理清代乾嘉「漢學」之特色，其中有兩點即涉及稱引，曰：「隱匿證據或曲解證據，皆認為不德」，「凡采用舊說，必明引之；勦說認為大不德」。㉝清儒對隱匿證據或因襲勦說，往往嚴正批判，這態度在一系列匡補杜《注》的《左傳》學著作方面，表現尤其顯著。

㉜　〔清〕陳壽祺：《左海文集·答高雨農舍人書》（上海：上海古籍出版社，2002 年《續修四庫全書》影印華東師範大學藏清刻本），第 1496 冊，卷 4 下，頁 26b−27a，總頁 176。

㉝　梁啟超：《清代學術概論》，同註❸，頁 77−78。

揭露因襲剿說之心術陋習，還只是消極面；積極而言，清儒欲重申
家法，講究說必有本，進而考求引述的規範，在學術倫理方面也有
一番建樹。

「古義」之作畢竟是有目標的輯佚，以漢儒為首要對象，且輯
存古訓旨在依據舊注解釋經義，誠如錢大昕所言：

> 若徒蒐采舊說，薈為一編，尚非第一義也。㉞

不以蒐佚輯存為已足，進一步加以補證、申述，自然漸由「古義」
的解釋類型向「新疏」轉型。王鳴盛甚至認為：

> 吾輩當為義疏，步孔穎達、賈公彥之後塵，不當作傳注，僭
> 毛、鄭、孟、京之坐位。㉟

以「當為義疏」自許的現象蔚然風行，終為清代經學最具貢獻的成
果。一部分著作，雖申述詳明而未能全面疏釋經傳者，當屬由「古
義」向「疏」體過渡的類型，如胡承珙（1776－1832）《毛詩後

㉞ 〔清〕錢大昕：〈與王德甫書〉之二，錄見〔清〕王昶：《湖海文傳》卷
40，此處據陳鴻森：〈錢大昕潛研堂遺文輯存〉轉引，《經學研究論叢》，
第 6 輯（臺北：臺灣學生書局，1999 年 3 月），頁235。

㉟ 〔清〕王鳴盛：〈說文解字正義序〉，錄見〔清〕謝啟昆：《小學考》卷
10，此處據陳鴻森：〈王鳴盛西莊遺文輯存(中)〉轉引，《大陸雜誌》第 99
卷第 6 期（1999 年 12 月），頁38。

箋》、李貽德（1783－1832）《春秋左氏傳賈服注輯述》等。**㊱**嚴格而言，新疏不止於廣蒐漢儒舊注或發明古訓，而且應依訓詁之法全面疏釋經傳，如孫詒讓所言：

> 凡疏家通例，皆先釋經，次述注。**㊲**

闡述舊注固然是「疏」體的特點，最終目的仍在解釋經傳，因而注文闕如時，宜應直接「釋經」，這才是典型的「疏」體。既然「古義」本就是憑藉漢儒古訓以解經之作，「新疏」其實可以視為是「古義」發展成熟的形態，為乾嘉以來學術群體的延續性成果。

四、別開新局

　　從「古義」到「新疏」，直承兩漢經師傳授之古訓經說，以識字審音的訓詁方法解經，此一依準「漢學」的治經門徑，確立於惠棟。然而，風氣轉變，自非一蹴可幾。

　　注重漢儒，回歸《十三經注疏》，這在明代已有先驅者。陳澧（1810－1882）已有這樣的認識，他的考察認為：

> 明初惟尊信宋儒，中葉以後始詆朱子、刻注疏、稱漢儒，本

㊱　說參拙著：〈李貽德《春秋左傳賈服注輯述》述論〉，同註**❻**，頁403－404。

㊲　〔清〕孫詒讓撰，王文錦、陳玉霞點校：《周禮正義·略例十二凡》，同註**⓯**，頁2。

朝漢學風氣已萌芽矣。❸

明中葉時「漢學」已萌芽，他在《東塾雜俎》中特別表彰一位嘉靖
（1522－1566）年間的進士林承芳，曰：

> 林承芳，字文峰，廣東三水人，明嘉靖進士。為編修時，國
> 子監重刻《十三經注疏》，大司成屬承芳作〈序〉，云：
> 「國家以宋儒傳注取士，今舍而取於漢者，何也？夫宋固擴
> 乎漢者也，博乎漢，而後知宋之原也。自漢儒傳訓詁，宋儒
> 因而釋其義。夫義主理，理，吾心所固有者也，即微宋儒，
> 吾得而以心逆之也。訓詁非得焉，則譬之重譯之人，聽中國
> 之言語，瞠其相視而不相通也。微漢儒為之譯，宋亦安所釋
> 其義哉！且也儒者不能盡窺聖人之奧義，將使人膠其說而不
> 復深探聖人之旨，則不若第傳其訓詁，人人得自以心而逆聖
> 人之意可也。漢之去聖人也未遠，其說猶或有所受，顧安得
> 執宋之說以廢漢？夫聖人之意不能畢窺，則盡其說經者而傳
> 之，以待後之聖人，聖人之經有時乎明也。」此所論與近時
> 議漢學者無異，而明萬曆時已有之。❹

學術潮流盛行既久，常因流弊日多而轉趨衰微，清代「漢學」亦

---

❸ 〔清〕陳澧：《東塾雜俎》（北京：中國書店，影印癸未〔1943〕春刊成古
學院藏《敬躋堂叢書》本），卷 10，頁 13b。多蒙蔡長林學長協助影印上述
資料，特此誌謝。

❹ 〔清〕陳澧：《東塾雜俎》，同前註，卷 10，頁 11b－12a。

然。陳澧之時,乾嘉時期「漢學」的盛況不再,他有意溝通漢、宋壁壘,對於明代已有學者頗重視漢唐注疏,相當留意,表彰林承芳即其一例。林氏留意到宋儒之新傳注其訓詁頗多承自漢儒,謂「夫宋固摭乎漢者也,博乎漢,而後知宋之原也。」又云:「自漢儒傳訓詁,宋儒因而釋其義」,則宋儒固長於發揮義理,其釋義未嘗不本於漢儒訓詁。

這樣的說法,林氏並非孤明先發,依林慶彰考察,明代至清初有不少學者先後表達過類似見解,如王鏊(1450－1524)、祝允明(1460－1526)、楊慎(1488－1559)、鄭曉(1499－1566)、黃洪憲(1541－1600)及錢謙益(1582－1664)等,紛紛提倡漢唐注疏;更有張朝瑞(…1568…)《孔門傳道錄》、鄧元錫(1528－1593)《學校志》、王圻(…1565…)《道統考》及費密(1623－1699)《弘道書·道脈譜》等,積極建立孔門以後歷代經學的傳授譜系,朱睦㮮(1517－1586)《授經圖》,諸經之〈圖表〉與〈諸儒傳略〉只錄漢人,有表彰漢儒之意;這些,都可視為清代「漢學」的先驅。❹漢人去古未遠、師法相傳而存孔門之微言大義,這類說法在上述明儒的言辭中已一再重申,如上所述,惠棟、阮元則更就雜糅道、佛兩家之義一項,強調漢儒古訓之可貴。而且,惠氏確立的清代「漢學」,輕唐、宋進而超軼魏、晉的意向十分鮮明,漢儒古訓成為解釋經義的主要憑藉,形成具體可依循的門徑,並積極輯存「古義」、撰寫「新疏」,特定的解釋類型更有助於滙聚眾

---

❹　林慶彰:〈明代的漢宋學問題〉,《明代經學研究論集》,同註❷,頁 13－18。

人心力，薈萃為具體的經學成果。我們不應忽略惠、戴諸家提倡「漢學」，注重漢儒之訓詁，這涉及治經方法的研究進路。惠棟首揭「經之義存乎訓」的經學宗旨，謂「識字審音乃知其義」，戴震又進而說明：「漢儒訓詁，各有師承，又去古未遠」，錢大昕亦云：「詁訓必依漢儒，以其去古未遠，家法相承，七十子之大義猶有存者」，諸如此類，清儒特別著眼於「訓詁」來肯定漢人近古、守師法的優勢，淵源所自則出乎孔門，諸多觀念彼此相扣，互相發明。這樣，是否為宋儒經說探源，迥非清代「漢學」所關注的重點；而且，明儒往往侷限於表彰《十三經注疏》的格局，還沒有深入區分諸經注疏是否全屬漢人之學，未遑進一步探索新的解經方向；第三，從「夫義主理，理，吾心所固有者也，即微宋儒，吾得而以心逆之也」一語觀之，林氏實未脫理學思維的矩矱，清代「漢學」家恐未必肯作此說。

試與戴震〈題惠定宇先生授經圖〉所言相較，戴氏曰：

> 言者輒曰：有漢儒經學，有宋儒經學，一主於故訓，一主於理義，此誠震之大不解也者。夫所謂理義，苟可以舍經而空憑胸臆，將人人鑿空得之，奚有於經學之云乎哉！惟空憑胸臆之卒無當於賢人聖人之理義，然後求之古經；求之古經，而遺文垂絕、今古縣隔也，然後求之故訓。故訓明則古經明，古經明則賢人聖人之理義明，而我心之所同然者乃因之而明。賢人聖人之理義非它，存乎典章制度者是也。松崖先生之為經也，欲學者事於漢經師之故訓，以博稽三古典章制

度，由是推求理義，確有據依。❹

〈題惠定宇先生授經圖〉撰於乾隆三十年（1765），惠棟死後約七年，當時，戴震論學已不再因循故訓、理義歧趣之說，轉而主張「故訓明則古經明，古經明則賢人聖人之理義明，而我心之所同然者乃因之而明」，則依故訓以明經義的進路，貫通為一，這是受惠氏影響後所確立的經學觀。❹戴氏曰：「夫所謂理義，苟可以舍經而空憑胸臆，將人人鑿空得之，奚有於經學之云乎哉！」斷然認為「空憑胸臆之卒無當於賢人聖人之理義」，則聖人之理義必求之於經，這樣，乃能彰顯出「經學」無可替代的地位，以及理義探索上的優先性。戴氏又說：

> 六經者，道義之宗而神明之府也。古聖哲往矣，其心志與天地之心協，而為斯民道義之心，是之謂道。士生千載後，求道於典章制度而遺文垂絕、今古縣隔。時之相去殆無異地之相遠；僅僅賴夫經師故訓乃通，無異譯言以為之傳導也者。❹

---

❹　〔清〕戴震：《戴東原先生全集·題惠定宇先生授經圖》，同註❼，卷 11，頁 9，總頁 1114。

❹　錢穆：《中國近三百年學術史》（臺北：商務印書館，1987 年），頁 323；並參拙著：〈惠棟的春秋學〉，同註❸，頁 133－134。

❹　〔清〕戴震：《戴東原先生全集·古經解鉤沉序》，同註❼，卷 10，頁 1，總頁 1102。

唯其「遺文垂絕、今古懸隔」，故通經必須依循故訓的進路，且「僅賴夫經師故訓乃通」。基於近古、師法相傳及未雜道佛兩家之義等優勢，乃「欲學者事於漢經師之故訓，以博稽三古典章制度，由是推求理義，確有據依」，則就解經進路而言，漢儒故訓具有關鍵的地位。依陳壽祺之見：

> 治經之道，當實事求是，不可黨同妒真。漢儒學近古，其家法出七十子之徒；宋後學者好非古，其肊斷千百載之下，故不能不捨彼而取此。……夫說經以義理為主，固也；然未有形聲、訓故不明，名物、象數不究，而謂能盡通義理者也。何則？義理寓於形聲、訓故與名物、象數而不遺者也。言形聲、訓故與名物、象數，捨漢學何由？❹

陳氏並不墨守「漢學」，宋儒之善者未嘗不兼取以資參訂，態度相當開明通達。在不廢宋學之善的情況下，他仍認為：「言形聲、訓詁與名物、象數，捨漢學何由？」通經達義須取資「漢學」，具有不可或缺的必要性。

惠棟、戴震以下所開展的清代經學，就是以明道繹理必求乎「經」為前提，依循由訓詁而典章制度而通其義理的進路，又著眼於漢儒故訓之淵源有自，因而標榜「漢學」。陳澧表彰林承芳的用心可以理解，至謂林氏所論「與近時議漢學者無異」，論斷過於粗

---

❹ 〔清〕陳壽祺：《左海文集·答翁覃谿學士書》，同註❷，卷 4，頁 27a－b，總頁 147。

疏，有待商榷。稍加比較，不難見其差異，主要有二：一則，清儒尊「漢」的宗旨明確，論述更形周延，故能有效凝聚學者之認同而蔚為主流思潮，別開經學之新局；二則，清儒能將觀念落實為「古義」的解釋類型，累積成果，進而結撰「新疏」，成為有別於漢、唐、宋各代而別具特色的經學成果。清代「漢學」別開新局的歷史地位，終非明代幾位學者的零星言論所能奪席取代。

五、疏通古今

無論如何，明中葉以來確有學者重新關注漢儒訓詁的經學價值，至清代乾嘉學者表彰闡發更是不遺餘力，故為一代學術之大宗。訓詁是清代「漢學」的主力，輔以文字、聲韻之法，復勤於考證工夫，對經學有重大貢獻；相對的，若說清代經學的侷限也與注重訓詁有關，應不為過。

林承芳認為訓詁，猶如不同語言之間的翻譯，他說：「訓詁非得焉，則譬之重譯之人，聽中國之言語，瞠其相視而不相通也。」而戴震也有類似的說法，所謂「時之相去殆無異地之相遠；僅僅賴夫經師故訓乃通，無異譯言以為之傳導者也。」他曾比喻說：

> 宋儒譏訓詁之學，輕語言文字，是猶渡江河而棄舟楫，欲登高而無階梯也。❹

---

❹ 〔清〕戴震撰，戴震研究會等編：《戴震全集(第一冊)·與段若膺論理書》（北京：清華大學出版社，1991年），頁213。

猶如渡水達彼岸須賴藉舟楫，登上高處須循階而行，則訓詁作為解釋經典的進路，勢屬必要。陳澧也認為：

> 蓋時有古今，猶地有東西、有南北，相隔遠則言語不通矣。地遠則有翻譯，時遠則有訓詁；有翻譯則能使別國如鄉鄰，有訓詁則能使古今如旦暮，所謂通之也。訓詁之功大矣哉！❹

這類說法，都強調訓詁傳譯古代語言的功能，跨越語言隔閡，縮短古今差距，似乎認為「使古今如旦暮」，則可以通經而知其義、明其理。如果因古今懸絕，須以漢儒古訓為憑藉，而「漢猶近古」遂可作為解經之憑藉，那麼，「經師故訓」對清人而言也有一定的時間距離，這本身也存有古今語言隔閡的問題，如何跨越不無疑難。於是清代「漢學」不能僅僅停留於輯存「古義」，加以疏證勢所必須，此一學術脈絡最終朝向撰述「新疏」，成為必然的趨勢。

然而，同樣依循訓詁之法，後人解釋經義必須藉助於漢人，為什麼清人卻可以跨越相當長的時間距離，直接疏釋漢儒之說？而且，難道訓詁沒有其方法上的侷限嗎？

其實，訓詁之法有其貢獻，自亦有其侷限。順著上述將訓詁類比如翻譯的思路來說，翻譯主要是語言之間的轉換，跨越不同語言之間的障礙，這就表示可以窮盡其義嗎？同樣的，設使訓詁可以完

---

❹　〔清〕陳澧撰，楊志剛編校：《東塾讀書記》（香港：三聯書店，1998年），頁218。

全溝通古今言語，使今人與聖人猶如同時的對談，那麼，理論上經典本文應該可以全部白話語譯，難道理解的問題就頓時冰釋了嗎？重新省思戴震之語，所謂「故訓明則古經明」，若就語言層面言之，並無疑問；但經義非僅語言層面，除語義外，還涉及涵義，或者說通達大道或經常之理，是否真如戴氏所言「古經明則賢人聖人之理義明，而我心之所同然者乃因之而明」，恐怕還有許多問題尚待辨析。訓詁固長於語言層面之疏通古今，唯經典解釋最終涉及理解，縱使是同時的對談都不能完全消除理解的障礙。這是注疏傳統之後的經學需要認真面對的課題。

自漢至清二千多年的注疏傳統，主要依循訓詁解經的進路，成績斐然可觀，而且堪稱是中國獨具特色而有別於其他文化的詮釋傳統。注疏的貢獻不待多言，這傳統發展到清儒之「新疏」，無疑達到另一次高峰，考證之勤，資料之宏富，令人佩服讚歎，然而，此一進路的發展瓶頸也隨之顯露。林承芳主張「第傳其訓詁，人人得自以心而逆聖人之意可也」，既注重訓詁，似乎也注意到以訓詁通經之後，語言層面的經義得以闡明，然而，「賢人聖人之理義」或「我心之所同然者」是否自然而然地隨之明白暢達仍不無疑問，其中尚有「自以心而逆聖人之意」的一段工夫。陳澧表彰林承芳，當時已是「漢學」盛極轉衰之後，他曾鑽研「漢學」，也省思「漢學」之利弊得失，曾意識到訓詁解經的極限，遂另闢蹊徑，倡議「讀經」，強調「必讀經乃謂之經學」。「讀經」的經學觀，首先強調回歸經典本文，反對離經而雜然考證；其次強調尋繹義理，對於零碎注釋文詞或名物制度不以為然；第三，訓詁之長在於溝通古、今，相對的，陳氏指出閱讀好比現時的、臨場的聆聽，側重同

時性。這樣回歸經典本文的閱讀，觸及了不同於注疏傳統所探索的
解釋維度。❹「讀經」的經學觀，不會是唯一的嘗試途徑，陳澧的
主張也還語焉未詳，未必明確可行。無論如何，他的確帶出一個問
題，也是吾人探討清儒「新疏」之餘，不免要思考的問題：在注疏
傳統之後，經學發展的新途徑應當如何？

六、結　語

　　歷代經學各有其解釋經典的重心，相應形成各種經解的解釋類
型，各有其特色和貢獻，自亦不免有其侷限。這篇論文，由清代新
疏薈萃一代經說的地位談起，延伸而論及「古義」，從「古義」發
展為「新疏」，正是清代「漢學」發展的主要趨勢。宋儒標榜繼絕
學而承孔孟，清儒相對地提出直承「漢學」，循階而上以通經義，
並由訓詁的進路以闡明典章制度，並據以通經釋義，開創了一代經
學的新局面，累積豐厚的學術成果。「古義」與「新疏」的學術成
果，值得珍惜，如何善加運用，乃至轉化為有益當前經學發展的資
源，尤值得省思。此外，探討清代經學的特色與侷限，也應該觀古
而思今，融舊以鑄新，開創當前經學發展的新課題與新途徑。這有
待學界共同關切，共同努力！

作者案：本論文係執行國科會專題研究計畫「清代漢學與《春秋》
學——從古義到新注疏（Ⅱ）」（計畫編號：NSC93－2411－H－

---

❹　說參拙著：〈經及其解釋——陳澧的經學觀〉，姜廣輝主編：《中國哲學》
　　第 24 輯（瀋陽：遼寧教育出版社，2002 年 4 月），頁 642－680。

002－050）之部分成果。

　　——本文發表於「經典與文化的形成」研究計畫與中國符號
　　學學會合辦之第十七次讀書月會（2005 年 6 月 10
　　日）。

從乾坤之德論「一致而百慮」

鄭吉雄[*]

一、前　言

　　《易》六十四卦首列「乾」、「坤」二卦。如果說《易》以
「乾」、「坤」為道體之本，宇宙萬物均源於乾坤二體，而乾坤之
上並無一具超越性的唯一之理，那麼《易經》形上學就是二元論而
非一元論。但如果像王弼（226－249）所說，「無」才是根源，又
或者如程頤所說，陰陽之上尚有一個「所以然」，那麼《易經》的
哲學就是一元論而不是二元論。這二者之間的分歧，是一個千餘年
來爭論不休的大問題。

　　又《易‧繫辭傳》有「天下同歸而殊途，一致而百慮」一語。
既云「同歸」、「一致」，是否表示《繫辭傳》作者認為宇宙是根
源於一個唯一而無對的真理或本體？這一觀念又是否自《易經》哲
學發展出來的呢？《易傳》所建構的形上理論，又是一元還是二元
的呢？《易傳》在這一概念的演繹上，與《易經》究竟是一致還是
不一致呢？這些問題，都是討論《易》哲學時所不可迴避的，也是

---

[*]　鄭吉雄，臺灣大學中國文學系教授。

本文要研討的對象。

我認為《易傳》雖為晚出，受到許多諸如《老子》、陰陽家等晚周諸子思想的影響，但歸根究柢，其中許多思想觀念均源自《易經》，殆無疑問。《易傳》「一致而百慮」一語之含義，歷來許多註經者都沒有說清楚，而推究其原本，實與《易經》「乾」、「坤」之間的內在關係，以及二卦之上是否尚有一超越的「所以然」之體等兩個重大問題懸而未決，有密切的關係。由於千餘年來「乾」、「坤」關係一直是《易》學家所注重的，因此本文除前言及結論外，擬於第一部分先分述歷來學者對二卦特殊關係的三種不同的理解。第二部分說明二卦的內在關係，並進一步論證《易》道主剛的思想。第三部分討論則以文義結構分析《繫辭傳》「一致而百慮」一語的含義，以說明《易經》以「乾」、「坤」二元為本的宇宙論。

二、對乾坤二卦特殊性的三種理解

首先，六十四卦中，「乾」、「坤」二卦具有特殊性質，與其餘六十二卦頗不相同。諸卦中唯獨乾坤二卦有《文言傳》，正好反映此一事實。❶按《繫辭傳》多論「乾」「坤」之義的重要性，如：

---

❶ 《文言傳》是戰國時期（或更晚）的作品。作者是誰，姑置勿論，但絕不會是周文王。尚秉和《周易尚氏學》稱：「制此乾坤之卦爻辭者，文王也。故曰文言。繹文王所言耳。」（北京：中華書局，1998 年，頁 22）尚氏之說，證據並不充足。但《文言傳》雖晚，其內容卻是依據「乾」「坤」二卦之義，發揮而成，不可因該《傳》晚出，遂認為經傳彼此無關。

1. 天尊地卑，乾坤定矣。

2. 乾以易知，坤以簡能。……易簡而天下之理得。

3. 夫乾，其靜也專，其動也直，是以大生焉。坤，其靜也翕，其動也闢，是以廣生焉。

4. 乾坤，其《易》之蘊邪？乾坤成列，而《易》立乎其中矣。乾坤毀，則無以見《易》。

5. 是故闔戶謂之坤，闢戶謂之乾，一闔一闢謂之變，往來不窮謂之通，見乃謂之象，形乃謂之器，制而用之謂之法，利用出入、民咸用之謂之神。

6. 乾坤其易之門邪？乾，陽物也；坤，陰物也。陰陽合德，而剛柔有體，以體天地之撰，以通神明之德。

尤其第 5、6 條稱乾坤為「門」、「戶」，傳統學者多引申此義，以說明《易》六十四卦以「乾」、「坤」為首，以及唯二卦有《文言傳》的原因。如孔穎達（574－648）《周易正義》即說：

> 文言者，是夫子第七翼也。以乾坤，其易之門戶邪，其餘諸卦及爻，皆從乾坤而出，義理深奧，故特作《文言》以開釋之。❷

由此可見，《易經》何以以「乾」、「坤」二卦居首，和何以唯獨二卦有《文言傳》，其實是同一個問題。傳統的學者，對於這個問

___

❷　《周易正義》（臺北：藝文印書館《十三經注疏》本），頁12。

題有不同的解釋，說解之多，不可勝數。但大致區分，則不出三個方向，其一是以二卦的形象提出解釋，其二是以六十四卦的體例提出解釋，其三是以陰陽剛柔的性質提出解釋。

(一) 以二卦的形象提出解釋

關於這方面，研究者多著眼於「乾」、「坤」的實物意義。如以「乾」、「坤」為夫婦之義。焦循（1763－1820）說：

> 父子君臣上下禮義，必始於夫婦，則伏羲之定人道，不已切乎！……有父子而長少乃可序，吾知伏羲之卦必首乾而次坤。……乾坤生六子，六子共一父母，不可為夫婦，則必相錯焉，此六十四卦所以重也。猶是巽之配震也，坎之配離也，兌之配艮也。在三畫則同一父母之所生，在六畫則已為陰陽之相錯。相錯者以此之長女配彼之長男，以彼之中男少男配此之中女少女，一相錯而婚姻之禮行，嫁娶之制備，八卦成列，因而重之。吾於此知伏羲必重卦為六十四。……卦之旁通，自伏羲已然，非旁通無以示人道之有定，而夫婦之有別也。情性之大，莫若男女（原注：見《白虎通》）。人之性孰不欲男女之有別也。方人道未定，不能自覺，聖人以先覺覺之，故不煩言，而民已悟焉。❸

這個說解的理由其實包含三方面：《易》本陰陽，陰陽非抽象之

---

❸ 氏著：《易圖略·原卦第一》，收入無求備齋《易經集成》（臺北：成文出版社，1976年），第146冊，頁128－130。

理，而必體現於具體事物之上，則男女夫婦之道，恰可說明陰陽之
理體現於人倫事物的事實，此其一。又「情性之大，莫若男女」，
沒有男女性情之別，就沒有一切倫理關係，焦氏以為聖人凸顯乾坤
二卦的理由在此，此其二。又男女婚配而生兒女，兩個家庭之兒女
相配而復生兒女，婚姻嫁娶的禮制即由此而生，這又與「乾」、
「坤」二卦生六子卦，相錯相重而為六十四卦的結構相合，此其
三。焦循的說解，充分說明了清儒重視歷史文化、氣化流行的思想
傾向。近世學者又或以「乾」為鎖鑰，以「坤」為河川。如鄧球柏
《帛書周易校釋》：

> 鍵，卦名。……列于六十四卦之首，蓋以此卦為六十四卦之
> 門戶（原注：即關鍵），鍵，引申為門鎖、關鍵、關閉、封
> 鎖、囚禁等義；假借為建立、剛健、剛強等義。❹

又說：

> 川，卦名。……「川」、「水」古代本為一字，爾後析為二
> 字。「川」兼「川」、「水」二義，因而引申為地，地上唯
> 有通流者為川。通流則「順」，「順」字從川本于通流者。
> 卦名以「川」義取通流，與卦名以建義取固塞（鎖須以固
> 關、無鍵則無關矣）相反相成。《周易》六十四卦，全陰全
> 陽之卦僅《鍵》與《川》。《鍵》固塞關閉統帥三十一卦，

---

❹ 氏著：《帛書周易校釋》（長沙：湖南出版社，1987年），頁69。

> 《川》通流暢行率領三十一卦。反映了先民的鮮明的對稱思
> 維方式。❺

其實關於「川」卦的說解，過去王引之《經義述聞》詳列證據，指
出「乾『坤』字正當作『坤』；其作『巛』者，乃是借用『川』
字」，又說「『川』為『坤』之假借，而非『坤』之本字」❻，對
於「坤」、「川」二字的關係，已有清楚的說明。可惜鄧氏似未參
考。美國學者 Edward L. Shaughnessy（夏含夷）亦以「Key」譯
「乾」卦卦名❼，亦是執著馬王堆帛書《周易》「巛」字形體，錯
誤與鄧氏相同。

學者又或認為「乾」、「坤」為天地之義。如陳鼓應（1935
－）、趙建偉《周易注釋與研究》釋「易」為「日出」，又認為
「乾」之義亦出自「易」，其義為「天」❽，「坤」則為地。其論
《文言傳》名義一節，說：

> 〈繫上〉一章「天尊地卑，乾坤定矣」，此當為《文言》所

---

❺　前註引書，頁 216－217。

❻　氏著：《經義述聞》（南京：江蘇古籍出版社，2000 年），頁 4。

❼　Edward Shaughnessy, *I-Ching: The Classic of Changes*, Ballantine Books, 1998,
　　p.1.

❽　該書「前言」說：「近人黃振華撰有〈論日出為易〉一文，認為『易』字的
　　本義為『日出』，象徵陰陽變化（原注：《哲學年刊》第 5 輯，1968 年，臺
　　灣商務印書館）。這種說法很有道理。日之上出，運行移易，周而復始，六
　　十四卦變易周環，亦不外此理，故題其名為《易》。」《周易注譯與研究》
　　（臺北：臺灣商務印書館，1999 年），頁 3。

本。六十四卦只〈乾〉、〈坤〉有《文言傳》，可知「文」
字源出〈繫上〉「天地之文」，《左傳・昭公二十八年》、
《周書・諡法》等也說「經天緯地曰文」。「言」，〈釋
說〉。對〈乾〉、〈坤〉兩卦（天、地）予以釋說，所以稱
《文言傳》。❾

傳統學者或釋「乾」、「坤」為「天地之道」❿，而此處直接以
「天地」釋「乾」、「坤」。此一解釋中含有頗為濃厚的唯物論的
意味。不過此一說解對於先儒針對乾坤實義背後的虛義所作的分
析，多未考慮。宋儒趙譽《易說》即曾針對「乾坤」為「天地」之
義，提出反駁，說：

> 卦之始畫也，奇耦而已。一與一為二，故有奇則有耦；二與
> 一為三，故三畫而成卦。……純乎陽則偏乎陽，純乎陰則偏
> 乎陰，其純也固其所以為偏也，況重乾為乾，重坤為坤，六
> 位皆純而健順之至。聖人作易得不為之慮乎。……胡不以未
> 有十翼之言觀之乎。乾坤卦下之辭與六爻之辭，及用九用六
> 之辭，凡二百十七字，自「飛龍在天」一字之外，皆未嘗以
> 天地為言。至孔子作象、象、文言，乃始詳陳天地之理，特
> 舉其得乾坤健順之大者以明之耳，豈可直謂之天地而不深玩

---

❾　同前註引書，頁 17。

❿　如林漢仕《乾坤傳識》引梁寅《易參義》稱：「夫子之意，蓋以乾坤二卦盡
　　天地之道，故尊異其辭，因以明造化之大，固非他卦之可同也。」參《乾坤
　　傳識》（臺北：文史哲出版社，1988 年），頁 3。

其辭哉。**⑪**

趙氏稱《易經》「乾」、「坤」二卦的內容「皆未嘗以天地為言」，固然有過於執著的弊端（如「坤」初六「履霜堅冰至」即顯然有土地的喻象），但他從卦畫的原始（奇耦），論及「重乾為乾」、「重坤為坤」，二卦「六位皆純」，考慮到卦畫的形成及其意義的發展，顯然是較為周到的。

㈡ 從六十四卦的體例提出解釋

此類觀點所強調的是「乾」、「坤」在六十四卦整體結構中的特殊位置。如認為乾坤為純卦之首。清儒宋書升（1842－1915）《周易要義》：

> 乾坤為陰陽之大父母，卦屬純體。泰否即乾坤之變，咸恒損益為陰陽長少正對之體。故以泰否入上篇、以咸恒損益入下篇，此以類從也。**⑫**

如清儒武運隆《易說求源》則提出「乾」卦具發凡起例的性質，他說：

> 乾卦，大象傳、小象傳及象傳，與他卦一例，渾而未分。至文言傳則詳為分之。首節復釋六爻之義，以德言。……二節

---

⑪ 《易經集成》，同註**❸**，第 110 冊，頁 9－10。
⑫ 《周易要義》（濟南：山東友誼書社，1989 年），頁 389。

以位言，三節以時言，皆釋其象辭。四節又釋其占辭。……
使讀易者，知六十四卦之爻辭，取義不一，有從爻德上取
者，有從爻位上取者，有從爻時上取者。乾為六十四卦之
首，故為之發凡起例。❸

又或有學者以「體」、「用」說明「乾坤」與其餘六十二卦的關
係。鄭萬耕（1946－）稱：

周易之書，乾坤並建以為首，易之體也。六十二卦錯綜乎三
十四象，而交列焉，易之用也。❹

已故易學家金景芳（1902－2001）《周易全解》基本上釋「乾」、
「坤」為天地，但他也從矛盾發展的觀念出發，觀察「乾」、
「坤」在六十四卦中之所以重要的原因：

六十四卦作為一個發展過程，可以看到，開始時，《乾》純
陽，《坤》純陰，最不平衡。當發展到《既濟》，則六爻
「剛柔正而位當」，即已達到平衡。乾坤變化發展，本來由
於陰陽不平衡。一旦達到平衡，這就等於乾坤毀。「乾坤毀
則无以見《易》」，意思是說矛盾既已解決，就再也看不到
變化發展了。……「《易》不可見，則乾坤或幾乎息矣」，

---

❸　《易經集成》，同註❸，第 99 冊，頁 219－220。
❹　氏著：《易學精華》（北京：北京出版社，1996 年），中冊，頁 1384。

> 這個「幾乎息」三字大可玩味。「幾乎息」實際上是說沒有
> 息,只是象息罷了。幾乎息是指既濟,沒有息是指未濟。**⑮**

「乾」、「坤」之所以居六十四卦之首,是因為此二卦為矛盾不平
衡之極致。有此一極致,則自「屯」、「蒙」以下有一連串的發
展。到最後則以「既濟」之平衡告終,又繼之以「未濟」以昭示矛
盾並沒有歇息。依金氏之說,「未濟」之所以未歇息者,實是因為
「乾」、「坤」之作用尚未終結的緣故。這就可以證明「乾」、
「坤」二卦的重要性了。

㈢ 從陰陽剛柔的性質提出解釋

前述兩類的解釋中,第一類中舉出焦循的論點,可視為一種歷
史文化的解釋,而焦氏又考慮到男女性情之別在人倫社會中的重要
位置,其立說實較周延。但此種對「乾」、「坤」卦義的理解,必
須奠基於《易經》為上古聖人所作的前提之上,認為聖人特別標舉
「夫婦之道」以昭示倫理教化。從今天的觀點衡視,其證據似亦未
為足夠。第二類的解釋從六十四卦的關係立論,其實亦必然涉及純
陰純陽、剛柔消長之義,則與本節提出的解釋大同而小異。

除前述兩種解釋外,尚有第三類解釋,主要認為「乾」為陽為
剛、「坤」為陰為柔,《易》以乾坤為首即顯示陰陽合德而剛柔有
體。我認為這一種解釋最為合理。李鼎祚《周易集解》引姚信的說
法:

---

⑮ 氏著:《周易全解》(長春:吉林大學出版社,1989 年),頁 5。

乾坤為門戶，文說乾坤，六十二卦皆放焉。**⓰**

孔穎達承此論點，說：

> 乾坤者，陰陽之本始，萬物之祖宗。故為上篇之始而尊之
> 也。**⓱**

「陰陽之本始」是從乾坤的性質上說，「萬物之祖宗」則從氣化流
行的源頭上說。孔氏又指出「其餘諸卦及爻皆從乾坤而出，義理深
奧，故特作《文言》以開釋之」**⓲**，說明了唯獨二卦有《文言傳》
的原因。其後北宋諸儒多發揮此一義。如張載（1020－1077）《橫
渠先生易說》「繫辭傳」稱：

> 先立乾坤以為易之門戶，既定剛柔之體，極其變動以盡其
> 時，至於六十四，此易之所以教人也。**⓳**

又司馬光（1019－1086）《溫公易說》卷六「繫辭下」第五章：

> 「易之門」，易由此出。乾坤合德，而剛柔有體，交錯而成

⓰　《周易集解》，頁7。
⓱　《周易正義》，同註**❷**，第五論「分上下二篇」，頁7。
⓲　同前註引書，頁12。
⓳　《易經集成》，同註**❸**，第13冊，頁282。

　　　　眾卦。❷

剛柔本身不可見，但可以具體地從「乾」、「坤」中見。北宋以降
的儒者，多承此說。如朱震（1072－1138）《漢上易傳》「繫辭下
傳」第八說：

　　　八卦本乾坤者也，夫乾陽至剛，確然不易，示人為君、為
　　　父、為夫之道，不亦易乎！夫坤陰至柔，隤然而順，示人為
　　　臣、為子、為婦之道，不亦簡乎！乾剛坤柔，以立本者也。❷

又說：

　　　「乾坤其易之門邪」……陰陽相盪，剛柔相推，自乾坤而變
　　　八卦，自八卦而變六十四卦、三百八十四爻。❷

六十四卦都是陰陽剛柔相錯相合而成，而「乾陽至剛」、「坤陰至
柔」，那就表示「乾」、「坤」二卦位階與其他六十二卦絕不相
同，昭示的是純陰純陽之理。又李衡《周易義海撮要》「繫辭
上」：

❷　《易經集成》，同註❸，第 14 冊，頁 298。
❷　《易經集成》，同註❸，第 20 冊，頁 765。
❷　《易經集成》，同註❸，第 20 冊，頁 792。

二氣相推，陰陽之爻交變分為六十四卦有三百八十四爻。㉓

又如郭雍（1103－1187）《郭氏傳家易說》「繫辭下」：

> 蓋言先得乾坤陰陽之道，而後見于象者，剛柔之體具焉。剛
> 柔之體具，則六十四卦由此而生。㉔

至近世學者相類似的解釋，即沿自此一脈的觀念，如馬振彪《周易
學說》稱：

> 六十四卦蕃變不可端倪，一靜一動互為其根，要不越乎陰陽
> 消長之理。陰陽之數極於六九，而其象始著於乾坤。乾元為
> 陽之精，坤元為陰之精。乾元以九交坤，坤元以六交乾。凡
> 六子之卦，其兩畫相同者皆乾坤之本體，其一畫獨異者乃乾
> 坤之二用，所謂元也。六十四卦皆元氣所生。乾元坤元相
> 易，而三百八十四爻之位，遂成於乾坤之中，可以盡天下事
> 物之理。㉕

從上述材料可見，古今學者多以為「乾」、「坤」展示了陰陽之
理；而「乾」、「坤」之對立，實即昭示純陽、純陰的反對。

㉓　《易經集成》，同註❸，第 23 冊，頁 531。

㉔　《易經集成》，同註❸，第 25 冊，頁 876。

㉕　氏著：《周易學說》（廣州：花城出版社，2002 年），頁 32。該書係馬氏遺
　　著，由張善文整理。

《易》卦自「屯」下迄「未濟」，六十二卦都是陰陽爻相錯而成，獨乾卦六爻皆陽、坤卦六爻皆陰，與諸卦不同。❷⑥前引武運隆「發凡起例」說，以及鄭萬耕「體用」說，其實亦係此一意思，都是認為「乾」、「坤」發揮純陽、純陰的特性，而陰陽消長又係六十四卦交錯變化的根本原理。因此，六十二卦的變化作用，其實都以「乾坤」為本體。朱熹（1130－1200）亦以此一觀念解釋《文言傳》，說：

> 此篇申《彖傳》、《象傳》之意，以盡乾、坤二卦之蘊，而餘卦之說，因可以例推云。❷⑦

「以例推」即「發凡起例」之意。傅隸樸（1908－）說：

> 乾坤為易之門戶，六十二卦都是由乾坤二卦演繹而成的，乾坤二卦之德——元、亨、利、貞——分散在六十二卦中，已繹乾坤中所言，便無須再繹餘卦德卦了。❷⑧

亦是此一意思。因此我嘗稱「乾」、「坤」二卦在六十四卦中，發

---

❷⑥ 當然，讀者請暫勿用「陰陽為戰國晚期思想」的論點相質疑，因為我的重點是構成六十四卦的奇偶二爻。《易》陽爻為奇，陰爻為偶，正如戴震所說的，「一奇以儀陽，一偶以儀陰」（氏著：《緒言》卷上，收入《戴震全書》六，合肥：黃山書社，1995年。）讀者亦不妨視陰陽為奇偶。

❷⑦ 朱熹：《周易本義》（臺北：大安出版社，1999年），頁32。

❷⑧ 傅隸樸：《周易理解》，頁25。

揮的是「概念卦」的作用。這是二卦最突出的地方。「陰」、
「陽」之名,固然是屬於戰國時期的觀念。但若暫時借用以表述
「乾」、「坤」之德,其實也並無不可。換言之,什麼是「陽」
(或剛、健)?這是不易了解的,於是《易經》的作者就立了
「乾」卦,用純粹的「奇」告訴人們,「陽」的力量發揮到極致,
是一種什麼樣的狀態。什麼是「陰」(或柔、順)?也是不易了解
的,於是《易經》的作者就立了「坤」卦,用純粹的「偶」告訴人
們,「陰」的力量發揮到極致,是一種什麼樣的狀態。明瞭了這兩
種力量發揮至極致的具體情況,二者各種交雜相錯的情形就容易了
解了。

三、論乾坤二卦的內在關係

因為《易》六十四卦以「乾」、「坤」居首,歷來註《易》研
《易》者,關於二卦相反相成的關係,幾乎必定有觸及。但關於二
卦的內在關係,竊以為尚有未發之蘊,擬細加討論如下。

「乾」卦具有「天」的喻象,含有純粹剛健的性質;「坤」具
有「地」的喻象,含有純綷柔順的性質。乾坤之德,是《易》道所
兼蓄,諸卦之總成。這是眾所周知的道理。但如果細加考察,則不
難發現,「乾」雖為純陽至剛,但其中實已含「坤」之理;相對
地,「坤」雖為純陰至柔,但其中又含「乾」之理。因此,雖說
「乾」為純粹剛健,但其中已蘊含有柔順之德;雖說「坤」為純綷
柔順,但其中亦已蘊含剛健之德。簡而言之,「乾」中有「坤」、
「坤」中亦有「乾」。當然,這個觀點不可以僅止於泛論。按:
「乾」卦初九「潛龍勿用」,九二「見龍在田」。「田」本義為農

田，《詩經・小雅・莆田》有「倬彼莆田，歲取十千」，《小雅・大田》有「大田多稼，既種既戒」，「田」皆指耕種的農地。故《說文》稱：

> 田，陳也，樹穀曰田，象形。❷⑨

「見龍在田」之「田」既指農田，則「潛龍勿用」者，是指龍潛形於農田之下。❸⓪《文言傳》稱「上不在天，下不在田」，亦係以「土地」釋「田」字。「坤」為地，農田亦地之屬，因此，「乾」卦發展之始，初、二兩爻，均有「坤」之象。又「坤」卦上六，陰的力量發展至極致，爻辭稱「龍戰於野，其血玄黃」，王弼《注》解釋說：

> 陰之為道，卑順不盈，乃全其美盛而不已，固陽之地，陽所不堪，故戰于野。❸①

孔穎達《正義》對於王《注》有較仔細的發揮，說：

---

❷⑨　段玉裁：《說文解字注》（臺北：漢京文化事業公司，1983 年），13 篇下，頁 694。

❸⓪　高亨〈周易筮辭分類表〉說：「余疑《周易》先有圖象，後有文辭，……以『乾』卦言，初九云『潛龍勿用』，初本繪一龍伏水中，後乃題其圖曰『潛龍』。」（收入氏著：《周易古經今注》重訂本〔北京：中華書局，1984年〕，頁 51。）高氏釋「潛龍勿用」為龍潛形於水中，誤。

❸①　《周易正義》，同註❷，頁 20。

陰去則陽來，陰乃盛而不去，占固此陽所生久地，故陽氣之
龍與之交戰。㉜

這段話雖然未必完全符合王弼的意思，但基本上「坤」上六標示了
純粹的「陰」至於極點必遇於陽，這是可以確定的。因此，「乾」
和「坤」雖然相反，卻又緊密地相依存，彼此之間，是一種不能區
分切割的關係。「乾」卦《文言傳》說：

　　剛健中正，純粹精也。

「純粹」二字，就說明了「乾」卦六爻皆奇、皆陽的情況。如依
「發凡起例」的原則解釋，則「乾」卦立例在前，後面的「坤」卦
就不必複述了。陰陽奇偶，其實就是構成六十四卦的最基本的要
素。而三百八十四爻，則可視為這兩個要素在各種不同的構成狀態
下，所顯示的各種不同的結果。勉強借用「一本萬殊」一語來形
容，《易經》「乾」「坤」相依、奇偶相合，標示了「一本」；而
三百八十四爻所呈現的各種吉凶悔吝的情況，則標示了「萬殊」。
　　乾坤二卦的內在關係，先儒早已偵知。「乾」用九：

　　見群龍无首，吉。

「坤」卦辭：

㉜　同前註。

元亨，利牝馬之貞。君子有攸往，先迷後得主，利西南得朋，東北喪朋。安貞，吉。

「坤」用六：

利永貞。

「乾」《文言》：

「乾元」者，始而亨者也。「利貞」者，性情也。乾始能以美利利天下，不言所利，大矣哉！

朱熹說：

「群龍无首」，即「坤」之「牝馬先迷」也。「坤」之「利永貞」，即「乾」之「不言所利」也。㉝

按《易》以變占，老變少不變，故《易》爻題通稱九、六而不稱八、七。依朱熹的解釋：「乾」卦用九為六爻皆變，其占辭「群龍无首」四字，實與「坤」卦卦辭的「牝馬先迷」意義相同，等於「乾」變至極，則復返成「坤」。同樣地，「坤」卦用六亦為六爻皆變，其占辭「利永貞」三字，實與「乾」卦卦辭的「利貞」相

㉝　氏著：《易學啟蒙》（臺北：廣學社印書館，1975年），卷4，頁78。

同，其義均為「不言所利」，等於「坤」變至極，則復返成「乾」。然則「乾」「坤」的密切關係，亦甚明顯無疑了。朱子指出「乾」、「坤」二卦的關係，提醒我們一個重要的道理：「乾」、「坤」二卦雖然一為純陰純柔、另一為純陽純剛，其義相反，但實相反亦相成，其剛柔往復循環之義恆存，「二用」充分闡發「乾」、「坤」相依存之義，而二卦在六十四卦中的特殊性，亦顯露無遺。「乾」、「坤」二卦的關係如此密切，接下來我們還要更進一步探討二卦的輕重主從關係。

四、論《易》道主剛

《易經》「乾」之剛健、「坤」之柔順，雖為一種互相依存，彼此相涵的關係，但究其極致，《易經》整體精神，主剛健而不主柔順。換言之，如果說「乾」代表主動、積極，「坤」代表被動、消極，那麼《易》道雖然是「乾」、「坤」兼攝，但「乾」、「坤」是一種動態而非靜態的關係。在動態變動之中，《易經》所昭示的統一的原則與精神，是積極、主動的，而非消極、被動的。而在此動態變動之中，聖人賢人君子因應的態度，也是積極、主動的，而非消極、被動的。故《易》道雖兼攝剛柔，而究其終極意義，則係主剛不主柔。

六十四卦每二卦為一組，關係有「錯」有「綜」。不論其為「錯」為「綜」，其發展都是自下而上，往復循環。這種發展本身，就是一種動態。以「乾」卦而言，初九「潛龍勿用」，龍雖潛但不會永遠潛伏，故其發展至九二而見於田，至九三則「終日乾乾」，延續剛健之勢，九四「或躍在淵」，所「躍」者向天上非向

地下，故有九五「飛龍在天」，至上九高亢之極而至於「有悔」。

「乾」卦為純粹的剛健，主積極主動；「坤」卦為純粹柔順，主含蓄被動，這是一般治《易》者不難明白的。但再進一步講，在「乾」、「坤」互相依存的關係中，仍然是以「乾」之剛健為主，而不以「坤」之柔順為主。換言之，「乾」可以包含「坤」，「坤」卻不能包含「乾」。讓我們看純粹柔順的「坤」卦。「坤」雖有「含章」、「括囊」等傾向於被動、含蓄的語彙，但如以最重要的六二來看（雄按：六二以陰爻處二位，是「坤」卦之主），其爻辭稱：

直方大，不習，无不利。

「直方大」三字中，既有「坤」之德，也包含了「乾」之德。❸❹凡《易經》的語言，陽爻稱「大」，陰爻稱「小」，故「否」卦卦辭「大往小來」，「泰」卦卦辭「小往大來」，「大」、「小」均指陽爻、陰爻。又九二與九五相遇為「大過」，六二與六五相遇則為「小過」。「陽」、「大」為「乾」象，而非「坤」象。又《繫辭傳》稱：

夫乾，其靜也專，其動也直。

---

❸❹ 屈萬里先生懷疑「直方大」的「大」字為衍文。按：帛書《周易》本有「大」字，則未有直接證據前，仍不應刪去「大」字。

金景芳據此,指出「直」是乾之德而非坤之德。金氏說:

> 「直方大」三字,方是講坤的。乾為圓則坤為方,方是坤之
> 德。坤之方與乾之圓相對應。乾體圓,坤效之以方,故坤至
> 靜而德方。至於直與大二字《繫辭傳》說乾「其動也直」,
> 《象傳》說「大哉乾元」,說明直與大是乾之德,不是坤之
> 德。不是坤之德,為什麼坤之主爻六二把直方大連起來說
> 呢?這是因為坤以乾之德為己德,或者說,坤是效法乾的。
> 乾體圓,坤則效之以來方。乾性直,坤亦未嘗不直。乾無
> 疆,則坤德合無疆,與乾并其大。❸

關於「坤」之「方」與「乾」之「直」與「大」聯繫起來的原因,
金氏有一傾向唯物論的解釋❸,他又釋「不習无不利」說:

> 「不習」,謂坤之道因任自然,莫之為而為,一切順從乾德
> 而行,其間並無自己的增加造設。這樣做,對於坤來說,沒
> 有任何不利。

---

❸ 氏著:《周易全解》,同註❶,頁 45。

❸ 他說:「坤之方怎麼與乾之直、乾之大連繫起來呢?就事理上說,大凡方的
東西必首先要直,不直何以成方!而其趨勢總以大為極。猶如幾何學上所謂
線面體的關係,沒有直線不可成面,沒有面不能成體,沒有體何以言大!」
金氏受二十世紀初以來古史辨學者強調科學實證的影響,故有此一解釋。我
認為這個解釋本身是合理的,但似尚不夠充分。

「不習」，朱子解釋為「不待學習」**❸❼**，金氏解釋為「莫之為而為」，意義是頗為一致的，都是講的自然而行的狀態。「坤」卦主柔順而被動，六二亦蘊含「乾」的剛健性質，故雖柔順被動而能「无不利」。再舉「損」卦為例，「損」與「益」相反。「益」是「增足之名」，意義是正面的；「損」是「減損之名」，意義是負面的。但在「損」卦之中，剛健之德亦可不受影響。「損」上九卦辭「弗損，益之，无咎，貞吉，利有攸往，得臣无家」，卦體之終，不但不損，反而有益，原因正在於上爻為陽而非陰。王弼解釋說：

> 處損之終，上無所奉。損終反益，剛德不損，乃反益之，而不憂於咎，用正而吉，不制於柔，剛德遂長，故曰「弗損，益之，无咎」。**❸❽**

王弼所謂「損終反益，剛德不損」、「不制於柔，剛德遂長」，正說明了剛健之德可以不受柔順之德影響的事實。王弼的理解，基本上是合符《易經》的道理的。

上述論證《易經》以剛而不以柔為主的思想。接著讓我們舉《彖傳》、《文言傳》、《象傳》、《繫辭傳》例證各一，說明《易傳》發揮《易經》思想，故亦主剛而不主柔。前文論及《易經》「坤」中有「乾」，此一思想脈絡，《易傳》十分忠實地加以

---

❸❼ 《周易本義》，同註**❷❼**，頁 42。
❸❽ 《周易正義》，同註**❷**，頁 96。

發揮，如《象傳》於「坤」卦用六「利永貞」下，解釋說：

> 用六永貞，以大終也。❸

前文述及《易經》語言，凡陽爻稱「大」，陰爻稱「小」。《易傳》亦承《易經》的用語，《象傳》「以大終」，即指「坤」卦純陰，發展至終極而遇陽。乾陽坤陰，則「坤」卦發展之終，又有「乾」之象。這也是上文討論「坤」中有「乾」的佐證之一。此為《象傳》之例。

「坤」卦《文言傳》：

> 坤，至柔而動也剛，至靜而德方。後得主而有常，含萬物而化光。坤道其順乎，承天而時行。❹

「坤」雖為「至柔」，但「動也剛」，顯然就是「乾」的力量使然。至於「承天」，亦即「承乾」之意。然則在《文言傳》作者的理解中，「坤」卦的性質為柔順、為含蓄，但其中必然蘊含「乾」剛健的性質，才能運動。這是至為明白的。以上是《文言傳》之證。

《易經》首列「乾」、「坤」二卦而主剛，《象傳》之主旨，在解釋六十四卦之卦德、卦象和卦義，故其思想亦主剛。舉「剝」卦為例，一陽爻居上位而五陰爻居下位，是「柔變剛」之象；其釋

---

❸　《周易正義》，同註❷，頁 20。
❹　同前註。

「不利有攸往」，亦稱「小人長也」。其全體所表述的，是小人道長，君子道消之象。但《彖傳》最後則說：

> 君子尚消息盈虛，天行也。❹

消息盈虛，雖然是互相推移，但正如孔穎達《正義》所說的「若道消之時，行消道也；道息之時，行盈道也」❷，實際上「道」不應因「道息」而「息」，君子仍然是要「行道」，這是「天行」的精神。當然，這也就是「乾」道的精神。「乾」卦《彖傳》說：

> 天行健，君子以自強不息。❸

《彖傳》作者最後以「君子」、「天行」並舉，顯然是引申至「乾」卦「剛健」、「自強不息」的卦義。則「剝」雖處於「柔變剛」、「小人道長」之時，君子亦應依循「乾」卦剛健的原則與精神，以應付消息盈虛之變化。由此看來，該傳作者主剛不主柔，亦至為明白。以上是《彖傳》之證。

至於《繫辭傳》中，有對卦體的描述，有對道體的描述，有對聖人君子的描述。這些描述都是主剛健而不主柔順。就其對卦體的描述而言，《繫辭傳》說：

---

❹　《周易正義》，同註❷，頁 63。
❷　《周易正義》，同註❷，頁 63。
❸　《周易正義》，同註❷，頁 11。

六爻之動，三極之道也。❹

六爻之變動，自下而上發展，卦爻繫以吉凶悔吝，卦爻辭示以變化進退的原則，卦與卦之間蘊含往來、終始的規律。六十四卦整體結構，是一個積極、剛健、動態的過程。就其對道體的描述而言，《繫辭傳》說：

一陰一陽之謂道。繼之者善，成之者性。❺

《易》道道體「一陰一陽」本身是一種向前的、積極的動態過程。唯其是向前、積極、動態，才有「繼善」、「成性」可言。「繼善」、「成性」二語，後儒據以推論萬物化生、人性弘揚的問題，也多依循向前、積極的精神。這方面，不但宋儒有很多精采的解釋，清儒王夫之（1619－1692）亦有深入的發揮，於此暫不討論。《繫辭傳》又說：

一闔一闢謂之變，往來不窮謂之通，見乃謂之象，形乃謂之器，制而用之謂之法，利用出入、民咸用之謂之神。❻

從道的闔闢、往來、見象、形器、制法，一直到「民咸用之」，整個過程也是向前、積極、動態的。就其對聖人君子的描述而言，

---

❹　《周易正義》，同註❷，頁 146。
❺　《周易正義》，同註❷，頁 148。
❻　《周易正義》，同註❷，頁 156。

《繫辭傳》說：

> 是故君子居則觀其象而玩其辭，動則觀其變而玩其占。❼

君子無論是觀象玩辭、觀變玩占，都是屬於有為、積極的態度。又說：

> 是故形而上者謂之道，形而下者謂之器，化而裁之謂之變，
> 推而行之謂之通，舉而錯之天下之民謂之事業。❽

這一段文字講聖人如何化裁道器，通變、推行，最後則「舉而錯之天下之民」。這亦是強調有為、積極的態度。其餘《繫辭傳》特別強調「動」字，如「繫辭焉而命之，動在其中」、「吉凶悔吝者，生乎動者也」、「道有變動，故曰爻」，這一類的話語在《繫辭傳》中不勝枚舉，多少都反映了《繫辭傳》主剛健的精神。因此，雖然我們知道《易》道兼攝乾坤剛柔，但就《易經》與《易傳》的具體內容來觀察，則《易》的整體精神是傾向剛健而非傾向柔順的。

　　上文討論了討論了《易經》以乾剛為主而不以坤柔為主的主旨，也討論了《易傳》如何繼承《易經》此一價值觀念。接下來我們可以檢視關於帛書《易傳》「夕惕若」作「夕沂若」的異文問題。

---

❼　《周易正義》，同註❷，頁146。
❽　《周易正義》，同註❷，頁158。

　　試以之與《老子》作對照，《老子》說「大曰逝，逝曰遠，遠曰反」，天道最終是「反」。而《老子》所講的「反」是「復歸於道」的意思。❹要注意的是：《老子》強調「復」（如「吾以觀復」），雖然源自《易經》「復」卦以及往來循環的思想，但《老子》進一步主張「反者道之用，弱者道之用」❺，顯然將「復」的觀念引導到一個馮友蘭（1895－1990）所說的向後倒退的方向。「弱」即「柔弱」；「反」的精神從道體上說，是要「復歸於無物」❺、「復歸於樸」❺；落實於人的行為，就是「為學日益」的相反，要「為道日損」❺，要「專氣致柔」❺；落實於政治，就是「處無為之事，行不言之教」❺，要「絕聖棄智」。❺這種偏重陰柔、消極、退守的態度，顯然與上文所分析《易經》和《易傳》的精神是相違悖的。楊儒賓（1956－）也注意到《易傳》與《老子》的差異。他說：

　　　　《中庸》、《易傳》形容道體多喜用陽剛性的狀詞，如乾
　　　　元、直方大之類；老子形容道體則喜用陰柔性的狀詞，如玄

---

❹　用馮友蘭的解釋，參氏著：《中國哲學史新編》（北京：人民出版社，1998年），上冊，頁334。

❺　朱謙之：《老子校釋》（北京：中華書局，1984年），頁165。

❺　《老子校釋》，同前註，頁54。

❺　《老子校釋》，同前註，頁113。

❺　《老子校釋》，同前註，頁192。

❺　《老子校釋》，同前註，頁40。

❺　《老子校釋》，同前註，頁10。

❺　《老子校釋》，同前註，頁74。

牝、天下母等，這些形容不會只是修辭技巧的問題，它們多少反映了對於創造實體不同的理解。㊼

《易傳》與《老子》相異並非修辭技巧而是理解不同，我認為是正確的論斷。近年來學術界頗有學者認為《易傳》屬於道家思想。如陳鼓應師即主此說。㊽我認為這個論點頗可商榷。先秦道家有莊子、老子、《黃帝四經》、《管子》等幾個不同的支派，「道家思想」似過於概括。不過就先秦道家中的《老子》而言，其思想實與《易傳》大相逕庭。《易傳》與《老子》二者均接受了《易經》乾坤、剛柔相依相推的思想，這從思想史的角度看，是不會有問題的。然而，《易傳》偏於積極、尚剛健，是從正面承繼發揮了《易經》思想；《老子》則偏於消極、尚陰柔，顯然是從反面去理解和發揮《易經》思想。《老子》講「損之又損，至於無為」，與《易經》「損」卦「剛德不損」、「剛德遂長」，相去何啻千里？關於《易傳》與《老子》思想異同問題，因非本文重心，暫止於此，容以另文討論。

五、論「一致而百慮」

上文對於「乾坤之德」已有所討論，主要認為乾中有坤、坤中有乾；乾坤互依互動，其主要的精神是主剛健不主柔順。接著我想

㊼　氏著：《先秦道家「道」的觀念的發展》（臺北：臺灣大學文史叢刊之 77，1987 年），頁 50。

㊽　參氏著：《易傳與道家思想》（臺北：臺灣商務印書館，1994 年）。

藉由討論《繫辭傳》「一致而百慮」一語，分析該傳作者所認知的宇宙本體是一元抑或二元的問題。正如我們所知，《繫辭傳》有「一陰一陽之謂道」一語，歷來有兩個不同的解釋：其一是認為「陰陽」本身就是「一本」，其二則認為「陰陽」之上還有一個「所以然」。《易經》在這一點上似乎沒有直接說明。《繫辭傳》提出「天地之道」、「天下之理」，這個「道」或「理」，究竟是一個先於萬物而存在的先驗之本體，抑或是天地之間森然萬殊的萬物所透顯出來的後驗之條理呢？

《繫辭傳》說：

> 《易》曰：「憧憧往來，朋從爾思。」子曰：「天下何思何慮？天下同歸而殊塗，一致而百慮。天下何思何慮？」

「憧憧往來，朋從爾思」二語，出自《易經》「咸」卦九四爻辭。《繫辭傳》二語下韓康伯《注》云：

> 天下之動，必須乎一。思以求朋，未能一也。一以感物，不思而至。㊾

「須」是「等待」的意思，韓氏的意思是，「思以求朋」，有彼我之分，就不能遵循於「一」，必須依循「一」的準則以「感物」，

㊾　《周易正義》，同註❷，頁169。

則物自能不思而至。❻那麼「一」是什麼呢？《繫辭傳》「天下何
思何慮」下韓《注》云：

> 夫少則得，多則惑，塗雖殊，其歸則同。慮雖百，其致不
> 二。苟識其要，不在博求，一以貫之，不慮而盡矣。❻

依文意解釋「少則得」，應該含有「愈少則愈易得」的意思，故後
文云「其歸則同」，既云「同歸」，則起點和目標都只有一個。然
而「一貫」之意，韓氏亦未明言。孔穎達《正義》解釋說：

> 「子曰：天下何思何慮」者，言得一之道，心既寂靜，何假
> 思慮也。「天下同歸而殊塗」者，言天下萬事，終則同歸於
> 一，但初時殊異其塗路也。「一致而百慮」者，所致雖一，
> 慮必有百，言慮雖百種，必歸於一致也。塗雖殊異，亦同歸
> 於至真也。言多則不如少，動則不如寂，則天下之事，何須
> 思也，何須慮也！❻

孔氏在這段話中反反覆覆說「一」說「殊」，又用「一之道」來解
釋「一貫」，但並未直接說明「一之道」、「一致」是什麼。不過
我們從這段話中「言多則不如少，動則不如寂」二語，與《正義》

---

❻ 雄按：「朋從爾思」的「思」字本為語詞，無實義。這裡韓康伯的解釋是引
申的用法。

❻ 《周易正義》，同註❷，頁169。

❻ 同前註。

卷首十論中的第一論「道即无也」的說法互證，則孔氏觀念中的
「一」，應該是王弼所強調的「无」。朱熹《易本義》說：

> 言理本無二，而殊塗百慮，莫非自然，何以思慮為哉？[63]

這裡朱子顯然是用「理」來釋「一」。然而，若脫離了理氣論，則
「一」是什麼還是不清楚的。根據我的考察，近世注《易》的學
者，唯有高亨《周易大傳今注》對於「同歸而殊塗，一致而百慮」
二語解釋得最清楚。但高氏釋「同歸」為「同歸於一地」，釋「一
致」為「同至于一處」[64]，則與韓、孔「道一」，程、朱「理一」
的解釋南轅北轍，變成與《易》的形上之理邈不相涉。其實，若以
《繫辭傳》緊接著的一段文字看，傳文說：

> 日往則月來，月往則日來，日月相推而明生焉。寒往則暑
> 來，暑往則寒來，寒暑相推而歲成焉。往者屈也，來者信
> 也，屈信相感而利生焉。[65]

---

[63] 氏著：《周易本義》，同註[27]，頁 258。

[64] 《周易大傳今注》：「天下人同歸于一地，而所走之路多異；同至于一處，
而所抱之想法有百種。如儒墨道法各家同在追求社會治安，而其主張各異。
然則天下人何思何慮，何去何從哉？」（濟南：齊魯書社，1983 年，頁
570）高亨先生將「同歸」釋為「同歸於一地」，與「殊途」二字恰好契合，
都與「坤」、「地」的喻象有關。

[65] 《周易正義》，同註[2]，頁 169。

「日往則月來……屈信相感而利生焉」，就是針對「天下何思何
慮」一問語的回答。如果我們用「本證法」以《繫辭傳》前後文互
證，則「同歸」與「一致」，不應像高氏所說，指具體的「地」，
而應該是講一種抽象的循環往復之理，就是「日月」、「寒暑」的
「往來」、「屈信」的規律。這樣看來，《繫辭傳》的作者仍然是
圍繞著《易經》經文「乾」、「坤」二卦健順之誼來發揮。

　　如今暫且回到《繫辭傳》，《傳》文就提及「一陰一陽之謂
道」。「一陰一陽」四字，黃沛榮師曾就先秦語法比較的基礎上作
出解釋，指出其意是「時而為陰，時而為陽」之意，而不是「一個
陰加一個陽」之意。我們看《易經》原文，除奇偶二畫所顯示的
「陰」與「陽」外，實亦找不到其他比陰陽位階更高的概念。唯程
頤（1033－1107）《易傳》說：

> 「一陰一陽之謂道」，此理固深，說則無可說。所以陰陽者
> 道，既曰氣，則便是二。言開闔已是感，既二，則便有感。
> 所以開闔者道，開闔便是陰陽。**⑥⑥**

程氏用的是理氣觀念的「理」，來說明陰陽之上還有一個所以然，
給了「一陰一陽之謂道」一語一個新解。自伊川以後，治《易》析
為二派，一派主張一陰一陽本身即是「道」，這一派應歸屬於「氣

---

⑥⑥　《二程遺書》第 15 卷「伊川先生語一」（上海：上海古籍出版社，1992
　　　年），頁 123。伊川又說：「離了陰陽更無道。所以陰陽者，是道也。陰
　　　陽，氣也。」又說：「『一陰一陽之謂道』，陰陽，亦形而下者。」（《二
　　　程遺書》，頁 92。）

論」；另一派則主張一陰一陽之上還有一個「所以然」，這一派應歸屬於「理論」。我在這裡不想持「求本義」的心態去批評二派的得失對錯，但平心而論，後一派不願用「陰陽」二概念來釋「一致」，自有其哲學上的立場與視界，然而要在原始文獻上證實「陰陽」之上還有一個「所以然」，證據仍然是不足的。熊十力（1885－1968）可能也注意到這個問題，因此在其《乾坤衍》一書中特別提出「乾元」和「坤元」兩個概念，以「元」貫串、統轄「乾坤」，為這個問題提供了一個特別的思考方向。❻不過「元」這個概念既是由《文言傳》的作者轉變「乾」卦卦辭「元亨利貞」之「元」而來❻，那麼以此一概念統轄「乾坤」之旨，恐怕只能被視為熊十力的別解，不能說《易經》作者即表達此義。

　總結來說，《易經》的哲學思想是以「乾坤」為核心。或者更精準地說，是以構成乾坤的兩種原素或力量──可以是健順❻、陰

----

❻　詳參拙著：〈從經典詮釋傳統論二十世紀《易》詮釋的分期與類型〉，收入《易圖象與易詮釋》（臺北：喜瑪拉雅研究發展基金會，2002 年），頁 69－71。

❻　按：「元亨」，「元」訓為「大」，歷來無異說；「亨」自漢儒即訓為「通」，至宋儒亦承此說，朱熹《易本義》亦釋「元」為「大」，「亨」為「通」。但依高亨《周易古經今注》之說，「元」本義為「大」，「亨」本義為「享」，即享祭之義。

❻　雄按：「乾」訓為「健」，《象傳》「天行健」云云，已主此說。帛書《周易》作「鍵」，即讀為「乾」或「健」。又依王引之《經義述聞》，「坤」訓為「順」，《象傳》「地勢坤」之「坤」字即「順」字，義為「地勢平順」。朱熹《中庸章句》釋「天命之謂性」，稱「因各得其所賦之理，以為健順五常之德」（氏著：《四書章句集注》，臺北：大安出版社，1994 年，頁 23），「健順」義亦自「乾坤」而來。

陽、或奇偶、或正負——為基礎。在《易經》作者的觀念中，萬物的構成演化，都是這兩種原素的作用；而三百八十四爻則是以簡馭繁地標示了萬事萬物殊別的情況。《易傳》的多位撰著者掌握了這一個原則，而朝不同的方向發展了幾套哲學思想體系。關於這一點，涉及問題頗多，我將另文討論。

六、結　論

本文探討了《易經》的乾坤之德、主剛不主柔的思想，並探索了《易傳》詮釋《易經》時對於此兩大課題的演繹。本文結論認為：

㈠《易經》的宇宙論是乾坤互動、健順互推。從文本上考察，乾坤之上並沒有一個更超越的本體；

㈡《易經》的乾坤關係，乾中有坤，坤中亦有乾。但二卦的關係，乾為主，坤為從，這在卦爻辭中可見可證；

㈢《易經》所描述的「道」體，雖然是乾坤相盪、剛柔互推，但其整體精神則是主剛健而不主柔順；

㈣《易傳》承繼了《易經》乾坤互動及主剛健的原則。《繫辭傳》提出「一致而百慮」，「一致」講的就是《傳》文所說的往來、屈伸之理。這種往來、屈伸之理，與《易》乾坤互動及主剛健的原則是符合的。

　　——本文發表於「經典與文化的形成」研究計畫第一次讀書
　　　月會（2003 年 9 月 27 日）。

「《詩經》的形成與流傳」研究初探[*]

楊晉龍[**]

一、前　言

　　清代乾隆時期（1736－1795）完成的《四庫全書總目》在〈經部總敘〉中明白宣稱「經稟聖裁，垂型萬世；刪定之旨，如日中天，無所容其贊述。……蓋經者非他，即天下之公理而已。」[❶]民國以前的一般傳統中國學者，大概不會反對此一「經」為「天下之公理」的概念內涵，《詩經》既然擁有「經」的身分，理所當然的就具有此一「無所容其贊述」的地位，不過進入二十世紀以後，

---

*　本文曾在民國 93 年 12 月 02 日下午在臺灣臺北中央研究院歷史語言研究所研究大樓 704 室，由該所主辦的「中國古代文明的形成研究計畫聯合會議：上古文明研究的新趨勢會議」中發表，會後參酌評論人韓國中央大學中文系李康範教授以及與會學者的意見進行補充修改，謹此致謝，若有誤解或不當之處，當然要由筆者自己負全責。

**　楊晉龍，中央研究院中國文哲研究所副研究員。

❶　〔清〕紀昀等編著，王伯祥斷句：《四庫全書總目》（北京：中華書局，1992 年），卷 1，頁 1。

《詩經》此一身分地位，開始受到許多接受西洋文化概念學者的強烈質疑與反對❷，這類學者由於成長在中國長期積弱而受到帝國主義者侵略欺壓的環境中，對自己的文化傳統於是逐漸失去「信仰」或「信心」❸，不免出現一種「敗家子」的心態，就是期待「不勞

---

❷ 如周予同就曾在〈大學和禮運〉（1936）中表示：「從兩漢一直到民八『五四運動』以前，儒教的經典本含有宗教性；換句話說，經典是神聖不可侵犯的；任意改經，在頑固的經學家們看來，實是一種不可恕的冒犯。」先不論用「宗教性」的解說是否恰當，但謂傳統學者認為經典「神聖不可侵犯」，應該是一般性的常識；而「頑固經學家」的批判，則可見其質疑反對的意思。收入朱維錚先生編：《周予同經學史論著選集》（上海：上海人民出版社，1996 年增訂本），頁 407。

❸ 筆者所以會認為中國當時某類學者對自己的文化傳統「失去『信仰』與『信心』」的理由，主要是認為當一個民族對自己文化傳統具有強烈信心的時候，此一文化傳統對該民族的任一個個體而言，由於「身在此山中」的具體生存在其中的緣故，此一文化傳統的「合法性」存在，對他們而言必然是一種「本來就如此的」、「理所當然的」、「不言自明的」、「自然而然的」一類的「信仰」，根本不可能出現需要「證明」的考慮，即使與其他異文化相遇，由於盲目且缺乏比較下的「信仰」而產生的強烈「自信心」，因而也只會強調自己文化優於其他不同文化之處，絕不至於出現多數精英分子與群眾，公然提倡「鄙視」或「拋棄」自己文化傳統，以「迎合」他種文化而取代原有文化的現象。當某一民族的多數個體，尤其是精英分子對自己的文化傳統，興起一種要求「合法性」存在證明，甚至「鄙棄」自己文化傳統的時候，這也就表示該民族的某些成員，對自己文化傳統的「信仰」已經失落，已經開始自覺或不自覺地，把自己從該民族成員中「獨立」出來，刻意而主動地與自己生存的文化傳統「割裂」開來，亦即離開自己具體生存的傳統文化信仰內容，並且將之「對象化」，於是自己與傳統文化原本具存的一體關係，乃降格成為「我—它關係」，這些人於是就可以「驕傲」地站在一個與此一文化傳統「不相干」的「他者」的立場，以及自認為對該文化的認知優於「異文化」的「當事人」的立場，對自己曾經生存於其中的文化傳

而獲」的享受祖宗留下豐厚家產而不可得的失望心理，因而對自己的文化傳統懷抱著一種強烈的「怨恨」情緒，於是「想像」高高在上的自己，可以為所欲為的「完全拋棄」或「選擇改造」自己的文化傳統，以便接受或學習西洋文化，因而可以「與世界接軌」，然後就可以促進國家富強，進而與西洋殖民強國平等相處，此一拋棄自我文化以便接受或學習西洋文化，因而促進中國富強的「樂觀想像」，於是成為這類學者學術研究的終極追求。這類學者更由於此

統，進行客觀的「觀察」並「清算」的工作。就這類人的自我認知而言，當然是自認為既超越又優越於該文化的所有成員，否則如何可以「指導」那些「不長進」的其他「落後」的同一文化的成員，因此他們當然不僅只是「學者」而已，必然同時也是自居於保證只要群眾「乖乖聽話」，即有能力可以馬上達到讓國家富強、人民安樂的「高高在上」的未來「救世主」的地位。必須承認的事實是：五四時代新文化人物所謂「富國強民」的概念，其實已經是現代「民族國家」與「人民主體」的「國」與「民」的概念，而不是傳統中國「一家一姓」的「朝廷」與「百姓」的概念了；另外則是筆者此一批評，當然是在「觀看」五四以後中國歷史發展慘狀的「事後」，進行「歸罪式」的「回顧性」檢討意義下，一種帶有「非歷史性」認知情緒在內的批評，因此必然也帶有相當主觀的情緒在內，因此這並不表示筆者認為五四「反傳統」一類的知識人，真的在事實上完全脫離其存身的文化傳統之外，不過就此一分析本身而言，應當不至於偏離事實太遠。有關中國人信仰失落的反思探討以及過分樂觀自信的「偉大諾言」保證的虛幻性的檢討，參見胡傳勝：《觀念的力量：與伯林對話》（成都：四川人民出版社，2002 年）及河清：《破解進步論：為中國文化正名》（昆明：雲南人民出版社，2004 年）兩書的相關論述；另外河清又有所謂「一個在文化上自卑和對自己文化喪失自信的民族，是不可能在世界上久存的」與「一個對自己文化經典茫然無知的民族，是撐不起自己的文化自信心的」的觀點，最值得中國的現代群眾省思，見河清：《全球化與國家意識的衰微》（北京：中國人民大學出版社，2003 年），頁 94、頁 101。

種「樂觀想像」期待的影響，於是就在自覺或不自覺之間受到當時
流行的「目的論」意義下的「社會達爾文主義」思考的制約，明顯
的出現一種面對西洋文化極度「自卑」，但面對自己傳統文化又過
度「自大」的不正常情緒❹，於是形成一種以廢棄「過時的」中國

---

❹ 以「古史辨運動」的興起為例，王汎森曾根據法國年鑑學派史家布勞岱
  （Fernand Braudel，1902－1985）的觀點，認為「今古文之爭、清末民初的
  環境、顧頡剛個人的因素」，是引發該運動「長程、中程、短程」的三個重
  要因素；並舉魯迅 1903 年寫的〈自題小像詩〉為證，指出當時知識分子在
  「西方勢力覆壓之下……如何愛國強國，成為當時大多知識份子的一個共同
  目標」；知識分子中即有一類以利用激烈破壞舊文化傳統的手段，以便達成
  愛國救國的目標；這類人因而不免出現強烈欽羨西方學術的情緒，並認為用
  西洋人的角度來批評中國歷史文化，就是一種與「世界學術接軌」的進步行
  為，甚至有一種以為他們個人學術的提昇，即等同於整個國家民族程度的提
  昇的樂觀天真想法。相關探討參見王汎森：《古史辨運動的興起》（臺北：
  允晨文化公司，1987 年），〈序〉，頁 9 及〈引論〉，頁 1－27；以及〈價
  值與事實的分離？──民國的新史學及其批評者〉，收入王汎森：《中國近
  代思想與學術的系譜》（臺北：聯經出版事業公司，2003 年），頁 377－462
  等處較為詳細的討論。龔書鐸在〈近代中國文化三題〉中也認為中國自 19 世
  紀以來「藝學的講求，顯然是為了國家的『自強』，為了『富國養
  民』。……文化的各個領域，幾乎都圍繞著一個中心而發揮作用，就是宣傳
  愛國救國」。不過他雖然承認「『五四』新文化運動對封建文化所進行的猛
  烈衝擊，不論廣度與深度都是前所未有的。……這場新的文化運動，使中國
  文化出現了『裂變』。……在對待傳統文化上犯有片面性」，但卻不同意
  「五四新文化運動是『情緒主義』的產物，是『全盤反傳統』，造成中國傳
  統文化的斷層」的觀點，見龔書鐸：《社會變革與文化趨向：中國近代文化
  研究》（北京：北京師範大學出版社，2005 年），頁 78－80、頁 85；〈自
  序〉，頁 6。新文化運動人物當然不是全部「反傳統」，但《新青年雜誌》
  的那批人，一開始就對中國傳統懷抱有一種不信任而欲加以「消滅」或「改
  造」的「情緒」，因而影響到他們對傳統文化的態度，例如提倡「漢字拉丁

傳統學術做為學習「進步的」西洋文化前提的學術研究氣氛,在此氣氛的強烈影響下,中國傳統學術本有的經、史、子、集的四部分類,自然就不得不讓位於西洋文化概念下的學術分類,中國傳統的四部分類於是僅能「削足適履」的成為西洋學術分類意義下所謂哲學、文學、史學等等的「史料」。❺因為在這類學者的觀念中,

---

化」、「以世界語替代漢語」、「歐化白話文」等等,恐怕很難說沒有「情緒」吧!至於後來某些新文化人物對傳統的態度,有種種的轉變,這又是另外一回事,不能因此而說他們全沒有「情緒主義」等等的問題,例如羅志田在〈文學的失語:整理國故與文學研究的考據化〉(2002)中,就曾根據研究胡適等人的觀點而指出「新文化人的一個基本思慮:古代的經史典籍與『現在和將來一般人』的需求是衝突的」,這豈非就是一種刻意與傳統文化「決裂」的情緒,見羅志田:《裂變中的傳承:20 世紀前期的中國文化與學術》(北京:中華書局,2003 年),頁 283。龔書鐸因為過度肯定五四運動的正面作用,不免有些刻意迴避實際存在的負面問題,因而導致自己言論出現矛盾的現象。

❺ 如周予同在〈怎樣研究經學〉(1936)中說:「經學是中國特有的一種學問;正確點說,經學只是中國學術分類法沒有發達以前之一部分學術綜合的名稱。」另外在〈治經與治史〉(1936)中又有「我們不僅將經分隸於史,而且要明白地主張『六經皆史料』說。……明顯地說,中國經學研究的現階級……是在用正確的史學來統一經學」的說法。在〈春秋與春秋學〉(1937)中也說:「經典在中國,至多只應該讓史學家作『史料』來處理」;收入朱維錚先生編:《周予同經學史論著選集》,同註❷,頁 627、頁 622-623、頁 507。蔣伯潛與蔣祖怡完成於 1941 年的《經與經學》(臺北:世界書局,1975 年),頁 12 中,也特別強調「所謂『經』實在沒有特立一部的必要。」此皆顯示其人崇奉西洋學術分類為準之的文化自卑心態。從此一學科分類角度而言,則中國學術實際上早已經「全盤西化」,有關由「四部分類」而接受西洋學科分類的文化轉變的現代性意義,可參見楊國榮主編:《現代化過程的人文向度》(上海:上海古籍出版社,2006 年)一書比較詳細的分析說明,尤其是頁 94-238 第 3 章到第 5 章的討論。

《五經》的經典意義等同於具有宗教迷信的「聖經」，他們則認為「『聖經』這樣東西，壓根兒就是沒有的」，《五經》之一的《詩經》在此意義前提下，就僅僅「祇是一部最古的『總集』，與《文選》、《花間集》、《太平樂府》等書性質全同，與什麼『聖經』是風馬牛不相及的」了，因此「研究《詩經》，祇應該從文章上去體會出某詩是講的什麼。」❻主要是「因為《詩經》並不是一部經典，確實是一部古代歌謠的總集」，因而最多也僅能成為古代「社會史」、「政治史」或「文化史」的研究資料，但「萬不能說祂是一部神聖經典」❼；意即「只能用文學或史料的眼光去研究」，而

---

❻ 錢玄同：〈論《詩經》真相書〉（1922），收入顧頡剛等編著：《古史辨》（海口：海南出版社，2005 年影印 1941 年原刊本），第 1 冊，頁 63。錢氏的說法當然大有問題，例如趙敏俐等就曾論證分析周代朝廷設置樂官制度，主要是「為了國家禮儀制度的建設和藝術產品的消費」的結論，因而認為《詩經》雖也是「周代社會的詩歌總集」，但「與後世詩歌總集的編輯，如《玉臺新詠》、《樂府詩集》等是不同的，與《全唐詩》、《全宋詞》的編輯更不相同。」因為《詩經》「還保留了相當多的上古文化特徵。其中相當多的作品的產生，並不是出於純粹的審美、娛樂目的，也不同於後世文人……當成是自己單純的情感表達或者是……書寫個人的生活與志趣，它在很大程度上是借助於藝術審美的形式，來達到各種實用的目的，即通過藝術的審美功能來實現各種實用功能。」因此《詩經》應該是「實用型與審美型相結合的樂歌總集。這是……《詩經》不同於後世詩歌總集的基本標誌。」見趙敏俐等著：《中國古代歌詩研究：從《詩經》到元曲的藝術生產史》（北京：北京大學出版社，2005 年），頁 95－96 的討論。

❼ 見胡適：〈談談詩經〉（1925），收入顧頡剛等編著：《古史辨》，同前註，第 3 冊，頁 383。傅斯年寫成於 1928 年的〈我們怎樣研究《詩經》〉中也說研究《詩經》當有「欣賞文辭」、「當作歷史材料」及「當作語言學材料」等三種態度。收入傅斯年：《詩經講義稿》（北京：中國人民大學出版社，2004 年），頁 11。

此一用「文學」或「史料」眼光研究的觀點，雖亦有人提出警告說：「一人專制與多數的專制等是一專制。守舊的固然是武斷，過於求新者也容易流為別的武斷」的危險性存在❽，但此警告在當時

---

❽　見周作人：〈談〈談談《詩經》〉〉（1925），收入顧頡剛等編著：《古史辨》，同註❻，第 3 冊，頁 388。葉國良老師在〈從名物制度之學看經典詮釋〉（2000）一文中，亦曾舉證說明這類忽視古代社會環境與名物制度的「新洋八股」研究者容易出現的問題，葉老師說：「有些人以『《詩》是民歌』為藉口，以『詩無達詁』作掩護，憑空想像。……錯誤的運用『涵泳本文』及『以意逆志』的詮釋法，遂不免貽笑大方。」見葉國良老師：《文獻及語言知識與經典詮釋的關係》（臺北：國立臺灣大學出版中心，2004年），頁 170－171。葉老師同時也在〈《詩經》的貴族性〉（2004）中，探討這類視《詩經》為「民謠」者的思考源頭，以為是受到近代以來「社會主義興起，平民意識抬頭」的影響，因而「回顧文學的產生有其時代背景，不管《詩經》乃是封建國家、階級社會的產物，而用後代的社會結構與風俗去看待」，因而「無聲的扼殺《詩經》乃是貴族文學的事實」，考其成因則「乃是社會主義、普羅文學風潮下的一些病態思惟，他們以為偉大的作品應該出自『廣大的人民』」之故。見葉國良老師：《經學側論》（新竹：國立清華大學出版社，2005 年），頁 37－38、頁 60。又即使把《詩經》當「文學」進行解讀，陳麗虹也分析指出五四以來新派研究者，因為過度強調「懷疑論和進化論的觀點」，於是出現「過於推重事實和科學，以致把詩歌的審美價值拋在一邊，而這種推論本身……基本上屬於文學史料的考證工作，一接觸到藝術表現問題，往往作比較簡單化的解釋」的嚴重問題，這類以「史料學」立場研究《詩經》的問題，參見陳麗虹：《賦比興的現代闡釋》（杭州：中國美術學院出版社，2002 年）一書的相關探討，引文見頁 32、頁 33－34。趙敏俐等也從泛指「中國古代所有可以歌唱的詩」的「歌詩」立場，指出五四時代以來過度「強調了人民群眾的地位和作用」因而把《詩經》中的〈國風〉都當成「民歌」的錯誤，見趙敏俐等著：《中國古代歌詩研究：從《詩經》到元曲的藝術生產史》，同註❻，頁 12、頁 41、頁 45、頁 93－95 等處的討論。

「以標新立異為進步；以自高自大為先進」的學術氣氛下，當然不可能產生任何有效的警惕作用❾，最後以《詩經》為「文學」或「史料」的研究立場，成為民國以後絕大部分《詩經》研究者的前提❿，只要翻翻坊間出版的「文學史」或「詩經學史」及相關內容等一類的書籍，應該就可以獲得充分的印證。⓫雖然以《詩經》為「文學」或各種學科「史料」的研究，一直都是「五四運動」以來研究的主軸，但在此「新洋八股」的研究立場之外，依然視《詩經》為「經學」而進行研究的「舊土八股」者也大有人在⓬，此種

---

❾ 對「古史辨」學者抱持正面肯定立場，探討有關「古史辨」學者預設《詩經》研究立場是非流弊的問題，可參考郜積意：〈歷史與倫理：「古史辨」《詩經》學的理論問題〉，《人文雜誌》2002 年第 1 期，頁 84－90 的討論。

❿ 例如王玫在探討建安文學接受史的論著中，就曾經非常明確地說：「讀者文學接受史可以考察一部文學文本的讀者接受狀況，如《詩經》自其產生以來，各代讀者的接受情況，而後人與漢儒的接受標準、接受方式就有很大不同，由此可瞭解各個時代文學思想和審美標準之差異，從而揭示文學發展的歷史過程。」即主張從「文學接受」的角度對《詩經》進行研究，見王玫：《建安文學接受史論·導論》（上海：上海古籍出版社，2005 年），頁 5－6。

⓫ 如周予同在〈怎樣研究經學〉（1936）中說：「就《詩經》研究的現階段說，《詩經》只能用文學或史料的眼光去研究」；又說：「這幾十年來，有人利用《詩經》作為研究中國哲學啟蒙時代的史料，有人利用《詩經》作為研究中國古代社會形態的史料，至利用《詩經》作為研究中國古代文學的史料以與《楚辭》相並，那更其普遍了！」收入朱維錚先生編：《周予同經學史論著選集》，同註❷，頁 631、頁 634。民國 25 年代即如此，現代依然沒有太大的改變，例如洪湛侯：《詩經學史·自序》（北京：中華書局，2002 年）一開頭即說：「《詩經》是中國文學輝煌燦爛的源頭，也是世界文學寶庫中光彩奪目的瑰寶。」見上冊，頁 1。

⓬ 例如戴維就認為：「近現代對《詩經》的研究已超出了經學範圍，著重於

多元、多樣的研究狀況，正是現代《詩經》研究的實際表現，這可以從一些現代經學研究的目錄書籍或相關經學史研究的論著中獲得證實。❸

　　就現代處於「去中心化」、「去典範化」、「去經典化」等等多元視野的學術研究環境而言，無論是視《詩經》為具有「一般性經典」，因而比較偏重於強調其文學性或文字性的「傳統的」、「典雅的」、「正統的」等等隸屬於「世俗性」的刻板權威「古典」（Classics）的「新洋八股」的文學研究者，或視《詩經》為「史料」的各類學科的另類「新洋八股」的研究者；或者還是視《詩經》為必然具備在實際生活層面上，必需遵循的規則意義下的「神聖性經典」，因而強調其擁有「倫理權威」、「官方法規」、「宗教信仰」的「規範性」與「宗教性」權威意涵的「經典」

　　《詩經》的文學、社會學、民俗學研究，對比古代《詩經》研究，顯得較為單薄。」因此他要研究的是「《詩經》作為經學發展史的」系統描述。見戴維：《詩經研究史·前言》（長沙：湖南教育出版社，2001 年），頁 2。

❸ 參見林慶彰先生主編：《經學研究論著目錄·詩經》（臺北：漢學研究中心，1989 年、1994 年、2002 年）三書，以及朱守亮先生編輯：《詩經論著目錄》（臺北：洪葉文化事業公司，2000 年）；或者參見拙著：〈詩經學研究概述〉，林慶彰先生主編：《五十年（1950－2000）來的經學研究》（臺北：臺灣學生書局，2003 年），頁 91－159 的相關論述。另外可以參考陶文鵬：〈詩三百篇的人文解讀：本世紀前半期的《詩經》研究〉，《文學遺產》編輯部、黑龍江大學中文系編：《百年學科沉思錄：二十世紀古代文學研究回顧與前瞻》（北京：人民文學出版社，1998 年 9 月），頁 125－142；以及夏傳才先生：《二十世紀詩經學》（北京：學苑出版社，2005 年）等的探討。

（Canon）的「舊土八股」的經學研究者❹，其實都承認《詩經》

---

❹　案：「Classics」這個被日本人翻譯為「古典」的詞彙，不知何時變成為翻譯
　　《五經》或《十三經》等一類經籍「經典」意義的詞彙。不過就我個人粗淺
　　的認知而言，「Classics」雖也有人用來指涉基督教的《聖經》，但實際上還
　　是比較偏重於文學性或文字性的「傳統的」、「典雅的」、「正統的」等隸
　　屬於世俗性的刻板權威，並不具有中國傳統典籍在實際生活層面上，隱含的
　　必需遵循的「倫理權威」、「官方法規」、「宗教信仰」的「規範性」與
　　「神聖性」的意涵，例如李衍柱即分析認為文學的「經典文本」需要具備
　　「獨創性、典範性、實證性與永久性」，並不涉及「神聖性」與「官方認
　　可」，見李衍柱：《經典文本與文藝學範疇研究·自序》（廣州：暨南大學
　　出版社，2002 年），頁 2－3，所以說用文學「經典」的意義以指涉《十三
　　經》等中國「經典」的內涵並不是很恰當。對於中國文化傳統具有普遍性與
　　神聖性規範意義與經過官方認證的《十三經》而言，就西洋文化的語境內
　　涵，我認為應當用對西洋文化而言具有官方規範與神聖信仰性質的「Canon」
　　一詞翻譯，纔能比較正確的傳達出《十三經》等一類中國傳統經典的文化性
　　質，因為此一詞彙指涉的是某類著作超越時空與文類限制的普遍性的最真實
　　的神聖性格或西洋的宗教性格，最重要的是還隱含有一種「官方」的意義在
　　內，不像「Classics」指涉的僅是該著作形式呈現的具有時空性與文類限制的
　　超越性或優越性的權威而已；或者像「Scripture」僅具有基督教的《聖經》
　　這類宗教上「聖典」的權威意義而已，因而「Scripture」一詞固然適合用來
　　翻譯佛教與道教的「經典」，卻不宜用來翻譯儒家的「經典」。而用
　　「Canon」則比較能表現出中國傳統經典擁有的「神聖的」、「規範的」、
　　「量度的」與「官方的」等不同層面與意義的「法則」和「神聖」的權威內
　　涵。「Canon」或翻譯為「正典」以區別於「Classics」的「經典」，但「正
　　典」一詞固然有「正統」之涵義，實際上無法取代「經典」隱含的文化傳統
　　的深層意義，在文化語境的對應意義上當然不如「經典」來得確實。以上有
　　關「Classics」、「Canon」、「Scripture」三個英文詞彙觀點的區別，當然還
　　是一個有待商榷的粗淺認知而已。有關不同語言文字轉換而引發的涵義變化
　　以及日本人翻譯「Classics」為「古典」，參見〔美〕劉禾著，宋偉杰等譯：
　　《跨語際實踐：文學、民族文化與被譯介的現代性（中國：1900－1937）》

具有「文學」、「史料」或「經典」的權威地位，這種權威地位認知的建立，主要是由於從一開始進入教育體制內學習，就不自覺的受到現代「教科書經典觀點」的有形與無形薰陶的關係❶，因而當其使用《詩經》之際，絕大多數學者均會在不自覺的情況下，將《詩經》現在擁有的學術或文化上的地位與價值，視作一種理所當然或不言自明的自然呈現，以為《詩經》一開始即擁有此一價值與地位。然就一般常識性的瞭解，即可知道這是一種不切實際的設想，《詩經》擁有今日的文化學術地位，當然有一個形成的過程❶，至少可以合理的推測包括有：口傳、書寫、彙輯、編纂與定本

（北京：三聯書店，2002 年翻譯 1995 年版）一書的討論，「Classics」翻譯為「古典」來自日本人，見頁 408。另外黃亞平認為中國「經學」具備有「法定性、權威性、適用性」等三性的觀點，即與本文前述的主張相近，見黃亞平：《典籍符號與權力話語》（北京：中國社會科學出版社，2004年），頁 320－322 等處所論。

❶ 「教科書經典觀點」指的是在現代教育體制之下，經由官方或民間出版的教科書傳播而通行於一般非專業大眾間的一般性知識觀點，這也是所有接受現代教育者最先接觸到的觀點，基於先入為主的「銘刻作用」的影響，這類通行的常識性的意見或觀點，即使已經有效地證明過時或訛誤，卻也經常成為多數學者不自覺的學術基準，甚至成為「真理答案」。有關「教科書經典觀點」造成的問題，可以參考孫正聿：〈當代中國的哲學歷程〉，《思想中的時代：當代哲學的理論自覺》（北京：北京師範大學出版社，2004 年），頁299－313 有關哲學教科書問題的反思與討論。

❶ 趙敏俐等從「歌詩」的角度進行分析，根據「周人所用鄉樂、雅樂和〈九夏〉之樂，與《詩經》中的〈風〉、〈雅〉、〈頌〉有一定的對應關係但是又有所不同」的實際表現，因而認為「周代的禮儀用樂有一個不斷變化和充實的過程，《詩經》的編輯也有一個不斷完善的過程。」見趙敏俐等著：《中國古代歌詩研究：從《詩經》到元曲的藝術生產史》，同註❻，頁 77。

的篩選以成固定版本書籍的過程；以及經由傳播、行銷、選擇、認同、接受、肯定等等，因而由普通的「書」而特殊化的「典」，而儒家一派的「經」**⑰**，而官方支持普遍化的「經」等的價值轉變過程**⑱**，此文即是針對《詩經》產生以後，經由周秦漢讀者的接受闡

另外張國剛與喬治忠也探討了儒學發展和形成經典化的歷程，這當然包括《詩經》在內，參見張國剛、喬治忠：《中國學術史》（上海：東方出版中心，2006 年），頁 130－141 的討論。

⑰ 張素卿根據司馬談〈論六家要旨〉、《漢書・藝文志》、《禮記・中庸》諸說，謂「傳習六藝與宗師孔子，是儒學的兩大表徵」；並以為儒家雖在東周後期已成為「一個重要學派」，但「尚無特殊的優勢或憑藉。秦與漢初，法家和黃老道家之學，就曾先後獲得王朝皇帝採行。……當時法家、道家的聲勢，可以說凌駕儒家之上的。至漢武帝時，漢朝纔逐漸尊尚儒學。……自此之後，傳自孔子的六藝之學長期尊為官學，各王朝相繼獎崇推廣，於是，不論就其學術本身的發展，或政治、社會、文化的影響力而言，都遠遠凌駕其他諸子學之上。由孔子後學不斷傳承、發揚、流衍而形成的經學，於是成為中國傳統學術的大宗。」見張素卿：《敘事與解釋：《左傳》經解研究》（臺北：書林出版公司，1998 年），頁 3－4。另外也可以舉主要在書寫「一般知識、思想與信仰世界」思想史的葛兆光先生之言為例，他說：「作為一個思想流派，儒者之所以能夠繼續和維持自己的傳統，並與其他學派分清界線，在相當大的程度上依靠的是它的師生與經典的傳授系統。儒者依託《五經》為基本典籍，有明確的知識基礎，於是就有了互相認同的憑據，凡是在《五經》中獲得知識，並以《五經》的解釋闡發為業的就是『儒』。漢代……經典的傳授以及國家對這種傳授的認可，已經保證了這一知識系統的延續。」見葛兆光先生：《七世紀前中國的知識、思想與信仰世界：中國思想史第一卷》（上海：復旦大學出版社，1998 年），頁 371－372。

⑱ 「經」必然有一個形成過程，這個形成過程還加入官方參與的力量，最終形成的則是對民眾與統治者均具有信仰與規範意義的神聖性的權威典籍。例如李春青即認為「經學」是「士人烏托邦與官方意識型態的綜合體」；是經過不斷談判而最終形成的「『皈依』於君權系統的士人階層與統治者共同『商

釋，此一「認同」、「選擇」、「接受」因而成為普遍性經典的形成過程的研究計畫進行檢證，分析此一計畫擬訂的內涵是否值得進行以及是否可行的探討，但並沒有準備對《詩經》成為「經典」的形成過程進行實質的研究，因為這是下一步纔要進行的工作，這也就是本文研究議題的焦點與限制。本文論述的重點，因此乃在此一研究《詩經》如何由一般書籍而成為「經典」計畫的研究構思、研究目的、研究方法、重要研究資料、研究進行程序等相關內容的探討分析，以確定此一研究計畫的可行性如何？亦即本文僅針對執行研究計畫之前的準備階段進行檢證的工作，至於是否要再進一步進行實質的研究論證，以便可以取得具有學術意義與價值的研究成果，並證明研究成果具有學術貢獻的工作，則必須視本文分析探討後的結果而定。比較明確的說，本文僅是一篇探討論文研究計畫是否可行的檢證性研究，針對研究計畫的設想考慮夠不夠周全、是否還有漏洞等等問題進行檢討，並非進行實質內容研究的論文。

「《詩經》的形成與流傳」的研究計畫，主要在探討現在稱之為《詩經》的書籍，從殷周以來到漢代，由普通性的重要「典籍」而成為具有普遍性經典地位「經書」發展過程的接受與影響的「發

定』的官方意識形態話語」，他分析認為「這種『商定』其實是一個漫長的過程——從士人階層甫一出現，這個過程也就開始了，只不過雙方的『要價』都居高不下，一直未能談成而已。」最後他的結論是：「經學是一種雙重性的話語，是漢代士人階層與君權系統『共謀』的產物，它既有穩定社會秩序、強化君權的國家意識形態性質，又含有規範、限制君權的士人階層價值觀的性質。」見李春青：《在文本與歷史之間：中國古代詩學意義生成模式探微》（北京：北京大學出版社，2005年），頁78－83的相關討論。

生學」的形成研究。因而對於那類諸如根據人類學的理論假設進行推測，以探討《詩經》各類型的「詩」的起源，是否與所謂「生殖崇拜」或「原始宗教」有直接關係等的問題❶；以及與所謂「口頭傳統」的相關性與是否為「產生於口頭和書面文學的過渡時代」的問題❷；還有《春秋左傳·僖公廿七年》趙衰讚美郤縠「說禮樂而敦《詩》、《書》」和《國語·楚語上》申叔時所謂「教之《詩》，而為之導廣顯德，以耀明其志」❸，這兩書中指稱的《詩》與後來

---

❶ 例如葉舒憲從「人類思維和符號功能的歷史發生」的「宏觀背景」入手，「對思維、宗教、藝術、詩歌的起源」進行「系統的理論關照」，在「聖詩與俗詩」的「詩歌二重起源」的前提預設下，因而得出「《詩經》中的〈頌〉與〈風〉，大致上相當於『聖詩』與『俗詩』，而〈雅〉則介乎二者之間」，最後並以為透過人類學的視野，可以使「整部《詩經》從儒家詩教的政治和道德成見中解放出來」，從而恢復人類一切表現皆無法脫離「性」的控制的「性慾至上」的「本來面目」，因而肯定《詩經》的起源與宗教和「生殖崇拜」相關，參見葉舒憲：《詩經的文化闡釋：中國詩歌的發生研究》（武漢：湖北人民出版社，1994 年）一書的討論，引文見頁 1、頁 32－33、頁 549 等處。另外莫林虎也因為認同肯定「儒學是沒有明確宗教形式卻有著宗教功能的一種思想體系」的觀點，因而主張以《詩經》為首的「中國詩的起源與原始宗教有直接關係」，見莫林虎：《中國詩歌源流史》（北京：中國社會科學出版社，2001 年），頁 1－25 的討論，引文見頁 3、頁 8。

❷ 參見尹虎彬：《古代經典與口頭傳統》（北京：中國社會科學出版社，2002 年）一書的討論，尤其是頁 119－131 的相關論述，引文見頁 121。另外陳元鋒從「樂官文化」的角度，認為《詩經》是西周初年至春秋中葉「唯一通行的樂歌定本」，因而也有「《詩經》正處在詩、歌、舞整體藝術結構開始第一度分裂的交叉口上」的說法，參見陳元鋒：〈《詩經》：樂官文化的範本〉，《山東師大學報（社會科學版）》1998 年第 3 期，頁 76－81。

❸ 見〔晉〕杜預注，〔唐〕孔穎達等正義：《春秋左傳正義》，《重栞宋本十

成為《詩經》的《詩》之間的關係如何？以及《漢書·藝文志》所謂「古有采詩之官」以成詩等等❷，這一類有關無中生有的創造等「創生學」的問題，則不列入此一計畫探討的範圍。換言之，即在進行此一計畫之前，已經先有一個古人確實重視《詩》的教育，並且已存在一部原始的《詩》的「古本」的「假設」。意即同意《春秋左傳·襄公廿九年》吳季札「觀於周樂」時，已存在有一個提供祭祀朝會宴饗、觀察政教得失及考察風俗民情的官方編定的《詩》的古本❷；同時也另有以下幾個相關的假設：即季札「聽到」的這個演唱用的《詩》的古本，雖然受到當代的重視，但卻不認為當時已經存在有一本一致性的內容，且後來從未更動的《詩》的「定本」，因此認為後來孔子為了教學的緣故，遂以當時通行的某一「古本」當作「藍本」，然後再根據其他相關的文獻和自己的認知需要，進行必要的訂正、論序、整理、改編，從此以後，孔門家派內於是有一個文本與解說內容，比較一致且趨近於孔子思想內涵的《詩》的定本❷，這也就表示同意《史記·孔子世家》所謂「古者

三經注疏附校勘記》（臺北：藝文印書館，1981 年影印〔清〕嘉慶 20 年江西南昌府學本），卷 16，頁 11b，總頁 267。〔吳〕韋昭注：《國語》（臺北：里仁書局，1981 年嶄新校注本），卷 17，頁 528。

❷　〔漢〕班固著，〔唐〕顏師古注：《漢書》（臺北：鼎文書局，1995 年影印新校標點本），第 2 冊，卷 30，頁 1708。

❷　〔晉〕杜預注，〔唐〕孔穎達等正義：《春秋左傳正義》，同註❷，卷 39，頁 8b–19a，總頁 667–673。

❷　此意參見王靜芝先生：《經學通論》（臺北：國立編譯館，1982 年），上冊，頁 6–11 的討論。張素卿：《左傳稱詩研究》（臺北：國立臺灣大學出版委員會，1991 年），頁 187–198、頁 258 等處有比較詳細的討論。另外嚴

《詩》三千餘篇，及至孔子，去其重，取可施於禮義，上采契后稷，中述殷周之盛，至幽厲之缺。……三百五篇孔子皆弦歌之，以求合〈韶〉、〈武〉、〈雅〉、〈頌〉之音」的說法。❷但這個孔門的《詩》定本，在秦始皇焚書及接著而來的戰亂之際，應該受到波及而有所損失，進入漢代在天下稍微安定以後，此一孔門定本的《詩》本，纔經由孔門學者的背誦記憶而復原，亦即同意《漢書·藝文志》所謂「孔子純取周詩，上采殷，下取魯，凡三百五篇，遭

正也認為儒家經典文本出於孔子之手，因有「經過孔子的整理和刪削後，儒者們有了系統的理論和明確的經典依據」的說法，見嚴正：《五經哲學及其文化學的闡釋》（濟南：齊魯書社，2001 年），頁 13。張濤也有「戰國時期的儒家學派應當有一個相對統一和較為規範的《詩》的文本」的說法，見張濤：《經學與漢代社會》（石家莊：河北人民出版社，2001 年），頁 23。根據前述的見解，則如張思齊所謂「在先秦時期，人們把《詩經》當作儒家的教科書」的觀點，顯然是錯誤的瞭解，見張思齊：〈宋人論詩情對詩歌品質的決定作用〉，《中國學研究》（濟南：濟南出版社，2001 年 5 月），第 4 輯，頁 71。俞志慧認為季札觀樂之際，「可以認為其時的《詩》、《書》雖未必與今本全同，要必有一個與今本近似的本子在流傳」的觀點，用來說「孔子之前已有了……較為充實的教學內容」當然沒有問題，但用來說明《詩經》當時的版本與現傳版本的關係上，則顯然說得太過模糊，見俞志慧：《君子儒與詩教：先秦儒家文學思想考論》（北京：三聯書店，2005 年），頁 5、頁 8。再者馮浩菲認定《詩經》從古至今僅有一個版本，故舉六證以駁斥《詩經》為孔子編定之說，堅持編定於孔子之前，參見馮浩菲：《歷代詩經論說述評》（北京：中華書局，2003 年），頁 131－138 的分析討論。此觀點與本文認知有別，不過馮氏的說法恐有混淆「通行本」與「儒家本」為一本的問題。

❷ 〔漢〕司馬遷著，〔南朝宋〕裴駰集解，〔唐〕司馬貞索隱、〔唐〕張守節正義：《史記三家注》（臺北：鼎文書局，1995 年影印新校標點本），第 3 冊，卷 47，頁 1936。

秦而全者，以其諷誦，不獨在竹帛故也」之論。㉖因為是透過許多人記憶背誦而復原的本子，由於各人與各地口音與文字間存在的歧異性，因此各本文句之間難免有參差之處；更由於傳授的來源不同，解說的內容也不免會有差異㉗，漢代官學所以出現魯、齊、韓

㉖　〔漢〕班固著，〔唐〕顏師古注：《漢書》，同註㉒，第 2 冊，卷 30，頁 1708。

㉗　荀子即批評過子思與孟子，故其對經書的解說，恐怕不免會與思孟一派有不同之處。見〔東周〕荀況著，〔清〕王先謙集解，沈嘯寰、王星賢點校：《荀子集解・非十二子篇》（北京：中華書局，1992 年），上冊，頁 94－95。韓非也有：子張、子思、顏氏、孟氏、漆雕氏、仲良氏、孫氏、樂正氏「儒分為八」的說法，這八家解說當然不相同，故韓非總會說他們都「自謂真孔」。見〔戰國〕韓非著，陳奇猷校注：《韓非子新校注・顯學》（上海：上海古籍出版社，2000 年），下冊，卷 19，頁 1124。董治安先生曾分析《呂氏春秋》論《詩》與引《詩》的實況，發現戰國時期各家雖然「對《三百篇》的態度不盡相同」、「在詩篇的釋義、甚至文字訓詁上，也往往各持其說」，但對《詩》卻都「極大的尊崇和推重」，故用以證明當時《詩三百》「在社會上流傳甚廣」，同時也都「接受了儒家『以《詩》為經』的觀念」；又根據《呂氏春秋》引《詩》與儒家差異較大，而與周秦其他諸家差異不大的事實，認為《詩經》的古本「編成於春秋中葉」，諸家用的大約是這個相對穩定的「古本」，儒家則另有「一個相對穩定的傳本」，直至漢朝設立《詩經》博士之後，儒家本成為「規範《詩》傳本」，但因秦火之故，「古本」消失，儒家傳本則依靠背誦而存留，但由於「傳《詩》者記憶的差錯、受《詩》者語言的誤辨」因素的影響，遂導致《詩經》「傳授過程中的某種混亂性」；另外也根據《左傳》、《國語》引《詩》、賦《詩》涉及的篇目，大都見於今本，因而認為有一個相對穩定的「古本」，以為「今本《詩》三百零五篇的最後編定，應該不遲於春秋中後期」，其後孔子「對《詩》作過一番整理，用以教授弟子」，不僅推動《詩經》的流傳，同時也確立《詩經》在「儒家學派中備受尊崇的重要地位」，結論以為「漢代《詩經》的傳本，應該大體保存了先秦時期《三百篇》的基本面貌。」見董治安

《三家詩》並立的情況，即是此種解說內容與文句在漢初即無法統一的例證，官學之外，民間當然還有不同的《詩經》家派，《毛詩》就是一個顯例，阜陽漢簡《詩經》則是另一個明證❷，但由於《毛詩》之外的傳本與解說均已亡佚，具體的情況因而無法確知，不過就一般性的合理推測，文句的記憶比較容易，如果不是原來的本子不同，應該不會出現太大的差異，然而從東漢熹平年間（172－178）還有人覺得「文字多謬，俗儒穿鑿，疑誤後學」，因而出現「詔諸儒正定《五經》，刊於石碑，……樹之學門，使天下咸取則」的事實❷，則顯然可以合理推測當時流傳的本子來源不一，即

先生：〈《呂氏春秋》之論詩引詩與戰國末期詩學發展：兼論《呂》書引《詩》與漢四家詩的異同〉，《文史哲》1996 年第 2 期，頁 39－45；以及〈兩漢《詩》的傳承與《詩》學的演化：《兩漢群經流傳概說》之一〉，收入《兩漢文獻與兩漢文學》（上海：上海古籍出版社，2005 年），頁 96－111；頁 78－91 兩處的討論。董先生有關先秦有「古本」與「儒家本」及漢代《詩經》傳本有差異而大體保存先秦版本的結論，正可用以支持此計畫的假設。另外顏炳罡曾根據《韓非子》之論，將孔子之後的儒家分為「傳道之儒」、「傳經之儒」與「政事之儒」等三大類型，並以為「傳經之儒」內子游一派重《禮》、《樂》；子夏一派則重《詩》、《書》。見顏炳罡：〈「儒分為八」再審視〉，龐樸主編：《儒林》（濟南：山東大學出版社，2005 年 8 月），第 1 輯，頁 136－153。唯此說容易產生誤解，以為其他諸家不傳《五經》；子游一派不傳《詩》、《書》；子夏一派不傳《禮》、《樂》，其實孔門後學應當都是《五經》的傳播者，偏重某一經的「專經」研究，恐怕是漢代成為「官學」以後的事情。

❷ 胡平生先生與韓自強認為這是不屬於《三家詩》的另外一家，見胡平生先生、韓自強編著：《阜陽漢簡詩經研究》（上海：上海古籍出版社，1988年），頁31。

❷ 根據《後漢書·儒林傳》有所謂「亦有私行金貨，定蘭臺漆書經字，以合其

使官方已經有較一致的定本，但或者傳播流傳不廣，或者沒有受到普遍接受，因此民間還依然流傳有許多在字句上不同於官方定本的版本，否則官方也就不必費力刊刻「石經」，以作為規範經書的文本了。但刊刻「石經」作為範本，同時也表示當時官方必然有定本了，這個《詩經》定本當然是《三家詩》的本子，也就是經過漢代官方認可背書而具有「經」的身分的《詩經》本子。於是一本在周代對一般學者而言，可能僅是「比較重要的書籍」，而孔門家派視之為具有「普遍性意義」的「經典書籍」的《詩》，就在漢代政治力的介入之下，確實成為擁有「全面性普遍意義」的具有經典權威地位的「經」了。

「《詩經》的形成與流傳」的研究計畫，正是要探討這個由一般重要文本觀念的《詩》，逐漸成為孔門的「經典」文本，然後又成為具有普世性「經典」權威地位觀念文本的《詩經》的形成過程。首先要探究的就是由誰開始扮演此一「經典形成」推手的人或團體的問題；「經典」地位既然有一個過程，而不是在某一天由某

私文」的說法，可以瞭解即使到了東漢的熹平年間（172－178），今文《五經》經書的版本，還沒有達到完全統一的地步。文見《後漢書·儒林傳》：「亦有私行金貨，定蘭臺漆書經字，以合其私文。熹平四年，靈帝乃詔諸儒正定《五經》，刊於石碑，為古文、篆、隸三體書法以相參檢，樹之學門，使天下咸取則焉。」及《後漢書·蔡邕傳》：「（蔡）邕以經籍去聖久遠，文字多謬，俗儒穿鑿，疑誤後學，熹平四年，乃與五官中郎將堂谿典……等，奏求正定《六經》文字。靈帝許之，邕乃自書丹於碑，使工鐫刻立於太學門外。於是後儒晚學，咸取正焉。」文出〔劉宋〕范曄撰，〔唐〕李賢注：《後漢書》（臺北：鼎文書局，1991 年影印新校標點本），第 4 冊，卷 79 上，頁 2547 及第 3 冊，卷 60 下，頁 1990。

個人突然決定而出現，自然也就牽涉到「經過時間」與「確定時間」的問題；同時也牽涉到整個社會認同「接受」的問題。解決前述問題的方法，就是透過文本空間與地理空間等相關資訊的蒐集、歸納、分析，以瞭解《詩》在周、秦、漢三代的傳播實況與擴散情形，因而可以進一步的探討《詩》本身被接受而成為經典的經過。就一般的瞭解而言，在諸子百家共用的《詩》的「古本」之外，應該還有一本經孔子整理而成為孔門教科書之一的《詩》本，由於孔子及其門人的傳播而擴散成為孔門後學的共同教本，這當該是研究中國傳統學術者的普通常識，但此一孔門《詩》本傳播的進行與擴散的實際狀況，牽涉到《詩》其所以能夠成為經典的緣故與過程，這一經學史與學術史重要的課題，雖然也受到部分研究者的注意，例如王葆玹（1946－）就曾探討「經」與「經典」的內涵屬性，以為「『典』是尊貴的書；『籍』是普通的書；『經』的特點在於權威性」。❸郜積意（1966－）則探討「經典意識」的形成及其與文學創作和批評的關係，並特別強調神聖性的形成纔足以構成「經典」，故認為「漢人對於經書的看法已不單指典籍的意義，而且還有另外一個意思：神聖經典。……神聖經典是『神啟』下的古代典籍，因此具備了文化崇拜的意味。從這個意義上說，經典意識纔真正開始形成。」❸王中江（1957－）也認為儒家典籍「並非一時一

---

❸ 王葆玹：《今古文經學新論》（北京：中國社會科學出版社，1997 年），頁 31－34。

❸ 郜積意：《經典的批判：西漢文學思想研究》（北京：東方出版社，2000 年），頁 2－8，引文見頁 3。相近的觀點又見郜積意：〈經學的缺席：失落了的國學研究〉，《江漢論壇》1999 年第 1 期，頁 81－84。

地一人的產物，它本身就是一個不斷書寫、編纂、匯集和逐漸定型的過程」、「大致而言，應是先有『書』，繼之稱為『典』，後則主要稱之為『經』」，以為儒家典籍經典化過程，經歷了一個不斷被稱引、理解、傳述、解釋以及體制化和制度化的過程，因而得以經典化和權威化而成為具有「正統性」的神聖性經典。❷李凱（1966－）探討儒家「元典」創制的意義及其範圍，以為《五經》的知識淵源於夏商，主要內容確定於周代，儒家「元典」的成立早於儒家，且與孔子有必然的關係，但以為「儒家元典何以成為『經典』」的問題太過複雜，故未加探討。❸陳來（1952－）則以《書》、《詩》的「引證」為例，比較實際的探討中國古代文明「文獻化」、「經典化」及運用的「倫理化」等相關問題，不過他將探討的重點放在「諺」、「言」、「志」、「聞」等出現在古書中「引言」的分析上，反而對於《詩》經典化的問題，僅簡略的探討春秋時代的狀況而已。❹李健（1964－）從文學解讀的角度分析《左傳》中「賦詩」行為，主要是一種暗示或隱喻賦詩者思想情感的功能，因而認為賦詩「已是一種創作的行為」，此一行為同時確立了一種「引申聯想、譬喻類比式的理解方式」，這也就是《論

---

❷ 王中江：〈經典的條件：以早期儒家經典的形成為例〉，《中國哲學史》2002 年 2 期，頁 48－54。

❸ 李凱：《儒家元典與中國詩學》（北京：中國社會科學出版社，2002 年），頁 17－35。

❹ 陳來先生：〈中國文化早期經典的形成：春秋時代經典化現象研究〉，郭齊勇主編：《哲學評論 2001－1》（武漢：湖北人民出版社，2002 年 4 月），頁 125－163。

語》中孔門師生遵循的解讀方式,最後更因而「確立了諷喻、教化的解詩核心,使傳統的解詩活動中的政治倫理隱喻成為一種原則。」故以為《左傳》中的「賦詩」的「這種行為中包蘊了對《三百篇》的尊崇態度」。㉟彭鋒(1965-)也基於「文學」研究的立場,為要考察經學傳統中因為「以史解詩」與「以經解詩」,故以「引譬連類」解讀「興」義的演變軌跡,於是統計歸納周秦漢相關書籍「興」字的意涵,認為當作「譬喻」的「引譬連類」解讀,主要是受到「詩言志」命題的影響,此一解說觀點淵源於《左傳》的賦詩,成於《毛傳》的解釋,而確立於《鄭箋》,這也是「漢代經學家把文學作品《詩經》當作運載儒家倫理觀念的經典看待結果。」並以為《左傳》以後的士大夫所以不作詩而僅引詩,主要是「因為《詩》被當作顯現王者之跡的經典文獻,具有神聖的意味。」並以為所以會出現這種「神聖化」現象的原因,「在根源上可以追溯到神話思維所造成的語言禁忌。」就是因為中國文學與繪畫等等在發展演變中「很難擺脫《五經》的影響」,因而「不能完全落實藝術精神」。㊱程勇(1971-)探討「漢代經學文論」,因

㉟ 參見李健:《比興思維研究:對中國古代一種藝術思維方式的美學考察》(合肥:安徽教育出版社,2003 年),頁 85-139 的討論,引文見頁 91-92、頁 94、頁 107 等處。

㊱ 參見彭鋒:《詩可以興:古代宗教、倫理、哲學與藝術的美學闡釋》(合肥:安徽教育出版社,2003 年)一書的討論,尤其頁 68-126 的討論。引文與論述內容來自頁 28、頁 68、頁 82-83、頁 85、頁 87-92、頁 316-317等處。不過書中認為文學纔是《詩經》本質的前預設,如果做為一種現代人的「追認」當然沒問題,若是當真以為周秦漢代即有現代西洋傳入的「文學」概念,則未免把古人想像得太「現代化」了。另外所謂「隨著儒家思想

而討論了「儒家經典聖化、國家化與文化權威的成型歷程與建構方式」，更經由分析孔子對周文化創造性認同的影響作用，因而有「《五經》文本的經典化、神聖化與《五經》釋義的意識型態化是同一過程的不同表現；經典聖性的確立與儒家知識人身分的自我認同也是同一過程的不同表現」的結論。㊲考察前述這些相關的研究成果，主要還是從描述的角度進行探討，至於從比較實證的角度進行較為深入的分析探討者，事實上至今仍然沒有出現，因而針對這個議題設計進行研究的計畫，其研究成果不僅可以確認《詩經》成為經典的過程，同時也可以加深對整體經學形成普遍性經典過程的瞭解，可知此一研究有其學術的必要性，同時也具有一定的學術意義與價值。㊳

在漢代意識型態中取得統治地位，《詩三百》由一般的詩歌總集成為儒家經典」（頁 92）的說法，也顯然與《詩經》在周秦時代已經成為「儒家經典」的事實不相符合，並且也與該書認為《左傳》以後的士大夫認定《詩經》具有神聖意味的說法衝突。另外也可知日本學者白川靜認為「《詩經》完全教科書化是從進入漢代」纔開始的認知，是個錯誤的觀點，見〔日〕白川靜著，王巍譯：《中國古代民俗》（瀋陽：春風文藝出版社，1991 年翻譯 1980 年版），頁 35。

㊲ 參見程勇：《漢代經學文論敘述研究》（濟南：齊魯書社，2005 年）及〈經典聖性的證立與漢儒文論話語的構建〉，《文藝理論研究》2005 年第 1 期，頁 10－18 的相關討論。

㊳ 李威熊老師即有「中國經學是中國傳統學術文化的主流，但中國經學何以形成？前人的說法不但模糊紛歧，而且也留下一些問題，有待進一步澄清」的提問，可知諸如「《詩經》的形成與流傳」一類澄清經學形成問題的研究，至少在現階段依然具有學術的意義與價值。參見李威熊老師：《中國經學發展史論（上冊）》（臺北：文史哲出版社，1988 年），頁 67 所論。

　　本文既然是針對「《詩經》的形成與流傳」的研究計畫進行分析，以確定此一研究計畫是否可行的檢證性研究，因而研究進行的程序，除確定研究必要性的動機的說明之外，將首先陳述研究計畫的構思，以及支持此一構思的理由與相關的文獻；其次則比較仔細的描述進行研究「《詩經》的形成與流傳」計畫的適當有效的方法與進行的程序；接著探討進行「《詩經》的形成與流傳」研究預期的研究成果，並檢討其在詩經學與經學研究上可能呈顯的意義與價值；最後作成結論，以說明「《詩經》的形成與流傳」研究可能獲得的學術貢獻。

二、研究的構思與資料的探討

　　《五經》做為漢代以後的傳統中國，被大多數人公認具有普遍性意義的經典文本，就經典已經成立流傳後的狀況而言，如果就研究者生存的時間點往後進行「逆向思考」的「追認反推」，則這些經典的地位，顯然是一件既存而理所當然，根本不必再浪費時間討論的問題。但「《詩經》的形成與流傳」的研究計畫要反省提問的則是：如果從歷史時間向前發展的發生學角度進行「順向思考」的「歷史考察」，則是否也可以追問為什麼在那麼多書籍中，僅有這些書籍可以被接受而且被定位為經典？亦即有關這些書籍成為普遍性經典學術地位是如何形成確立的合理疑問。從發生的角度而言，這個提問顯然就會涉及到學術的競爭和傳播、接受與選擇的問題，接受與選擇更涉及現實需要與價值觀的問題，現實需要當然脫離不了當時的政治與社會實際狀況的關聯性，價值觀必然也涉及個人或群體自我定位的問題。這些符合當時需要的經典地位一旦形成，經

過教育的傳播擴散，於是又反過來對個人與群體價值觀的塑造產生影響，價值觀又對社會與政治造成影響，如果再缺乏外來不同文化價值觀的有效競爭與挑戰，這些具有經典地位書籍傳衍的價值觀，於是越來越形穩固，最後成為該文化族群中每一分子的「潛意識」，在不知不覺中對該文化族群的行為造成影響，時間越久遠則「理所當然」的認定就越深刻，自省檢討的可能性相對的也就越來越低。一個文化族群如果不想成為一群知其然而不知所以然的「盲動族」，那麼針對自己文化族群價值觀的內涵與來源進行瞭解，應該是一個相當具有普遍價值意義的課題。

　　「《詩經》的形成與流傳」研究計畫原始構思背後的主導思考，除表面呈現的普遍性經典如何形成的探討瞭解之外，事實上還有一個隱藏性的研究主旨，就是還要針對中華文化族群價值觀的來源，進行必要分析與瞭解的研究，中華文化族群價值觀的形成，當然不會僅有一個唯一的來源，任何負責任的研究計畫者，當然不可能誇口說可以針對所有細部的影響因素進行分析，但就一般比較持平的歷史觀察而言，固然不能否認道家與釋家對中國傳統文化價值觀造成的重大影響作用，但恐怕也不得不承認影響中華文化族群價值觀，最重要的與最主要的因素或力量，應當還在於以孔門思想為主導的儒家思想，儒家思想的根源當然是來自經過孔子整理傳授，並在整理過程中刻意賦予深受其認同的監於夏、商二代，而「郁郁乎文哉」的周代文化價值的《五經》。❸在此一可以被接受的前提

---

❸　孔子認同周文之心情，可從《論語》相關之記載得知。如〈八佾〉自稱：
　　「周監於二代，郁郁乎文哉！吾從周」；〈述而〉感嘆自己「甚矣，吾衰

預設下，於是瞭解《五經》經典地位的形成，其實也就是瞭解中華文化族群價值觀的形成；這個價值觀形成的瞭解，同時也是一件對現在依然深深受到中華文化影響的個人或族群思想行為表現內在因素瞭解的重要工作。因而「《詩經》的形成與流傳」研究計畫纔希望經由比較實證的分析研究，以便可以更深入的探討中華文化族群價值觀來源的《五經》，其經典地位形成的緣由之外，還要把《五經》價值觀的內涵，當作研究的另一個重點。

　　《五經》在後代的學術觀點上，一直被當作一個整體來看待，中華文化族群的價值觀是由《五經》共同塑造而成，當該是個普遍性的常識。如果能夠同時針對《五經》的整體進行研究，自然會是一件比較理想的研究方式，尤其是某些相關的研究議題，實際上也需要經學相關專業各項研究成果的相互支援，纔比較能夠說明清楚。例如有關經書之間互相引用證明的融通互證的瞭解，到底是在各經書皆各自具有獨立完整意義下的引用互證？還是在一個更高層次的《五經》完整一體的主旨意義下，各部經書僅具該整體意義下部分意義的「互通」？但由於整體研究《五經》涉及的專業知識，遠遠超出個人學術專業知識所能承擔的範圍，因此僅能先由「單經」的研究入手，這當然是不得已退而求其次的無奈選擇，因此在進行實質研究之際，實際上還是先立有一個《五經》為一具有「生

也！久矣，吾不復夢見周公」；〈泰伯〉稱美周朝「三分天下有其二，以服事殷。周之德，可謂至德也已矣」；〈陽貨〉說：「如有用我者，吾其為東周乎」等等，可見孔子孺慕之情。文見《論語注疏》，同註㉑，卷 3，頁 8a，總頁 28；卷 7，頁 1-2，總頁 60；卷 8，頁 6-7，總頁 72-73；卷 17，頁 2-3，總頁 154-155。

命共同體」整體的假設,當作研究背後的基本支持觀。故而「《詩經》的形成與流傳」的研究,雖僅以《詩經》相關議題的部分為研究焦點,但也會時時牢記這是在一個更大而具有「經典整體」研究意義架構下的「分身」研究,因而應該還不至於過度變成為一種脫離整體經學架構意義下的「單身」研究。

就一般經學史的瞭解,《詩》成為普遍性經典的過程中,《詩》文本固然到《三家詩》成立之際,應當就已經取得普遍性經典的地位;《三家詩》的詮解在《詩》成為經典之際,當然也同時取得解說上的經典地位,但是漢代以後傳布到今日的《詩》及其詮解,既不是漢初的《詩》文本,更不是《三家詩》的解說,反而是經由鄭玄(127-200)以《毛傳》本為主而融合《三家詩》整理箋注而成的「鄭玄本」。這個涉及《詩經》詮解選擇、轉變、接受的過程,亦即從漢初《三家詩》居於官學的詮解寡佔到《毛傳》獨佔詮解的過程,事實上也就是《毛傳》成為詮解《詩經》經典的過程,《三家詩》的逐漸退出學術與價值的舞臺,《毛傳》被接受而後來居上,終至於取而代之,並且代代流傳而至今,促成接受的原因,在已經確定《詩》文本為經典的前提下,合理的推測則必然是與《毛傳》詮解中呈顯的價值觀,絕大部分甚至全部符合傳統中國人的需要相關,《毛傳》詮解經典地位確立而獨佔詮解權,並流傳久遠的現象,其實也正是在宣告從先秦殷周以來,有關中華文化族群價值觀的選擇淘汰過程,至此已經完全確立,《毛傳》詮解建立的相近的價值觀,就成為爾後中華文化族群的內部,不必明言或無法言明的集體「潛在共識」,《毛傳》在此意義原則下,當然就有必要同時列入「《詩經》的形成與流傳」這一個《詩經》經典地位

形成的研究計畫中，因此為了顧及計畫內容的完整性與價值傳承的一貫性，就必須把殷周以來的「先秦」與「兩漢」的漫長時間同時納入，亦即「《詩經》的形成與流傳」計畫設定研究的時間與範圍，是整個當時中國地區以及從殷周到鄭玄箋注《毛傳》為止的漢末。

觀察前賢與此「《詩經》的形成與流傳」計畫相關的研究，據筆者粗淺的瞭解，至 2005 年為止，比較具有絕對相關性的研究成果，包括專書與單篇論文，至少在 120 條目以上❹，考察這些篇章研究的內容焦點，比較常見的還是如前文所述那類以抽象的邏輯分析進行簡單描述或陳述經學發展為主，卻缺乏實證資料支持的一般性討論，這些討論固然可以當作比較或相關論述的正面或反面資料使用，但做為有效的論證實際上還是猶隔一間。關係比較強的實證性研究成果，除前述提及的張素卿（1963－）、李春青（1955－）等的研究結論之外，其他例如夏長樸老師（1947－）探討兩漢經學與人事的關係，挖掘出許多利用《詩經》之權威性加強其論據以「致用」的實例，這對經學在兩漢建構的普遍「經典」概念的瞭解頗有助益。❹葉程義曾統計兩漢出土墓誌銘文的文本，發現其中有

❹　此係根據前述註❸林慶彰先生與朱守亮先生及拙著；再加上臺灣國家圖書館　　全國圖書書目資訊網、中央研究院圖書館館藏目錄、中華民國期刊論文索　　引、中國文化研究論文目錄、漢學研究中心大陸期刊篇目；大陸國家圖書館　　及中國期刊網、香港中文大學圖書館系統；日本國會圖書館及日本東洋學文　　獻類目等目錄書籍與網站搜尋所得。

❹　夏長樸老師：《兩漢儒學研究》（臺北：國立臺灣大學文學院，1978 年），　　頁 96、頁 99、頁 101、頁 102、頁 107、頁 109、頁 110、頁 114、頁 126、　　頁 133、頁 134、頁 138、頁 140、頁 141 等處。

502 條引錄《詩經》文本的資料，可有效提供分析參證之用。㊷董治安（1934-）根據殘存的二百餘篇漢賦引《詩》的實際表現，探討《詩經》的經學化及其反映的詩經學觀，以及對漢賦的影響，可提供《詩經》在漢代經學化發展的部分訊息；再者統計《史記》引錄《詩經》的條目，以論司馬遷（前 145-前 86）的經學傾向與從屬的《詩經》流派，以及《三家詩》出自不同地域，「然其歸一也」的緣由，兩文雖然旨在探討《詩經》影響「文學」的實況，但就本計畫而言，則不僅提供實證的資料，同時有助於對漢代《詩經》的流佈與內容的瞭解。㊸孟祥才（1940-）則統計歸納漢朝17 位皇帝的「詔書」中引錄 117 次儒家經典的實際表現，以探討經學在漢朝發展的狀況，以及經學與政治間的密切關係，其中引錄《詩經》文本有 36 次，結論以為儒家經典當時「已被置於放之四海而皆準的絕對真理的神聖地位，……徵引經書無疑就增強了詔書的神聖性、權威性與不可置疑性」，這類研究成果對於《詩經》傳播滲透的瞭解，頗有助益。㊹張豐乾（1973-）則透過《論語》的文句，以論孔子引錄《詩經》的實況、方式、作用與文化意義等，

㊷ 葉程義：《漢魏石刻文學研究》（臺北：東吳大學中國文學研究所博士論文，1987 年），下冊，頁 973-1026。

㊸ 董治安先生：〈以《詩》觀賦與引《詩》入賦：兩漢《詩》學史札記之一〉，《河北師範大學學報（哲學社會科學版）》第 25 卷第 3 期（2002 年 5 月），頁 46-49；〈《史記》稱《詩》平議〉、〈《史記》稱《詩》綜錄〉，收入董治安先生：《兩漢文獻與兩漢文學》，同註㉗，頁 132-141、頁 169-201。

㊹ 孟祥才：〈從秦漢時期皇帝詔書稱引儒家經典看儒學的發展〉，《孔子研究》2004 年第 4 期，頁 72-82。

此與本計畫研究的構思最為接近,至於其所謂「與其一味指責孔子及其弟子『誤解』或者『濫用』了《詩經》,不如認真思考孔子和他的弟子以及當時的人們怎樣理解了《詩》三百,怎樣用了《詩》三百,纔可以較為貼近地知道他們是如何理解生活,理解世界的」的觀點,表現的客觀平和態度也相當值得學習;另外他又藉助於上博《詩論》的內容進行分析探討,結論以為孔子對於《詩》的「一言以蔽之」的總體性掌握之後的理解、解釋、評論,是使《詩》成為經典的重要因素。❹楊子怡(1955-)則藉由法國學者布迪厄(Pierre Bourdieu,1930-2002)的「場域理論」探討《詩經》成為文化經典合法性權力的來源,以為《左傳》等古籍的「用詩現象」、孔子的「以《詩》教學」及漢儒的「闡釋而重塑《詩》」,共同把《詩》推向文化經典的地位,這有助於對有關經典生成「權力」內涵的瞭解。❹其他涉及而具有相當參考價值的相關性的研究

---

❹ 張豐乾:〈斷章取義與經典理解:孔子引《詩》考(一)〉,劉小風、陳少明主編:《荷爾德林的新神話》(北京:華夏出版社,2004 年 8 月),頁213-234,引文見頁 233;張豐乾:〈「一言以蔽之」與經典解釋:孔子論《詩》考(一)〉,《中國哲學史》2004 年第 4 期,頁85-90。同樣以新出土上博《詩論》探討《詩》經典化的還有劉冬穎:〈上博竹書《孔子詩論》與《詩三百》的經典化源流〉,《學習與探索》2004 年第 4 期(總 153期),頁 108-110。此外馮良方:《漢賦與經學》(北京:中國社會科學出版社,2004 年),則在漢賦源流與功能上論及與《詩經》的關係;于茀:《金石簡帛詩經研究》(北京:北京大學出版社,2004 年),主要根據新出土文獻進行文句的校勘。這些對此一計畫的執行也有助益。

❹ 楊子怡:〈經典的生成與文學的合法性:文化生產場域視野中的傳統詩經學考察〉,《西北師大學報(社會科學版)》第 42 卷第 4 期(2005 年 7月),頁38-43。

成果，例如屈萬里（1907－1979）站在追求所謂「詩意真相」的立場，為文批判漢代《詩經》詮釋者對《詩經》解說的歪曲，然而透過屈先生的批判考察，正可藉以觀察研究漢人塑造《詩經》成為經典過程的參考。❹余英時（1930－）探討漢代某些官吏對儒家文化傳播貢獻的研究成果，對研究有關經典擴散的瞭解，當然具有比較實質性的影響作用。❹彭武順從傳播學的角度論證《詩經》政治性媒介的性質，具有「負載先王道德教訓訊息之媒介角色」的功能，此文的研究方法對此計畫有關傳播擴散方面的研究具有借鏡的價值。❹楊乃喬（1955－）從「語言論」的角度，探討經學對儒家詩學的影響，結論以為儒家詩學崇尚具有歷史使命感與社會責任感的「立言」闡釋上，使得詩學帶有崇高而神聖的學術宗教地位，因而其實質乃是「經學中心主義」，此有助於對《詩經》成為經典的實質內涵的瞭解。❺陳元鋒（1955－）從樂官文化的角度，論證「從孔子開始，在儒家內部『詩三百』正在日益趨向經學化，成為儒家學派引據的權威典籍。……《三百篇》遂成為儒家學派崇奉的經典」的事實，以及秦漢以前「《詩經》曾經有過兩個重要版本」的推測，雖然確實的狀況，還需再進一步的斟酌分析，但其說對本計

---

❹ 屈萬里先生：〈先秦說詩的風尚和漢儒以詩教說詩的迂曲〉，《南洋大學學報》第 5 卷第 2 期（1971 年），頁 1－10。

❹ 〔美〕余英時先生：〈漢代循吏與文化傳播〉，《中國思想傳統的現代詮釋》（臺北：聯經出版事業公司，1987 年），頁 167－258。

❹ 彭武順：《詩在周代政治傳播中之應用》（臺北：國立政治大學新聞研究所碩士論文，1987 年）。

❺ 楊乃喬：〈經學與儒家詩學：從語言論透視儒家在經典文本上的「立言」〉，《中國社會科學》1995 年第 6 期，頁 142－153。

畫而言也頗有參考價值。❺張啟成（1936－）根據周秦典籍引錄
《詩經》文本數量高於各經的表現，認為《詩經》在周秦之際已經
「具有崇高的地位與權威性」了，此文雖站在「文學」的立場發
言，然此一分析對本計畫認定《詩經》在周秦時代已具「經典」地
位的認知頗有助益。❺還有前文曾提及李威熊老師考察「經學形
成」的問題，此對經學成立的研究，提供部分的資料與觀點。此外
除前述王中江探討儒家經典經過何種過程，因而成為「神聖性經
典」的「經典化過程」之外，還有姜廣輝（1948－）等也論及「經
學成立」方面的問題，同時也探討分析先秦諸家對《詩經》批判的
意見，此則可藉以討論《詩經》在成為經典的過程中，確實遭受到
質疑與排拒的事實，因而可知《詩經》的經典地位，其實是經過一
個必要的論爭或論證過程，纔得以獲得正當性的確立。❺再者日本
學者佐藤利行（1957－）亦論及陸機等「古典派」創作詩歌大量引
錄《詩經》文本的事實等等。❺這些都是對「《詩經》的形成與流
傳」計畫進行實質研究之際，比較具有正面協助功能的研究成果。
　　「《詩經》的形成與流傳」研究計畫使用的文獻資料，除一般

---

❺　參見陳元鋒：《樂官文化與文學：先秦詩歌史的文化巡禮》（濟南：山東教
　　育出版社，1999 年）一書的討論，引文見頁 166。

❺　參見張啟成：《詩經研究史論稿》（貴陽：貴州人民出版社，2003 年），頁
　　1、頁 5、頁 18 等處的討論。

❺　姜廣輝先生主編：《中國經學思想史》（北京：中國社會科學出版社，2003
　　年）第 1、2 卷。

❺　〔日〕佐藤利行：《西晉文學研究：陸機を中心として》（東京：白帝社，
　　1995 年）；周延良譯：《西晉文學研究》（北京：中國社會科學出版社，
　　2004 年翻譯 1995 年版），頁 82－94。

性的文字資料之外，同時也要針對相關的圖像碑版資料進行研究探討，此類文字與圖像碑版的文獻，前賢的蒐集整理已有不少，尤其是香港學者何志華與陳雄根共同編著的《先秦兩漢典籍引《詩經》資料彙編》一書，收錄有八十一種相關書籍引用《詩經》的實際紀錄，蒐錄的資料已經相當齊備。❺有關先秦兩漢金石碑銘之類釋字與研究的論著，例如趙萬里（1905－1980）的《漢魏南北朝墓志集釋》、新文豐出版公司編輯的《石刻史料新編》、趙超（1948－）的《漢魏南北朝墓志彙編》及《中國古代石刻概論》。日本學者如：內野熊一郎（1904－）編的《漢魏碑文金文鏡銘索引：金文、鏡銘、墓誌銘、磚文篇》、坂田玄翔（1945－）等編的《山東新出土漢碑石五種》、日本金石拓本研究會編的《漢碑集成》、永田英正（1933－）編的《漢代石刻集成》、田中東竹（1936－）的《漢碑》、江村治樹（1947－）的《春秋戰國秦漢時代出土文字資料の研究》等等相關的論著❺，這些論著中蒐集提供的相關實證性資

---

❺ 何志華、陳雄根編著：《先秦兩漢典籍引《詩經》資料彙編》（香港：香港中文大學出版社，2004 年）。

❺ 趙萬里：《漢魏南北朝墓志集釋》（北京：科學出版社，1956 年）；〔日〕內野熊一郎編：《漢魏碑文金文鏡銘索引：金文、鏡銘、墓誌銘、磚文篇》（東京：極東書店，1972 年）；新文豐出版公司編：《石刻史料新編》（臺北：新文豐出版公司，1978 年－1986 年）；〔日〕坂田玄翔等編：《山東新出土漢碑石五種》（橫濱：天来書院，1991 年）；〔日〕日本金石拓本研究會編：《漢碑集成》（京都：同朋舍出版，1994 年）；〔日〕永田英正編：《漢代石刻集成》（京都：同朋舍出版，1994 年）；趙超：《漢魏南北朝墓志彙編》（天津：天津古籍出版社，1992 年）；趙超：《中國古代石刻概論》（北京：文物出版社，1997 年）；〔日〕田中東竹：《漢碑》（東京：二玄社，1998 年）；〔日〕江村治樹：《春秋戰國秦漢時代出土文字資料の研究》（東京：汲古書院，2000 年）。

料，對於此計畫研究的進行，具有相當重要的助益作用。另外近年來大陸地區考古挖掘整理的文本，如尹灣漢墓出土的〈神烏賦〉、《阜陽漢簡詩經》、《五行篇》、《孔子詩論》等等⑤，這些新出土的文獻及其相關研究成果，當然更是研究之際，重要的參考文獻資料。

　　結合一般文字與圖像碑版的物質性文獻，以較為實證的資料探討《詩經》的傳播狀況，針對《詩經》成為普遍性經典的種種相關因素進行分析探討，當然可以補充那類純粹透過抽象思考邏輯研究獲得的成果的不足之處，因而也就可以比較具有說服力的證明「《詩經》的形成與流傳」計畫所得研究成果的有效性與學術價值性。

---

⑤　如：周鳳五老師：〈新訂尹灣漢簡神烏賦初探〉，「第三屆國際辭賦學學術研討會」（1996 年 12 月）會議論文；連雲港市博物館等編：《尹灣漢墓簡牘》（北京：中華書局，1997 年）；萬光治：〈尹灣漢簡《神烏賦》研究〉，《四川師範大學學報（哲學社會科學版）》第 24 卷第 3 期（1997 年 7 月），頁 63－72；王志平：〈神烏傳（賦）與漢代詩經學〉，連雲港博物館、中國文物研究所編：《尹灣漢墓簡牘綜論》（北京：科學出版社，1999 年 2 月），頁 8－17；蔡宜靜：〈阜陽漢簡「詩經」與漢代詩經學──兼論江蘇尹灣漢墓簡牘「神烏傳（賦）」〉，《史耘》第 8 期（2002 年 9 月），頁 35－43；胡平生先生、韓自強編著：《阜陽漢簡詩經研究》，同註㉘；魏啟鵬：《德行校釋》（成都：巴蜀書社，1991 年）；荊門市博物館編：《郭店楚墓竹簡》（北京：文物出版社，1998 年）；馬承源主編：《上海博物館藏戰國楚竹書（一）》（上海：上海古籍出版社，2001 年）；劉信芳：《孔子詩論述學》（合肥：安徽大學出版社，2003 年）；「簡帛研究網」http://www.jianbo.org/等等。

三、研究方法與進行步驟的分析

「《詩經》的形成與流傳」的研究計畫，主要是希望透過結合實證統計的量化研究法與內容分析的質性研究方法進行研究。研究的主要文獻資料，以先秦與兩漢傳世的書籍資料，以及出土的簡帛文獻、碑銘等文字資料為主，並盡量蒐集畫像磚等一類的圖像資料為輔。研究進行的程序，首先運用文獻學的方法，盡量蒐集先秦與兩漢的文字與圖像等各類型文本，實際引用或運用《詩經》文本的資料；接著從敘述運用的角度，分析文本運用《詩經》的實際方式與作用；再從學術史的角度，分析探討諸文本引用《詩經》的意義與功能，以及《詩經》與其他經典之間互證交融的情況，進而確定《詩經》的地位與屬性，這是屬於「文本空間」研究的部分。另外則是歸納先秦兩漢傳授《詩經》學者以及引用《詩經》文本的區域分布，以探討《詩經》在「地理空間」上的分布情況及《詩經》的擴散是否具有地域性的空間特徵。

文獻資料蒐集的部分，將盡可能的以巨細靡遺的細部蒐錄為原則，因而除香港中文大學出版的《先秦兩漢典籍引《詩經》資料彙編》一書，蒐集到的「明引」與「暗引」的「絕對文本」等基本資料外；更會進一步的深入分析，以蒐集那些非經學論著文本中，較隱晦的「化用」《詩經》文本形式的「相涉文本」等引錄資料。㊿

㊿ 所謂「絕對文本」資料的定義，指的是明言「引文」出自《詩經》的文句或篇章者，以及雖未明言，然文句與《詩經》文本文句完全相同的引錄方式，《先秦兩漢典籍引《詩經》資料彙編》蒐集的都是此類資料。另外則是文句與《詩經》文本並不完全相同，或僅是相近，甚至僅引用其中幾字，然卻可

同時更會納入新近出土的楚簡、漢簡、碑銘，以及可以確定是漢代完成的其他一般性或宗教性等文獻資料；又由於前漢以前出土的墓志與簡冊，不少僅紀錄姓名籍貫，故也將這類古人名字引用或運用《詩經》文本的資料，列入蒐集的行列之中。

　　傳播擴散的研究，除有關傳播者生平學術、傳述內容等個人資訊的主體研究外，在空間上將包括前述所謂「文本空間」與「地理空間」兩部分的分析與結合的探討，「文本空間」指的是《詩經》文本出現在其他書籍的情況，這是屬於「文字資料」的部分；另外也將會注意「墓磚」與「畫像磚」或塑像、銅鏡、服飾一類相關的物質性文物等等的「圖像資料」❺⓽，是否也出現有運用《詩經》文

經由詩經學的專業常識判斷明確瞭解，或透過文義分析而瞭解的「相涉文本」的引錄方式，例如：班固〈東都賦〉的「因原野以作苑，順流泉而為沼，發蘋藻以潛魚，豐圃草以毓獸，制同乎梁騶，義合乎靈囿」一段，大致看到〈大雅·靈臺〉一詩，所謂經營苑囿與民同樂意涵的影子；〈明堂詩〉的「猗歟緝熙，允懷多福」二語，當也可見出〈周頌·載見〉「烈文辟公，綏以多福，俾緝熙于純嘏」等讚頌意思的發揮。見〔梁〕蕭統編，〔唐〕李善注，龔炳孫等點校：《文選》（上海：上海古籍出版社，1992年），第1冊，卷1，頁32、頁40。又如張衡有「深屬淺揭」與「鳴于喬木」之句，前者顯然是引〈邶風·匏有苦葉〉「深則厲，淺則揭」之文，後者則引〈小雅·伐木〉「伐木丁丁，鳥鳴嚶嚶，出自幽谷，遷于喬木」之文，見〔劉宋〕范曄撰，〔唐〕李賢注：《後漢書·張衡傳》，同註㉙，第3冊，卷59，頁1899。此方面的相關資料，還沒有學者進行比較實際的專門性蒐集分析，有待更進一步的研究投入。

❺⓽　銅鏡銘文出現《詩經》文句的例證，見張吟午：〈《毛詩》、鏡詩、《阜詩·碩人》篇異文比較〉，《江漢考古》1986年第4期（1986年11月），頁92-93；李學勤先生：〈論〈碩人〉銘神獸鏡〉，《文史》第30卷（1988年7月），頁47-50。

本的情況？「地理空間」指的是不同地域學者運用《詩經》或《毛傳》的實際狀況，以及在不同地區人物的名字內，是否出現與《詩經》文本發生關聯的現象；最後根據前兩項的研究成果，分析探討諸類文本接受《詩經》的可能原因，以解說《詩經》成為經典的可能理由。傳播擴散研究的目的，正在於探討《詩經》經由時間的推移，導致在不同地區擴散發展的情況，這應該也是進行分析說明《詩經》與《毛傳》得以成為經典之際，值得探討的因素之一。

　　「《詩經》的形成與流傳」的研究計畫既然涉及到「經典」形成過程的具體問題，則探討基督教《聖經》成為「經典」過程的研究方法與成果，當然也值得做為借鏡與參考的資訊，例如張立新（1951－）經由比較漢儒解釋《詩經》與教父闡釋《聖經》本文，以探討《詩經》神聖化的過程，結論以為漢儒以「比興解詩」而將《詩經》引入「聖界」，其與教父以「寓意解經」，同時表現出「烏托邦與功利主義、烏托邦與美善統一、理念論與意象論、徵聖與崇神、諷諫與諷喻」等文化的內涵。❻⓪劉光耀（1954－）探討基督教的福音書及其正典地位的形成過程，以為福音書的權威經典地位先於教會而存在，而其所以成為經典的標準則在於「是否被認為是上帝所『默示』的，以及其是否或直接或間接地具有使徒的權威」，這其實與儒家經學選擇的標準：是否為聖人所傳，以及是否

---

❻⓪　張立新：〈中西方跨文化研究的一個新視角：《詩經》和《聖經》比較學論綱〉，《大理師專學報》1996 年第 3 期，頁 14－20；此文又以〈《詩經》和《聖經》比較學論綱〉為題，收入《上饒師專學報》第 17 卷第 4 期（1997 年 8 月），頁 6－12。

與聖人相關，頗為相近。⑥孫毅（1961－）則探討《新約》形成「經典」的歷史過程，以為「經典」的權威性來自「上帝啟示的話語」，是一種具有「命令」性質的話語；而「經典」的形成則是一個跨越了數百年的漸進過程，這個過程不是「一個人們對正典的選擇過程，尤其不是某幾個神學家或教會領袖所主導的選擇過程」，而是「人們認識《新約》經卷之權威性的過程」，所以「它們所具有的權威性並不是因為被確認為正典纔被賦予，而是其本身就已經具有。」這對《詩經》權威性來源的探討，具有啟示的意義。⑥藉由這些相關研究的方式與成果，即可以有助於更深入的瞭解「經典」如何形成的問題。

　　「《詩經》的形成與流傳」的研究計畫同時涉及「經典」的內容與判定等實質的問題，因而二十世紀八〇年代以後的西方文學批評界，曾經興起所謂「文化研究」（Cultural　Studies）探討分析的研究方式，因為引入了許多諸如性別、階級、種族、民族－國家、後殖民等等與權力細微運作相關的角度⑥，於是開始出現質疑傳統文學中所謂「經典」來源與合法性等一類的提問，此類質疑提問與解答的方式與內容，對本計畫亦具有頗高的參考的價值。主要是

---

⑥　劉光耀、孫善玲等著：《四福音書解讀》（北京：宗教文化出版社，2004年），頁2－5。

⑥　孫毅：〈論新約正典的形成過程〉，許志偉主編：《基督教思想評論》（上海：上海人民出版社，2005年8月），第2輯，頁85－97。

⑥　有關「文化研究」相關內容的紹介，參見王逢振：《文化研究》（臺北：揚智文化事業公司，2000年）一書之討論。尤其是頁9－13有關「結構的文化概念」及頁122－131有關「文化是經由解釋和建構而形成」等的解說，該處內容與本研究計畫在研究方法上的關係較為密切。

「文化研究」引發了相關研究者關注「究竟什麼是經典」、「經典應該包括那些作品」、「經典作品如何形成」、「經典形成背後是何種權力關係的運作」、「既存經典面對挑戰如何調整」以及重新改寫既存種種相關書籍等等問題的思考研究❻，這類針對「文學經典」及建構「經典」權力合法性提出質疑與解釋的分析研究，當然對本計畫的研究同樣具有相當正面的功能，尤其是有關「如何形成」、「背後運作的權力關係」和「面對挑戰的調整」等一類問題的質疑提問，以及相關研究者的回應，參考的價值更大。實際上從文化研究的立場進行「經典化」相關研究的論著甚多，例如抱持西方傳統批評觀而反對文化批評立場的美國文學理論與批評家布魯姆（Harold Bloom，1930－）的《西方經典：時代之書及其學派》（1994）中有關經典的意義與形成的相關論述，就值得注意參考。❺另外同樣持西方傳統批評觀立場，並重新解讀西方文化相對主義

---

❻ 明顯的例證如葛兆光先生曾說：「包括我在內，有很多人從八十年代以來就有一個重寫中國文學史、中國宗教史、中國思想史等的願望。」見葛兆光先生：《七世紀前中國的知識、思想與信仰世界（中國思想史第一卷）》，同註❶，頁 22。又如 2001 年 12 月廣州中山大學就舉辦過「什麼是經典」的國際學術研討會，參見余樹苹：〈「什麼是經典？」──對一次主題討論的述評〉，《現代哲學》2002 年第 1 期，頁 121－125。中央研究院中國文哲研究所也在 2004 年 7 月開會探討臺灣文學「正典」的發生、形成等相關的問題，參見呂淳鈺：〈「正典的生成：臺灣文學國際研討會」紀要〉，《中國文哲研究通訊》第 14 卷第 3 期（2004 年 9 月），頁 1－19。蕭濱：〈經典：在問與答的結構中〉，《江海學刊》2004 年第 1 期，頁 25－31 及胡懷亮、劉歷波：〈關於「經典」一詞〉，《內蒙古電大學刊》2005 年第 9 期，頁 30－31 等，則探討「經」與「經典」古今意義內涵的轉變。

❺ 有關布魯姆等對「文化研究」的意見及相關的訊息，可參見王寧：〈文學經

內涵的荷蘭比較文學研究者佛克馬（Douwe Wessel Fokkema，1931
－）與伊布斯（Elrud Ibsch，1935－）夫婦，對現存的「西方文學
經典」提出所謂「誰的經典」與「何種層次上的經典」的質疑之
後，為了要強調必須將「中國文學經典」納入所謂「經典」的考
慮，於是針對中國文學經典的「經典化過程」進行分析探討的意
見，也具有參考的價值。⑥陳平原（1954－）也曾藉由探討胡適
（1891－1962）的《嘗試集》經過五位朋友刪改，以及成為文學經
典的事實，說明「歷久彌新，青春常在，依舊介入當代人精神生
活」與「事過境遷，隱入背景，但作為里程碑永遠存在」等兩種不
同意義的經典內涵，並以為「經典的篩選，不可避免為政治、文
化、性別、種族等偏見所左右」，因此「經典的產生明顯受制政治
生態與文化霸權」，《嘗試集》成為「經典之作」，在「很大程度
是『革新與守舊』、『文言與白話』、『詩歌與社會』等衝突與對

典的構成和重鑄〉，《當代外國文學》2002 年第 3 期，頁 123－130 及王
寧：〈文學的文化闡釋與經典的形成〉，《天津社會科學》2003 年第 1 期，
頁 96－102，此文又收入梁工、盧龍光編選：《聖經與文學闡釋》（北京：
人民文學出版社，2003 年），頁 47－62 的討論；以及吳承學、沙紅兵：
〈中國古代文學的經典〉，《中山大學學報（社會科學版）》第 44 卷 2004
年第 6 期（總 192 期），頁 14－23 的探討。另外童慶炳先生：〈文學經典建
構諸因素及其關係〉，《北京大學學報（哲學社會科學版）》第 42 卷第 5 期
（2005 年 9 月），頁 71－78 一文，探討文學經典不斷建構生成的過程，以
為起碼要具備有：藝術價值、可闡釋的空間、意識形態和文化權力變動、文
學理論和批評的價值取向、特定時期讀者的期待視野、發現人等六個基本要
素，這對於《詩經》成為經典的形成要素，當然也具有參考的價值。

⑥　參見〔荷蘭〕杜威·佛克馬著，李會方譯：〈所有的經典都是平等的，但是有一
　　些比其它更平等〉，《中國比較文學》2005 年第 4 期（總 61 期），頁 51－60。

話的產物。……制約著公眾趣味與作品前程的,包括若干強有力者
的獨立判斷與積極引導,以及作為知識傳播的大學體制。」❻這當
然是在現代文化研究立場下的一種「文學經典」的解讀,雖與傳統
《詩經》的經典涵義不完全相當,但對於《詩經》成為經典的過程
的社會背景影響與權力運作關係的瞭解,應該還是有一些助益。此
外其他有關文化研究意義下涉及「經典化」等相關研究的方法或步
驟,其中部分與此一研究計畫探討的內容具有頗深的關聯性,因而
值得斟酌選擇而做為研究的參證。

　　「《詩經》的形成與流傳」的研究計畫既然探討「成為經典」
的過程,自然涉及讀者認同接受的相關問題,因而二十世紀六、七
○年代由德國文學批評學者姚斯(Hans Robert Jauss,1921-)和
伊瑟爾(Wolfgang Iser,1926-)所引發,美國文學批評研究者費
什(Stanley Eugene Fish)等加以肯定發展,而以現象學和詮釋學
為理論基礎而興起形成,以讀者為主體而探索文本的接受歷史和對
文本的審美反應,且主要是以「接受美學」(aesthetics of
reception)和「讀者反應批評」(reader response criticism)為重心
的「讀者接受理論」的文學研究理論❻,現在雖然似乎有點變成普
遍性的「俗套」了,但該理論除重視「作者」之外,還把重心放在

---

❻　參見陳平原先生:〈經典是怎樣形成的:周氏兄弟等為胡適刪詩考〉,《魯
　　迅研究月刊》2001 年第 4、5 期,頁 28-39、頁 18-36。

❻　有關「讀者接受理論」的淵源發展與內容的討論說明,參見楊文雄:《李白
　　詩歌接受史》(臺北:五南圖書出版公司,2000 年),頁 10-27 的討論;
　　更詳細的說明以及相關研究概況的評論,參見蔡振念:《杜詩唐宋接受史》
　　(臺北:五南圖書出版公司,2002 年),頁 9-31 的敘述。

讀者主觀感受認同上的研究立場，應該對此計畫有比較大的借鑑作
用。因為《詩經》真正的原始作者雖然無法明白確定，並且如果排
除現代人因為「回顧追認」而「誤植當代」地位的誤解❻，則更不
是現代意義下以「審美」或「自娛」為宗旨的「文學」作品，但是
對於作品被接受過程的研究探討，應該具有某些共通的相比性。就
中國傳統的認知而言，「經典」的「作者」都是古代具有德性的
「聖人」，不過此一「作者」的意義與今日有別，其中有些僅能算
是今日的「編者」而已，但無論原始作者是誰，只要經過「聖人」
之手，即使是群眾性的作品也算是「聖人」的作品，《四庫全書總
目》「經秉聖裁」之言，即表達此義❼，至於聖人寫作的意圖，當
然是以「教化」群眾為宗旨，這是個「理所當然」的認知前提，因
此理論中有關作者部分的相關探討，與此計畫的相關性比較弱，但
理論中有關文本接受歷史的探討，則正可以借用來探討中國傳統經

---

❻ 有關文學史上因為現代人的「回顧追認」而「誤植當代」地位誤解的辨正，
參見傅錫壬老師：〈對中國文學史內容的省思〉，《中國現代文學理論》第
5 期（1997 年 3 月），頁 57—63 的分析討論。亦可參考葛兆光先生有關思想
史上某些經典或精英的歷史性位置，其實是後代思想家「回溯性追認」結果
的敘述，見葛兆光先生：《七世紀前中國的知識、思想與信仰世界：中國思
想史第一卷》，同註❶，頁 12—13。

❼ 揚雄所說「《詩》、《書》、《禮》、《春秋》，或因而作，而成於仲尼，
其益可知也。」以及班固所謂孔子「追記《五經》以行其道。⋯⋯作《詩三
百篇》」的記載，可為「書籍」經聖人之手而成「經」的旁證。文見〔漢〕
揚雄著，〔晉〕李軌注，汪榮寶義疏，陳仲夫點校：《法言義疏·問神》
（北京：中華書局，1987 年），上冊，卷 7，頁 144；〔漢〕班固撰：《白
虎通德論·五經》（上海：上海古籍出版社，1990 年影印元刊本），卷 8，
頁 68—69。

典的讀者群，如何自覺或不自覺地接受「經典」的歷史，「經典」
在漢代以後成為官學，因而其傳播就具有「行政強制性」的力量，
但是僅僅是外在行政的強制性力量，若無其他內在相配合的因素，
例如是否足以引發讀者「感奮而讀」的心理感動或閱讀期待就顯得
很重要❼，如果缺乏這類必要的閱讀刺激，恐怕也很難讓群眾完全
接受；在周秦時代的《詩經》，是否已經具備類似漢代以後官學的
地位，由於資料有限而無法確實瞭解，不過由於當時並沒有民間學
術相競爭，所以未具備行政強制性地位的可能性應該比較高，因此
也就可以藉助於「讀者接受理論」中有關「文學接受史」的觀點，
透過讀者群自覺而明顯或不自覺而隱晦的「引錄應用」與「解說詮
釋」的效應與影響等實際表現的狀況，探討《詩經》如何成為普遍
性「經典」過程的內在與外在的相關因素，例如傳播者所以願意傳
播與讀者所以願意接受的內在與外在的理由云何？在此一前提下的
「《詩經》的形成與流傳」的研究，其實也可以當作是「《詩經》
經典接受史」的研究。

　　就「讀者接受理論」的角度而言，進行「接受史」一類研究的
前提，必須是已經被讀者接受的對象，而由於後世文學史「回顧追
認」的結果，《詩經》也就理所當然的具備有此一值得被研究的基
本前提要件，因此現代研究者涉及周秦兩漢的詩學或文學等相關接
受研究的論著，也有不少將《詩經》納入其研究的範圍，其中某些
論著的討論，對本計畫的研究內容頗有助益。大陸學者在這方面的

---

❼　參見張思齊：《中國接受美學導論》（成都：巴蜀書社，1989 年），頁 34—
　　68 的討論；「感奮而讀」的討論參見頁 38—41。

討論研究尤其特別熱烈，例如王玫（1957－）根據「垂直接受」與「水平接受」兩種接受方式，從現代文學的角度探討分析中國傳統詩歌的接受方式，以為可以分為「審美的」與「反審美的」兩類，其中從儒家道德角度解詩的「以經史觀詩」的接受方式，以及從真實的角度解詩的「以事理說詩」的接受方式為「反審美的」；「以章句解詩」則分兩種，其中以注釋考據和版本校訂為主的接受方式也是「反審美的」，但是另一種注重詩律音韻和章法字句結構的接受方式，以及「以情韻悟詩」的接受方式，則是「審美的」的接受，就本計畫而言，其中「反審美的」接受方式，正是《詩經》成為「經典」的必要且正常的接受方式，因而具有參考的價值。⑫陳文忠（1952－）在討論「經典作品的審美闡釋史」時，即根據姚斯「以獨到的見解和精闢的闡釋，為作家作品開創接受史、奠定接受基礎，甚至指引接受方向」的那位特殊的「第一讀者」的觀點，認為孔子應該就是《詩經》的「第一讀者」，因為孔子不僅是《詩經》的「最後編定者，又是《詩經》接受史的最初開啟者」；孔子「對詩歌的藝術特徵、社會功用和美學理想」的經典論述影響深遠，並且還用《詩》、談《詩》，對某些篇章進行解說。另外也認為《毛詩傳》「以逐篇注釋字義闡釋詩意的新形式，開創了詩歌接受史上的新時代」；並且特別強調讀者對作品擁有的「價值衡定權」，以為透過讀者對作品的接納與反應，亦即「通過史料、文物和其他著述的記載」的分析，纔能夠真正瞭解作品「實際存在的歷

---

⑫　參見王玫：〈古典詩歌讀者接受的幾種形態〉，《青海社會科學》1994 年第 5 期，頁 51－56。

史形態」，以及認識作品「怎樣存在和為什麼這樣存在」的實際，這有助於探討《詩經》如何成為普遍性「經典」方法的瞭解。❸尚學鋒（1953－）等人探討「先秦的文學接受」之際，特別著重在採詩與獻詩的諷諫譏刺以及將民間作品納入官方禮樂的實際功能；同時也對周秦漢代人物賦《詩》、引《詩》之際，把《詩經》當作現成語料，表現出來的將這些詩「視為經典」，因而「一部《詩經》就這樣被人曲解，逐漸政治化、神聖化」的事實，到漢代終於「確立了經典的地位，被廣泛應用於政治生活中」的過程，進行「接受」的陳述，這對於《詩》成為經典《詩經》過程的瞭解，也頗有助益。❹鄧新華（1953－）雖然認知到中國周秦時代論詩主要關注的「不是詩的創作，而是詩的接受」，同時也瞭解到「斷章取義」的詩歌接受原則，本來就不是「能否獲得審美愉悅」的「純審美的詩歌鑑賞活動」，而是來自於一種「為滿足各國政治外交等實用功利的目的而盛行的『賦詩言志』活動」，因而春秋時期國君與貴族「常常引用《詩》中的某些句子來證明自己所表達的意見的正確性和合理性」，但卻錯誤地從「現代西洋文學正統觀」的角度，批評漢儒對《詩經》的經學接受策略為一種「異化現象」，甚至還出現非理性的謾罵漢人解說《詩經》為「穿鑿附會，迂腐可笑」的文

---

❸ 參見陳文忠：《中國古典詩歌接受史研究》（合肥：安徽大學出版社，1998年），頁6、頁10、頁14－16、頁21、頁23、頁54－55、頁62－65等處的討論說明。相關的主張與「接受史」研究方法的說明，又見陳文忠：〈古典詩歌接受史研究芻議〉，《文學評論》1996年第5期，頁128－137。

❹ 參見尚學鋒、過常寶、郭英德等著：《中國古典文學接受史》（濟南：山東教育出版社，2000年），頁9－71的討論，引文見頁22－24。

句，此類缺乏文化主體性的觀點與立場，固然相當值得斟酌，但其經由引《詩》、賦《詩》、用《詩》、說《詩》等實際的狀況，以探討分析《詩經》被接受的歷程與意義，亦頗有值得參考之處。❼

---

❼　參見鄧新華：《中國古代接受詩學》（武漢：武漢出版社，2000 年），頁 1－68 的討論，引文見頁 7、頁 26、頁 44、頁 55、頁 66 等處。這個「穿鑿附會，迂腐可笑」的謾罵之文，又見鄧新華：〈論漢儒說《詩》的接受策略〉，《江蘇社會科學》2003 年第 5 期，頁 147－151。鄧新華該書進行的「接受」研究，立意本就要拋棄研究者主觀的好惡，以客觀尊重的態度為前提，以便可以觀察不同時代不同讀者的主觀感受，因而可以瞭解某些詩作被這些不同思考與主張的讀者接受的情形，但奇怪的是既然有如此的基本立意，則為何還會出現這類主觀激烈謾罵口吻的文句呢？此種謾罵情緒是否受到大陸「教科書經典觀點」那類所謂「反封建思想」及承襲五四以來的「文化自卑」心態的影響呢？還是因為不自覺的有一個過度推崇《詩經》「人民性」的心理和「文學至上」的隱藏性「霸權思考」呢？鄧新華是否由於過度推崇《詩經》的「人民性」與「文學至上」觀點的影響，導致其無法容忍對《詩經》進行「經學」的研究，於是非理性的謾罵於焉出場呢？此種由於推崇「人民性」與認同「文學至上」，因而「規定」《詩經》「僅能」且「唯一能」當作「文學」研究的「霸權思考」的「奇怪」態度，當然不是所有研究者都認同的態度，除前文提及的張豐乾之外，例如鞏凌固然也和鄧新華一樣不免「牽強附會」而「粗暴地故意歪曲」那類「經學」研究者的立場，但至少還能指出「只一味指斥」經學研究者而不尋求其「合理的根據」，則「未免失之偏頗」，見鞏凌：〈從古代解詩看接受美學的合理性〉，《文山師專學報》第 1 卷第 1 期（1999 年 3 月），頁 11－13。另外郭英德雖然也無法擺脫「現代文學至上觀」的制約，但卻還能清醒的瞭解到：「《詩經》首先是經學研究對象，其次纔是文學研究對象」的文化事實，見郭英德：《建構與反思：中國古典文學研究思辨錄》（西安：陝西人民教育出版社，2006年），頁 180。不過也必須承認此種「奇怪」的態度，出現在不少現代研究古典文學者的論著中，尤其以大陸地區的學者為甚，比較有趣的是這些人經常振振有詞且理直氣壯的口出惡言而不以為迕，很少甚至完全不知道對自己

潘萬木（1962－）同意《詩經》有一個長期的編纂過程，同時引用
《竹書紀年》「康王三年定樂歌」的記載，推測《詩經》的原始
「母本」生於此時，而最後編定則在西元前六世紀；並以《左傳》
引《詩》的狀況而確定其「事實上已被尊崇為經典」；再根據《左
傳》用《詩》的實例，比較其中〈風〉、〈雅〉、〈頌〉出現的多
寡實況，探討《詩經》在春秋時代的接受與流播的情形。❼❻林存光
（1966－）從「詮釋學」的角度，探討「儒教在傳統中國是如何取
得它統治思想的合法性地位或意識形態領域的主導性地位的」問
題，其實這也是一個讀者接受的問題，他以為儒學教義在漢代以後
「得以合法而全面地向社會生活的各個領域滲透」，固然是「在強
而有力的行政權力支持下」成為現實政治支持的官學之結果，但並
不表示「儒學是完全處於一種被動的地位」，他認為實際上是漢儒

可能存在的「穿鑿附會，迂腐可笑」進行必要的反思，實在也是個頗值得玩
味的奇怪現象。因為從讀者接受的角度來看，五四時代那類接受西洋文化觀
點的新學術人物，為要與傳統舊學者爭取學術市場，以便遂行其偉大的「前
無古人」的「救國救民」的「豐功偉業」，因而不得不用那個「瘋狂時代」
的多數「瘋狂群眾」所樂意接受的謾罵方式進行自我行銷，以便把那些大大
小小「石頭」般的舊學者一股腦兒的「拋棄」甚至「消滅」，這種考慮「讀
者接受」的高明行銷方式，成功地使新學術取代舊傳統而成為中國學術的主
流，但是在新學術已經成主流超過半個世紀，而舊學者也早已消失在歷史洪
流中的今天，居然還有不少人臉不紅氣不喘且非常快樂地「抄襲」、「複
誦」五四時代特殊環境下，為要「矯枉」而不得不「過正」的以「謾罵」替
代「說理」的「非理性」的「瘋狂」行銷方式，恐怕很難說是恰當的學術研
究態度吧！

❻ 潘萬木：〈春秋時代《詩》的流播與接受：僅以《左傳》為例〉，《荊門職
業技術學院學報》第17卷第5期（2002年9月），頁30－37。

在「尊孔崇聖」的前提下，極為成功的「通過對經義的再詮釋與具
體應用」，創造出「既適應現實的需要同時又構造『儒教社會』的
內容」，於是能夠與漢家政權之間確立了一種「以『經』為中介展
開了持續的對話與互動」為基礎，因而構成了「共同認同和崇信的
《五經》六藝等經典與孔聖的絕對理論權威」的制度化的結果，所
謂「制度化」即是「『經』這一物質載體具有長期固定性和可重複
利用性，做為互動的中介或依據」，因而強化了雙方對經典權威性
的崇重，使得雙方在行動的情境上共同達成一個「必須或應該依經
義思考和行動」的共識，於是「經義和人們對經典的崇信成了政治
決策甚至政權自身全部合法性的基礎和依據」。並以史書和《鹽鐵
論》中漢朝君臣引經據典以為論證根據的實例，說明「諸如儒學的
政治化與政治的儒教化，乃至儒學的社會化與社會的儒教化（即儒
教成為社會共同的觀念表達）」，都是前述「制度化」的結果，結
論認為探討儒學（經學）成為主流意識型態的問題，不應該簡單化
為「一系列個人」或「官方帝王一方」等單方面好惡的說明，「而
必須考察他們生活在什麼樣的社會歷史——政治文化境遇之中」，
這些觀點對本計畫有關《詩經》成為經典背景與研究方式的瞭解，
也頗有益處。**❼**鄔國平（1954－）則探討值得進行研究的對象，必
然是「受到連續性闡述的作者、作品」的接受史的研究，因而也是
一種「積極消費史的研究」；又從讀者的角度認為用《詩》者即是

---

❼ 參見林存光：《儒教中國的形成：早期儒學與中國政治文化的演進》（濟
　　南：齊魯書社，2003 年）一書之討論，引文見〈序〉，頁 2；正文：頁
　　118、頁 119、頁 120－124、頁 172、頁 233 等處。

《詩》的接受者，而周秦「儒分為八」的分派觀，主要是「後學對學派宗主思想的不同理解與詮釋造成的」；還從接受的角度分析《毛詩》被選擇為官學的理由，正在於「它在思想傾向上也是向官學靠攏的」，同時還分析「口耳傳承」與閱讀文獻在接受上的不同，以及標點、衍文、闕文、訛文等物質性因素對接受的影響，另外還探討五四以後因為對《詩經》性質的認知不同，亦即不再以《詩經》為負載中國傳統優良文化的「經」，反而視《詩經》為表現下層階級民眾心聲的「民謠」，接受的態度遂因之而改變，最後還討論朱熹認為《詩》本身只是作品而不是「經」，必須經過孔子整理及啟發之後纔能成為「經」，因此「孔子雖然不是《詩》的作者，卻是其經典意義的創造者，因而又是最重要的『作者』。」這些主張都對本計畫的研究均有助益。❼⑧此外許莉萍（1954－）討論接受的「心理動力」與「心理對應」的問題，對於探討讀者所以願意「接受」的心理狀況的瞭解，也頗有參考價值。❼⑨「讀者接受理論」除在方法上對本研究計畫具有借鑑的益處外，以上相關的研究成果，也對研究計畫內容具有實質的幫助。

此計畫的研究方式如前所述，主要是希望透過文獻學的資料蒐集與敘述運用的分析，進行傳播擴散與選擇接受的瞭解分析，然後

---

❼⑧ 參見鄔國平：《中國古代接受文學與理論》（哈爾濱：黑龍江人民出版社，2005 年），頁8、頁 41、頁 42、頁 45－58、頁 131、頁 145－146、頁 156－157 等處的討論。

❼⑨ 參見許莉萍：〈論文學接受的心理系統〉與〈論文學接受的動力系統〉，《湖州師專學報（哲學社會科學）》第 19 卷第 2、3 期（1997 年 4、8 月），頁 35－44、頁 30－38。

再從學術史的角度加以推論，根據蒐集所得的實際資料，分析說明
《詩經》與《毛傳》經典地位形成的過程與原因。此一研究方式之
所以可行，主要是涉及「經典」確立後，因而形成的文句形式固定
而很難甚至不可更動、解說內容趨向統一方向、具有理所當然的證
據價值、敘述引用逐漸增廣加多等特殊狀況的實際表現。另外「經
典」的地位一經確立，同時也會產生潛在的權力作用，甚至引發一
連串的「連鎖反應」，也就是說在「普遍經典」認同的前提下，這
類「經典」文本自然而然的在使用者心中，就具有不證自明的「意
義說明」、「終極定論」、「敘述應用」的功能價值。普遍性的經
典當然是學者首先必須閱讀熟悉的文本，文本又具有前述的功能價
值，由於熟悉與價值等作用的先驗性肯定，於是經典文本必然會有
意或無意地呈現在各種類型的文本之中，亦即「經典」在不知不覺
間就逐漸的擴散而滲透進入不同的文本中。利用被滲透的各類型文
本實際運用表現的歸納，再經由順向「時間性」的分析探討，當然
也就有可能對《詩》如何由「重要書籍」而為「孔門經典」而成
「普遍性經典」的《詩經》的過程，有一比較具有實證性與有效性
的瞭解。另外在方法上，除文獻實際引錄的歸納分析，以探討其傳
播實際的研究方式之外，同時還可以藉助於西方基督教《聖經》形
成過程的研究、「文化研究」有關「誰的經典」與「何種層次上的
經典」的質疑研究、「讀者接受理論」有關「接受史」的研究等等
方法的應用，因而可以更加深入的瞭解《詩經》從周秦到漢代由
「普通作品」而「重要典籍」而「儒家經典」而「普遍經典」的過
程及其成因。

四、預期成果與貢獻的探究

「《詩經》的形成與流傳」計畫的研究目標，主要希望可以完成下列幾項相關的工作：一是有關先秦兩漢書籍引用《詩經》與《毛傳》實況資料的蒐集與歸納分析，除實際引用文獻的歸納統計外，還進行包括引用方式、運用方式、引用的意義、引用的影響與解說內容等的實際瞭解，同時也對《詩經》之外的其他四經引用與運用《詩經》文本與解說的實況等相關問題進行分析探討。二是完成有關傳播擴散與選擇接受等資料的蒐集與分析，包括對傳播《詩經》與《毛傳》的傳播者以及接受者等相關問題的研究探討，例如有關傳播主體、傳播者、傳播理由；接受者、接受理由等的分析探討。同時對涉及《詩經》與《毛傳》傳播地域擴散的實況，包括傳播地區的統計歸納、傳播的地區特色、不同區域間的競爭與影響等等的相關問題，進行較為細緻的探討。三是根據前述的研究成果，進行《詩經》與《毛傳》經典地位形成緣由的分析說明，例如傳播者傳播的影響、接受者接受的影響，接受影響的有那些主要的內容？這些內容呈現出何種價值觀？這些價值觀與《詩經》和《毛傳》成為經典的關係如何？這些價值觀與中國傳統價值觀的關係如何等等的分析探討。

「《詩經》的形成與流傳」的研究計畫如果可以順利完成，在研究成果上當然對經典形成的瞭解、經學史與詩經學的相關研究、中國傳統價值觀的內容等等，具有提供直接證據的功能，同時對於進一步提昇經學史與思想史的深入研究，應該也具有直接的影響效果。除此之外，至少在三個角度上，對相關的學術研究具有部分實

質的意義與價值：

首先是研究方法上的貢獻：「傳播學」與「文化研究」及「讀者接受理論」的研究方法，固然是二十世紀以來相當受到學界重視的方法，不過至今為止，似乎還沒有其他研究經學的專業學者，從經學研究的角度有意識地單獨利用其中的任一個方法，或有效地融合這些方法，針對經典的傳播與接受進行研究，從經典傳播者在地理空間上的分布狀況進行有效地觀察；更沒有人想到利用文獻學的蒐集統計的實證方式，以瞭解文本空間傳布的實際狀況。當然更進一步觀察經典流傳的地域差別或競爭關係，觀察此種差異和文化中心地區與文化邊緣地區的關聯性，以及分析這些關聯性與經典的形成和經典擴散及讀者接受等關係如何的問題，就更不必說了。現代學者習慣於以現代資訊流通方便的不自覺潛意識進行思考，因而幾乎已經忘記漢代以前那個幅員廣大、資訊流通不易的古代中國，因而傳播者與文本所呈現的實際空間分布上的差異及其與經典形成的密切關係，就在學者這類的潛意識下被忽略而無法進入相關研究者的研究視野之內，此一研究計畫即可以比較有效地彌補這類研究思考上的闕漏。

其次是研究方式上的貢獻：一般經學或其他學術的研究者，習慣於以歷史實際事實的呈現做為研究思考基點，就是以承認孔子為「聖人」、經書為具存「經典」的前提認知下，進行經典發展或詮釋內容演變的研究探討，這種先有結論再尋找理由的「回顧追認式」的研究，就已經形成歷史事實的後代而言，當然是一種不得不然的研究方式，但這並不是唯一的研究方式。此研究計畫就是要在前述研究方式之外，進行另一種不同思考方式的研究，亦即從發生

學的角度進行順向的思考,設想經書與其他書籍居於平等地位的前提預設下,分析探討是在何種狀況與選擇標準下,經過多久的時間推移、空間擴散與讀者的接受,這些所謂經典書籍纔被當時的中國人,公認為具有神聖意義的經典?再者本計畫在研究過程中,除諸家各類書籍平等地位的設想之外,同時也儘可能排除視孔子為「聖人」的不自覺預設,要求比較確實的從平等而順向發展的角度進行考察,以便說明這些書籍如何成為經典的理由及其轉變的過程,此一研究設想當然具有糾補一般學者研究不足之處。

三則內容研究方面的貢獻:主要是指將《詩經》本文與詮解《詩經》的論著分別看待的研究預設,亦即不僅探討《詩經》本身成為經典的議題,同時也視《毛傳》為具有詮解《詩經》論著的經典地位,本研究計畫因而同時也探討《毛傳》成為經典的過程。就後代而言,《詩經》具有經典地位當然無庸置疑,視《毛傳》具有詮解《詩經》的經典地位,當然不會是此一研究計畫的獨見,但從發生學角度探討其被接受而形成詮解經典地位的原因與過程,則是此一計畫比較創新研究的部分。主要是流傳的《十三經注疏》中,唯有《詩經》是在經書之上冠有詮解者之姓,因而稱之為《毛詩注疏》或《毛詩正義》,而不是稱為「詩經毛傳」,相對於其他經典的詮解者,可見後代讀者不自覺地接受《毛傳》在《詩經》詮解中所具有的特殊地位,實則《毛傳》在《詩經》詮解中特殊的經典地位,實際上還有鄭玄以後到現代的歷史事實為根據,故而此一研究內容議題的設想,除對詩經學史等的相關研究,具有一定的開創性的價值外,對其他經書成為經典過程與詮解論著形成經典地位的研究,也同時具有影響或引導的作用。再者探討《毛傳》為漢代與後

世統治者，以及多數讀者接受的理由，是否與中國傳統所形成的價值觀有關，也是一個從來沒有被經學研究者納入研究視野的議題，當然是個具有開創性學術研究價值的研究議題。

五、結　論

「《詩經》的形成與流傳」的研究計畫是否可行？是否有學術研究的必要性？是否具備學術研究的價值？以及研究成果是否可能或存在那些學術貢獻等等的問題，經由前述的分析探討，大致可以獲得以下幾點結論：

一、研究計畫有關「經典如何形成過程」焦點議題的設計，可以有效彌補前賢在經學相關研究問題上提問的疏忽，因而可以提供相關研究者對議題提問的不同思考方向；同時「順向觀察」的研究思考，對於學界不自覺地以「回顧追認」立場進行研究思考出現的問題，也提供了一個頗具對比功能的實質證據。

二、研究計畫蒐集利用的基本文獻，除掉一般常用的書面典籍文獻之外，更注意到讀者利用《詩經》文本之際，明顯而刻意引錄的「絕對文本」資料，以及可能是不自覺或刻意隱晦的「相涉文本」；同時也注意到平常未被充分注意的碑版圖像等「石學」的文獻。就文獻資料的引錄與蒐集而言，應該也是個值得相關研究者參考學習的方式。

三、進行實質研究的方法，除採用一般性的蒐集歸納的文獻研究法外，還要想辦法融合「文化研究」、「讀者接受理論」等相關的研究方法進行分析，更要藉助西方基督教《聖經》成為具有宗教神聖性經典過程研究成果，以便可以更深入的瞭解《詩經》成為神

聖性經典過程中，是否可能存在有與「宗教」信仰相關的思想意識，這在研究方法上應該也有值得相關研究者參考之處。

四、研究內容上不僅注意《詩經》成為「經典」本身的問題，同時也瞭解到詮解《詩經》的《毛傳》，同樣也有一個成為「次經典」的過程，遂注意到《毛傳》在整個中國詩經學傳統中曾經長期居於經典地位的事實，這也表示《毛傳》的內容長期被中國人所接受，因而希望透過讀者接受理論而進行研究，以探討分析《毛傳》呈現的價值觀的內涵，藉以瞭解中國傳統價值觀的內容。此一探討中國傳統價值觀內涵的研究設想，可以提供相關研究者一個不同的思考方向。

五、研究計畫獲得的研究成果，除可以比較清楚的說明現存的《詩經》，從普通書籍變成為經典的過程與緣由之外；同時也可以從讀者接受理論的角度，進一步的瞭解周秦漢等時代的讀者群，如何接受以及何以接受《詩經》的實際表現與選擇考慮，進而透過分析讀者群接受的理由，因而也就可以提供部分有關中國傳統價值觀的實際內涵，這對相關的研究者當然也具有參考的價值。

六、「《詩經》的形成與流傳」研究計畫的研究可行性與學術價值性，經由上述的分析探討，可知無論在研究議題、研究目的、研究方法、文獻利用、學術需求與研究功能上，均可以提供學界某些具有學術價值的研究成果，此一計畫既然可以具有前述的學術貢獻，則大致也就可以肯定這是一個值得進行，且可以進行的研究計畫。

——本文發表於中央研究院「中國古代文明的形成」研究計畫
聯合會議：「上古文明研究的新趨向」（2004 年 12 月 2 日）。

引用書目

一、古籍

題〔周〕左邱明著,〔晉〕杜預注,〔唐〕孔穎達等正義:《春秋左傳正義》,《重栞宋本十三經注疏附校勘記》(臺北:藝文印書館,1981 年影印〔清〕嘉慶 20 年江西南昌府學本)。

題〔周〕左邱明著,〔吳〕韋昭注:《國語》(臺北:里仁書局,1981 年嶄新校注本)。

〔魏〕何晏等注,〔宋〕邢昺疏:《論語注疏》(臺北:藝文印書館,1981 年影印〔清〕嘉慶 20 年江西南昌府學本)。

〔東周〕荀況著,〔清〕王先謙集解,沈嘯寰、王星賢點校:《荀子集解》(北京:中華書局,1992 年)。

〔戰國〕韓非著,陳奇猷校注:《韓非子新校注》(上海:上海古籍出版社,2000 年)。

〔漢〕司馬遷著,〔南朝宋〕裴駰集解,〔唐〕司馬貞索隱、〔唐〕張守節正義:《史記三家注》(臺北:鼎文書局,1995 年影印新校標點本)。

〔漢〕揚雄著,〔晉〕李軌注,汪榮寶義疏,陳仲夫點校:《法言義疏》(北京:中華書局,1987 年)。

〔漢〕班固撰:《白虎通德論》(上海:上海古籍出版社,1990 年影印元刊本)。

〔漢〕班固著,〔唐〕顏師古注:《漢書》(臺北:鼎文書局,1995 年影印新校標點本)。

〔劉宋〕范曄撰，〔唐〕李賢注：《後漢書》（臺北：鼎文書局，
　　1991 年影印新校標點本）。

〔梁〕蕭統編，〔唐〕李善注，龔炳孫等點校：《文選》（上海：
　　上海古籍出版社，1992 年）。

〔清〕紀昀等編著、王伯祥斷句：《四庫全書總目》（北京：中華
　　書局，1992 年）。

二、專書

顧頡剛等編著：《古史辨》（海口：海南出版社，2005 年影印
　　1941 年原刊本）。

蔣伯潛、蔣祖怡：《經與經學》（臺北：世界書局，1975 年影印
　　上海：世界書局，1941 年版）。

傅斯年：《詩經講義稿》（北京：中國人民大學出版社，2004 年
　　影印原臺北：國立臺灣大學，1952 年版）。

趙萬里：《漢魏南北朝墓志集釋》（北京：科學出版社，1956
　　年）。

〔日〕內野熊一郎編：《漢魏碑文金文鏡銘索引：金文、鏡銘、墓
　　誌銘、磚文篇》（東京：極東書店，1972 年）。

夏長樸老師：《兩漢儒學研究》（臺北：國立臺灣大學文學院，
　　1978 年）。

新文豐出版公司編：《石刻史料新編》（臺北：新文豐出版公司，
　　1978 年－1986 年）。

王靜芝先生：《經學通論》（臺北：國立編譯館，1982 年）。

〔美〕余英時先生：《中國思想傳統的現代詮釋》（臺北：聯經出
　　版事業公司，1987 年）。

王汎森：《古史辨運動的興起》（臺北：允晨文化公司，1987
　　年）。

葉程義：《漢魏石刻文學研究》（臺北：東吳大學中國文學研究所
　　博士論文，1987年）。

彭武順：《詩在周代政治傳播中之應用》（臺北：國立政治大學新
　　聞研究所碩士論文，1987年）。

李威熊老師：《中國經學發展史論（上冊）》（臺北：文史哲出版
　　社，1988年）。

胡平生先生、韓自強編著：《阜陽漢簡詩經研究》（上海：上海古
　　籍出版社，1988年）。

林慶彰先生主編：《經學研究論著目錄（1912－1987）》（臺北：
　　漢學研究中心，1989年）。

張思齊：《中國接受美學導論》（成都：巴蜀書社，1989年）。

張素卿：《左傳稱詩研究》（臺北：國立臺灣大學出版委員會，
　　1991年）。

魏啟鵬：《德行校釋》（成都：巴蜀書社，1991年）。

〔日〕白川靜著，王巍譯：《中國古代民俗》（瀋陽：春風文藝出
　　版社，1991年翻譯1980年版）。

〔日〕坂田玄翔等編：《山東新出土漢碑石五種》（橫濱：天来書
　　院，1991年）。

趙超：《漢魏南北朝墓志彙編》（天津：天津古籍出版社，1992
　　年）。

林慶彰先生主編：《經學研究論著目錄（1988－1992）》（臺北：
　　漢學研究中心，1994年）。

〔日〕日本金石拓本研究會編：《漢碑集成》（京都：同朋舍出版，1994 年）。

〔日〕永田英正編：《漢代石刻集成》（京都：同朋舍出版，1994年）。

葉舒憲：《詩經的文化闡釋：中國詩歌的發生研究》（武漢：湖北人民出版社，1994 年）。

朱維錚先生編：《周予同經學史論著選集》（上海：上海人民出版社，1996 年增訂本）。

連雲港市博物館等編：《尹灣漢墓簡牘》（北京：中華書局，1997年）。

趙超：《中國古代石刻概論》（北京：文物出版社，1997 年）。

王葆玹：《今古文經學新論》（北京：中國社會科學出版社，1997年）。

張素卿：《敘事與解釋：《左傳》經解研究》（臺北：書林出版公司，1998 年）。

葛兆光先生：《七世紀前中國的知識、思想與信仰世界：中國思想史第一卷》（上海：復旦大學出版社，1998 年）。

陳文忠：《中國古典詩歌接受史研究》（合肥：安徽大學出版社，1998 年）。

荊門市博物館編：《郭店楚墓竹簡》（北京：文物出版社，1998年）。

〔日〕田中東竹：《漢碑》（東京：二玄社，1998 年）。

陳元鋒：《樂官文化與文學：先秦詩歌史的文化巡禮》（濟南：山東教育出版社，1999 年）。

朱守亮先生編輯：《詩經論著目錄》（臺北：洪葉文化事業公司，2000年）。

楊文雄：《李白詩歌接受史》（臺北：五南圖書出版公司，2000年）。

郜積意：《經典的批判：西漢文學思想研究》（北京：東方出版社，2000年）。

王逢振：《文化研究》（臺北：揚智文化事業公司，2000年）。

尚學鋒、過常寶、郭英德等著：《中國古典文學接受史》（濟南：山東教育出版社，2000年）。

鄧新華：《中國古代接受詩學》（武漢：武漢出版社，2000年）。

〔日〕江村治樹：《春秋戰國秦漢時代出土文字資料の研究》（東京：汲古書院，2000年）。

嚴正：《五經哲學及其文化學的闡釋》（濟南：齊魯書社，2001年）。

馬承源主編：《上海博物館藏戰國楚竹書（一）》（上海：上海古籍出版社，2001年）。

戴維：《詩經研究史》（長沙：湖南教育出版社，2001年）。

莫林虎：《中國詩歌源流史》（北京：中國社會科學出版社，2001年）。

張濤：《經學與漢代社會》（石家莊：河北人民出版社，2001年）。

林慶彰先生主編：《經學研究論著目錄（1993－1997）》（臺北：漢學研究中心，2002年）。

〔美〕劉禾著，宋偉杰等譯：《跨語際實踐：文學、民族文化與被譯介的現代性（中國：1900－1937）》（北京：三聯書店，2002 年翻譯 1995 年版）。

蔡振念：《杜詩唐宋接受史》（臺北：五南圖書出版公司，2002年）。

李凱：《儒家元典與中國詩學》（北京：中國社會科學出版社，2002 年）。

尹虎彬：《古代經典與口頭傳統》（北京：中國社會科學出版社，2002 年）。

洪湛侯：《詩經學史》（北京：中華書局，2002 年）。

陳麗虹：《賦比興的現代闡釋》（杭州：中國美術學院出版社，2002 年）。

李衍柱：《經典文本與文藝學範疇研究》（廣州：暨南大學出版社，2002 年）。

胡傳勝：《觀念的力量：與柏林對話》（成都：四川人民出版社，2002 年）。

王汎森：《中國近代思想與學術的系譜》（臺北：聯經出版事業公司，2003 年）。

羅志田：《裂變中的傳承：20 世紀前期的中國文化與學術》（北京：中華書局，2003 年）。

姜廣輝先生主編：《中國經學思想史（第 1、2 卷）》（北京：中國社會科學出版社，2003 年）。

馮浩菲：《歷代詩經論說述評》（北京：中華書局，2003 年）。

李健：《比興思維研究：對中國古代一種藝術思維方式的美學考

察》（合肥：安徽教育出版社，2003年）。

彭鋒：《詩可以興：古代宗教、倫理、哲學與藝術的美學闡釋》
（合肥：安徽教育出版社，2003年）。

張啟成：《詩經研究史論稿》（貴陽：貴州人民出版社，2003
年）。

劉信芳：《孔子詩論述學》（合肥：安徽大學出版社，2003
年）。

梁工、盧龍光編選：《聖經與文學闡釋》（北京：人民文學出版
社，2003年）。

林存光：《儒教中國的形成：早期儒學與中國政治文化的演進》
（濟南：齊魯書社，2003年）。

河清：《全球化與國家意識的衰微》（北京：中國人民大學出版
社，2003年）。

葉國良老師：《文獻及語言知識與經典詮釋的關係》（臺北：國立
臺灣大學出版中心，2004年）。

黃亞平：《典籍符號與權力話語》（北京：中國社會科學出版社，
2004年）。

孫正聿：《思想中的時代：當代哲學的理論自覺》（北京：北京師
範大學出版社，2004年）。

馮良方：《漢賦與經學》（北京：中國社會科學出版社，2004
年）。

于茀：《金石簡帛詩經研究》（北京：北京大學出版社，2004
年）。

〔日〕佐藤利行著，周延良譯：《西晉文學研究》（北京：中國社

會科學出版社，2004 年翻譯 1995 年本）。

何志華、陳雄根編著：《先秦兩漢典籍引《詩經》資料彙編》（香港：香港中文大學出版社，2004 年）。

劉光耀、孫善玲等著：《四福音書解讀》（北京：宗教文化出版社，2004 年）。

河清：《破解進步論：為中國文化正名》（昆明：雲南人民出版社，2004 年）。

葉國良老師：《經學側論》（新竹：國立清華大學出版社，2005年）。

夏傳才先生：《二十世紀詩經學》（北京：學苑出版社，2005年）。

俞志慧：《君子儒與詩教：先秦儒家文學思想考論》（北京：三聯書店，2005 年）。

董治安先生：《兩漢文獻與兩漢文學》（上海：上海古籍出版社，2005 年）。

龔書鐸：《社會變革與文化趨向：中國近代文化研究》（北京：北京師範大學出版社，2005 年）。

趙敏俐等著：《中國古代歌詩研究：從《詩經》到元曲的藝術生產史》（北京：北京大學出版社，2005 年）。

王玫：《建安文學接受史論》（上海：上海古籍出版社，2005年）。

李春青：《在文本與歷史之間：中國古代詩學意義生成模式探微》（北京：北京大學出版社，2005 年）。

程勇：《漢代經學文論敘述研究》（濟南：齊魯書社，2005

年）。

鄔國平：《中國古代接受文學與理論》（哈爾濱：黑龍江人民出版
　　　社，2005 年）。

楊國榮主編：《現代化過程的人文向度》（上海：上海古籍出版
　　　社，2006 年）。

張國剛、喬治忠：《中國學術史》（上海；東方出版中心，2006
　　　年）。

郭英德：《建構與反思：中國古典文學研究思辨錄》（西安：陝西
　　　人民教育出版社，2006 年）。

三、論文

屈萬里先生：〈先秦說詩的風尚和漢儒以詩教說詩的迂曲〉，《南
　　　洋大學學報》第 5 卷第 2 期（1971 年），頁 1－10。

張吟午：〈《毛詩》、鏡詩、《阜詩·碩人》篇異文比較〉，《江
　　　漢考古》1986 年第 4 期（1986 年 11 月），頁 92－93。

李學勤先生：〈論〈碩人〉銘神獸鏡〉，《文史》第 30 卷（1988
　　　年 7 月），頁 47－50。

王玫：〈古典詩歌讀者接受的幾種形態〉，《青海社會科學》1994
　　　年第 5 期，頁 51－56。

楊乃喬：〈經學與儒家詩學：從語言論透視儒家在經典文本上的
　　　「立言」〉，《中國社會科學》1995 年第 6 期，頁 142－
　　　153。

董治安先生：〈《呂氏春秋》之論詩引詩與戰國末期詩學發展：兼
　　　論《呂》書引《詩》與漢四家詩的異同〉，《文史哲》1996
　　　年第 2 期，頁 39－45。

張立新：〈中西方跨文化研究的一個新視角：《詩經》和《聖經》比較學論綱〉，《大理師專學報》1996 年第 3 期，頁 14－20。

陳文忠：〈古典詩歌接受史研究芻議〉，《文學評論》1996 年第 5 期，頁 128－137。

周鳳五老師：〈新訂尹灣漢簡神烏賦初探〉，「第三屆國際辭賦學學術研討會」（1996 年 12 月）會議論文。

傅錫王老師：〈對中國文學史內容的省思〉，《中國現代文學理論》第 5 期（1997 年 3 月），頁 57－63。

許莉萍：〈論文學接受的心理系統〉，《湖州師專學報（哲學社會科學）》第 19 卷第 2 期（1997 年 4 月），頁 35－44。

萬光治：〈尹灣漢簡《神烏賦》研究〉，《四川師範大學學報（哲學社會科學版）》第 24 卷第 3 期（1997 年 7 月），頁 63－72。

張立新：〈《詩經》和《聖經》比較學論綱〉，《上饒師專學報》第 17 卷第 4 期（1997 年 8 月），頁 6－12。

許莉萍：〈論文學接受的動力系統〉，《湖州師專學報（哲學社會科學）》第 19 卷第 3 期（1997 年 8 月），頁 30－38。

陳元鋒：〈《詩經》：樂官文化的範本〉，《山東師大學報（社會科學版）》1998 年第 3 期，頁 76－81。

陶文鵬：〈詩三百篇的人文解讀：本世紀前半期的《詩經》研究〉，《文學遺產》編輯部、黑龍江大學中文系編：《百年學科沉思錄：二十世紀古代文學研究回顧與前瞻》（北京：人民文學出版社，1998 年 9 月），頁 125－142。

郜積意：〈經學的缺席：失落了的國學研究〉，《江漢論壇》1999
　　年第 1 期，頁 81－84。

王志平：〈神鳥傳（賦）與漢代詩經學〉，連雲港博物館、中國文
　　物研究所編：《尹灣漢墓簡牘綜論》（北京：科學出版社，
　　1999 年 2 月），頁 8－17。

鞏凌：〈從古代解詩看接受美學的合理性〉，《文山師專學報》第
　　1 卷第 1 期（1999 年 3 月），頁 11－13。

陳平原先生：〈經典是怎樣形成的：周氏兄弟等為胡適刪詩考
　　（一）〉，《魯迅研究月刊》2001 年第 4 期，頁 28－39。

陳平原先生：〈經典是怎樣形成的：周氏兄弟等為胡適刪詩考
　　（二）〉，《魯迅研究月刊》2001 年第 5 期，頁 18－36。

張思齊：〈宋人論詩情對詩歌品質的決定作用〉，《中國學研究》
　　（濟南：濟南出版社，2001 年 5 月），第 4 輯，頁 69－
　　77。

郜積意：〈歷史與倫理：「古史辨」《詩經》學的理論問題〉，
　　《人文雜誌》2002 年第 1 期，頁 84－90。

余樹苹：〈「什麼是經典？」——對一次主題討論的述評〉，《現
　　代哲學》2002 年第 1 期，頁 121－125。

王中江：〈經典的條件：以早期儒家經典的形成為例〉，《中國哲
　　學史》2002 年 2 期，頁 48－54。

王寧：〈文學經典的構成和重鑄〉，《當代外國文學》2002 年第 3
　　期，頁 123－130。

陳來先生：〈中國文化早期經典的形成：春秋時代經典化現象研
　　究〉，郭齊勇主編：《哲學評論 2001－1》（武漢：湖北人

民出版社，2002 年 4 月），頁 125－163。

董治安先生：〈以《詩》觀賦與引《詩》入賦：兩漢《詩》學史札
　　記之一〉，《河北師範大學學報（哲學社會科學版）》第
　　25 卷第 3 期（2002 年 5 月），頁 46－49。

蔡宜靜：〈阜陽漢簡「詩經」與漢代詩經學──兼論江蘇尹灣漢墓
　　簡牘「神烏傳（賦）」〉，《史耘》第 8 期（2002 年 9
　　月），頁 35－43。

潘萬木：〈春秋時代《詩》的流播與接受：僅以《左傳》為例〉，
　　《荊門職業技術學院學報》第 17 卷第 5 期（2002 年 9
　　月），頁 30－37。

王寧：〈文學的文化闡釋與經典的形成〉，《天津社會科學》2003
　　年第 1 期，頁 96－102。

楊晉龍：〈詩經學研究概述〉，林慶彰先生主編：《五十年（1950
　　－2000）來的經學研究》（臺北：臺灣學生書局，2003 年 5
　　月），頁 91－159。

鄧新華：〈論漢儒說《詩》的接受策略〉，《江蘇社會科學》2003
　　年第 5 期，頁 147－151。

蕭濱：〈經典：在問與答的結構中〉，《江海學刊》2004 年第 1
　　期，頁 25－31。

孟祥才：〈從秦漢時期皇帝詔書稱引儒家經典看儒學的發展〉，
　　《孔子研究》2004 年第 4 期，頁 72－82。

張豐乾：〈「一言以蔽之」與經典解釋：孔子論《詩》考
　　（一）〉，《中國哲學史》2004 年第 4 期，頁 85－90。

劉冬穎：〈上博竹書《孔子詩論》與《詩三百》的經典化源流〉，

《學習與探索》2004 年第 4 期（總 153 期），頁 108－110。

吳承學、沙紅兵：〈中國古代文學的經典〉，《中山大學學報（社會科學版）》第 44 卷 2004 年第 6 期（總 192 期），頁 14－23。

張豐乾：〈斷章取義與經典理解：孔子引《詩》考（一）〉，劉小風、陳少明主編：《荷爾德林的新神話》（北京：華夏出版社，2004 年 8 月），頁 213－234。

呂淳鈺：〈「正典的生成：臺灣文學國際研討會」紀要〉，《中國文哲研究通訊》第 14 卷第 3 期（2004 年 9 月），頁 1－19。

程勇：〈經典聖性的證立與漢儒文論話語的構建〉，《文藝理論研究》2005 年第 1 期，頁 10－18。

〔荷蘭〕杜威‧佛馬克著，李會方譯：〈所有的經典都是平等的，但是有一些比其它更平等〉，《中國比較文學》2005 年第 4 期（總 61 期），頁 51－60。

楊子怡：〈經典的生成與文學的合法性：文化生產場域視野中的傳統詩經學考察〉，《西北師大學報（社會科學版）》第 42 卷第 4 期（2005 年 7 月），頁 38－43。

顏炳罡：〈「儒分為八」再審視〉，龐樸主編：《儒林》（濟南：山東大學出版社，2005 年 8 月），第 1 輯，頁 136－153。

孫毅：〈論新約正典的形成過程〉，許志偉主編：《基督教思想評論》（上海：上海人民出版社，2005 年 8 月），第 2 輯，頁 85－97。

胡懷亮、劉歷波：〈關於「經典」一詞〉，《內蒙古電大學刊》
　　2005 年第 9 期，頁 30－31。

童慶炳先生：〈文學經典建構諸因素及其關係〉，《北京大學學報
　　（哲學社會科學版）》第 42 卷第 5 期（2005 年 9 月），頁
　　71－78。

四、網路資料

簡帛研究網：http://www.jianbo.org/

上博藏簡整理與孔門詩教

姜廣輝[*]

一、對竹簡《孔子詩論》形制的再考察

考古工作者在整理竹簡時，首先注意的是竹簡的形制，在作竹簡整理報告時，首先談的也是竹簡的形制。但講的往往比較概括。而一般的思想史研究工作者在研究竹簡時，往往相信並依據考古工作者關於竹簡形制的報告，不會去作進一步的考察。事實上，思想史研究工作者應該對竹簡形制作進一步的細緻的考察，哪怕是作一次重複的考察，也是值得的。因為思想史研究有不同的觀察角度。何況，有時考古工作者關於竹簡形制的報告並不確切，如果將其作為依據進行研究和推論，就可能會引出新的錯誤。

所謂對竹簡形制作進一步的細緻考察，主要是確定編繩位置與統計每一支簡編繩前後與編繩之間的字數。

確定編繩位置，是竹簡整理和排序的一個非常重要的方法，也是檢驗竹簡整理排序是否準確、合理的一個重要的方法。另外，殘簡如有編繩痕記，並可判斷其屬於第幾道編繩，可據此推斷該簡前

---

*　姜廣輝，中國社會科學院歷史研究所中國思想史研究室主任。

後殘缺字數。因此統計每一支簡編繩前後與編繩之間的字數就是非
常必要的。

㈠ **竹簡整理首先應注意的幾個方面：**

　　1.簡長

　　2.簡端形狀

　　3.編繩數目和位置

　　4.總簡數

　　5.各簡字數

　　6.總字數

　　7.字體

　　8.內容

　　9.特別之處

㈡ **《孔子詩論》的實際情況：**

　　1.簡長：55.5CM。

　　2.簡端形狀：上下簡端呈半圓狀。

　　3.編繩數目：三道。

　　4.總簡數：完、殘簡共 29 支。

　　5.各簡字數：原報告一支完簡約 54－57 字。

　　6.總字數：1006 字。

　　7.字體：勻稱秀美。

　　8.內容：孔門論《詩》。

　　9.特別之處：⑴兩端留白簡 6 支（或 7 支，因一簡過殘無法判
斷原簡是否留白簡）。⑵簡文句式有規律可循。

附錄：

編繩前後與編繩之間的字數：

1.竹簡第一道編繩前，8 至 10 字。

2.竹簡第一道編繩至第二道編繩之間 18 字至 21 字不等。

3.竹簡第二道編繩至第三道編繩之間 18 字至 21 字不等。

4.竹簡第三道編繩後，8 至 9 字。

5.以此推理，一般情況一支簡在 52 字至 61 字之間（如遇合文或重文情況，釋讀時會多出字數）。就平均數而言，一支簡平均 56 字。

圖版：《孔子詩論》29 支完、殘簡的排序圖版。主要察看：

1.編繩位置。 2.殘簡位置。 3.缺字位置和可能的缺字字數。

二、《孔子詩論》整理的思想方法檢討

《上海博物館藏戰國楚竹書》是一批被盜挖流失出去的中國古代文化瑰寶，後被上海博物館慧眼購回，其功甚偉。其中一篇被整理者題名為《孔子詩論》，其文獻價值彌足珍貴。然而由於整理者思想方法的原因，導致對此文獻的整理出現了較大失誤，幾乎完全不能連讀。本文試對導致這種失誤的思想方法做一檢討與分析。

㈠首先要承認，整理者在專業上有很高的學識和豐富的專業經驗。但專業經驗的優長在這一非常特殊的文獻上發生了經驗主義的失誤。這首先表現在 29 支簡分為滿寫簡和兩端留白簡兩部分，這被看作「形制」的不同，整理者雖然看到了兩者的聯繫，卻又不願將兩者作一體看，最後的出路是把兩端留白簡的內容作為滿寫簡內容的「序」來看待。

　　㈡簡中多次出現的一個合體字，被正確識讀為「孔子」二字，這是一個很大的貢獻，我們猜想，這一發現給整理者當時帶來很大的興奮，在當時整篇內容並不甚清晰的情況下以為發現了孔子本人的作品，這種先入為主的見解一直到這部文獻正式出版以後仍未去除。

　　㈢第三個失誤，是認為孔子原始《詩》教的順序是頌、大雅、小雅、邦風，而不是像人們所熟知的國風、小雅、大雅、頌的順序。在這一思想認識指導下，造成這一文獻簡序的編連幾乎成為一種「倒讀」的情況。因而認為這篇文獻缺了很多支簡。

　　㈣整理者所確定的第一號簡內容是「……行此者，其有不王乎？孔子曰：詩無隱志，樂無隱情，文無隱言……」「孔子曰」前本有一個通常意義上的分章號，但整理者將它故意解釋為分篇號，認為「行此者，其有不王乎？」是另一篇文獻——〈子羔篇〉的內容。故從第一號簡開始編連即有誤。

　　整理者在幾年的時間內對這 29 支簡可能嘗試過無數個編連方案，但這種種嘗試可能都是在上述先入為主的錯誤前提下進行的。因而這部文獻的簡序最後便成為現在出版的樣子。

三、《孔子詩論》兩端留白簡的意含

　　關於上博藏簡孔門論詩文獻，完整簡的長度為五五·五釐米，約合當時二尺四寸，現有完、殘簡二十九支，共約一千零六字。簡文書寫方式可分兩類：一類整簡寫滿，我們稱之為「滿寫簡」，簡文完整者每簡大約有五十四至五十七字。另一類簡兩端留白，我們稱之為「留白簡」，字數大約三十八至四十三字。即兩端各空出約

八、九字左右。

這種兩端留白簡的意含是什麼？以前出土的竹簡有過這種情況：本來有的字後來脫掉了。李學勤先生因此推想，這些簡本來都是滿寫簡，後因皺縮的原因，一部分簡文的字跡脫掉了。但為什麼六支簡脫字會如此齊整，卻難以解釋。周鳳五先生也認為這些簡本來都是滿寫簡，他提出可能由於禮制的原因在下葬之前將一部分簡的兩端簡文刮削掉了。有些到上海博物館親眼看到竹簡實物的學者對此說表示支持，認為兩端空白簡似乎有被刮過的痕跡。但上海博物館濮茅左教授發表〈孔子詩論簡序解析〉（載於《上博館藏戰國楚竹書研究》，上海書店出版社 2002 年版）說：「我們反復察看了竹簡的現狀，留白胎面交代清楚，古論書法有入木三分之說，表明墨入質有深度，《孔子詩論》篇竹簡的厚度只 1.2 毫米左右，無論是自然的或人為的因素，要使兩端白簡一點不留痕跡，是困難的。」

當我購得《上海博物館藏戰國楚竹書》（一），看到每簡放大 3.65 倍的彩色圖版時，我提出了一個新的解釋。我認為此竹書在抄寫時，所據底本有殘簡。根據此簡本書寫情況分析，其底本至少有七支簡於兩頭編繩處斷折，只剩中間一段。此竹書當照原樣抄寫，原底本殘缺處，抄寫時作留白處理。這樣解釋就把「滿寫簡」和「兩端留白簡」融到了一起，而不是什麼兩種不同「形制」的簡文。如果這一分析不誤，那麼，這篇簡文在當時已經是珍本，抄寫者與簡文作者之間已經有了一定的歷史間隔。假如此竹書的抄寫年代與郭店一號墓墓葬時間接近，大約在西元前三百年左右，而竹書作者在春秋、戰國之交，那時間已經有一、二百年了。而這一時期

正處於一個歷史傳承的斷裂性時代，即如清代學者顧炎武所指出，自周貞定王二年（西元前 467 年）至周顯王三十五年（西元前 334 年）凡一百三十三年之間「史文闕軼，考古者為之茫昧。」歷史上向來有「斷編殘簡」的說法，而從竹簡殘斷的機率而言，簡編首末容易脫簡，而且竹簡比較容易從兩頭編繩處斷折，而《孔子詩論》底本的殘缺情況與此規律正相符合。但是，《孔子詩論》從下葬到出土的兩千餘年的漫長過程中遭到的殘損，掩蓋了其簡文內容本已殘缺的真相，人們往往不從這方面去想它。

四、關於風、雅、頌的順序

從經學發生史的角度看，《詩經》在孔子之前就已經是風、雅、頌的順序，很少有可能在孔子時《詩》教是頌、雅、風的順序，而到了孔子後學又恢復風、雅、頌的順序。

相傳魯國的樂官太師摯曾對詩樂作過一次大的整理。《論語·泰伯篇》載孔子曰：「師摯之始，關雎之亂。」依鄭玄的解釋：魯太師識〈關雎〉之聲，而首理其亂。《隋書·經籍志》說：「王澤竭而《詩》亡，魯太師摯次而錄之。」朱彝尊說：「按：如《隋志》所云，則二〈南〉之始〈關雎〉，〈雅〉始〈鹿鳴〉、〈文王〉，〈頌〉始〈清廟〉，皆魯太師次而錄之者，故《論語》曰：『師摯之始，〈關雎〉之亂』是也。」❶這便由整理《詩》的音聲之亂，擴及整理《詩》的篇次之亂。魯太師摯的生平不詳，他應該在吳季札之先。

---

❶ 《經義考》卷九十八。

《左傳·襄公二十九年》：吳國公子季札訪問魯國，「請觀于周樂」，魯國使樂人依次為之歌〈周南〉、〈召南〉、〈邶風〉、〈鄘風〉、〈衛風〉、〈王風〉、〈鄭風〉、〈齊風〉、〈豳風〉、〈秦風〉、〈魏風〉、〈唐風〉、〈陳風〉、〈鄶風〉、（〈曹風〉）、〈小雅〉、〈大雅〉、〈頌〉。這就是所謂「周樂」。它除了〈魯頌〉和〈商頌〉之外，差不多包括了今本《詩經》的全部內容。

這是較早而詳細的記敍風、雅、頌順序的資料。而魯襄公二十九年是西元前 544 年，當時孔子只有七歲。由此我們可以知道，在孔子的童年時代，《詩》的次序已按國風、小雅、大雅、頌的順序排列了。後來孔子是基本認同這樣的編排的，《論語·陽貨篇》記載「子謂伯魚曰：『女為〈周南〉、〈召南〉矣乎？人而不為〈周南〉、〈召南〉，其猶正牆面而立也歟！』」〈周南〉、〈召南〉是《詩經·國風》第一、二兩部分，孔子以其為《詩經》的代名詞，表明孔子是贊同以〈國風〉為《詩經》之首的。從這一《詩經》學的發生歷史看，從來就不曾有過頌、雅、風的《詩》教順序。

五、改換簡文排序思路

上海博物館最初整理的《孔子詩論》，由於簡序幾乎完全不對，而不能連讀。因此學者紛紛重排簡序，而對重排簡序首先作出重要貢獻的應該說是李學勤先生。李學勤先生重排的簡序，對比原來所排簡序，改變頗大。其中最重要的是第二十一、二十二號簡與第六號簡相編連，並按簡文的重複規律補加缺字後，可謂天衣無

縫。今舉其例：

> ……孔子曰：〈宛丘〉吾善之，〈猗嗟〉吾喜之，〈鳲鳩〉
> 吾信之，〈文王〉吾美之，〈清【廟〉吾敬之，〈烈文〉吾
> 悅（二十一）之。〈昊天有成命〉吾】【】之。〈宛丘〉
> 曰：「洵有情」，「而亡望」，吾善之；〈猗嗟〉曰：「四
> 矢反」，「以禦亂」，吾喜之；〈鳲鳩〉曰：「其儀一兮，
> 心如結」也，吾信之；〈文王〉曰：「文王在上，於昭於
> 天」，吾美之；（二十二）【〈清廟〉曰：「肅雍顯相，濟
> 濟】多士，秉文之德」，吾敬之；〈烈文〉曰：「乍（乍）
> 競唯人」，「丕顯唯德」，「於乎前王不忘」，吾悅之。
> 「昊天有成命，二后受之」，貴且顯矣，頌……（六）

　　這一段落的編連無疑是準確的。第二十一號和第二十二號簡屬
滿寫簡，而第六號簡屬留白簡，這樣一編連，就把滿寫簡和留白簡
編連到了一起。雖然二者被編連到一起。但筆者認為李先生並沒有
正確解決留白簡的意含問題。而且在簡文全篇編連上，還有許多可
討論的空間。

　　如上所言，兩端留白的簡文的意含乃是底本竹簡的殘斷之處，
因此首先要考慮這些殘文原來在竹書的什麼位置，我認為可以有兩
種考慮：一是全部在篇末；二是篇首、篇尾可能都有殘簡。筆者認
為，原簡的篇首和篇末都有竹簡從兩頭編繩處折斷的情況，這就意
味《孔子詩論》篇首和篇尾可能都有兩端留白簡，我經過研究之後
認為篇首有三支兩端留白簡，篇末有四支兩端留白簡。再加上對其

他簡序的調整，我所排出的簡序同李學勤先生所排的排序頗有異同。現分列出兩種排序，以資比較和說明。表中數字為上海博物館整理出的《孔子詩論》的簡號。甲為李學勤先生的排序，乙為筆者的排序。

> 甲：10；14；12；13；15；11；16；24；20；27；19；18；
> 8；9；17；25；26；23；28；29；21；22；6；7；2；3；
> 4；5；1。

> 乙：4；5；1；10；14；12；13；15；11；16；24；20；27；
> 23；19；18；17；25；26；28；29；8；9；21；22；6；
> 7；2；3。

經過這樣重排後，一篇結構講究、邏輯清晰、語意連貫、首尾呼應的孔門論《詩》佳作便朗然呈現在我們面前。現略作分析和介紹：

㈠本文現以第四號簡為首簡，立論由比喻起句，符合《詩》以賦、比、興起句的特點：「曰：詩，其猶平門歟？」門之設置，其義有二：一為通道，二為防害。東漢李尤〈門銘〉曰：「門之設張，為宅表會，納善閉邪，擊柝防害。」❷周代建立采詩觀俗及以詩立教的制度，亦有「納善閉邪，擊柝防害」的用意，故論者將《詩》比作「平門」。

接著的第五號簡借〈清廟〉一詩提出「王德」的觀念，進一步

---

❷　《藝文類聚》卷六十三。

討論詩有統一信仰（「敬宗廟之禮，以為其本」）的宗教性功能，以及倡導王道（「秉文之德，以為其業」）的政治性功能，下文應該是「肅雍顯相，濟濟多士，以為其【　】」一類的話，「肅雍顯相」之意為「敬和明助」，是講邦族之人助祭的，意謂詩亦有團結邦族的功能，等等，而這些都是「王德」的要目，因此第一號簡中的「行此者，其有不王乎」一句，正是行此德目的結語。由此看來，第一號簡正是應當編連於此的篇中之簡。整理者將「行此者，其有不王乎」一句看作〈子羔篇〉末句或看作他篇內容，並將此簡作為此篇的首簡，是個很大的誤解。

請看前三簡的排序：

1. ■■■■■■【孔子】曰：詩，其猶平門歟？賤民而豰（冤）之，其用心也將何如？曰：〈邦風〉是已。民之有戚患也，上下之不和者，其用心也將何如？【曰：《小夏（雅）》是已。】■■■（四）

2. ■■■【何如？曰：《大夏（雅）》】是已。有成功者何如？曰：〈頌〉是已。■〈清廟〉，王德也，至矣！敬宗廟之禮，以為其本；「秉文之德」，以為其業；「肅雍【顯相，濟濟多士，以為其】」（五）

3. 【〔　〕】；■■■■■，【以為其【　】】。行此者，其有不王乎？■孔子曰：詩亡隱（隱）志，樂亡隱（隱）情，文亡隱（隱）言。■■■■■■■■■■■■■■■■■■（一）

㈡此出土竹書比較麻煩的是第八、九、十七、二十三、二十五、二十六、二十八、二十九號簡,這一部分相當凌亂。若解決好這八支簡的各自位置,首要的問題是看哪支簡可以同第二十一號簡相接,我經過對《詩經》本身的反復研究,發現第九號簡的最後兩句「〈菁菁者莪〉則以人益也;〈裳裳者華〉則」與第二十一號簡開頭「貴也」有內在關聯,試補上兩個缺字,就可以銜接成這樣:「〈菁菁者莪〉則以人益也;〈裳裳者華〉則【以人】貴也。」非常整齊優美。〈裳裳者華〉一詩描寫貴族的奢華氣派的場景,這一評論是很恰切的。

再次是第八號簡與第九號簡的連接,上博藏簡整理者早已將兩簡編連在一起,雖然編對了,但卻基於一種錯誤的理解,因為這兩支簡中詩的篇次與今本《詩經》的篇次相比正好是互錯的,兩簡之所以相接,只是因為第八號簡末的殘斷處有「伐木」二字,第九號簡前面有「實咎於己也,天保」幾個字,在今本《詩經》中〈天保〉篇是接著〈伐木〉篇的,所以將兩簡編連在一起。但實際上「伐木」二字在這裏並不是作為篇名,而是引〈小弁〉一詩中的話。今從〈小弁〉一詩中摘出兩字補其殘缺,文義便通了:「伐木【掎矣】,實咎於己也。」意思是別人偷伐樹,他用繩子拉住樹不讓它倒,結果偷伐樹的罪名落到他的頭上。

請看第八號簡、第九號簡與第二十一號簡的編連銜接:

17.《十月》善諀(譬)言。〈雨無正〉、〈節南山〉皆言上之衰也,王公恥之。〈小旻〉多疑矣,言不中志者也。〈小翁(宛)〉其言不惡,少有悖焉。〈小弁〉、〈巧言〉則言讒人之害

也，伐木【掎矣】，（八）

18.實咎於己也。〈天保〉其得祿蔑疆矣，巽（遜）寡德故也。〈祈父〉之責亦有以也。〈黃鳥〉則困而欲反（返）其故也，多恥者其病之乎？〈菁菁者莪〉則以人益也。〈裳裳者華〉則【以人】（九）

19.貴也。〈將大車〉之囂也，則以為不可如何也。〈湛露〉之益也，其猶酡歟？孔子曰：〈宛丘〉吾善之，〈猗嗟〉吾喜之，〈鳲鳩〉吾信之，〈文王〉吾美之，〈清【廟】吾敬之，〈烈文〉吾悅】（二十一）

㈢末段：李學勤先生的排序為第七、二、三、四、五、一號簡。我則將第四、五、一號簡置於篇首，篇末則為第七、二、三號簡，即以論樂聲結束，並且所論順序為：〈頌〉、〈大夏〉、〈小夏〉、〈邦風〉，這與《禮記·樂記》結尾的方式相合。本篇始論詩，終論樂，首尾相應。

這樣調整好的簡序，簡與簡之間有了明確穩固的的內在聯繫，不再有遊移不定的個簡，一些簡文之間的凌亂現象基本被克服了。

六、關於幾個重要字的識讀

有關《孔子詩論》的文字，學者辨識不一。而一字之差，解釋大異。今舉一例：

22.■■■■■■【「帝謂文王，予】懷爾明德」，曷？誠謂之也；「有命自天，命此文王」，誠命之也。信矣。孔子曰：此命也

夫！文王雖欲也（已），得乎？此命也。■■■■■■■■（七）

此簡中「文王雖欲也，得乎？」「也」字當為「已」字，一字之差，意義迥別。《孔子詩論》中還有幾個重要的字，學者以前皆未經見，這幾個字究應如何識讀，學者意見相當分歧。在討論中筆者曾經發表個人的意見。今抽出幾例在這裏做一彙報。

（一）釋「徲」（御）

6.【不】可得，不攻不可能，不亦知恒乎？〈鵲巢〉出以百兩，不亦有徲乎？〈甘【棠】思】（十三）及其人，敬愛其樹，其保厚矣。甘棠之愛，以邵公。□□□□□□□□□（十五）

7.□□□□□□□□□□□□□□□□□□情愛也。〈關雎〉之改，則其思溢矣。〈求（樛）木〉之持，則以其祿也。〈漢廣〉之知，則知不可得也。〈鵲巢〉之歸，則徲者（十一）

11.【然】，□□□如此可，斯雀（爵）之矣，徲其所愛，必曰：吾悉舍之，賓贈是也。孔子曰：〈蟋蟀〉知難。〈仲氏〉君子。〈北風〉不絕人之怨。〈子立（衿）〉不□□□□□□□□□（二十七）

「徲」字在這篇孔門論詩文獻中共出現三次，大多數學者似是而非地把它視為从辵从离之字，而釋讀為「离」。

筆者將此字釋讀為从彳从止从午从㡿之字，可以隸定為「徲」，「㡿」為古「㡿」字，見於《殷虛書契前編》一·二三·七；二·三七·七；四·十七·七以及《戩壽堂所藏殷虛文

字》二五・十；四三・五等，《說文通訓定聲》：「鬯，釀黑黍為酒曰鬯，築芳草以煮曰鬱」，鬯為香酒，在古代，酒以鬯為尊，用於祭祀降神和敬奉賓客。「十」或「十」在上古是「午」的兩種寫法，《儀禮・大射儀》「度尺而午」注：「一縱一橫曰午。」疏：「午，十字。」因此，「鬯」是一個會意兼形聲字，從彳從止，通常也可以寫為「辵」（「辶」），其義為「走」；也可以理解為「行」和「止」，此字取此義，合「鬯」字而言，意謂「敬迎」，迎至而止。而「午」為聲符，「午」古音疑母魚部上聲，與「御」為同音字，「御」甲骨文寫作「十卩」，從午從卩，亦由「午」得聲，古音亦是疑母魚部上聲，因而「鬯」通「御」。兩字的區別在於一從「鬯」，一從「卩」，聞宥曾指出，「卩」古寫象人跪而迎迓形。後來「御」字通行，而「鬯」字遂廢而不用。所以第十三號簡，那句話應該是「〈鵲巢〉出以百兩，不亦有御乎？」「御」字古音為「迓」，意謂「敬迎」，這句話的意思是說，一位諸侯嫁女給另一位諸侯，風光得很，因為送親（出）的車有百輛，迎親（御）的車也有百輛。這裏反映一個古代婚禮制度的問題。

「御其所愛，必曰：吾悉舍之，賓贈是也。」一句所評論的是《詩經・唐風・有杕之杜》：「有杕之杜，生於道左，彼君子兮，噬肯適我？中心好之，曷飲食之？有杕之杜，生於道周，彼君子兮，噬肯來遊？中心好之，曷飲食之？」其詩背景按傳統的解釋是說晉武公寡特無輔，不能養賢，賢者隱伏山林。國人於是自致愛慕之意，作詩說：那些賢者若肯光顧我，我心中這樣愛他們，我將拿什麼好東西來招待他們呢？這一句評論是說晉國人之愛慕賢者，如果能迎致（御）賢者，願意奉獻其所有。

㈡ 釋「巽寡德故也」

18.實咎於己也。〈天保〉其得祿蔑疆矣,巽(遜)寡德故也。〈祈父〉之責亦有以也。〈黃鳥〉則困而欲反(返)其故也,多恥者其病之乎?〈菁菁者莪〉則以人益也。〈裳裳者華〉則【以人】(九)

這篇孔門論詩文獻有一句「〈天保〉其得祿蔑疆矣,巽寡德故也。」其中「巽寡德故也」一句,學者訓釋不一,如,馬承源先生訓為「饌寡,德故也」,劉信芳先生贊同其說;李零先生先生訓為「選寡德故」;周鳳五先生訓為「贊寡德故也」;楊澤生先生訓為「踐顧德故也」;何琳儀先生訓為「遵路,德故也」;等等。

這些解釋都很離譜,其實這裏涉及古代的宴樂禮制的問題。〈天保〉一詩為祝頌詩,是今本《詩經·小雅》中的第六首詩。傳統《詩》學認為,《詩經·小雅》前六詩為燕享之樂,春秋時期,人君宴其臣,樂工歌《小雅》中〈鹿鳴〉以下五詩,臣受其賜,歌〈天保〉以答謝,祝頌其君「天降百祿」,「萬壽無疆」,以示君臣相與,以禮相待。「〈天保〉其得祿蔑疆矣,巽寡德故也」,是講處高位者以謙德處己,「巽」通「遜」,巽,古音心母文部,遜,古音也是心母文部,屬雙聲疊韻通假。《字彙》:「巽,與遜同。」《尚書·堯典》「汝能庸命巽朕位。」蔡沈《書集傳》:「巽、遜古通用。」「寡德」為謙辭,《論語·季氏》「邦君之妻……稱諸異邦曰『寡小君』」《集注》:「寡:寡德,謙辭。」此句是說,人君之所以得祿無疆,由其能遜以寡德的緣故。還有學者將「巽寡德」解釋為「順寡德」,「巽」可訓為「順」,當無疑

義，但「寡德」是自謙之詞，若說順別人的「寡德」，那如何可通？凡此之類，乃不知而作者。

(三) 釋「改」與「改」

4.〈關雎〉之改，〈求（樛）木〉之時（持），〈漢廣〉之知，〈鵲巢〉之歸，〈甘棠〉之保，〈綠衣〉之思，〈燕燕〉之情，曷？曰：動而皆賢于其初者也。〈關雎〉以色俞（喻）於禮，□□□□□【其三章猶】（十）

5.兩矣，其四章則俞矣，以琴瑟之悅，擬好色之願，以鐘鼓之樂，（十四）【成兩姓之】好，反內（入）於禮，不亦能改乎？〈求（樛）木〉福斯在君子，不【亦能持乎？〈漢廣〉不求】（十二）

7.□□□□□□□□□□□□□□□□□情愛也。〈關雎〉之改，則其思溢矣。〈求（樛）木〉之持，則以其祿也。〈漢廣〉之知，則知不可得也。〈鵲巢〉之歸，則御者（十一）

關於「〈關雎〉之改」，《孔子詩論》整理者提出：「改」從攴從已，與「改」非為一字。「改」在簡文中無義可應，當是從「已」的假借字，當讀為「怡」。「怡」、「改」雙聲疊韻。

此後，學者關於此字的釋讀，頗多歧解，如曹峰先生釋讀為與「止」同義的「已」；周鳳五先生釋讀為「嬰」；饒宗頤先生釋讀為「督」；筆者曾將其視為雙聲符字（「妃」省聲與「枚」省聲的結合）釋讀為「妃」，讀音為「配」；李學勤先生、俞志慧先生釋讀為「改」。

　　筆者經過進一步研究，對此字重新加以認識，這種認識不僅僅是回到「改」字的釋讀，而是牽涉「改」本字的意義及其音類的歸部。字書所定「改」字字形最早的是《說文解字》，該書以為「改」從攴己聲，將「改」字視為形聲字，並將「改」、「攺」作兩字。後來的韻書根據諧聲偏旁劃歸韻部，因「己」字為見母之部，因此也將「改」字劃歸見母之部。

　　實際「改」、「攺」應為一字，「攺」當是「改」之正字，而從己之「改」或為訛變字。郭店簡〈緇衣〉第十六、十七號簡，〈尊德性〉第四、五號簡中的「改」字皆從攴從巳，而非從攴從己，惟此「改」字的寫法與《孔子詩論》「攺」字的寫法稍別。前者所从之「巳」的末筆不作鉤挑，而後者所从之「巳」的末筆作鉤挑，雖寫法有異，但皆應作「巳」或「已」讀。《韻補》：「古巳午之巳，亦讀如已矣之已。」《增韻》：「陽生於子，終於巳。巳者，終已也。象陽氣既極回復之形，故又為終已字。今俗以為有鉤挑者為終已字，無鉤挑者為辰巳字，是蓋未知其義也。」按：「改」之正字從巳從攴，是一會意兼形聲字，「巳」為地支的第六位數，象徵陽氣已盡，過「巳」則陰氣當令，是以為「改」，「改」從攴，造字時凡表抽象之動者，多從「攴」，如教、收、攻、效之類。郭店簡《老子》甲本「獨立而不亥」，「亥」即「改」，亥為地支中第十二位數，「亥」象徵陰氣已盡，過「亥」則陽氣當令，是亦為「改」，並且「亥」與「改」古音亦相同。「亥」古音在匣母之部，而「改」字應从「巳」字得聲，「巳」古音亦在之部，為喻母三等字，按照「喻三歸匣」的理論，「改」字亦應是匣母之部字，與「亥」為雙聲疊韻。

最後來看「〈關雎〉之改」的意思，〈關雎〉一詩第三章有「寤寐思服」、「輾轉反側」之句，此處「其思賹矣」，「賹」通「溢」，《莊子·人間世》「兩喜必多溢美之言」注：溢，過也。即認為其思稍有所過；其四章之後，以好色之願，反納於禮，因而《孔子詩論》作者稱其「不亦能改乎？」

(四) 釋「苝」（藐）

23.■■■■■■■■寺（時）也，文王受命矣。《頌》，平德也，多言後，其樂安而遲，其歌紳而苝（藐），其思深而遠，至矣！《大夏（雅）》，盛德也，多言■■■■■■■■（二）

「其歌紳而苝」，應讀為「其歌紳而藐」。「紳」本義為大帶，是貴族標誌性的裝飾，先秦之「縉紳先生」、後世的「紳士」皆從此義轉來。這裏取義為「高貴」或「華貴」，第八章中有「貴且顯矣，頌」字樣，即是其意。「苝」為「藐」的省文。「藐」从艸，貌聲。《說文通訓定聲》：「貌：豹省聲。」，正因為如此，「貌」可以省去「兒」而以「苝」為聲符，因而「苝」可以視為「藐」的省文。古音「藐」明母藥部，「貌」明母宵部，「豹」幫母藥部，三者音近可以通轉。再來看「藐」的字義，《詩·大雅·瞻卬》「藐藐昊天」鄭玄箋：「藐藐，美也。」《楚辭·九章·悲回風》「藐漫漫之不可量兮」、張衡〈思玄賦〉「藐以迭蕩」中的「藐」皆訓為「遠」。「藐」亦變為「邈」，《廣雅·釋詁》：「邈，遠也。」因此「其歌紳而藐」一句，可以理解為「其歌華貴而悠遠」，這正是〈頌〉的音聲特點，所以作者讚歎「至矣」！

七、《孔子詩論》的解讀與詩經學的關係

對《孔子詩論》的解讀需要詩經學的知識背景，我們注意到，當《郭店楚墓竹簡》出版後，中國哲學史界與中國思想史界有許多學者參與，這是因為郭店簡的許多篇章屬於哲學史與思想史研究領域的緣故。而當上博藏簡《孔子詩論》出版後，中國哲學史界與中國思想史界參與的學者寥若晨星，究其原因，是這些學者缺乏經學的訓練，不能從《孔子詩論》簡短的評論中看到它的背後的豐富的意含。另一方面，傳統經注之書汗牛充棟，若解讀《孔子詩論》，哪幾部《詩經》注疏可以選作重要的參考書和工具書，這便是一個很大的問題。

下面我們舉兩個例子來說明這個問題：

18.實咎於己也。〈天保〉其得祿蔑疆矣，巽（遜）寡德故也。〈祈父〉之責亦有以也。〈黃鳥〉則困而欲反（返）其故也，多恥者其病之乎？〈菁菁者莪〉則以人益也。〈裳裳者華〉則【以人】（九）

【姜按】〈祈父〉：「祈」，《尚書》作「圻」。《尚書·酒誥》曰：「若疇圻父，薄違農父，若保宏父，定辟。」王安石始讀為「圻父薄違，農父若保，宏父定辟」，朱子以為「奐出諸儒之表」。周代三卿：祈父為司馬，農父為司徒，宏父為司空。「父」為尊稱。古代祈、圻、畿三字，得通用。「祈父」即「畿父」，職掌封畿內之兵甲，相當現代意義的國防部長。此詩蓋言六軍之士深

怨宣王之時司馬不得其人，以至於敗。故責司馬曰：「祈父亶不聰」，言祈父誠不聰慧矣，使我轉於憂恤之地，不得以歸養父母。

20.【之，〈昊天有成命〉吾【】】之。〈宛丘〉曰：「洵有情」，「而亡望」，吾善之。〈猗嗟〉曰：「四矢反」，「以禦亂」，吾喜之。〈鳲鳩〉曰：「其儀一兮，心如結」也，吾信之。〈文王〉【曰：「文」王在上，於昭於天」，吾美之。（二十二）

【姜按】〈宛丘〉一詩，漢以後的經學家多認為是諷刺陳國巫風盛行的。而孔子卻說「吾善之」，他是在什麼意義上說的呢？孔子說：「〈宛丘〉曰：『洵有情』，『而亡望』，吾善之。」這裏我們要弄清「宛丘」、「望」、「洵」幾個字的含義是什麼，「宛丘」，特指四方高中央低的高臺，是巫舞雩事神的場所，《周禮·春官·司巫》：「若國大旱，則帥巫而舞雩。」又說：「男巫掌望祀、望衍。」鄭玄注：「望祀，謂有牲粢盛者」；「衍，讀為延，……延，進也，謂但用幣致其神。」而「洵」之義是「真」。孔子的意思是說，若能以真情感動天地，即使「望祀」、「望衍」之禮不備也沒關係。孔子曾說：「禮，與其奢也，寧儉。」（《論語·八佾》）。「禮云禮云，玉帛云乎哉！」（《論語·陽貨》）「禮之用，和為貴。」（《論語·學而》）〈宛丘〉詩中的這句話與孔子的禮學精神是一致的，所以孔子說：「吾善之。」

一般的《詩經》注疏之書都把「而亡望」的「望」，解釋為瞻望、儀望或威儀，只有清人馬瑞辰《毛詩傳箋通釋》將「望」解釋為「望祀」、「望衍」之禮，我以為後者的解釋顯然更勝一籌。

上博藏簡《孔子詩論》簡序重排

【說明】

一、《孔子詩論》共有完、殘簡二十九支，簡號按照整理本稱之。其中第二至第七號簡為留白簡；第一號簡上下端殘，根據上下文關係，也以留白簡視之。

二、以筆者所解釋，留白簡的意含是此竹書在抄寫時，所據底本之篇首篇末有殘簡。根據此簡本書寫情況分析，其底本篇首至少有三支簡、篇末至少有四支簡於兩頭編繩處斷折，只剩中間一段。此竹書當照原樣抄寫，原底本殘缺處，抄寫時作留白處理。

三、筆者以編繩位置為主要參照，判定殘簡前後可能缺字字數。留白簡缺字為原缺字，以「■」表示之，竹書下葬後殘損之缺字，以「□」表示之。

四、缺字處，若能據前後文之義補出者，輒試補之。

1.■■■■■■【孔子】曰：詩，其猶平門歟？賤民而餤（冤）之，其用心也將何如？曰：《邦風》是已。民之有戚患也，上下之不和者，其用心也將何如？【曰：《小夏（雅）》是已。】■■■（四）

【姜按】四號簡現有 42 字，其中「上下」為合文字，釋讀多出一字，為 43 字。以簡前後端各缺 8 字計，總約 59 字。

此簡前端原缺約 8 字，李學勤先生補 2 字。所補甚是。簡末端原缺約 8 字，周鳳五教授據文義補 5 字。所補甚是。

2.■■■【何如？曰：《大夏（雅）》】是已。有成功者何

如？曰：〈頌〉是已。■〈清廟〉，王德也，至矣！敬宗廟之禮，以為其本；「秉文之德」，以為其業；「肅雝【顯相，濟濟多士」，以為其】（五）

【姜按】五號簡現有 38 字，此殘簡前後各缺約 8 字。總約 54 字（後補出字中有重文，實為 55 字）。

周鳳五教授于此簡前端據文義補 3 字。筆者補至 5 字。筆者據文義於此簡後端試補 9 字，其中「濟濟」二字在簡文中為重文。

3.【〖〗】：■■■■■■，【以為其〖〗】。行此者，其有不王乎？■孔子曰：詩亡隱（隱）志，樂亡隱（隱）情，文亡隱（隱）言。■■■■■■■■■■■■■■■■■■■■■■■（一）

【姜按】一號簡現有 22 字，從此簡中間編繩位置看，簡前端約缺 11 字，簡後端約缺 23 字，全簡約 56 字。
筆者據文義於此簡前試補 3 字。

4.〈關雎〉之改，〈求（樛）木〉之時（持），〈漢廣〉之知，〈鵲巢〉之歸，〈甘棠〉之保，〈綠衣〉之思，〈燕燕〉之情，曷？曰：動而皆賢于其初者也。〈關雎〉以色俞（喻）於禮，□□□□□【其三章猶】（十）

【姜按】十號簡現有 45 字，「燕燕」二字為重文，釋讀多一字。簡後約缺 9 字，全簡約 55 字。
據李零先生測量估算，此簡後殘缺約 9 字。筆者據文義試補 4

字，接第十四號簡「兩矣」。

　　5.兩矣，其四章則俞矣，以琴瑟之悅，擬好色之願，以鐘鼓之樂，（十四）【成兩姓之】好，反內（入）於禮，不亦能改乎？〈求（樛）木〉福斯在君子，不【亦能持乎？〈漢廣〉不求】（十二）

　　【姜按】李學勤先生將十四號簡與十二號簡拼合為一簡。十四號簡現有 23 字。十二號簡現有 17 字，最下字只有半個字，據文義及字形，當為「不」字。又「君子」二字為合文，釋讀多出一字，故為 18 字。下缺約 8 字。全簡約 53 字。

　　李學勤先生《分章釋文》於十二號簡前缺 4 字，今筆者據文義補 4 字；十二簡後端約殘缺 8 字。筆者據文義試補 8 字。

　　6.【不】可得，不攻不可能，不亦知恒乎？〈鵲巢〉出以百兩，不亦有御乎？〈甘【棠〉思】（十三）及其人，敬愛其樹，其保厚矣。甘棠之愛，以邵公。□□□□□□□□□□（十五）

　　【姜按】李學勤先生將十三號簡與十五號簡拼合為一簡。十三號簡現有 24 字，上缺 1 字，下距中間編繩處疑缺 2 字。十五號簡現有 18 字，下缺約 10 字。全簡約 55 字。

　　筆者據文義於十三號簡簡端補 1 字。李學勤先生依文義於十三號簡末補一「棠」字。筆者參照《孔子家語》，加補一「思」字。

　　7.□□□□□□□□□□□□□□□□□□□□□□情愛也。〈關雎〉之改，則其思溢矣。〈求（樛）木〉之持，則以其祿也。〈漢廣〉

之知，則知不可得也。〈鵲巢〉之歸，則御者（十一）

【姜按】十一號簡現有 38 字，上缺約 18 字。全簡約 56 字。

8. 【百兩矣。〈甘棠〉之保，美】邵公也。〈綠衣〉之憂，思古人也。〈燕燕〉之情，以其蜀（獨）也。孔子曰：吾以〈葛覃〉得氏（祇）初之詩，民性固然，見其美，必欲反其本。夫葛之見歌也，則（十六）

【姜按】十六號簡現有 47 字，其中「孔子」二字為合文字，故釋讀多一字。上缺約 8 字。全簡約 56 字。

李零先生據文義補 7 字，筆者局部改補至 8 字。

「氏」，陳劍釋讀為「祇」，意謂「敬」。今從之。

由以上五簡可見，《孔子詩論》作者于《國風》的〈周南〉、〈召南〉和〈邶風〉中選出七首詩，每首詩以一字概括其意含，又以「動而皆賢于其初」一語概括七首詩的共性。所謂「動」，概指人生行為，而「賢」為「崇重」之義，《禮記·禮運篇》「以賢勇知」疏：「賢，猶崇重也。」而「初」為「根本」之義，此語的意思是人生的行為應崇重其根本，這個根本就是「德」和「禮」。

春秋時代，士大夫以《詩》為「義之府」，對《詩》的理解與對《周易》的理解有某種相通之處。《周易》的某一卦象徵某一類事象，闡明某一道理。《詩》也是這樣，《詩》中的某一篇也象徵某一類事象，闡明某一道理，如〈關雎〉即以象徵的手法討論妃匹之事理，〈樛木〉即以象徵的手法討論持祿之事理，〈漢廣〉即以象徵手法討論知常之事理，〈鵲巢〉即以象徵手法討論女德之事

理，〈甘棠〉即以象徵的手法討論「保民」之事理，〈綠衣〉即以象徵手法討論處亂之事理，〈燕燕〉即以象徵手法討論處變之事理，如此等等。

〈關雎〉篇名取於其詩首句「關關雎鳩」，「雎鳩」是一種水禽，生有定偶而不相亂，偶常並遊而不相狎。「關關」言雎鳩雌雄相應之和聲，喻人類「妃匹」當合禮儀之正。《漢書》卷八十一〈匡衡傳〉載匡衡曰：「臣聞之師曰：『妃匹之際，生民之始，萬福之源。』」

〈樛木〉描寫貴族家庭的康樂生活，詩中類似「樂只君子，福履將之」之語重複出現，君子的康樂生活來自祿位，祿位是人給的，人也能將它收回。《論語》有「四海困窮，天祿永終」的話，《孟子》也有天爵、人爵的區分。此詩在先秦常被引用，並常引伸出以德持祿的思想，認為「德」是保持祿位的根本。因此「〈樛木〉之時」，「時」當為「持」。

〈漢廣〉，江漢之俗，其女好遊。詩中描寫一男子在漢水之畔追求一名女子，而此女根本無意於他，此男子於是便放棄了追求她的念頭。此文作者稱讚他有自知之明，並引伸其義，認為人生不當有非分之想，不應攻取不可能之事，這是人生的基本道理。「不亦知恒乎？」「恒」通「常」，「知恒」就是「知常」或「常識」。

〈鵲巢〉一詩描寫諸侯之女嫁于諸侯的盛大禮儀。〈鵲巢〉詩中有「之子於歸，百兩御之」語，《孔子詩論》中有「〈鵲巢〉出以百兩，不亦有御乎？」（關於「御」字的識讀，說見前）。元代朱公遷《詩經疏義》說「兩，一車也。一車兩輪，故謂之為『兩』。『御』，迎也。諸侯之子嫁于諸侯，送、御皆百兩也。」

「出以百兩，不亦有御乎？」意謂「出（送）以百兩」「御（迎）者」亦當「百兩」。下文「〈鵲巢〉之歸，則御者……」復原其句當為「〈鵲巢〉之歸，則御者百兩矣。」正是對「不亦有御乎？」的正面回答。〈鵲巢〉一詩贊夫人有德，儀型家邦，宜受諸侯盛禮，而得其所宜得。其教化意義在於以德修身為齊家之始。

〈甘棠〉一詩是歌頌召（音、義同邵）公的，召公是文王的兒子，與周公共同輔佐武王。周公主陝以東，召公主陝以西。召公述職，當桑蠶之時，為防擾民，故不入邑中，舍于甘棠樹下，而斷訴訟。後世思其人而敬其樹，因而作〈甘棠〉之詩。「〈甘棠〉之保」，「保」當讀本字，意謂「保民」。《禮記·文王世子》：「保也者，慎其身以輔翼之，而歸諸道者也。」《尚書·康誥》「若保赤子」、《孟子》「保民而王」皆言此義。人們愛召公不是無緣無故的，而是因為「其保厚矣」。此詩教化意義在於以明德為治國之本。

〈綠衣〉一詩以「綠衣黃裳」為喻，綠為間色，黃為正色，間色為衣而在上，正色為裳而處下，比喻事勢顛倒。詩中有「我思古人，實獲我心」之句，言己惟思古人以修身為本，察時運盛衰之道而安於義命。

〈燕燕〉詩中描寫一位女性遭人生大變故，而初心不改，詩中有「終溫且惠，淑慎其身」之句，為儒家學者所推重。

作者通過七首詩表達這樣一種理念，即道德和禮義在人的生命中的根本地位。《詩》教是儒家思想教化的重要方面之一，由《詩》義轉出社會、政治、人生的根本意義。

9.以【緇絻】之故也，后稷之見貴也，則以文、武之德也。
吾以〈甘棠〉得宗廟之敬，民性固然，甚貴其人，必敬其
位，悅其人，必好其所為，惡其人者亦然。【吾以】（二十
四）

【姜按】二十四號簡現有 54 字，下缺 2 字，全簡約 56 字。
前二字模糊不清，陳劍釋讀為「緇絻」。甚是。
李學勤先生于此簡末補 2 字。甚是。

10.【〈木瓜〉】【得】幣帛之不可去也，民性固然，其【隱】
志必有以俞（揄）也。其言有所載而後內（入），或前之而後，交
人不可干也。吾以〈杕杜〉得雀（爵）【服之不可輕也，民性固】
（二十）

【姜按】二十號簡現有 44 字，上缺 3 字，下缺約 9 字，全簡
約 56 字。
李學勤先生補一「得」字。筆者依此簡文義又於前加補「木
瓜」二字。
李學勤先生根據二十號簡末殘存半字補一「服」字，筆者據文
義試加補 8 字。《禮記・緇衣》有「故上不可以褻刑而輕爵」之
語。
「俞」，依鄭張尚芳先生意見，當讀為「揄」。《淮南子・主
術訓》：「揄策」高誘注：「揄，出」，義與「抒」同。
「干」，《春秋穀梁傳・定公四年》「挾弓持矢而干闔閭」
注：「見不以禮曰干。」

11.【然】，□□□如此可，斯雀（爵）之矣，御其所愛，必曰：吾悉舍之，賓贈是已。孔子曰：〈蟋蟀〉知難。〈仲氏〉君子。〈北風〉不絕人之怨。〈子立（衿）〉不□□□□□□□□□（二十七）

【姜按】二十七號簡現有 42 字，其中「孔子」二字為合文字，故釋讀多一字。上缺 4 字，下缺約 9 字，全簡約 56 字。

筆者接上簡補 1 字。

馮勝君、劉信芳二先生皆認為，「立」與「衿」古音相近可通；鄭張尚芳先生亦有此說。今從之。

12.□□□□□□□□□□□□□□□□□□□□□□□□□□□□□〈鹿鳴〉以樂始而會，以道交，見善而效，終乎不厭人。〈兔罝〉其用人，則吾取。（二十三）

【姜按】二十三號簡現有 27 字，前缺約 28 字，全簡約 55 字。

13.□□□□□□□【瑟】志，既曰天也，猶有怨言。〈木瓜〉有藏願而未得達也，（十九）因木瓜之報，以俞（揄）其願者也。〈杕杜〉則情，喜其至也。（十八）■□□□□□□□□

【姜按】李學勤先生將十九號簡與十八號簡拼合為一簡，共有39字，前一字不清。其前尚缺 7 字。其後缺 8 字，全簡約 54 字。

《詩經》中有多篇以「杕杜」為篇名。其中《小雅·杕杜》四章，章七句。言婦人思望征夫，歸期已過而猶不至，憂心忡忡，會

卜筮之言皆言近矣，則征夫其亦邇而將至矣。

14.〈東方未明〉有利詞。〈將仲〉之言，不可不韋（畏）也。〈揚之水〉其愛婦烈。〈采葛〉之愛婦【】。【〈君子〉】（十七）陽陽）小人。〈有兔〉不逢時。〈大田〉之卒章，知言而有禮。〈小明〉不□□□（二十五）

【姜按】李學勤先生將十七號簡與二十五號簡試拼合為一簡。十七號簡現有 28 字，下距中間編繩處疑缺 3 字。二十五號簡現有 21 字。後缺約 4 字，全簡約 56 字。

李學勤先生補于十七號簡末補 2 字。所補甚是。

15.□□□□□忠。〈邶·柏舟〉悶。〈谷風〉悲。〈蓼莪〉有孝志。〈隰有萇楚〉得而悔之也。（二十六）□□惡而不憫。〈牆有茨〉慎密而不知言。〈青蠅〉知，□□□□□□□□（二十八）

【姜按】二十六號簡現有 22 字，前約缺 5 字。二十八號簡現有 16 字，前約缺 2 字，後約缺 8 字。兩簡試拼合，全簡約 53 字。

16.……〈卷耳〉不知人。〈涉溱〉其絕。〈著（？）而〉士。〈角枕〉婦。〈河水〉知……（二十九）

【姜按】二十九號簡現有 18 字。

17.〈十月〉善諀（譬）言。〈雨無正〉、〈節南山〉皆言上之衰也，王公恥之。〈小文〉多疑矣，言不中志者也。〈小翕（宛）〉其言不惡，少有悸焉。〈小弁〉、〈巧言〉則言讒人之害

也，伐木【掎矣】，（八）

【姜按】八號簡現有 54 字，其中「疑矣」二字為合文，故釋讀多 1 字。下缺 2 字，全簡約 57 字。

筆者據文義於簡末試補 2 字。簡末「伐木」二字並非作為篇名，而是引〈小弁〉一詩中的話。今從〈小弁〉一詩中摘出兩字補其殘缺：「伐木【掎矣】」，接下文「實咎於己也」。意思是別人偷伐樹，他用繩子拉住樹不讓它倒，結果偷伐樹的罪名落到他的頭上。

朱淵清先生認為，从心从禾人之字當讀為「悸」字，並舉若干从「人」之字說明，「人」可換為「子」。《小雅·小宛》中有「溫溫恭人，如集於木，惴惴小心，如臨于谷。戰戰兢兢，如履薄冰」之句，因此，將此字釋讀為「悸」是比較合乎〈小宛〉詩義的。

18.實咎於己也。〈天保〉其得祿蔑疆矣，巽（遜）寡德故也。〈祈父〉之責亦有以也。〈黃鳥〉則困而欲反（返）其故也，多恥者其病之乎？〈菁菁者莪〉則以人益也。〈裳裳者華〉則【以人】（九）

【姜按】九號簡現有 55 字，其中「菁菁」、「裳裳」為兩個重文字，故釋讀多 2 字。下缺 2 字，全簡約 59 字。

筆者據文義於簡末補 2 字。

〈祈父〉：「祈」，《尚書》作「圻」。《尚書·酒誥》曰：「若疇圻父，薄違農父，若保宏父，定辟。」王安石始讀為「圻父

薄違，農父若保，宏父定辟」，朱子以為「夐出諸儒之表」。周代三卿：祈父為司馬，農父為司徒，宏父為司空。「父」為尊稱。古者祈、圻、畿同字，得通用。「祈父」即「畿父」，職掌封畿內之兵甲，相當現代意義的國防部長。此詩蓋言六軍之士深怨宣王之時司馬不得其人，以至於敗。故責司馬曰：「祈父亶不聰」，言祈父誠不聰慧矣，使我轉於憂恤之地，不得以歸養父母。

《詩經》有兩篇〈黃鳥〉，其一為《小雅·黃鳥》，三章，章七句。「黃鳥，黃鳥，無集於穀，無啄我粟，此邦之人，不我肯穀，言旋言歸，復我邦族。」集木而啄粟者，鳥之性也；士之願仕於朝而食於祿亦猶是矣。今而卻之彼，亦有去而已矣。夫去非士之患也，使天下之士從此而逝，則人主之患也。

其二為《秦風·黃鳥》，三章，章十二句。「彼蒼者天，殲我良人，如可贖兮，人百其身。」穆公以子車氏之三子為殉，皆秦之良也，國人哀之，為賦此詩，言臣之託君，猶黃鳥之止於木。今三子獨不得其死，曾鳥之不若也。人百其身者，欲以百人贖其一身也，然三良之死，穆公之命也。

《孔子詩論》：「〈黃鳥〉則困而欲反（返）其故也，多恥者其病之乎？」所言詩人身處困境云云，當指《小雅·黃鳥》。

19.貴也。〈將大車〉之囂也，則以為不可如何也。〈湛露〉之益也，其猶酡歟？孔子曰：〈宛丘〉吾善之，《猗嗟》吾喜之，〈鳲鳩〉吾信之，〈文王〉吾美之，〈清【廟〉吾敬之，〈烈文〉吾悅】（二十一）

【姜按】二十一號簡現有 48 字，其中「孔子」二字為合文

字，故釋讀多 1 字。下缺 8 字，全簡約 57 字。

李學勤先生于第二十一號簡末段殘斷處補 9 字，今移所補末字至下簡。

〈無將大車〉：「無將大車，祇自塵兮。」將，扶也；大車，牛車。車，君子之所乘，而非君子之所將，將之則祇自塵而已。小人者，君子乘而節之，使退聽而已，斯可也。乃下而將之，則是「將大車」之類也。

〈無將大車〉，大夫悔將小人也。鄭氏曰：幽王之時，小人眾多，賢者與之從事，自悔與小人並。

囂：謂塵囂、塵累也。

〈湛露〉：王親諸侯，同姓、異姓皆欲夜飲至醉。上盡其觀，下肅其儀。既侍其宗，與族人飲，飲而不醉，是不親；醉而不出，是不敬。酡，原字从車从它，筆者逕改為酡。酡，謂微醺也，此乃飲酒最佳之度。

20.【之，〈昊天有成命〉吾【 】】之。〈宛丘〉曰：「洵有情」，「而亡望」，吾善之。〈猗嗟〉曰：「四矢反」，「以禦亂」，吾喜之。〈鳲鳩〉曰：「其儀一兮，心如結」也，吾信之。〈文王〉【曰：「文】王在上，於昭於天」，吾美之。（二十二）

【姜按】二十二號簡現有 51 字，前缺 8 字，中疑缺 2 字，全簡約 61 字。

李學勤先生于第二十二號簡前端殘斷處補 6 字，前簡末補字移於此簡前。

中疑缺二字，上博藏簡整理者補 2 字。

21.【〈清廟〉曰：「肅雍顯相，濟濟」多士，秉文之德】，吾敬之。〈烈文〉曰：「乍（亡）競敬唯人」，「丕顯唯德」，「於乎前王不忘」，吾悅之。「昊天有成命，二后受之」，貴且顯矣，頌（六）■■■■■■■（52字）

【姜按】六號簡現有 42 字，簡前後端空白各約缺 8 字，全簡約 58 字（實際補字中有一重文字，故釋讀多一字為 59 字）。

李學勤先生于第六號簡前段留白處補 9 字（其中「濟濟」二字在簡文中為重文）。所補甚是。

以上三簡評述了七首詩，即：一、〈宛丘〉；二、〈猗嗟〉；三、〈鳲鳩〉；四、〈文王〉；五、〈清廟〉；六、〈烈文〉；七、〈昊天有成命〉。孔子為什麼於《詩》三百零五篇中選出這幾首詩，用富有感染力的「善」、「喜」、「信」、「美」、「敬」、「悅」等主觀感受的語辭來褒揚它們呢？要瞭解其中底蘊，則須知這幾首詩究竟表達什麼意思。

〈宛丘〉一詩，漢以後的經學家多認為是諷刺陳國巫風盛行的。而孔子卻說「吾善之」，他是在什麼意義上說的呢？孔子說：「〈宛丘〉曰：『洵有情』，『而亡望』，吾善之。」這裏我們要弄清「宛丘」、「望」、「洵」幾個字的含義是什麼，「宛丘」，特指四方高中央低的高臺，是巫舞雩事神的場所，《周禮·春官·司巫》：「若國大旱，則帥巫而舞雩。」又說：「男巫掌望祀、望衍。」鄭玄注：「望祀，謂有牲粢盛者」；「衍，讀為延，……延，進也，謂但用幣致其神。」而「洵」之義是「真」。孔子的意思是說，若能以真情感動天地，即使「望祀」、「望衍」之禮不備

也沒關係。孔子曾說：「禮，與其奢也，寧儉。」（《論語·八佾》）。「禮云禮云，玉帛云乎哉！」（《論語·陽貨》）「禮之用，和為貴。」（《論語·學而》）〈宛丘〉詩中的這句話與孔子的禮學精神是一致的，所以孔子說：「吾善之。」

〈猗嗟〉詩中有「射則貫兮，四矢反兮，以禦亂兮」之句。按照射禮規則，每人射四支箭，射中靶子的箭要返回原處。此詩句的含義是：射出的四支箭都返回來，可見射箭人射藝之精，這種精湛的射藝，可以防禦寇亂。「射」是孔子所倡導的「六藝」之一，孔子說：「吾喜之。」表示他喜歡這種文明競技精神。

〈鳲鳩〉一詩中說「淑人君子，其儀一兮；其儀一兮，心如結兮。」這是描寫君子注重容儀，其中講這樣一個道理：君子注重容儀，不能謹於此，而不謹於彼，而是平均如一的，所以如此，是因為他的心是專一的。威儀一於外，而心如結於內，引伸出來的意義就是君子應該表裏如一。孔子說：「〈鳲鳩〉曰：『其儀一兮，心如結』也，吾信之。」意思是說，〈鳲鳩〉詩中所說的那種表裏如一的君子，我信任他。

〈文王〉一詩的首句說：「文王在上，於昭於天。」其中的「於」，音烏，是個感歎詞，這句話的意思是說，文王既沒，而其神在上，昭明於天。周人代商，始于武王，亦由文王之德所致。孔子讚美文王之德，認為其精神充塞宇宙，貫徹古今，因此孔子說：「吾美之。」儒家推崇文王，《詩經·大雅·文王篇》的這句話，可以說表達了孔子的心聲。

〈清廟〉一詩是描寫西周王族祭祀活動的詩，詩中有「肅雍顯相，濟濟多士，秉文之德」的話，「肅雍顯相」其意是敬和明助，

是指助祭的公卿諸侯，「濟濟多士」是指祭祀執事之人，這句話的意思是說：助祭之公卿諸侯及與祭執事之人皆能秉持文王之德。孔子說：「吾敬之。」對能秉持文王之德的人，表示敬意。

〈烈文〉一詩中說：「無競唯人，四方其訓之，丕顯唯德，百辟其刑之，於乎前王不忘。」前王，是指文王和武王，這首詩的意思是說，文王、武王德業垂於後世，後人仰其德業，思其恩澤，愈久不忘。孔子說：「吾悅之。」為文王、武王事業的後繼者不忘其本的精神所高興。

概言之，孔子通過《詩》教，倡導一種人文精神，所謂「〈宛丘〉吾善之」，是「善」其情真；「〈猗嗟〉吾喜之」，是「喜」其藝精；「〈鳲鳩〉吾信之」，是「信」其意誠；〈文王〉吾美之，是「美」其德高；「〈清廟〉吾敬之」，是敬其有典型；「〈烈文〉吾悅之」是「悅」其不忘本。

22.■■■■■■【「帝謂文王，予」懷爾明德」，曷？誠謂之也；「有命自天，命此文王」，誠命之也。信矣。孔子曰：此命也夫！文王雖欲已，得乎？此命也。■■■■■■■■（七）

【姜按】七號簡現有 39 字，其中「孔子」二字為合文字，故釋讀多 1 字。簡前端約缺 11 字，簡後端空白約缺 8 字，全簡約 59 字。

李學勤先生于此簡前端試補出 5 字。

「已」字，從劉樂賢釋讀。

23.■■■■■■■寺（時）也，文王受命矣。〈頌〉，平德

也，多言後，其樂安而遲，其歌紳而【】苃（薉），其思深而遠，至矣！《大夏（雅）》，盛德也，多言■■■■■■■■（二）

【姜按】二號簡現有 38 字，以簡前後空白各缺 8 字計，全簡約 54 字。

24.■■【〖〗矣！《小夏（雅）》，〖〗德】也，多言難而怨懟者也，衰矣！小矣！《邦風》，其內（入）物也博，觀人俗焉，大僉（驗）材（在）焉。其言文，其聲善。孔子曰：惟能夫■■■■■■■■（三）……

【姜按】三號簡現有 39 字，其中「孔子」二字為合文字，故釋讀多 1 字。簡前後端各約缺 8 字，全簡約 56 字。

周鳳五教授據文義於簡前端補 4 字，甚是。

——本文發表於「經典與文化的形成」研究計畫第二十二次讀書月會（2005 年 10 月 22 日）。

詩六義原始

王小盾*

一、問題的提出

作為中國早期的一個詩歌分類學說，也作為中國古代文學理論若干重要命題的基礎，「詩六義」理論歷來受到研究者的重視。它出自漢代經師所傳的《毛詩序》，云：

> 故詩有六義焉：一曰風，二曰賦，三曰比，四曰興，五曰雅，六曰頌。上以風化下，下以風刺上，主文而譎諫，言之者無罪，聞之者足以戒，故曰風。至于王道衰，禮義廢，政教失，國異政，家殊俗，而變風變雅作矣。
>
> 是以一國之事，繫一人之本，謂之風；言天下之事，形四方之風，謂之雅。雅者，正也，言王政之所由廢興也。政有小大，故有小雅焉，有大雅焉。頌者，美盛德之形容，以其成功告於神明者也。是謂四始，詩之至也。

---

*　　王小盾，北京清華大學中國語言文學系教授。

這段話的中心意思是講詩的社會功能，按後來人的解釋，是強調詩的美刺作用。它在提出用宮商相應之文以依違諷諫的詩歌創作要求之時，談到了「風」；在提出以詩言王政之廢興所由的政治標準之時，談到了「雅」。因此，它的出發點和「溫柔敦厚」的詩教是一樣的。在這種語義環境中解讀，「六義」可以理解為關於詩用（社會功能）的類名。不過，當它以「一國之事繫一人之本」、「以其成功告於神明」等語對「風」、「雅」、「頌」的內容進行解釋之時，它又顯示了另一個語義環境；在這一環境中，「六義」便表現為關於詩體的類名了：「風」既可理解為感化，又可理解為詩人之詩；「雅」既可理解為正聲，又可理解為王政之詩；「頌」既可理解為頌美，又可理解為祭禮之詩。我們不由得會設想，這裡隱藏了原不相侔的兩重標準。《毛詩序》的六義之說之所以會表述成一個殘缺的理論系統——僅解釋了風、雅、頌三名，而回避了賦、比、興三名，我們認為，也正因為此詩體與詩用的雙重標準不易調合。同樣由於這一原因，它作為一個涵義含混的學說，引起長達兩千年的爭論。

這種含混在後來的六義說中也繼續下來了。當經學家們因襲《毛詩序》而對風、賦、比、興、雅、頌加以箋注之時，他們的言論，都有一定依據，但也都有語意纏夾、首鼠兩端的毛病。為什麼會這樣呢？我們不由得會作進一步追問。若從問題的起始點看，其實這原因是很簡單的：它緣於對「六詩」、「六義」這兩件不同事物的混淆，或者說，緣於《周禮》分類與《詩經》分類的矛盾。因為在《周禮·春官·大師》中，風、賦、比、興、雅、頌等「六詩」，本是同一邏輯平面上的事物分類：

> 教六詩，曰風，曰賦，曰比，曰興，曰雅，曰頌。以六德爲
> 之本，以六律爲之音。

文中的「六德」是指中、和、祇、庸、孝、友等六種品德，文中的
「六律」則指黃鐘、大簇、姑洗、蕤賓、夷則、無射等六種樂音的
音高標準。它們的邏輯關係很清楚，分類標準很單純。顯而易見，
「六詩」也應該是同一邏輯平面上的事物類名。故後來的經師，凡
在箋注「六詩」之時，總不免聯繫《詩經》風、雅、頌三分的體
製，而把「六詩」釋爲關於詩體的分類。例如東漢鄭玄認爲：
「比、賦、興，吳札觀詩已不歌也，孔子錄詩已合風、雅、頌中，
難復摘別。」❶唐代賈公彥「六詩」疏則直言：「按詩上下惟有
風、雅、頌是詩之名也，但就三者之中有比、賦、興，故總謂之六
詩也。」他們的意思是說：賦、比、興雜存在風、雅、頌中，六者
皆爲詩體。

　　儘管如此，六詩皆體的看法終究沒有確立起來。這一方面因爲
缺少文獻依據──今本《詩經》畢竟未標明比、興、賦三種體製；
另一方面則因爲《詩》學已成爲「經學」或教化之學。人們依據
「疏不破注」的原則，對《毛詩序》六義思想的兩重性進行調和，
逐漸建立起以風雅頌爲體而以賦比興爲用的「三體三用之說」。其
系統表述見於唐代孔穎達的《毛詩正義》：

---

❶　《鄭志》，〔唐〕孔穎達：《毛詩正義》（臺北：臺灣古籍出版公司，2001
　　年 10 月重印北京大學出版社《十三經注疏·整理本》）引，第 55 冊，頁
　　15。

> 風、雅、頌者，詩篇之異體；賦、比、興者，詩文之異辭
> 耳。大小不同而得并為六義者，賦、比、興是詩之所用，
> 風、雅、頌是詩之成形，用彼三事，成此三事，故同稱為
> 義，非別有篇卷也。

這種解釋是否適用於《周禮》的「六詩」呢？並不適合。只要把
《周禮》所說的「《九德》六詩之歌」云云同「六典」、「六
屬」、「六樂」、「六鼓」、「六藝」、「六事」、「六器」、
「六瑞」、「六尊」、「六彝」、「六龜」、「六夢」、「六
祝」、「六辭」、「六穀」、「六牲」等依「六」設禮的情形作一
比較，便知道《周禮》是決不可能把「六詩」分為三體三用的。但
若用歷史的觀點去看，此說之產生又不無道理。因為到孔穎達時
代，「六義」說又經過了一番歷史積累。在這個時代，人們已經使
用新的詩歌觀念來看待「詩三百」這種詩的古典了。換句話說，
《周禮》的「六詩」，代表的是《詩》成型之前的風、賦、比、
興、雅、頌觀念；《毛詩》的「六義」，代表的是《詩》成型之後
的風、賦、比、興、雅、頌觀念。《毛詩》六義的體用相混說，是
對東周以來人們學《詩》、用《詩》實踐的總結；後來的體用相分
說，則是對漢以來人的《詩經》觀念的概括。所以早在孔穎達之
前，那種可以理解的矛盾就已經產生——鄭玄在其《周禮·大師》
注中提出了關於風、賦、比、興、雅、頌為六種表現手法的意見：

> 風，言賢聖治道之遺化也。
> 賦之言鋪，直鋪陳今之政教善惡。

比，見今之失，不敢斥言，取比類以言之。

興，見今之美，嫌於媚諛，取善事以喻勸之。

雅，正也，言今之正者，以為後世法。

頌之言誦也，容也，誦今之德，廣以美之。

類似的意見還見於東漢王逸《離騷章句·序》：「《離騷》之文，依《詩》取興，引類譬諭。」西晉摯虞《文章流別論》：「賦者敷陳之稱也，比者喻類之言也，興者有感之辭也。」南朝劉勰《文心雕龍·比興》：「比者附也，興者起也。」《詮賦》：「賦者鋪也，鋪采摛文、體物寫志也。」以及鍾嶸《詩品·序》：「文已盡而意有餘，興也；因物喻志，比也；直書其事，寓言寫物，賦也。」這些意見把賦、比、興和風、雅、頌分判為二物，從積極的方面看，乃反映了文學理論的發展；從消極方面看，則使「六詩」的真相更加蒙昧了。

總之，回顧幾千年來的《詩經》學，我們可以明瞭這樣一個事實：風、賦、比、興、雅、頌等概念，曾經在不同的語義層次上存在。其中之一是「六詩」的層次，其中之二是「六義」的層次。以「賦」「比」「興」代表三種文學表現手法的認識是較晚近的認識。或者說，「六詩」原則上是詩體的分類，「六義」原則上是詩用的分類。後人不察，將《詩》、《禮》兩經合為一談，遂造成了種種混淆。

關於風、賦、比、興、雅、頌之名義的爭訟，此外還有一層背景，此即經學與新學之爭。新學的特點是視六經皆為史，往往打破經學「疏不破注」的傳統，直探事物本原。故近代以來，人們對歷

代經師所遵從的三體三用之說提出了有力的挑戰。其較著者是章太炎重新倡議的「六詩」為六體之說。章氏的看法是：賦、比、興也是三種詩歌，不過是未入樂的詩歌。賦為「鋪」，其文繁；比為「辯」，其文肆；興為「廞」，其體近於述贊：它們是因不可被於管絃而未編入《詩》的。❷他認為六詩之「詩」與《詩經》之「詩」，其差別只在於取義的廣狹。就其廣義而言，《春官》瞽矇所掌的「九德六詩之歌」以及管箴、占繇，凡有韻者皆為詩，「詩非獨六義」；就其狹義而言，可歌者（風詩、雅詩、頌詩）方為詩，「孔子刪詩求合《韶》、《武》，比興不可歌，因以被簡」。❸此後，朱自清進而推測「六詩」皆是樂歌之名——賦為合唱，比為變舊調唱新詞，興是合樂開始時的新歌❹；郭紹虞進而推測風、賦、比、興皆是樂歌——風為入樂的民歌，賦、比、興為不入樂的民歌。❺儘管這些新說因缺乏依據而未能獲得公認❻，但它們畢竟使原屬經學範圍或文學批評範圍的問題轉變成史學的問題，從而為進一步研究提供了啟發。

---

❷ 章太炎：《檢論·六詩說》，劉凌、孔繁榮編：《章太炎學術論著》（杭州：浙江人民出版社，1998 年 6 月），頁 36－39。

❸ 章太炎：《國故論衡·辨詩》，《章氏叢書》（杭州：浙江圖書館，1919年），《國故論衡》卷中，頁 262。

❹ 朱自清：〈詩言志辨·比興〉，《朱自清古典文學論文集》（上海：上海古籍出版社，1980 年），頁 262。

❺ 郭紹虞：〈六義說考辨〉，《中華文史論叢》第七輯（上海：上海古籍出版社，1978 年）。

❻ 參見注⓬。又見彭馨洪〈詩六義辨說〉對郭紹虞「六詩六義會通」說的批評，文載《華中師院學報》（哲學社會科學版）1983 年第 4 期，頁 108－118。

八十年代以來，有關六詩或六義的討論可以看作上述史學方法的發展。其特點是注意到「六詩」得以展開的社會制度的背景。例如章必功認為「六詩」是周代國子教學的綱領，風、雅、頌屬於聲教，賦、比、興屬於義教。❼而張震澤則認為風、雅、頌是因典禮制度而分出的三體，賦、比、興是因「賦詩言志」而從《詩》之教本中分出的三用。❽這些論述依據「六詩」的文化背景立說，反映了新學思想的延續；但它們實際上是三體三用說的變通，原則上仍然不能成立。它們有一個致命的弱點：認為「六詩」說與「六義」說產生在同一時代，乃屬內涵相同的概念。❾這樣一來，如下一類有關背景的問題，便顯得更為尖銳了：

——如果說「六詩」和「六義」是出於同一時代的概念，那麼，為什麼賦、比、興的解釋不見於《詩序》？「不歌而誦謂之賦」的古義為什麼會在《詩序》及各家六義說中失落？

——如果說「比」是「托事于詩」，「興」是「感發意志」，二者同屬「義教」第二階段，那麼，為什麼《毛詩》在一百多篇詩

❼　章必功：〈六詩探故〉，《文史》第二十二輯（北京：中華書局，1984年），頁 165－176。

❽　張震澤：〈詩經賦比興本義新探〉，《文學遺產》1983 年第 3 期，頁 1－11。

❾　張震澤認為：「賦比興見於記錄始於《周禮》和《詩序》。《周禮》一書乃漢景帝時河間獻王所獻，應是先秦故書。《詩序》的作者及時代，學者有爭論，……觀於《序》言多合西周之制，也夾雜了春秋時事，即使晚出，也該是先秦舊說。然則《詩》六義，出於先秦，西周及春秋視為《詩》之六用，這是清楚的。」但他又說：「似乎在孔子前賦比興的固定名稱還沒有出現。」見注❽文。

章中注有「興也」的字樣，卻不去注「比」？

——《毛詩》說〈葛覃〉的首三句為「興」，後人則判〈葛覃〉的首章六句皆「興」❿，或判三章全是賦體⓫；《毛詩》說〈漢廣〉的前四句為「興」，後人則認為「興」僅在首二句⓬，或認為全篇皆是「興而比」⓭，甚或認為首章是「興而比」，次章是「賦而比」⓮；《毛詩》於〈殷其雷〉一詩中並不注「興」，後人卻說它以雷聲之滾動起興⓯，或說它全篇皆興⓰，或說首章六句為「興」⓱……既然「賦」、「比」、「興」的義法是可教的，其法「潛移默化在諸子傳《詩》之業中」，那麼，為什麼三家詩不標興體，為什麼孔子不知「比」、「賦」二體，為什麼早在諸子時代「興」便成了一個同「比」相交叉的概念，而使古今人的理解有上述歧異？

——此外，倘若說「賦」之本義為「直陳」，那麼，《左傳》等戰國文獻所記的「賦詩言志」之「賦」，應如何解釋？倘若說

---

❿ 翟相君：〈《周南·葛覃》的時代和地域〉，《貴州社會科學》1984 年第 5 期，頁 106－109。

⓫ 〔宋〕朱熹：《詩集傳》（《四部叢刊三編》影宋本），卷 1，頁 5－6。

⓬ 郝志達等：《國風詩旨纂解》（天津：南開大學出版社，1990 年），頁 38。

⓭ 〔宋〕朱熹：《詩集傳》（《四部叢刊三編》影宋本），卷 1，頁 12。

⓮ 〔清〕姚際恆：《詩經通論》（臺北：廣文書局，1961 年 10 月），卷 1，頁 27。

⓯ 郝志達等：《國風詩旨纂解》（天津：南開大學出版社，1990 年），頁 71。

⓰ 〔宋〕朱熹：《詩集傳》（《四部叢刊三編》影宋本），卷 1，頁 22。

⓱ 〔清〕姚際恆：《詩經通論》（臺北：廣文書局，1961 年 10 月），卷 2，頁 40。

「賦」之本義為朗誦,那麼,根據什麼理由將其歸入「義教」而不歸入「聲教」?

很明顯,古老的風、賦、比、興、雅、頌在不同時代乃是不同的概念:一是《詩》編成之前的「六詩」的概念,二是《詩》編成之後的「六義」的概念,三是《詩》成為經典之後的三體三用的概念。從「六詩」到「六義」,其間有一個內涵變化的過程。對風、賦、比、興、雅、頌的理解之所以會成為歷史懸案,乃因為幾千年來人們都忽視了這一過程的存在。或者說,人們未避免一個相同的錯誤:經學時代,對《毛詩序》採取了全盤信從的態度,從而輕視了「六詩」的特殊性;新學時代,又對《毛詩序》採取了全盤否定的態度,從而輕視了「六義」的特殊性。鄭振鐸先生〈讀毛詩序〉曾作過一個恰當的比喻:「《詩經》也和別的重要書籍一樣,久已為重重疊疊的注疏的瓦礫把它的真相掩蓋住了。」但他所提供的處理辦法卻是不夠恰當的:「在這種重重疊疊壓蓋在《詩經》上面的注疏的瓦礫裡,《毛詩序》算是一堆最沉重、最難掃除而又必須最先掃除的瓦礫。」殊不知瓦礫也代表了一段歷史的真相,可以清理,但卻不是可以簡單地「掃除」的。

為此,今擬以《毛詩》的「六義」說為目標,試就上述問題作一些正本清源的工作,討論「六詩」,進而討論自「六詩」而至「六義」的演化蹤跡。

二、周代的「六詩」

《毛詩序》「六義」的排列次序及其在解釋賦、比、興時的關疑態度,這兩者都表明,「六義」來源於《周禮》「六詩」。

　　《周禮》一書原名《周官》，據《漢書·河間獻王傳》等書記載，是漢武帝開獻書之路時入於秘府的「古文先秦舊書」。關於它的成書年代諸家說法不一，但就其與王權分封制相適應的官制系統看，它無疑是反映西周社會制度的文獻。❸西周金文官制與《周禮》官制的一致性，可以證明這一事實。❹

　　《周禮》按天地四時六分之法敘述官制，「春官」為禮官，由大宗伯統領。其中技術官吏在大司樂總負責下，構成以樂師為首的學官、以大師為首的樂官、以大卜為首的卜官、以大祝為首的巫官、以大史為首的史官等五大系統。根據諸家注解，前兩個系統中的官制略如下表：

中大夫	下大夫	其他	職　　事
大司樂			掌大學、王國學政，以樂德、樂語、樂舞教國子。
	樂師		掌宮左小學之政務，以小舞、樂儀教育國子。下大夫及上士、下士、府、史、胥、徒共 120 人。
		大胥 小胥	掌管學籍，考校樂官，敘次學宮教樂之事。 輔佐大胥，掌學士的徵召與稽查。
	大師		掌管樂制，負責審音調樂，配合樂德、樂律而教六詩，在儀式中率群瞽升堂歌詩。下大夫 2 人。
		小師 瞽矇	掌教瞽矇以樂器，在儀式中輔佐大師，指揮伴奏。 役于大師，奏樂、誦詩。上中下瞽共 300 人。

---

❸　劉起釪：〈《周禮》真偽之爭及其書寫成的真實依據〉，《古史續辨》（北京：中國社會科學出版社，1991 年 8 月），頁 650。

❹　張亞初、劉雨：《西周金文官制研究》（北京：中華書局，1986 年 5 月），頁 111－143。

		眡瞭	掌打擊樂器，扶持瞽矇進行樂事。共 300 人。
		典同	掌樂律，調整樂器。26 人。
		磬師	掌教眡瞭以擊磬、擊編鍾，祭祀中奏縵樂。62 人。
		鍾師	掌金奏，凡樂事奏《九夏》、燕樂等，掌鼙鼓縵樂。共 82 人。
		笙師	掌教眡瞭以竹木樂器，並教《祴夏》之樂。21 人。
		鎛師	掌金奏之鼓。共 32 人。
		韎師	掌教東夷之樂，祭祀時率其屬而舞之。共 60 人。
		旄人	掌教散樂及四方之樂，于祭祀宴饗舞之。無定數。
		籥師	掌教國子羽籥之舞，祭祀宴饗舞之。共 28 人。
		籥章	掌擊土鼓，籥吹豳詩、豳雅、豳頌。共 30 人。
		鞮鞻氏	掌奏四夷之樂及其聲歌，以管籥為之聲。共 28 人。
		典庸器	掌藏樂器與紀念大功的庸器。共 98 人。
		司干	掌授受舞器。共 26 人。

　　此表最基本的結構是大司樂、樂師系統與大師系統的二分。就職官言，司政和司典禮的各官乃按健康人與瞽矇分為兩類。鄭玄注：「凡樂之歌，必使瞽矇為焉。命其賢知者以為大師、小師。」據此，祭禮樂歌是由以大師為首的瞽矇們職掌的，大師是瞽矇的統領。視瞭（目力特別好的人）乃按一對一的比例輔助瞽矇進行樂事；瞽矇則因其目盲，精於審音和記誦，能夠保證樂歌的精確性而成為祭禮樂歌的中心人物。就職事言，上述官員乃按事人與事神分為兩類。其中大師及諸瞽矇職掌祭禮樂歌。有一個可反映分類標準

的細節是：儘管籥師和樂師都教國子以舞，但因為籥師所教授的是用於祭典的大舞（事神），而樂師只教燕饗所用的小舞（事人），所以他們分屬兩個類別。換句話說，大師和其他瞽矇都是聖職人員，「六詩」是關於這種聖職的基本訓練。這一點，還可以從以下方面來認識：

——大師是祭禮樂事的技術指導。他同大司樂的分工在於：大司樂主管全部樂禮，大師分管其中的樂舞節目；大司樂教導國子，大師教導瞽矇。

——大師所教的「六詩」，同大司樂所教的「樂語」，是既有聯繫又有區別的兩套教學項目。樂語為「興、道、諷、誦、言、語」，是對國子進行音樂與語言訓練的項目；六詩為「風、賦、比、興、雅、頌」，是對瞽矇進行語言與音樂訓練的項目。鄭玄注「六詩」說：「教，教瞽矇也。」《周禮·春官·瞽矇》說：「掌九德、六詩之歌，以役大師。」據此可知大師是瞽矇之師，而非國子之師。大師又稱「詔工」。《賈子新書·傅職篇》說：「號呼歌謠聲音不中律，燕樂雅誦逆樂序，凡此其屬詔工之任也。」這說明六詩之教有兩項基本要求：一是合於音律，二是合於樂序。或者說，六詩的順序是樂序的反映，其教學目的在於正音。「樂語」與「六詩」分列，其緣由應在於樂語的順序反映了另一種聲教的順序，其教學目的在於正語。

因此，「六詩」並不是針對國子的「周代詩歌教學的綱領」。孫詒讓《周禮正義·春官·敘官》說過：「大司樂、樂師又謂之大樂正、小樂正，亦通謂之樂正。」故《禮記·王制》所說的「樂正崇四術，立四教，順先王《詩》、《書》、禮、樂以造士」，指的

是大司樂以「詩」教國子，而非大師以「六詩」教國子。——儘管六詩之教和六語之教都以詩為教材，但二者本是有異同的，例如二者都「以六德為之本」，但只有六詩之教講究「以六律為之音」。六詩之所以特別講求音律，乃因為六詩之教的目的是造就能勝任祭禮樂事的技術人才，而非善於言語應對的行政人才。

大師所教的「六詩」，同籥章所掌奏的「豳詩」、「豳雅」、「豳頌」也是有聯繫的：它們都是「役于大師」而上演於祭禮的節目。其間差別在於：「六詩」是人聲之詩，即《瞽矇》所謂「六詩之歌」；籥章所奏的是籥聲之詩，即賈公彥《籥章疏》所謂「吹籥以為詩章，故官名籥章」。關於這種籥詩，《周禮·鞮鞻氏》說「祭祀則籥而歌之」；鄭玄說「豳詩」、「豳雅」、「豳頌」均以《豳風·七月》為音樂素材；徐養原《頑石廬經說·堂上堂下說》說籥章、籥豳是器樂合奏，有琴瑟，有舞曲；孫詒讓《周禮正義·籥章》則說此三「豳」詩同而聲異，「豳詩」以土音為聲，「豳雅」以王畿正音為聲，「豳頌」以宮廟大樂為聲。這些意見是有助於認識六詩之分的：既然「豳詩」、「豳雅」、「豳頌」同樣用為祭禮樂歌，既然它們指的是配合詩、雅、頌三法籥奏〈七月〉，那麼，六詩之分便是詩的傳述方式之分，乃指用「風、賦、比、興、雅、頌」六法歌詩。

因此，賦、比、興原是聲教的項目，而不是什麼「義教」。具體說來，風、賦、比、興、雅、頌「六詩」，指的是以下六種傳述詩的方式：

㈠ 風和賦

「六詩」之「詩」，其本質是歌。賈公彥《周禮·大司樂疏》

說：「歌樂即詩也，以配樂而歌，故云歌。」這意味著：六詩之教和《大司樂》所謂「以樂語教國子——興、道、諷、誦、言、語」，都是以歌唱文學為素材的教育。這兩種教育的分類明顯具有可比性：「風」和「諷」通假⓴；「興」是兩者共有的節目；據劉向所云「不歌而誦謂之賦」⓵，「賦」是對應於「誦」的。因此，六詩的涵義應參考「樂語」來確定。

事實上，「六詩」中的「風」和「賦」，其內涵即相當於六語中的「諷」和「誦」，分別指的是諷讀和朗誦。「風」（「諷」）在「六詩」中和「賦」相對待，在「樂語」中則和「誦」相對待。鄭玄注《大司樂》：「倍文曰諷，以聲節之曰誦。」賈公彥疏：「云『倍文曰諷』者，謂不開讀之；云『以聲節之曰誦』者，此亦皆背文。但諷是直言之，無吟詠；誦則非直背文，又為吟詠，以聲節之為異。」這說明「詩」是採自「歌」的，但傳述之時有「諷」和「誦」的區別。「諷」是原始的記誦，所以說「背文」；「文」有方音之別，所以「諷」作為名詞（「風」）便指風俗歌謠；「誦」則代表一種「以聲節之」的吟詠方式。換句話說，在國子之教中，「諷」和「誦」的對比是直述和吟誦這兩種方式的對比；在瞽矇之教中，「風」和「賦」的對比則是方音誦（謠歌）和雅言誦的對比。

關於「風」和「賦」的上述理解，在《周禮·瞽矇》中有一處

⓴　《漢書·趙廣漢傳》：「賓客為姦利，廣漢聞之，先風告。」顏師古注：「風讀諷。」朱駿聲：《說文通訓定聲·臨部》：「風借為諷，謂背其文。」

⓵　見《漢書·藝文志》、《文心雕龍·詮賦》。

內證，此即所謂「諷誦詩，世奠繫，鼓琴瑟」。「諷誦詩」是瞽矇的主要職事。據鄭司農的解釋，「諷誦」指的就是「誦」，亦即風誦、本色之誦。鄭玄注：「諷誦詩，謂闇讀之，不依詠也。」孫詒讓正義：「不依詠，謂雖有聲節，仍不必與琴瑟相應也。蓋誦雖有聲節，而視歌為簡易易明。」可見這種「諷誦」既不同於「歌」，也不同於「賦」。《左傳·襄公十四年》說：孫蒯入使衛國之時，衛獻公曾命「大師歌〈巧言〉之卒章。大師辭。師曹請為之。……公使歌之，遂誦之」。杜預注云：「恐孫蒯不解故。」這證明誦詩的方式確實是「視歌為簡易易明」的。《毛詩正義·常棣》引《鄭志》答趙商說：「凡賦詩者，或造篇，或誦古。」這證明賦詩之「賦」有二義，除創作詩歌一義外，它指的就是某種誦詩。《國語·周語上》說：「故天子聽政，使公卿至於列士獻詩，瞽獻曲，史獻書，師箴，瞍賦，矇誦，百工諫，庶人傳語……」這又證明「賦」是不同於狹義「誦」（諷誦）的一種技能——所以它們分別由不同的樂工司掌。

關於誦詩的記載多見於春秋以後的文獻。在這些記載中，「賦」的用例大大多於「誦」的用例。這種情況乃反映當時人誦詩已普遍應用雅言。雅言是與夷俗方言相區別的標準語言，其名見於《論語·述而》，云：「子所雅言，《詩》、《書》、執禮，皆雅言也。」鄭玄注：「讀先王典法，必正言其音然後義全。」可見早在孔子之前已有雅言誦詩的成規，當時人乃把雅言看作「正言」。又劉寶楠《論語正義》：「王者就一世之所宜而斟酌損益之，以為憲法，所謂雅也。然而五方之俗不能彊同，或意同而言異，或言同而聲異，綜集謠俗，釋以雅言，比物連類，使相附近，故曰『爾

雅』。《詩》之有風、雅亦然也。王都之音最正，故以雅名；列國之音不盡正，故以風名。」這說明音樂上的「風」、「雅」之別，乃來源於語言上的「風」「雅」之別；兩種「雅」，都代表禮儀規範。故先秦諸子關於振興雅言的那些言論，都以維護禮儀規範為出發點，例如孔子所云「夷不亂華」❷、孟子所云「吾聞用夏變夷者也，未聞變于夷者也」❷、荀子所云「君子安雅」、「使夷俗邪音不敢亂雅」。❷據此，我們可以把代表風土之音的「風」❷和代表社交禮儀的「賦」視為相對立的事物。也就是說，古來的采詩觀風之說，以及春秋時代「賦詩言志」往往用於諸國使臣交際場合的事實❷，都有助於證明「風」、「賦」之別是方音誦與雅言誦之別。以下用例，則是關於這一論點的進一步證據：

1. 《詩·小雅·巷伯》：「楊園之道，猗于畝丘。寺人孟子，作為此詩。凡百君子，敬而聽之。」

2. 《詩·大雅·崧高》：「吉甫作誦，其詩孔碩，其風肆好，以贈申伯。」

3. 《詩·大雅·桑柔》：「大風有隧，貪人敗類。聽言則對，

---

❷　《左傳·定公十年》。

❷　《孟子·滕文公上》。

❷　《荀子·榮辱》、《荀子·王制》。

❷　《左傳·成公九年》：「樂操土風，不忘舊也。」《襄公十八年》：「吾驟歌北風，又歌南風。」朱熹《詩集傳》：「風者民俗歌謠之詩也。」

❷　參見夏承燾：〈采詩和賦詩〉，《中華文史論叢》第一輯（北京：中華書局，1960 年）；顧頡剛：〈詩經在春秋戰國間的地位〉，《古史辨》（上海：上海古籍出版社，1982 年重印），第 3 冊下編，頁 320－344。

誦言如醉。匪用其良，覆俾我悖。……民之未戾，職盜為
寇。涼曰不可，覆背善詈。雖曰匪予，既作爾歌。」

4.《左傳・隱公元年》：「公入而賦：『大隧之中，其樂也
融融。』姜出而賦：『大隧之外，其樂也洩洩。』遂為母
子如初。君子曰：『潁考叔，純孝也，愛其母，施及莊
公。詩曰：「孝子不匱，永錫爾類」，其是之謂乎！』」

5.《左傳・僖公二十八年》：「聽輿人之誦曰：『原田每每，
舍其舊而新是謀。』公疑焉。」

6.《左傳・文公六年》：「秦伯任好卒，以子車氏之三子奄
息、仲行、鍼虎為殉，皆秦之良也。國人哀之，為之賦
〈黃鳥〉。君子曰：『秦穆之不為盟主也宜哉！死而棄
民。先王違世，猶詒之法，而況奪之善人乎？詩曰：「人
之云亡，邦國殄瘁。」無善人之謂。若之何奪之？』」

7.《左傳・襄公四年》：「國人誦之曰：『臧之狐裘，敗我
于狐駘。我君小子，朱儒是使。朱儒朱儒，使我敗於
邾。』」

8.《左傳・襄公三十年》：「從政一年，輿人誦之曰：『取
我衣冠而褚之，取我田疇而伍之。孰殺子產，吾其與
之！』及三年，又誦之曰：『我有子弟，子產誨之；我有
田疇，子產殖之。子產而死，誰其嗣之？』」

9.《左傳・昭公元年》：「令尹享趙孟，賦《大明》之首章。
趙孟賦〈小宛〉之二章。事畢，趙孟謂叔向曰：『令尹自
以為王矣，何如？』對曰：『王弱，令尹強，其可哉！雖
可，不終。』趙孟曰：『何故？』對曰：『強以克弱而安

之，強不義也。不義而強，其斃必速。詩曰：「赫赫宗周，襃姒滅之」，強不義也。……』」

第二例中「作誦」的「吉甫」，是周宣王時的人物。據此可以知道，公元前九世紀的詩歌創作是以口誦或口唱的方式進行的。第一例所云「凡百君子，敬而聽之」（《說文解字》：「聽，聆也」），第三例所云「既作爾歌」，是關於這一創作方式的旁證。因此可以理解，當時人是從兩個角度來看待詩歌的：就其內容而言是「詩」（如第一例所說的「寺人孟子，作為此詩」）；就其形式而言則是「誦」（如第二例所說的「吉甫作誦」）。若作細緻分判，則「詩」一名代表「志」或事件、內容（「其詩孔碩」、「詩言志」），「風」一名代表「言」或聲調（「其風肆好」），「誦」則是詩和風的綜合表現。後來古詩之「風」失落了，人們只能用不同於「誦」的兩種方式傳述它：一是僅僅引述其內容，這時它被稱為「詩」；二是引述時使用特定的吟誦語言，這時它被稱為「賦」。例六、例九明確顯示了「詩」和「賦」的區別。值得注意的是：「賦」並不只是用於對古詩的轉述；自創的詩，如例四「大隧之中」「大隧之外」云云，同樣是「賦」。這說明「賦」的本質涵義是指用特定的語言方式吟誦，它意味著本色之「誦」的失落。事實上，在春秋戰國時代，「誦」一詞在很大程度上就是用來表示這種本色歌誦的；相反，只在部分場合用為吟誦或諷誦的泛稱。這一點可以用例五、例七、例八來證明：這幾例的「誦」（衛地的「輿人之誦」、鄭地的「輿人誦之」、魯地的「國人誦之」），都出自土民之口，無疑都是使用方音的本色吟誦。總之，在周代，

「賦」是同「誦」相對的一名，它指的是雅言的吟誦；「風」是同「賦」相對的一名，它指的是對「誦」本色的再現。因此，「不歌而誦謂之賦」的準確涵義是：賦是脫離詩歌「風」本色的吟誦。

關於大師之所以要用「風」、「賦」設教，我們還可以聯繫周代的雅言制度加以理解。經現代學者研究，周代的雅言是周族王畿所在地的鎬京話。㉗「雅言」的稱名起自於「夏」，「雅」、「夏」通用。周人建王都於夏民族故地，為消除「五方之民，言語不通，嗜欲不同」㉘的語言障礙而建立標準語制度，遂以「雅言」為稱。這一制度見於以下記載：

> 《周禮・秋官・大行人》：「七歲，屬象胥，諭言語，協辭命；九歲，屬瞽史，諭書名，聽聲音。」

> 《周禮・春官・外史》：「掌書外令。掌四方之志。掌三皇五帝之書。掌達書名于四方。若以書使于四方，則書其令。」

> 《方言》篇末附劉歆〈與揚雄書〉：「詔問三代周秦軒車使者、遒人使者，以歲八月巡路，求代語、僮謠、歌戲。」

㉗ 孫作雲：《說雅》，《詩經與周代社會研究》（北京：中華書局，1966年），頁 341。又李維琦：〈關于「雅言」〉，《中國語文》1980 年第 6期；朱正義：〈周代「雅言」〉，《渭南師專學報》1994 年第 1 期。又見周祖謨：《方言校箋・自序》、洪誠：《中國歷代語言文字學文選・序言》。
㉘ 《禮記・王制》。

前一段話表明周代設有「行人」一職,掌管諸侯朝會和出使邦國以傳達王命;每隔七至九年,行人須召集諸侯國的翻譯(象胥)、樂官(瞽)、史官至王都,教他們分別學習語言、辭令、文字和音樂。後一段話表明除僮謠、歌戲之外,行人須往四方訪求方言間意義相當而形式(語音)不同的詞,以便翻譯時代換。值得注意的是:這一推行、傳播雅言的制度是同「行人振木鐸徇于路以采詩」❷的方式相似的;所采不僅有代語,而且有歌謠;瞽是其中的重要人物。我們因此可以推想:所謂「諷詩」,其實也就是「求代語」、「聽聲音」的手段。古有采詩以「觀風俗、聽得失」之說❸,又有「諷誦詩,主誦詩以刺君過」之說。❸如果說采詩和誦詩的目的是取得真實的民間資料,那麼,諷詩之法便是賦詩之法的必要補充。或者說,賦詩和諷詩都是雅言制度的組成部分;作為保存風謠的一種重要手段,諷詩是賦詩的存在條件。「諷」之諷誦(「倍文曰諷」)一義,乃反映了采詩在記錄方式方面的特點;其諷諫(「以風刺上」)一義,則反映了采詩在功用方面的特點。「雅」之作為標準語、作為王畿音樂的兩重涵義,也對應於行人「求代語、僮謠」的兩重職責。

以上記載還表明了瞽同史的聯繫。據《周禮·春官·小史》,「奠世繫」不光是瞽矇的職掌,而且是小史的職掌;據《周禮·地官·誦訓》和《夏官·訓方氏》,除瞽矇外,「誦四方之傳道」的

---

❷　《漢書·食貨志》。

❸　《漢書·藝文志》。

❸　《周禮·春官·瞽矇》鄭司農注。

官員還有誦訓和訓方氏。其間區別應當在於：小史和外史所掌管的是文字的「帝繫世本之屬」和「四方之志」，而瞽矇所掌管的是口傳的歷史和四方風俗；誦訓和訓方氏所掌管的是傳說體的四方古史，而瞽矇所掌管的則是詩歌體的四方古史。正是由於這一區別，詩被當作歷史資料來看待了，《孟子·離婁下》於是這樣論述了詩的史學功能：「王者之跡熄而《詩》亡，《詩》亡然後《春秋》作。」

關於上文「諷誦詩，世奠繫，鼓琴瑟」一語，另有一種讀法，即讀作「諷誦詩世、奠繫，鼓琴瑟」。「奠繫」，一說即「帝繫」。孫詒讓《周禮正義》論此說云：

> 鄭鍔又謂當讀「諷誦詩世」為句，「奠繫」為句，亦足備一義。諷誦詩世，即後杜注所謂主誦詩并誦世繫也。《大戴禮記·衛將軍文子篇》云：「衛將軍文子問于子貢曰：『吾聞夫子之施教也，先以詩世。』」此「詩世」連文之證。《楚語》申叔時語，亦以「教之世」與「教之詩」並舉。「世」謂若後世之史書，與「詩」二者皆諷誦之也。若然，下文「奠繫」，即《小史》之「奠世繫」。……《國語·魯語》云「工史書世」，韋注云：「工誦其德，史書其言。」彼工即謂樂工，明與史官為官聯也。㉜

㉜ 孫詒讓：《周禮正義》（北京：中華書局，1987 年），第 7 冊，卷 45，頁 1867。

鄭玄《周禮注》引杜子春論「奠繫即帝繫」一說云：

> 「帝」讀為「定」，其字為「奠」，書亦或為「奠」。「世
> 奠繫」謂帝繫，諸侯卿大夫世本之屬是也。小史主次序先王
> 之世，昭穆之繫，述其德行。瞽矇主誦詩，并誦世繫，以戒
> 勸人君也。❸

此二說進一步證明：瞽矇的諷誦具有紀史的功能；所誦包括「詩
世」、「帝繫」等史詩類作品。它同時也證明：語言、音樂、歷
史、風俗的真實性，對這些真實事物進行轉述時的準確性，都曾經
是靠瞽矇精審的聽覺和記憶，靠他們對於「風」、「賦」兩種傳述
方式的熟練把握來保證的。《左傳·襄公十四年》記師曠侍於晉
侯，引《夏書》云：「自王以下各有父兄子弟以補察其政。史為
書，瞽為詩，工誦箴諫，大夫規誨，士傳言，庶人謗。」此可見誦
和風（「工誦箴諫」與「瞽為詩」）是兩種專門技藝。《左傳·文
公四年》記魯公宴衛使臣甯武子，為賦〈湛露〉及〈彤弓〉，衛武
子不辭謝亦不答賦，但云「臣以為肄業及之也」。此又可見東周之
「賦」仍是樂工之業或學而習之之業（「肄業」）。如果說
「風」、「賦」二法在周代宮廷由不同的瞽矇樂工分司，以實現不
同的功能；那麼，「風」的目的便是保存各地的風歌，故用方音背
誦它們；「賦」的目的則是以詩言志（事），故使用不同於風歌的
雅言來吟誦它們。今存「詩三百」既有形式整齊、語言規範的特

---

❸　同前註，頁 1865。

點，又廣泛反映了兩周的社會面貌。這兩個特點，便是分別與
「風」、「賦」二法對應的。它們是這樣一段歷史的結晶——用風
之法記錄詩、用賦之法整理詩的歷史。

(二) 比和興

　　大司樂所教「樂語」共六項，「諷」、「誦」之前為「興」、
「道」。鄭玄注：「道讀曰導。導者，言古以剴今也。」因此，
「道」即「道古」，據《禮記·樂記》，是君子在禮樂儀式上
「語」畢以後進行的一個項目。宋方愨《禮記集解》：「語，即
〈大司樂〉所謂『樂語』也。道古，道古之事。」由此可知，
「道」指一種敘述歷史的特殊語言。儘管「道」是國子之教的專有
項目，在六詩中沒有對應之物，但六詩中的「興」卻可以同樂語之
「興」相互證明。

　　在樂語「導」的位置上，六詩為「比」。鄭玄注：「比，見今
之失，不敢斥言，取比類以言之。」在這裡，鄭玄介紹的是「比」
的後起義，其本義則應當是代表相比次、相輔弼的事物關係。按
「比」字在甲骨文中與「從」混用，表二人相隨。《說文解字》有
云：「比，密也。」《易》象傳有云：「比，輔也，下順從也。」
《方言》釋比：「更遞代也。」所以「枇」、「庇」等從「比」之
字，所描寫的都是相並列、相覆蔽的關係。「比」的上述涵義亦見
於音樂與詩歌。如《大雅·行葦》毛傳說：「歌者，比於琴瑟
也。」孔穎達疏：「歌者皆以絃和之，故云歌者比於琴瑟。」《漢
書·揚雄傳下》說：「美味期乎合口，工聲調於比耳。」顏師古
注：「比，和也。」《漢書·食貨志》說：「比其音律。」顏師古
注：「謂次之也。」又《鬼谷子·反應篇》說：「比者，比其辭

也。」據這裡所說的比次、比和等解釋，可以推斷：作為一種傳述詩的方式，「比」指的是依次倡和、更疊相代，亦即所謂「賡歌」。《尚書·益稷》記帝庸「作歌」，為「股肱喜哉，元首起哉，百工熙哉」四言三句；皋陶為作「賡歌」，為「元首明哉，股肱良哉，庶事康哉」四言三句；此後皋陶又歌「元首叢脞哉，股肱惰哉，萬事墮哉」四言三句：作歌與賡歌辭式相同。這便是「比」——倡和的一個早期實例。在先秦時代，「比」是一種很常見的歌詩方式。例如《論語·述而》說：「子與人歌而善，必使反之，而後和之。」「反之」，即比歌；「和之」，即下文所說的興歌。

如果說「比」指相同形式的連續歌唱，那麼，同它相近的歌詩方式是相和形式的連續歌唱——樂調呈連續關係而非比次重疊關係的倡和。這也就是「興」的涵義。「興」字在甲骨文中象四隻手共同托起一件槃形物，《說文解字》說：「興，起也。從舁同。同，同力也。」但「興」字的始義並不止於此「起」和「同力」。商承祚《殷契佚存考釋》曾依據鐘鼎文的三種「興」字（其中兩種有「口」的因素），判斷「興字象四手各執盤之一角，而興起之；……則舉重物邪許之聲也」。❸❹陳世驤《原興》進一步認為：「此即『舞踊』舉物旋游者所發之聲」。❸❺這種解釋，可以在《詩經》中找到旁證：《毛詩傳》在116篇詩歌中注有「興也」二字。其中於首章次句下發「興」的屬通例，有102篇，如：

---

❸❹ 商承祚：《殷契佚存考釋》（南京：金陵大學中國文化研究所，1933年），第2冊，頁62。

❸❺ 陳世驤作、王靖獻譯：《原興：兼論中國文學特質》，《中文大學中國文化研究所學報》3卷1期（香港，1970年9月），頁144。

關關雎鳩，在河之洲（注「興也」），窈窕淑女，君子好逑。……

南有樛木，葛藟纍之（注「興也」），樂只君子，福履綏之。……

麟之趾，振振公子（注「興也」），于嗟麟兮。……

這裡的「興」，便可推測是一種以正歌與輔歌相倡和的歌唱方式，即先秦兩漢人常用的「相和歌」。「起」，指的即是起調而歌。《釋名·釋典藝》所謂「興物而作謂之興」，則指起唱引出和唱。《毛詩傳》所注「興」的位置，乃是起唱與和唱相間的位置。驗諸歷史：宋玉〈對楚王問〉中的〈陽春〉、〈白雪〉、〈下里〉、〈巴人〉；《史記》中的項羽〈垓下歌〉、劉邦〈大風歌〉；《宋書·樂志》所謂「作伎最先一人唱，三人和」──所用的都是「興」的方式。在《楚辭》中有關於「興」的一個典型事例：《招魂》說：「〈涉江〉、〈采菱〉，發〈揚阿〉些。」此處的「發」，便是與「興」同義的。《大招》說：「謳和〈陽阿〉，趙簫倡只。」《淮南子·說山訓》：「欲美和者，必先始於〈陽阿〉、〈采菱〉。」高誘注：「〈陽阿〉、〈采菱〉，樂曲之和聲。有陽阿，古之名俳，善和也。」可見「興」是較「比」更為複雜的歌詩方式。在《招魂》中，楚人是以〈陽阿〉起興，而以〈涉江〉、〈采菱〉等曲相和的。

關於「比」「興」的上述解釋，最有力的證據來自《詩經》內

部。這就是過去人所討論的「迴環複沓」的現象。有人把這一現象
解釋為民歌的特徵❸，有人解釋為樂歌的特徵。❸這些解釋之所以
相持不下，原因在它們過於簡單。至鍾敬文始結合民俗調查的經
驗，肯定迴環複沓是「兩人以上的和唱」。❸這就意味著，迴環複
沓是「比」和「興」的產物。屈萬里粗略統計在《國風》160 首詩
之中，迴環複沓的詩篇共約 133 首，不迴環複沓的共約 27 首。❸
我們也作過進一步的統計，據知迴環複沓作品在《詩經》各部分所
佔的比例大略為：《國風》83%、小雅 50%、大雅 25%、三頌
8%。這又意味著，大部分《詩經》作品，特別是擁有民歌淵源的
作品，曾經用「比」和「興」的方式歌唱。《詩·鄭風·蘀兮》是
說明這一問題的佳例：

蘀兮蘀兮，風其吹女。（《傳》：「興也。人臣待君倡而後
和。」）

叔兮伯兮，倡予和女。

蘀兮蘀兮，風其漂女。

---

❸ 魏建功：〈歌謠表現法之最要緊者——重奏複沓〉，《歌謠週刊》第 41 號
（1924 年 1 月）；又載《古史辨》第 3 冊下編，頁 592－607。

❸ 顧頡剛：〈從詩經中整理出歌謠的意見〉，《歌謠週刊》39 號（1923 年 12
月）；又載《古史辨》第 3 冊下編，頁 589－591。

❸ 鍾敬文：〈關於詩經中章段複沓之詩篇的一點意見〉，《文學週報》5 卷 10
號（1927 年 10 月 9 日）；又載《古史辨》第 3 冊下編，頁 667－671。

❸ 屈萬里：〈論國風非民間歌謠的本來面目〉，《歷史語言研究所集刊》第 34
本下（1963 年 12 月）。

　　叔兮伯兮，倡予要女。（《傳》：「要，成也。」陳奐疏：
　　「要，讀如《樂記》『要其節奏』之『要』。凡樂節一終謂
　　之『一成』，故『要』為『成』也。」）

這是綜合運用了比、興兩種手法的詩篇。《毛傳》「興也」注在次
句之末，意為〈蘀兮〉每章前二句是起興之調，後二句為相和之
調，兩者構成「興」的關係；陳奐釋「要」為「樂節一終」，則意
味著此詩以樂章為單位來賡和，前一章即所謂「作歌」，後一章即
所謂「賡歌」，二者構成「比」的關係。但這兩種關係是有主次之
分或先後之分的。詩中所云「倡予和女」、「倡予要女」，意為我
作歌你賡和、我唱一章你和一章。這裡隱含了詩的本事，說明詩的
結構基於第一種關係，是用「比」的方式創作出來的，或者說，詩
的迴環複沓來源於「比」。而《毛傳》關於「人臣待君倡而後和」
的解釋則說到了第二種關係——興的關係。它意味著，這首比詩是
在後來才用興的方式來歌唱的，「興」並沒有影響詩的結構。

　　〈蘀兮〉一例反映了「比」、「興」兩種歌詩方式的區別。
「比」代表比次重疊的倡和關係，表現在文辭上，是章節的重複；
「興」代表起調與和調相連續的倡和關係，表現在文辭上，是樂句
的豐富。若從哲學上概括「比」與「興」的聯繫和區別，那麼，我
們可以得出「同」與「和」這一對範疇。《左傳·襄公二十年》記
晏子語，釋「同」為「以水濟水」、「若琴瑟之專壹」；釋「和」
為「濟五味、和五聲」，亦即「五聲、六律、七音、八風、九歌以
相成」、「清濁、小大、短長、疾徐、哀樂、剛柔、遲速、高下、
出入、周疏以相濟」。「琴瑟」、「五聲」云云，表明「同」與

「和」是從音樂上得出的哲學概念。若從民族學資料中尋找「比」與「興」的聯繫和區別，那麼，水族民歌的「雙歌」與「單歌」可以作為旁證。據姚福祥《水族民歌的形式和韻律》，雙歌指疊唱或對唱之歌，即「首與首或節與節之間形式上成對，內容上相近、相對、相反或並列的歌」；單歌則是和唱之歌，即由主唱者負責開頭腔和結尾腔，另選兩人伴和的歌。❹這證明比、興兩種歌詩方式的對立統一是由來已久的。

如果說四方之詩薈萃於官府的局面緣於「風」的方式，詩在語音風格上的統一緣於「賦」的方式，那麼，「比」和「興」便是詩的相對整齊的體裁格式的條件和原因。例如以下幾種《詩經》的常見格式，便明顯是由比歌或興歌鑄造的。從相反一面說，它們也證明了「比」、「興」作為重唱與和唱的本來涵義。

1.複沓

複沓指的是以章節為單位的形式重複。在《詩經》中，它是最常見的一種格式。《詩經》305 篇作品，包含複沓章節的作品大約有 176 篇，佔 58% 的比例。其中國風 119 篇、小雅 50 篇、大雅 4 篇、頌 3 篇，在各類作品中分別佔 74%（風）、67.6%（小雅）、13%（大雅）、7.5%（頌）的比例。其特點是多與興歌相結合，即呈現以下格式：

南有樛木，葛藟纍之。（《傳》：「興也。」）

---

❹　姚福祥：〈水族民歌的形式和韻律〉，《少數民族民歌格律》（拉薩：西藏人民出版社，1986 年）。

樂只君子，福履綏之。

南有樛木，葛藟荒之。

樂只君子，福履將之。

南有樛木，葛藟縈之。

樂只君子，福履成之。

這首詩題為《周南·樛木》。據《毛傳》所注，「南有樛木，葛藟縈之」是其起興之調。這一句式重複出現，說明此詩每個章節都是由兩句起興之調與兩句應和之調結合而成的。因此，它代表了由興歌造成的複沓。《詩經》注「興」之歌 113 篇，其中有 98 篇用了複沓，說明複沓格式來源於興與和的反複結合——這是《詩經》最常用的一種歌唱方式。

2.單行章段

單行章段是未加入複沓的獨立章段。它的獨立性是以複沓為前提的，因此，實際上是一種特殊的複沓。在《詩經》176 篇複沓作品中，約有 40 篇包含單行章段——佔五分之一強的比例。其典型形式見於《召南·行露》：

厭浥行露，豈不夙夜？謂行多露。（《傳》：「興也。」）

誰謂雀無角？何以穿我屋？誰謂女無家？何以速我獄？

雖速我獄，室家不足。

誰謂鼠無家？何以穿我墉？誰謂女無家？何以速我訟？
雖速我訟，亦不女從。

詩中後兩段為複沓；複沓之外的「厭浥行露，豈不夙夜，謂行多
露」三句，則即所謂「單行章段」。由於它不同於常見的複沓，故
自宋代起，常被人視為脫簡或串簡。如王柏《詩疑》卷一說：
「〈行露〉首章與二章意全不貫，句法體格亦異，每竊疑之。後見
劉向傳《列女》，謂『召南申人之女許嫁于豐，夫家禮不備而欲娶
之，女子不可，訟之于理，遂作二章』。而無一章也。乃知前章亂
入無疑。」又王質《詩總聞》卷一說：「首章或上下中間，或兩句
三句，必有所關。不爾，亦必關一句。蓋文勢未能入雀鼠之辭。」
今人俞平伯《讀詩札記》、孫作雲〈詩經的錯簡〉、袁梅《詩經譯
注》、周蒙等《詩經百首詮釋》都承宋人遺說，或認為是殘篇，或
認為串合兩篇。如孫作雲說：「這一首詩原來是兩首詩」，「因為
二詩內容相關，故丟掉了前一首詩的第二章（疊詠章），而與下一
首相糾結，以成今式。」即認為它和〈卷耳〉、〈皇皇者華〉、
〈都人士〉、〈卷阿〉一樣，緣於兩詩的合併，而第一首失落了一
章。**❹**余冠英《關於改詩問題》則認為它是「拼湊」的代表。**❷**
　　上述說法，以書面文學的習慣例解口頭文學，實際上是不能成
立的。據《毛傳》所注「興」的位置，所謂單行章段與複沓章段不

---

❹　孫作雲：〈詩經的錯簡〉，《詩經與周代社會研究》（北京：中華書局，
　　1966年），頁406－410。

❷　余冠英：〈關於改詩問題〉，《古代文學雜論》（北京：中華書局，1987
　　年）。

過是起興之調與和唱之調的關係。在口頭文學中，不同歌調的複合是很常見的，這根本不能用書面文學中的「錯簡」或「拼湊」來解釋。因此，合理的判斷應當是：根據《毛傳》，此詩首章的單行，是「興」的表現；後二章的複沓，則是在比歌方式影響下產生的詩歌體式。

值得注意的是：在《詩經》中，凡出現在作品前部的單行章段，基本上是含有起興之調的章段。這說明〈行露〉的格式是有普遍意義的，單行章段作品可以從興歌與比歌相結合的角度，予以解釋。幾千年來爭訟紛紜的《周南·關雎》的章節問題，正是這樣一個單行章段問題：

> 關關雎鳩，在河之洲。（《傳》：「興也。」）
> 窈窕淑女，君子好逑！
>
> 參差荇菜，左右流之。
> 窈窕淑女，寤寐求之。
> 求之不得，寤寐思服。
> 悠哉悠哉，輾轉反側。
>
> 參差荇菜，左右采之。
> 窈窕淑女，琴瑟友之。
>
> 參差荇菜，左右芼之。
> 窈窕淑女，鍾鼓樂之。

以上這種三段式，反映了《毛傳》和大部分詩經學家的理解。但它在歷史上卻遭遇了許多懷疑。鄭玄和孔穎達判這篇作品為五章，清俞樾判其為四章，今人則有原為三章、每章八句，因脫簡，第三章缺了四句之說。這些懷疑，大抵緣於對「興」或複沓的誤解。例如四章說乃以「關關雎鳩」、「參差荇菜」為「興」，認為每一興應為一章，「君子好逑」為衝突開始，「寤寐求之」為衝突至於高潮，「琴瑟友之」為衝突消解，「鍾鼓樂之」為衝突得以解決。❹脫簡說的理由則主要有三條：一是所謂〈關雎〉有「亂」，「參差荇菜」云云即其表現，不能單獨成章；二是所謂《周南》章法有規律，皆是三章，僅〈卷耳〉因錯簡竄入而成四章、〈關雎〉因脫簡而缺四句；三是脫簡在《詩三百》中很常見，凡章句不整齊者，都是由錯簡、脫簡、傳抄失誤造成的。❹其實，從單行章段的角度看，《毛傳》的三章說是正確無誤的。二章「參差荇菜，左右采之，窈窕淑女，寤寐求之」乃和三章「參差荇菜，左右采之，窈窕淑女，琴瑟友之」複沓。第一章單行四句即所謂「亂」，是一種同起興之調相應和的眾聲合唱。《論語·泰伯》說：「師摯之始，〈關雎〉之『亂』，洋洋盈耳哉！」劉台拱《論語駢枝》說：「合樂謂之亂」。《史記·孔子世家》說：「故曰〈關雎〉之亂以為風始。」這說明「亂」的本義就是合唱，《國風》是以〈關雎〉的亂聲為起始的，單行章段是亂聲的表現。

---

❹　林明德：〈試論詩經第一首——關雎〉，《中國傳統文學的探索》（臺北：巨流圖書公司，1981 年）。

❹　翟相君：〈關雎系脫簡殘篇〉，《北京師範學院學報》，1984 年第 3 期。

3.詩章章餘

　　和單行章段一樣，詩章章餘也是指一種有別於通常複沓形式的附加。但它往往見於各章節的尾部，表現為完全的重複。一種情況是有起興之調的章餘，如《周南·麟之趾》：

　　麟之趾，振振公子。（《傳》：「興也。」）于嗟麟兮！

　　麟之定，振振公姓。于嗟麟兮！

　　麟之角，振振公族。于嗟麟兮！

另一種情況是無起興之調的章餘，如《鄘風·桑中》：

　　爰采唐矣？沬之鄉矣。云誰之思？美孟姜矣。
　　期我乎桑中，要我乎上宮，送我乎淇之上矣。

　　爰采麥矣？沬之北矣。云誰之思？美孟弋矣。
　　期我乎桑中，要我乎上宮，送我乎淇之上矣。

　　爰采葑矣？沬之東矣。云誰之思？美孟庸矣。
　　期我乎桑中，要我乎上宮，送我乎淇之上矣。

出現在每章章末的重句「于嗟麟兮」和「期我乎桑中，要我乎上宮，送我乎淇之上矣」，即所謂「詩章章餘」。類似於前一例的作

品有《周南·漢廣》、《召南·鵲巢》、《鄘風·柏舟》、《魏風·園有桃》、《唐風·杕杜》、《唐風·有杕之杜》，類似於後一例的作品有《召南·騶虞》、《邶風·北門》、《衛風·芄蘭》、《王風·黍離》、《王風·君子陽陽》、《鄭風·褰裳》、《鄭風·溱洧》、《秦風·權輿》。現在我們知道：後一類「詩章章餘」，實際上是用重句的比歌；而根據《毛傳》所注「興」的位置，前一類「詩章章餘」則是和唱的表現（故緊接在「興」之後），所謂複沓乃緣於用多段比歌起興然後逐一和唱的方式，亦即《論語》所云「反之而後和之」的方式。

比、興方式在《詩經》中的應用是很靈活的。由於這一點，我們還看到了一些特殊的詩歌體式。例如以下幾首作品，便屬單行章段不起興的體式。或者說，它們是不比不興之歌與既比且興之歌的結合：

《秦風·車鄰》，首章不起興，成單行章段：

　　有車鄰鄰，有馬白顛。未見君子，寺人之令。

　　阪有漆，隰有栗（興）。既見君子，並坐鼓瑟：今者不樂，逝者其耋。

　　阪有桑，隰有楊（興）。既見君子，並坐鼓簧：今者不樂，逝者其亡。

《曹風·下泉》，末章不起興，成單行章段：

洌彼下泉，浸彼苞稂（興）。愾我寤歎，念彼周京。

洌彼下泉，浸彼苞蕭（興）。愾我寤歎，念彼京周。

洌彼下泉，浸彼苞蓍（興）。愾我寤歎，念彼京師。

芃芃黍苗，陰雨膏之。四國有王，郇伯勞之。

《魯頌·有駜》，末章不起興，但隨前數章而複沓：

有駜有駜，駜彼乘黃。夙夜在公，在公明明。振振鷺，鷺于
下（興）。
鼓咽咽，醉言舞。于胥樂兮！

有駜有駜，駜彼乘牡。夙夜在公，在公飲酒。振振鷺，鷺于
飛（興）。
鼓咽咽，醉言歸。于胥樂兮！

有駜有駜，駜彼乘駽。夙夜在公，在公載燕。自今以始，歲
其有！君子有穀，詒孫子。于胥樂兮！

與此相同的例子有《小雅·菁菁者莪》。它們反映了比歌與興歌對
詩歌創作的影響。

《墨子·公孟》有「誦詩三百，絃詩三百，歌詩三百，舞詩三

百」之說，傳述詩的方式並不止於比、興這兩種「歌」的方式。儘管如此，我們卻可以說，詩三百的基本體式是由比和興確定下來的。因為據統計，《毛詩》注「興」的作品在國風 160 篇中有 72 篇（45%），在小雅 74 篇中有 38 篇（51%），在大雅 31 篇中有 4 篇（13%），在三頌 40 篇中有 2 篇（5%）。其彼此之比，同前文所說迴環複沓作品的比例是很接近的。這意味著，絕大部分風詩和小雅詩曾經是以比歌或興歌的方式歌唱的。如果說《國風》是十五個地區的歌詩、《小雅》是由小樂隊表演的京周地區的世俗歌詩、《大雅》是由大樂隊表演的岐周宗廟紀祖德的歌詩、《頌》是祭祀樂歌，⑮那麼，《詩經》體制便應看作兩種傳播方式相作用的產物。其中以四言為主要辭式的特點以及問答體的特點，來源於古代祭祀所用的祝頌，故多見於《頌》和《大雅》；其中迴環複沓、起調與和調結合為用的特色，則來自民間比歌和興歌，故在《國風》和《小雅》中獲得廣泛應用。

(三) **雅和頌**

「雅」是從「佳」（《說文解字》釋為短尾鳥）之字。其上古音讀為 ngra 或 Ngra（N 為鼻冠音），音近於「烏」和「鴉」（均讀 nga）。參考漢語各親屬語言中「烏鴉」一詞的讀音：

藏語（夏河、澤庫、錯那等地）：khata，khada
納西語：layya，lyynga

---

⑮　朱東潤：《詩三百篇探故》（上海：上海古籍出版社，1981 年），頁 5-8，頁 47-71；家浚：〈詩經音樂初探〉，《音樂研究》，1981 年第 1 期。

彝語：ana，aniba

哈尼語：xana，ana

景頗語：ukha

壯語：yoka，ka

傣語：ka，kalam

侗語和布依語：a

水語：qa

土家語、么佬語和毛難語：ka

獨龍語：takka

可知「雅」原指鴉雀的鳴聲。此字在先秦典籍中最重要的義項，是因與「夏」字相通（「夏」上古讀 gra，「夏」、「雅」詞根相同）而代表語音的文讀或諸夏的普通話，亦即「雅言」之雅⑯；又進而指典範的音樂或中正平和的音樂，亦即「雅樂」之雅。⑰「頌」則是「容」的本字。據《說文解字》，其義為「兒」（貌），其籀文之形為「容頁」。後來與「容」分化，表示「美盛

---

⑯　參《論語・述而》皇侃疏及鄭玄注。劉寶楠云：「雅之為言夏也。孫卿《榮辱篇》云：『越人安越，楚人安楚，君子安雅，是非知能材性然，是注錯習俗之節異也。』又《儒效篇》云：『居楚而楚，居越而越，居夏而夏，是非天性也，積靡使然也。』然則雅、夏古字通。」

⑰　《論語・子罕》：「子曰：吾自衛返魯，然後樂正，雅頌各得其所。」《論語・陽貨》：「子曰：惡紫之奪朱也，惡鄭聲之亂雅樂也。」《詩大序》：「雅者，正也。言王政之所由廢興也。」揚雄《法言・吾子》：「中正則雅，多哇則鄭。」劉寶楠《論語正義》：「樂之風雅頌以律用，本之性情，稽之度數，協之音樂，其中正和平者，則俱曰雅頌云爾。」

德之形容」，如東周金文所說「其頌既好，多寡不訏」、「靈頌託商」。❹所以阮元《研經室集‧釋頌》說：「三頌各章，皆是舞容，故稱為『頌』。」顯而易見，如果說「風」和「賦」的對比是方音誦與雅言誦的對比，「比」和「興」的對比是賡歌與和歌的對比，那麼，六詩時代的「雅」、「頌」之別便可以理解為樂歌（配器樂之詩）與舞歌（配舞容之詩）之別。也就是說，在「六詩」中，風和賦是用言語來傳述詩的方式，比和興是用歌唱來傳述詩的方式，雅和頌則是加入「樂」的因素來傳述詩的方式。

對於雅和頌的上述涵義，古代學者已有認識。宋朱熹《楚辭集注》卷一說：「《頌》則鬼神宗廟祭祀歌舞之樂。」儘管這裡解釋的只是作為《詩經》組成部分的《頌》，而非作為詩的傳述方式的「頌」，但它揭示了這兩者所共有的「歌舞之樂」的涵義。同樣，在宋代王質《詩總聞》中，亦有雅為樂歌一說：此書卷一根據古代典籍的用例（例如《詩經》所云「以雅以南」、《禮記》所云「胥鼓南」、《左傳》所云「舞象箾南籥」），判斷「南」為樂歌之名；其卷九又根據古人的評論（例如季札觀小雅、大雅時所云「美哉⋯⋯其周德之衰乎」，「廣哉⋯⋯曲而有直體」云云），判斷「雅」為樂歌之名。也就是說，在王質看來，「雅」之作為《詩經》的類名，以及作為「六詩」的體名，這兩種情況是有聯繫的；而《小雅‧鼓鍾》所云「鼓鍾欽欽，鼓瑟鼓琴，笙磬同音，以雅以

---

❹ 　《𣴉氏壺》，《殷周金文集成》（北京：中華書局，1993 年 10 月、1994 年12 月），第 15 冊，頁 258－259（說明文字見頁 71）；《蔡侯盤》，《殷周金文集成》，第 16 冊，頁 175（說明文字見頁 45）。

南，以籥不僭」，則是指用諸種樂器來演奏「雅」、「南」兩種樂歌。㊾後來，孫作雲《說雅》一文對此作過詳細討論。㊿他認為，「以雅以南」的準確涵義是「以夏以南」；「雅」字指夏，因而指周樂。他的意思是：既然可以把「雅言」理解為「夏言」，即西周王畿一帶的官方語言，那麼，「雅樂」便可以解釋為王室貴族所用的樂歌，即西周王畿一帶的樂歌。以上兩種說法，儘管彼此對立，但在雅為樂歌這一點上卻可以統一起來，說明「雅」正是因為代表夏樂——王室之樂或配器之樂——而有了樂歌的涵義的。

漢語詞義演變有一個規律：特定詞語的後起涵義，總是由其早期涵義分化而成的；因此，早期涵義總是會作為後起詞義的底層，保留在已分化的不同詞義當中。我們在前面說過，《周禮》可以看作反映西周制度的文獻，「六詩」是比較早的藝術術語。因此，在風、賦、比、興、雅、頌的種種較後起的用法中，都可以看到「六詩」時代詞義的遺留。前文所引朱熹對「頌」的解釋，便源於頌為舞容這一涵義；又如風俗、風刺、風動（「風之動以有聲」）等義項，都和表示方音誦的「諷」的涵義有所對應。同樣，關於雅為「正」、為律呂、為樂器、為中原之聲、為朝廷之音的資料㊶，亦隱含了「雅」為王室樂歌這一涵義，證明它是一個較原始的涵義。《毛詩序》所云「頌者，美盛德之形容，以其成功告於神明者

㊾　〔宋〕王質：《詩總聞》（清道光二十六年錢氏刊本），卷 13，頁 11。

㊿　孫作雲：《說雅》，《詩經與周代社會研究》（北京：中華書局，1966年），頁 332–342。

㊶　參見張西堂：《說雅》，《詩經六論》（北京：商務印書館，1957 年），頁109。

也」，則源自「頌」為舞歌的涵義。阮元《研經室集·釋頌》說過，頌訓「形容」，是其本義；訓「美盛德」，是其餘義。他的意思就是說：通過餘義推求本義，可以證明「三頌各章，皆是舞容，故稱為頌」的原理。

周代大師以「雅」的方式教詩，其成效，在《詩經》所錄全為樂歌一說中也得到了反映。因為一旦把樂歌方式確認為傳述詩的重要方式，那麼，作為樂歌的「雅」就有成立的理由。毫無疑問，這一理由擁有非常堅強的證據：

1.關於歌詩方式的記載。例如《左傳·襄公二十九年》記載：吳公子季札觀周樂於魯，當時十五國風、二雅皆用「工歌」，季札為此使用了「五聲和、八風平」一類音樂化的評論語言。又《墨子·公孟篇》云：「誦詩三百，絃詩三百，歌詩三百，舞詩三百。」《鄭風·子衿》毛傳：「古者教以詩樂，誦之，絃之，歌之，舞之。」據此可知，詩三百篇都曾經奏入「工歌」或「絃歌」。

2.關於詩歌採集和整理方式的記載。例如《漢書·食貨志》說：「行人振木鐸徇于路以采詩，獻之太師，比其音律。」《史記·孔子世家》說：「孔子語魯太師：『吾自衛反魯，然後樂正，雅頌各得其所。』」「三百五篇，孔子皆絃歌之，以求合《韶》、《武》、《雅》、《頌》之音。」這些記載表明：詩原是由樂師所掌，比於音律而奏於絃歌的。

3.《詩經》中的樂舞資料。據統計，見於《詩經》的打擊樂器有鼓、鼗、賁鼓、應、田、縣鼓、鼟鼓、鐘、鏞、南、鉦、磬、缶、雅、柷、圄、和、鸞、鈴、簧等二十一種，吹奏樂器有簫、

管、簫、塤、篪、笙等六種，彈絃樂器有琴、瑟等二種：總共二十九種樂器。❷這些器樂一般用於賓迎、燕饗、祭祀等禮儀場合，例如：

> 〈關雎〉：「琴瑟友之」，「鍾鼓樂之」；
>
> 〈車鄰〉：「既見君子，並坐鼓瑟」，「既見君子，並坐鼓簧」；
>
> 〈鹿鳴〉：「我有嘉賓，鼓瑟鼓琴」；
>
> 〈甫田〉：「琴瑟擊鼓，以御田祖，以祈甘雨」；
>
> 〈賓之初筵〉：「籥舞笙鼓，樂既和奏，烝衎烈祖，以洽百禮」。

可見《儀禮·鄉飲酒禮》所記載的奏詩制度是真實存在過的，這些詩句即對周代的奏詩制度作了形象的反映。它們證明：詩之用就是禮樂之用，《詩經》所錄全為樂歌一說可以成為定讞。事實上，作為樂歌的「雅」，也就是指這種儀式化的奏詩之法——在器樂伴奏之下歌詩。從這一角度看，《墨子·公孟篇》所云「誦詩三百、絃詩三百、歌詩三百」云云，分別指的就是風和賦（「誦詩」）、比和興（「歌詩」）、雅（「絃詩」）、頌（「舞詩」）等四種傳述詩的方式。「雅」相當於其中的「絃詩」。

---

❷ 朱謙之：《中國音樂文學史》（北京：北京大學出版社，1989 年），頁 83－84；楊蔭瀏：《中國古代音樂史稿》（北京：人民音樂出版社，1980 年），頁 41。

在古代中國人看來，我們現在所說的「音樂」，原包括「聲」、「音」、「樂」三個層次。「聲」是最低等級的音樂，人心有所動便能發聲；「音」是有組織的聲，亦即樂聲或能夠表情達意的聲；「樂」則是最高級的音樂，只有符合天地本性，或者說能夠節制人欲、啟發人善的和美之音才是「樂」。❸這種「樂」的觀念實際上是以宮廷雅樂為根據的，故它一般指的是儀式音樂或有組織的器樂。這一觀念在歷代目錄學著作中均有明確體現，例如《漢書·藝文志·六藝略》的「樂」類著錄六家作品，依次為《樂記》、《王禹記》、《雅歌詩》、《雅琴趙氏》、《雅琴師氏》和《雅琴龍氏》：前兩家關於宮廷禮儀之樂，後四家則關於絃詩或七絃琴之樂。「雅琴」一名，說明古代人原有以七絃琴藝術為「雅」的習慣；而在《詩賦略》中，另有《雜歌詩》等音樂文學作品，恰好同《雅歌詩》形成明顯對比，又說明「雅歌詩」之「雅」指的是絃歌或配合雅琴而歌。這類習慣，無疑有古老的來源。

有必要辨明的是：六詩中的「雅」、「頌」與《詩經》中的《雅》、《頌》，是不可等同的兩件事物。「六詩」是教詩之方式，《詩經》是用詩之文本，兩者有關聯也有差異。後者較晚起，故《雅》、《頌》可包括樂歌與舞歌的涵義，但又不止於指稱樂歌和舞歌。從現有資料看，上述兩者的主要分別大致是：《雅》是儀式樂歌，而「雅」卻是絃歌；《頌》是祭祀樂歌，而「頌」卻是舞

---

❸ 參見《禮記·樂記》。例如說：「凡音者，生於人心者也。樂者，通倫理者也。是故知聲而不知音者，禽獸是也；知音而不知樂者，眾庶是也。唯君子為能知樂。是故審聲以知音，審音以知樂，……知樂則幾於禮矣。」

歌。這一分別是通過樂歌用於禮儀、舞歌用於祭祀的長期實踐活動形成的。茲稍作補充論證如下：

關於《頌》為祭祀樂歌，《大雅》為周天子的禮儀歌，歷代《詩經》注家均有考釋。高亨《周頌考釋》並據周秦間的禮制記載，逐一考察了《周頌》三十一篇作品在祭祀儀式上的應用。**❺❹**而《荀子・樂論》所載的以下兩句話：

> 故聽其雅頌之聲，而志意得廣焉；執其干戚，習其俯仰屈伸，而容貌得莊焉。

> 姚冶之容，鄭衛之音，使人之心淫；紳端章甫，舞韶歌武，使人之心莊。

則表明「頌」的方式——舞歌的方式，的確是詩教的一種方式。

關於《小雅》用於儀式，則在其作品中有豐富的內證。例如：

1. 《詩經・小雅》中往往記有儀式內容。如〈鹿鳴〉說：「我有嘉賓，鼓瑟吹笙。吹笙鼓簧，承筐是將。……我有嘉賓，鼓瑟鼓琴。鼓瑟鼓琴，和樂且湛。」《毛詩序》：「〈鹿鳴〉，燕群臣嘉賓也。」〈南有嘉魚〉說：「君子有酒，嘉賓式燕以樂」，「君子有酒，嘉賓式燕以衎」。《毛詩序》：「樂與賢也。」可見此二詩產生於宴饗群臣嘉賓場合。又如〈楚茨〉、〈信南山〉、〈甫

---

❺❹ 高亨：《周頌考釋》，《中華文史論叢》（上海：中華書局上海編輯所），第 4 輯（1963 年）至第 6 輯（1965 年）。

田〉、〈大田〉是順序相連的四首詩。〈楚茨〉說：「以為酒食，以享以祀，以妥以侑，以介景福」，「諸父兄弟，備言燕私」。〈信南山〉說：「祀事孔明，先祖是皇，報以介福，萬壽無疆。」〈甫田〉說：「琴瑟擊鼓，以御田祖。」〈大田〉說：「饁彼南畝，田畯至喜，來方禋祀，以其騂黑，與其黍稷。」可見此四詩都是用於祭祀儀式的宴歌。

　　2.它們往往按儀式的需要彼此組合，現存的作品文本順序仍反映了這種需要。例如據《儀禮・鄉飲酒禮》、《燕禮》和《左傳・襄公四年》記載，〈鹿鳴〉、〈四牡〉、〈皇皇者華〉三篇是一組燕群臣嘉賓的詩歌。《左傳》有云：「〈鹿鳴〉，君所以嘉寡君也，敢不拜嘉？〈四牡〉，君所以勞使臣也，敢不重拜？〈皇皇者華〉，君教使臣曰：『必諮於周。』……臣獲五善，敢不重拜？」仍然反映了春秋時代的儀式歌面貌。又如自〈常棣〉至〈杕杜〉六篇為天子所用的宴饗之歌，亦即《毛詩序》所云「燕兄弟」、「燕朋友故舊」、「勞還役」之歌；自〈魚麗〉至〈由儀〉九篇為燕饗儀式中的工歌，在《儀禮・鄉飲酒禮》和《燕禮》的記載中，它們分別用於升歌、笙奏、間歌和合樂；自〈蓼蕭〉至〈菁菁者莪〉四篇為貴族燕飲時的祝頌之詞，故〈蓼蕭〉有云「既見君子」、「燕笑語兮」、「壽考不忘」，〈湛露〉有云「厭厭夜飲，在宗載考」，〈彤弓〉有云「我有嘉賓」、「鍾鼓既設」；自〈楚茨〉至〈大田〉四篇為祭祀後的宴歌，其證據已見上文。此外，據各家注，自〈六月〉至〈無羊〉十四篇均產生在周宣王之時，其內容多記征伐、田獵、宮室，應是用於軍禮或賓嘉大禮的組歌；自〈節南山〉至〈鼓鍾〉、自〈瞻彼洛矣〉至〈何草不黃〉共四十篇，《毛

詩序》均注為「刺幽王」之詩，詩中多有「家父作誦」、「褒姒滅之」、「寺人孟子，作為此詩」一類具時代特色的詞語，其內容則往往關於行役、盟會、婚禮、宴樂、賞賜大典、營治城邑，應是兩周之交時期的儀式樂歌。

3.《詩經》研究者談過一個「雅中之風」的問題，即指出在小雅中有許多具民謠風格的作品。值得注意的是：這些作品往往保留了因用於儀式而被改造的痕跡。例如〈皇皇者華〉的首章是女子思征夫之歌❺❺，其它各章則改為第一人稱，用來讚美諸侯朝周❺❻；〈都人士〉二至五章讚美士女容飾，似是戀歌，而其首章則改為讚美諸侯朝周。❺❼又如〈采薇〉、〈出車〉、〈小明〉都在特定段落用了「昔我往矣」、「今我來思」的民歌套語，但其它部分寫的卻是奏凱（〈采薇〉）、伐戎（〈出車〉）和「神之聽之，介爾景福」（〈小明〉）。此外，按照陳子展《詩經直解》的看法，這些作品往往有「本義」、「樂章義」兩種主題的區別。〈杕杜〉的本

---

❺❺ 據孫作雲：《論二雅》，《詩經與周代社會研究》（北京：中華書局，1966年），頁 343－402。

❺❻ 《墨子・尚同中》：「古者國君諸侯之以春秋來朝聘天子之廷，受天子之嚴教，退而治國，政之所加，莫敢不賓。當此之時，本無有敢紛天子之教者。《詩》曰：『我馬維駱，六轡沃若，載馳載驅，周爰咨度。』又曰：『我馬維駰，六轡若絲，載馳載驅，周爰咨謀。』即此語也。」文中所引詩句見于〈皇皇者華〉。

❺❼ 參見孫作雲〈詩經的錯簡〉，同注❹❶。此文判斷〈都人士〉首章為美諸侯朝周的理由是：詩中有云「狐裘黃黃」，「行歸于周，萬民所望」，狐裘是諸侯的衣服，周是周京；《禮記・緇衣》曾引用此章來說明「長民者」的威儀；包括漢熹平石經所刻魯詩在內的三家詩都不載此章。

義是婦人思征夫，《毛詩序》指其樂章義為「勞還役」；〈魚麗〉的本義是捕魚，《毛詩序》指其樂章義為「美萬物盛多能備禮」；〈黃鳥〉的本義是棄婦或流浪者思鄉，鄭玄指其樂章義為刺宣王以陰禮教親而不至；〈黍苗〉的本義是役夫敘述召穆公營治謝邑，韋昭、杜預指其樂章義為「美召伯勞來諸侯」。❺這種改造還廣泛見於由興歌與正歌相結合的作品。例如〈鹿鳴〉和〈南有嘉魚〉分別以「呦呦鹿鳴，食野之苹」、「南有樛木，甘瓠纍之」等民歌風格的語句起興，其正歌部分卻以「燕樂嘉賓」、「嘉賓式燕以樂」為主題；〈伐木〉和〈湛露〉分別以「伐木丁丁，鳥鳴嚶嚶」和「湛湛露斯，匪陽不晞」起興，其正歌部分詠的卻是「坎坎鼓我，蹲蹲舞我」、「厭厭夜飲，在宗載考」的大型宴會；〈采菽〉和〈斯干〉分別以「采菽采菽，筐之筥之」、「秩秩斯干，幽幽南山」起興，其正歌部分卻詠「君子來朝」和「似續妣祖，築室百堵」的慶典。類似的情況還見於〈常棣〉、〈南山有臺〉、〈蓼蕭〉、〈菁菁者莪〉、〈采芑〉、〈鴻雁〉、〈節南山〉、〈小宛〉、〈小弁〉、〈巷伯〉、〈谷風〉、〈蓼莪〉、〈瞻彼洛矣〉、〈裳裳者華〉、〈桑扈〉、〈鴛鴦〉、〈頍弁〉、〈車舝〉、〈菀柳〉、〈隰桑〉。在這些作品中，興歌的民間風格與正歌部分的儀式風格，形成了較鮮明的對比。

總之，《詩經》時代的《雅》和《頌》，分別代表儀式樂歌和祭祀樂歌。從流變角度看，它們分別是後世「燕射歌辭」和「郊廟歌辭」的分類基礎。但從緣起角度看，它們又是從「六詩」時代的

---

❺　《國語·晉語四》韋昭注、《左傳·襄公十九年》杜預注。

這樣一種早期涵義中演變而來的：「雅」為絃歌，「頌」為舞歌。

三、從「六詩」到「六義」

中國的《詩經》學是圍繞「毛詩」而展開的。儘管歷代學者對待《毛詩》序、傳的態度迥不相同，但他們的研究卻逐漸肯定了這樣一個事實：毛氏詩說並不是一個自我完足的理論系統。根據以下跡象，其不同部分乃產自不同時期。

1.《毛詩》的序文和傳文存在相當程度的差異。例如《毛傳》釋《邶風·靜女》為「女德貞靜而有法度」，「既有靜德，又有美色，又能遺我以古人之法」，而《毛序》則說「刺時也，衛君無道，夫人無德」：兩者明顯相迕。又如《毛傳》釋《鄭風·出其東門》為「願室家得相樂也」，《毛序》則說「男女相棄，民人思保其室家」：兩者亦相逕庭。❺❾

2.在歷來的看法中，《毛詩序》關於詩歌總論的部分（俗稱「大序」）和關於各篇主題的部分（俗稱「小序」），作者不同。例如陸德明《經典釋文》引沈重說：「案鄭《詩譜》意，大序是子夏作，小序是子夏、毛公合作。卜商意有不盡，毛更足成之。」鄭玄《詩》注則把《序》、《傳》看作兩個時代或兩種級別的作品，凡注於《毛傳》之下必稱「箋云」，注於《詩序》之下不用此稱。

3.若作仔細辨認，可知小序並非出自一手。其中「首序」（首

---

❺❾ 此類情況，曹粹中曾舉出《羔羊》、《鵲巢》、《君子偕老》等詩為證，張西堂又舉出〈關雎〉、《葛覃》、《芣苢》、《采蘋》、《小星》、《竹竿》、《東方之日》、《綢繆》、《無衣》、《摽有梅》等十餘證。見《詩經六論》（北京：商務印書館，1957年），頁 129-130。

二句）和此後的申續之詞（一稱「後序」）聯繫較為鬆散❻，語多重複或矛盾；其後序之文亦繁簡不一，有被人足成的痕跡。例如《召南·江有汜》序云「勤而無怨，嫡能悔過也……媵遇勞而無怨，嫡亦自悔也」，前後顯然重複。《周頌·絲衣》序云「繹賓尸也，高子曰靈星之尸也」，前後顯然矛盾。又《鄘風·載馳》的首序已有「許穆夫人作也，閔其宗國顛覆」的解釋，故後序所謂「衛懿公為狄人所滅……許穆夫人閔衛之亡」云云屬贅詞，是後人添加上去的。

4.在此序與彼序之間，也出現了一些相互矛盾的情況。❻

這些情況說明了什麼呢？它說明，《詩傳》、《詩小序》、《詩大序》、《詩小序》的後序這四樣東西，並非出自一人之手；至少，《毛詩》序、傳雜集了不同時代的思想資料。比較而言，詩傳的內涵最為古遠。因為按照漢代文獻的記載，毛亨所作的《詩傳》應成書於戰國後期；而據陳奐《毛傳淵源通論》，《毛傳》立說的依據早見於先秦各種典籍。《詩小序》的首序次之。六笙詩首序之後「有義無辭」等語，便表明此首序傳自秦火之前。故程大昌

❻ 〔明〕郝敬《毛詩原解·讀詩》：「《詩序》相傳為子夏與毛公合作，今案各序首一句為各詩根柢，下文皆申明首句之意。故先儒謂「首序」作自子夏，餘皆毛公增補，今觀首序簡當精約，非目巧可撰。古人有詩即有題，或國史標注，或掌故記識，曾經聖人刪正，決非苟作。」《續修四庫全書》（上海：上海古籍出版社，2002 年影印明萬曆郝氏刻《九經經解》本），第58 冊。

❻ 參見〔清〕陳澧《東塾讀書記》卷六，《四部備要》（臺北：中華書局 1966年 3 月）；又見〔宋〕朱熹《詩序辨說》，《學津討原》（揚州：江蘇廣陵古籍刻印社，1990 年），第 11 冊，頁 639－672。

《詩論》說：「凡詩發序兩語，如『〈關雎〉，后妃之德也』，世人之謂小序者，古序也。」相比之下，詩大序的產生時代當屬最晚——它所反映的實際上是漢初的儒家詩論。例如大序所謂「所以風天下而正夫婦也」、「言天下之事，形四方之風」、「正始之道，王化之基」云云，都帶有大一統的色彩，而不同於《論語》時代的詩說62；又據《詩古微》所附《毛詩大序義》，此大序「與三家詩如出一口」，應當是漢代學者所作。63總之，以上判斷意味著：毛傳所注「興也」云云，其依據可以推至西周的六詩說；而大序所云「六義」，則可判為秦漢間的思想。換句話說，從六詩到六義，經歷了內容豐富的歷史過程。若要在這兩者之間劃出幾個大致的階段，那麼，第一段應是以樂教為中心的時期，第二段應是重在樂語之教的時期或以詩為聘問歌詠之手段的時期，第三段則是「聘問歌詠不行于列國」而以德教為中心的時期。詩的功能變化了，才有六詩涵義的蛻變。

㈠ 樂教：詩之用於儀式和勸諫

詩的最基本的功能，可以從「詩三百」的內容中見出。按其時

---

62 見董治安：《先秦文獻與先秦文學》（濟南：齊魯書社，1993 年），頁 16－17。又，關於毛詩各部分的時代，《四庫提要》的意見是小序首二句最早，在毛萇之前；後序稍次，在毛萇之後。陳允吉《詩序作者考辨》（載《中華文史論叢》，1980 年 1 期）意見大致相同，但云毛萇應改為毛亨。至於詩大序作于子夏一說，則一般贊同清崔述《讀風偶識》的看法，認為此說出自託古的需要。

63 〔宋〕程大昌《詩論》亦云：「世人之謂小序者，古序也。兩語以外，續而申之，世謂大序者，（衛）宏語也。……六（笙詩）序兩語之下，明言有義亡辭，知其為秦火以後，見序而不見詩者所為也。」

代先後，詩三百大致包括五個類別：1.郊廟祭祀之歌，2.王室朝會典禮之歌，3.貴族享宴之歌，4.貴族所作感歎身世、發抒悲怨的「怨刺」詩，5.春秋時代流行於各國的婚戀詩、農事詩、征役詩等。其中時代較早的作品往往有兩個特點：用敘事體；以頌讚為內容，有明顯的儀式成份。例如《商頌》中的〈長發〉、〈玄鳥〉等敘述了商王朝建立時期的神話和歷史，可判為殷人立廟祭祖之歌；據《左傳·宣公十二年》、《莊子·天下》、《呂氏春秋·古樂》、《國語·周語上》等文獻，《周頌》大多是宗廟祭祀之歌，其中〈武〉、〈賚〉、〈般〉、〈酌〉、〈桓〉、〈時邁〉等篇章可以考定為武王、周公時的作品；《大雅》中的〈生民〉、〈公劉〉等五篇史詩分別記述了自周始祖后稷至周文王、武王歷代民族領袖的英雄業績，亦曾用於祭禮(64)；而《大雅》中的〈崧高〉、〈烝民〉、〈江漢〉、〈常武〉等則是周宣王時的作品，由史臣所作，歌頌周王君臣平定亂邦、錫命諸侯。與此相關聯，在《詩經》「雅」、「頌」部分，處處可見「思皇多祜」、「有秩斯祜」、「自求伊祜」、「祈年孔夙」、「以祈黃耇」、「興雨祈祈」一類用於宗教儀式的祝禱語句。這就表明，用於儀式上的記誦、祝禱或頌讚，是早期詩歌最基本的功能。

事實上，如果沒有儀式活動，那麼，既不會有詩三百的結集，甚至也不會有「詩」這種文學樣式的產生。關於這一點，少數民族資料是很雄辯的證明。若對現存的少數民族詩歌作一研究，那麼可以發現，其中以神話史詩和祭祀祝誦歌最為原始，這些詩歌一般都

---

(64) 參見拙稿《詩三百年表》，待刊。

採用了比較嚴整的格律。例如「梅葛調」的彝族創世史詩和高山族的〈猴祭歌〉，使用了在各民族詩歌中佔主流地位的五音節（即漢族所謂「五言」）體；栗僳族的《創世紀》用一段固定唱詞開頭，代表了少數民族詩歌所特有的套式；高山族詩歌有自由體，但祭祀歌卻遵守嚴格的格律；鄂溫克族的長篇敘事詩一概有固定歌詞和曲調，押韻，對仗，節奏規整；在景頗族民歌中最講格律的歌調是「齋瓦」，亦即最古老的祭祀歌；納西族民歌的排比句形式在《東巴經》中運用最廣，特別是多見於《創世紀》；畲族的長篇敘事歌則用假聲唱出。⑥⑤如果考慮到少數民族巫師有記誦歷史的職責⑥⑥，考慮到這種情況同樣見於《周禮·春官》（其中有關於瞽矇司掌用韻文記誦歷史的記載），那麼，儀式記誦便可判為詩最早也最重要的應用方式。其中的道理有三：1.詩代表了一種非常的語言，只有通過儀式才可能得到傳播；2.韻文的形式要求實際上反映了儀式或儀式敘述的要求，因為在古人看來，神聖的儀式與超現實的文學語言之間存在一種對應；3.這種美文同日常語言最重要的區別是便於記誦，韻文最基本的體裁特點——相對整齊的句式、同誦唱音樂相對應的韻律、一定數量的語言套式，正是服務於記誦和傳播的。

---

⑥⑤　參見以下二書：《少數民族民歌格律》（西藏：人民出版社，1986 年版）；《民間詩律》（北京：北京大學出版社，1987 年版）。

⑥⑥　關於巫師記誦歷史的職責，茲以阿昌族史詩《遮帕麻和遮米麻》（昆明：雲南人民出版社，1983 年）為證。詩云：「阿昌的子孫啊，你記不記得阿公阿祖走過的路？你知不知道我們阿昌的歷史？你曉不曉得造天織地的天公和地母？曉不得大樹的年輪算不得好木匠，不懂法術就做了活袍（巫師），曉不得祖宗怎麼獻家神？」。

　　當我們把「雅」、「頌」看作詩三百的兩種不同的傳述方式
——樂歌方式和舞歌方式之時，實際上，我們已經表述了這樣一個
意見：詩三百都曾用於儀式。類似的意見也見於黃奇逸的《歷史的
荒原》。他認為詩三百篇在其初作之時大多是祭歌或挽歌。❻這種
情況是不難理解的，因為即使是民間歌唱，也以各種儀式歌擁有最
多的流傳機會，因而最可能得到采集。但我們現在想特別指出來的
是：只要根據周代的樂教情況，我們就可以判斷，詩三百最普遍的
應用方式是儀式。或者說，一旦進入官府，詩的第一重身份便是儀
式樂歌的身份。

　　一個明顯的證據是，詩三百首先是因為儀式需要而采集的。因
為周官掌詩、教詩的目的是為樂歌服務。《漢書‧食貨志》的說法
是：「行人振木鐸徇于路以采詩，獻之太師，比其音律。」而據
《周禮‧春官》，詩之樂教是在瞽矇與大師之間進行的活動。瞽矇
的職責是「掌九德六詩之歌，以役大師」，即負責在儀式上歌詩、
誦詩和奏詩；而大師的主要職責則是指導瞽矇學習並表演「六
詩」，亦即負責以下項目：

　　1.在舉行大型祭祀活動時帥瞽矇演奏堂上之樂、唱詩（「登
歌」），在登歌之後指揮堂下的笙工瞽矇以樂器演奏詩樂。此即
《春官》所云「大祭祀，帥瞽登歌，令奏擊拊；下管播樂器，令奏
鼓鞞」。據賈公彥疏，「登歌」云云指的是下神合樂之時的堂上之
歌（「大師帥取瞽人登堂，於西階之東，北面坐，而歌者與瑟以歌

❻　黃奇逸：《詩的祭歌、挽歌性質百例》，《歷史的荒原》（成都：巴蜀書
　　社，1995 年）。

詩也」），「下管」云云指的是登歌之後在堂下以匏竹等樂器「播揚其聲」。

2.在舉行朝會饗宴儀式之時，指揮瞽矇以同樣的方式表演升歌和下管。此即《春官》所云「大饗亦如之」。賈公彥疏：「此大饗，謂饗諸侯來朝。」

3.在舉行賓射、燕射等禮儀活動時帥瞽矇唱詩以作為射禮的節奏。此即《春官》所云「大射，帥瞽而歌射節」。

4.在行師出軍之日，吹律、合音、歌詩，以預卜吉凶。此即《春官》所云「大師，執同律以聽軍聲而詔吉凶」。襄公十八年《左傳》所記師曠歌北風、南風以卜晉師氣象及勝負的故事，便是「聽軍聲而詔吉凶」的實例。

總之，從大師的職掌可以了解詩的功能：詩是由於政治目的而創作或收集到宮廷中來的。在以祀與戎為國家大事的年代，服務於國家禮儀是詩的最重要的功能。樂教是早期詩歌傳授的主要方式。

以上關於詩歌功能或樂教之意義的論述，除許多詩篇所含的儀式內容外，在關於周代詩歌用度的記載中也得到了證明。根據《周禮》、《儀禮》、《禮記》等典籍，奏詩是周以來國家禮儀的重要節目。例如《周頌·清廟》曾用於三種場合：以禘禮（夏祭）祀周公於太廟時的升歌，以大饗禮延引兩君相見時的升歌，天子視學時的登歌。❻⑧這三者是有一致性的，因為登歌就是升歌。《禮記·祭統》說：「夫祭有三重焉：獻之屬莫重於祼，聲莫重於升歌，舞莫重於《武宿夜》。」這裡便講到了升歌作為始奏之歌的意義

---

⑧ 見《禮記》之〈明堂位〉、〈祭統〉、〈仲尼燕居〉、〈文王世子〉等篇。

（「重」是「始」的意思）。考慮到〈清廟〉是《周頌》的第一篇，〈武宿夜〉是《大武》的第一成，因此，「莫重於升歌」云云，可以理解為在升歌〈清廟〉之後，次第歌唱《周頌》的其它篇章。換言之，從〈清廟〉可以見出頌在儀式中的應用。至於《小雅》、《國風》之用於儀式，其例則有《小雅·楚茨》、〈信南山〉、〈甫田〉、〈大田〉等篇章所記的祭祖考、祭社神、祭方神、祭田祖之禮，以及《儀禮》所記的燕禮（燕饗儀式）、鄉射禮和鄉飲酒禮。燕禮和鄉飲酒禮的大體程序是：

1. 告戒設具，君臣就位，迎賓獻賓，賓主互酬。
2. 主人依次向公、卿、大夫獻酒。
3. 升歌：樂工從西階升堂，面北就席，歌〈鹿鳴〉、〈四牡〉、〈皇皇者華〉。
4. 奏笙：笙入堂下，立於縣中，奏〈南陔〉、〈白華〉、〈華黍〉。
5. 閒歌：「乃閒歌〈魚麗〉、笙〈由庚〉，歌〈南有嘉魚〉、笙〈崇丘〉，歌〈南山有臺〉、笙〈由儀〉」。
6. 合樂：歌鄉樂（鄭玄注：「鄉樂者風也」）《周南》：〈關雎〉、〈葛覃〉、〈卷耳〉；〈召南〉：〈鵲巢〉、〈采蘩〉、〈采蘋〉。工告樂正說：按禮儀規定正式演奏的樂歌已備奏。樂正告於賓，乃下堂。射禮則在迎賓獻賓、賓主相酬之後，有合樂樂賓的節目：樂工立於西階，笙立於縣中，合奏《周南》三曲、《召南》三曲。

據《周禮·春官·樂師》、《鍾師》、《夏官·射人》和《禮記·射義》，在次第射獲時按以下制度奏詩：天子以六耦射熊、

虎、豹三侯，樂奏〈騶虞〉，取「壹發五犯」之義表多得賢才；諸
侯以四耦射熊、豹二侯，樂奏〈貍首〉，取「小大莫處，御于君
所」之義表歡樂適時；卿大夫以三耦射一侯，樂奏〈采蘋〉，取
「于以采蘋，南澗之濱」之義表遵循法度；士以三耦射豻侯，樂奏
〈采蘩〉，取「被之童童，夙夜在公」之義表奉公守職。每歌一終
為一節，以節之多寡表示尊卑之差。所奏〈貍首〉為佚詩，其名著
錄於《樂記》；另三首在《國風·召南》。

　　此外，行投壺禮時亦有詩歌伴奏：

> 《大戴禮·投壺》：「凡雅二十六篇。其八篇可歌，歌〈鹿
> 鳴〉、〈貍首〉、〈鵲巢〉、〈采蘩〉、〈采蘋〉、〈伐
> 檀〉、〈白駒〉、〈騶虞〉；八篇廢，不可歌；七篇
> 〈商〉、〈齊〉，可歌也；三篇閒歌。〈史辟〉、〈史
> 義〉、〈史見〉、〈史童〉、〈史謗〉、〈史賓〉、〈拾
> 聲〉、〈叡挾〉。」（案〈史辟〉等八篇即廢而不歌之
> 詩。）

「三禮」所提到的以上詩篇，均用於燕射儀式而非宮廷大禮。其中
有《小雅·鹿鳴》、〈四牡〉、〈皇皇者華〉、〈魚麗〉、〈南有
嘉魚〉、〈南山有臺〉、〈白駒〉等七篇，用於燕禮、鄉飲酒禮、
投壺禮的堂上之歌；有《小雅》六笙詩〈南陔〉、〈白華〉、〈華
黍〉、〈由庚〉、〈崇丘〉、〈由儀〉，用於燕禮、鄉飲酒禮的
「閒歌」，即在堂下為堂上之歌相和；有「鄉樂」——《周南》和
《召南》中的〈關雎〉、〈葛覃〉、〈卷耳〉、〈鵲巢〉、〈采

藜）、〈采蘋〉、〈騶虞〉等七篇，用於燕禮、鄉飲酒禮、大射和鄉射禮的堂下「合樂」。它們都是周代制度所規定的樂歌。它們反映了樂教之制對於燕射禮儀的意義；同時也證明，即使在燕射禮儀中，也有繁縟的節次，有細緻的音樂配合。

關於詩歌在禮儀中的具體應用，《左傳·襄公四年》及《國語·魯語下》所載「穆叔如晉」事亦作了較詳細的描述。其大意云：

> 魯國大臣穆叔去晉國，晉侯設享禮招待他。樂器演奏〈肆夏〉的三章，穆叔沒有答拜；樂工歌唱〈文王〉三曲，又沒有答拜；等到歌唱〈鹿鳴〉三章之時，才三次答拜。韓獻子派行人子員去問他，說：「你舍棄重要的禮樂而反覆答拜細小的禮樂，這是什麼禮儀呢？」穆叔回答說：「〈肆夏〉、〈韶夏〉、〈納夏〉等音樂，是天子用來招待諸侯領袖的，使臣不敢聽到。〈文王〉、〈大明〉、〈綿〉等樂歌，是兩國國君相見之樂，使臣不敢參預。〈鹿鳴〉是君王用來嘉獎寡君的，我怎敢不拜謝這種嘉獎？〈四牡〉是君王用來慰勞使臣的，我怎敢不再拜？〈皇皇者華〉是君王教導使臣要向忠信之人諮詢，我獲得諮詢的善德，怎敢不再三拜謝？」

由此可以理解三個事實：1.上述詩歌確曾用於儀式。2.詩歌同儀式的關係是：一定的音樂風格對應於一定的禮儀節度，一定的詩歌內容對應於一定的倫理要求。3.同儀式相對應的樂教，因而包括詩歌分類這一內容。也就是說，中國早期的詩歌分類，其實質是儀

式分類。例如〈肆夏〉三曲、〈文王〉三曲、〈鹿鳴〉三曲不僅分別代表了「頌」、「大雅」、「小雅」三種詩歌,而且代表了禮儀及倫理的三個重要等級。──據《周禮》和《禮記》記載,〈肆夏〉、〈王夏〉、〈大夏〉等「九夏」是周王用於大祭禮、大饗、大射等重要儀式的音樂。《禮記·郊特牲》說:「大夫之奏〈肆夏〉也,由趙文子始也。」說明在趙文子之前,「九夏」是嚴格地用於祭祀大禮及諸侯燕饗之禮的。〈文王〉、〈大明〉、〈綿〉等亦為君王之樂,但可用於兩君(諸侯)相見,故它在《詩經》中編入《大雅》。而《小雅》、「二南」諸樂章則用於天子與眾卿大夫同樂的場合,但其中有《小雅》歌於堂上、「二南」奏於堂下的區別。

詩三百用於儀式,這種情況自然會對其作品產生深刻的影響。我們可以看到以下兩類比較明顯的遺跡:

其一,無論三《頌》、二《雅》還是《國風》,都曾用為賓嘉祭祀等禮儀中的樂歌。《左傳·襄公二十九年》中的季札觀樂,便反映十五《國風》和《雅》、《頌》一樣,在魯地曾用於樂工的演奏。因此,除《雅》、《頌》而外,《國風》也保留了很多關於樂舞和樂器表演的記錄。例如關於籥和琴瑟的記錄有《邶風·簡兮》(萬舞:「左手執籥,右手秉翟」)、《鄘風·定之方中》(作楚宮:「樹之榛栗,椅桐梓漆,爰伐琴瑟」)、《鄭風·女曰雞鳴》(「琴瑟在御,莫不靜好」)和《唐風·山有樞》(「子有酒食,何不日鼓瑟」);關於鐘鼓的記錄有《邶風·擊鼓》(「擊鼓其鏜,踊躍用兵」)、《唐風·山有樞》(「子有鍾鼓,弗鼓弗考」)和《陳風·宛丘》(「坎其擊鼓,宛丘之下」);關於籥、

管的記錄則有《秦風·車鄰》（「既見君子，並坐鼓簧」）。證諸《雅》、《頌》「我有嘉賓，鼓瑟吹笙」、「琴瑟擊鼓，以御田祖」等語句，這些記錄明顯是儀式樂的表現。又《琴操》記古傳琴曲有〈鹿鳴〉、〈伐檀〉、〈騶虞〉、〈鵲巢〉、〈白駒〉等曲，《鄭風·子衿·毛傳》說「古者教以詩樂，誦之、絃之、歌之、舞之」：這也表明詩是用於儀式的。

其二，關於《詩》三百各篇內容的解釋頗多歧說，緣故在各家學說有「作義」、「樂章義」、「引申義」的區別，所論本非同一事物。從今本《詩經》作品的組合次序看，聯繫於一定儀式的「樂章義」曾在歷史上發揮重要作用。關於這一點，《周南》、《召南》便是兩組很典型的例子。《周南》十一篇，《毛詩序》認為其主旨分別關於「后妃之德」、「后妃之本」、「后妃之志」、「后妃逮下」等等；《召南》十四篇，《毛詩序》認為其主旨分別關於「夫人之德」、「夫人不失職」、「大夫妻能以禮自防」、「大夫妻能循法度」等等。這種主題比較統一的情況，應是同樂章義及其所對應的儀式內容相聯繫的。具體而言，聯繫於《周南》、《召南》的是古所謂「房中之樂」——后妃及卿大夫之妻的儀式音樂：

> 《儀禮·燕禮》「鄉樂」云云鄭玄注：「《周南》、《召南》，《國風》篇也，王后國君夫人房中之樂歌也。〈關雎〉言后妃之德，〈葛覃〉言后妃之職，〈卷耳〉言后妃之志，〈鵲巢〉言國君夫人之德，〈采蘩〉言國君夫人不失職也，〈采蘋〉言卿大夫之妻能修其法度也。」

《儀禮·燕禮》「若與四方之賓燕……有房中之樂」鄭玄
注:「絃歌《周南》、《召南》之詩,而不用鐘磬之節也。
謂之房中者,后夫人之所諷誦,以事其君子。」

《周禮·春官·磬師》孫詒讓正義:「燕樂用『二南』,即
鄉樂,亦即房中之樂。蓋鄉人用之謂之鄉樂,后夫人用之謂
之房中之樂,王之燕居用之謂之燕樂,名異而實同。……蓋
秦時房中樂始別為樂歌,不用『二南』也。房中樂,其奏之
或於路寢房中,故《詩·王風》云:『君子陽陽,左執簧,
右招我由房。』……《詩》著『由房』之文,亦止云『執
簧』,明在房者唯琴、瑟、簧矣。……至《燕禮》之有房中
樂,蓋當合樂無算樂時;祭饗無無算樂,則唯合樂時奏之,
雖與鄉樂同用『二南』,而其音節當小異也。」

由此可以推知,《毛詩序》的倫理內容,部分是詩篇用於儀式的遺
跡(另外有德教的遺跡,詳下);詩三百的分類,乃聯繫於宮廷儀
式中的樂歌方式的分類。《禮記·樂記》說:「樂者天地之和也,
禮者天地之序也。」意思是儀式重在分別社會等級,儀式之樂則是
對於這種分別的修飾。所以某一特定的樂章,既可因演奏長度的不
同而用於不同的儀式,又可在不同儀式中由特定等級的人物享用;
周代禮樂制度是等級明確的。例如據上文所述,詩三百在倫理上可
以序次為下式:

音樂類名		作 品 篇 名	所用儀式	表演方式
頌		「九夏」、清廟、大武、象等	祭宗廟、郊祀天地、大饗等	堂上之歌 大樂舞
大雅		文王、大明、綿等	大饗（兩君相見等）	堂上之歌
小雅	閭歌	鹿鳴、四牡、皇皇者華、魚麗、南有嘉魚、南山有臺、白駒	燕禮、鄉飲酒禮、投壺禮	堂上之歌
	笙詩	南陔、白華、華黍、由庚、崇丘、由儀	燕禮、鄉飲酒禮	堂下之奏，可與堂上作閭歌
風	南樂	關雎、葛覃、卷耳、鵲巢、采蘩、采蘋、騶虞等	房中之樂	合樂之歌
	鄉樂	關雎、葛覃、卷耳、鵲巢、采蘩、采蘋、騶虞	燕禮、鄉飲酒禮、射禮	堂下「合樂」

　　這一點表明：《詩經》一書的結構乃反映了它用為儀式樂歌的功能。

　　但周代的樂教並非只服務於儀式。根據典籍所記瞽矇的職責，勸諫同樣是詩的重要功能，樂教也是實行這一功能的手段。

　　瞽矇的職責之一是采詩。前文論周代雅言時已說到：周代有「行人」一職，掌管諸侯朝會和出使邦國以傳達王命；每隔七至九年，行人須召集諸侯國的瞽、史至王都，教他們學習語言、辭令、文字和音樂。除僮謠、歌戲之外，行人亦須往四方訪求方言間意義相當而語音不同的詞，以便翻譯時代換。瞽矇以其敏銳的聽覺和記憶能力而成為其中的重要人物。關於這種采詩制度，除劉歆書所云以使者求僮謠、歌戲之說外，《禮記·王制》有云天子於歲二月東巡狩，「命大師陳詩以觀民風」；《漢書·食貨志》有云行人於孟

春振木鐸以采詩，「獻之大師，比其音律，以聞于天子」。儘管諸說不一，制度未詳，但使者采詩、大師陳風、王觀民俗的事實卻是毋庸置疑的。因為若無采詩制度，便不會有如此多的民間詩歌集於官府。另外，「獻之太師，比其音律」一說，也和大師教六詩之說一致。

值得注意的是《周禮·秋官·大行人》關於「屬瞽史」的提法。這意味著，瞽矇不僅承擔了樂官的職責，而且承擔了史官的職責。《周禮·春官·瞽矇》所謂「諷誦詩世、奠繫」（在重大儀式上背誦史詩和帝繫），便是史官職責的一種實現。比照《周禮·春官》關於外史掌書外令、掌四方之志、掌三皇五帝之書、掌達書名於四方的記載，以及關於小史「掌邦國之志，奠繫世，辨昭穆」的記載，可以理解瞽矇之誦詩，包括向王者提供歷史鑑誡和四方信息的意義。它來源於在儀式上用史詩紀祖功、辨昭穆的職責，而演變為上文說到的「陳詩以觀民俗」。以下資料，或直接或間接地記錄了這種「陳詩」：

《左傳·襄公十四年》：「自王以下各有父兄子弟以補察其政。史為書，瞽為詩，工誦箴諫，大夫規誨，士傳言，庶人謗，商旅于市，百工獻藝。故《夏書》曰：『遒人以木鐸徇于路，官師相規，工執藝事以諫。』」

《國語·周語上》：「為川者決之使導，為民者宣之使言。故天子聽政，使公卿至於列士獻詩，瞽獻曲，史獻書，師箴，瞍賦，矇誦，百工諫，庶人傳語，近臣盡規，親戚補

察，瞽史教誨，耆艾修之，而後王斟酌焉。是以事行而不悖。」

《國語·晉語六》：「吾聞古之王者，政德既成，又聽於民，於是乎使工誦諫於朝，在列者獻詩使勿兜，風聽臚言於市，辨袄祥於謠，考百事於朝，問謗譽於路。」

這是春秋時人對古代傳統的回憶，故說法稍有不同；但它同樂教的關係卻是明白無誤的。瞽、工、師、瞍、矇都是經過樂教訓練的藝人，「誦」、「賦」、「獻曲」、「獻詩」則是傳述詩的藝術方式。這些記載，於是證明了一個重要事實：樂教具有服務於諷諫這一詩歌功能。

理解了上述關係，我們便能理解以下資料：

《魏風·葛屨》：「維是褊心，是以為刺。」

《小雅·節南山》：「家父作誦，以究王訩。」

《小雅·何人斯》：「作此好歌，以極反側。」

《大雅·板》：「上帝板板，下民卒癉……是用大諫。」

《大雅·民勞》：「王欲玉女，是用大諫。」

《左傳 · 昭公十二年》：「昔穆王欲肆其心，周行天下，將
皆必有車轍馬跡焉。祭公謀父作《祈招》之詩以止王心，王
是以獲沒於祗宮。……其詩曰：『祈招之愔愔，式昭德音。
思我王度，式如玉，式如金，形民之力而無醉飽之心。』」

它們都聯繫於以詩諷諫這一古老的傳統，說明「使公卿至於列士獻
詩」可以信為事實。也就是說，詩三百中的許多作品的確是作為刺
詩、諫詩製作出來或記錄下來的，「瞽為詩」、「瞽獻曲」、「矇
賦」、「矇誦」等等是這種獻詩諷諫現象的早期形式。換言之，從
賦詩、誦詩到獻詩，其中應有兩個歷史階段的過渡：從樂人用樂語
傳述詩，到公卿大夫列士仿照樂語作詩和改詩。如果把《孟子 · 離
婁下》所云「王者之跡熄而詩亡，詩亡然後《春秋》作」這句話，
理解為采詩制度的消亡引起詩的消亡和史書的產生❻，那麼我們可
以推測，諷諫這一詩歌功能是體現在三種次第產生的觀詩形式中
的：一是王者觀瞽矇在祭祖儀式上歌唱史詩，二是王者觀瞽矇
「諷」、「誦」各地土風以表四方之志，三是王者觀公卿大夫列士
獻詩。前兩種觀詩均具有以史為鑑的意義，因此，只有通過公卿大
夫列士獻詩這一中間環節，詩的史學功能和諷諫功能才會被《春
秋》代替。

---

❻　這句話的涵義是：周代聖明之主的制度行事（包括采詩諷諫制度）消失了，
　　詩也就衰亡了；詩衰亡了，《春秋》便產生出來，代替了它的提供歷史鑒誡
　　的功能。一說「跡」讀作「記」，指以木鐸記詩的古代道人。參見朱冠華：
　　《詩序餘論》，《文史》第二十輯（北京：中華書局，1984 年），頁 163－
　　172。

(二) 樂語之教：從用於儀式到用於專對

《周禮·春官》有樂教，又有「樂語」之教。後者即所謂大司
樂「以樂語教國子：興、道、諷、誦、言、語」。它們在管理制度
上是不同的：樂教由大師和小師掌管，除六詩以外，所教另有六律
和八音（八種樂器）；樂語之教則由大司樂和樂師掌管，除樂語之
外，所教另有樂德、樂舞和樂儀。由此可以知道它們在性質上的區
別：樂教的對象是瞽矇，樂語之教的對象是國子（王侯公卿大夫元
士等貴族的子弟）。樂教的實質是培養樂工——國家禮儀上的表演
者；樂語之教的目的則是培養官員——各種禮儀的主持者和擔負布
政、聘問之責的使者行人。所以樂語之教既包括「詩聲之教」，又
包括「詩義之教」、「詩言之教」❼；不僅服務於禮儀，而且服務
於專對。以下資料，即說到這種「樂語」：

> 《禮記·文王世子》：「春誦夏絃，大師詔之。……大樂正
> 學舞干戚。語說、命乞言，皆大樂正授數，大司成論說在東
> 序。……登歌〈清廟〉，既歌而語，以成之也。」孫希旦
> 《禮記集解》：「誦，謂誦《詩》也；絃，以絲播其《詩》
> 也。……語說、乞言二者，小樂正詔其禮，大樂正又授以篇
> 數而使習之。《周禮·大司樂》『以樂語教國子興、道、
> 諷、誦、言、語』是也。」

---

❼ 參見夏承燾：《采詩和賦詩》，《中華文史論叢》第一輯（上海：中華書
局，1960 年）；顧頡剛：《詩經在春秋戰國間的地位》，《古史辨》（上
海：上海古籍出版社，1982 年重印）第 3 冊下編。

《禮記·樂記》：「今夫古樂，進旅退旅，和正以廣，絃、
匏、笙、簧，會守拊、鼓，始奏以文，復亂以武，治亂以
相，訊疾以雅。君子於是語，於是道古，修身及家，平均天
下，此古樂之發也。今夫新樂……樂終，不可以語，不可以
道古。此新樂之發也。」宋方慤《禮記集解》：「語，即
《大司樂》所謂『樂語』也。道古，道古之事。」

《國語·周語下》：「晉羊舌肸（字叔向）聘于周，發幣於
大夫及單靖公。靖公享之，儉而敬；賓禮贈餞，視其上而從
之；燕無私，送不過郊；語說《昊天有成命》。單之老送叔
向，叔向告之曰：『……其語說《昊天有成命》，《頌》之
盛德也。其詩曰……是道成王之德也。……單子儉、敬、
讓、咨，以應成德，單若不興，子孫必蕃，後世不忘。」韋
昭注：「語，宴語所及也。說，樂也。」

這幾條資料講到教授詩和應用詩的幾種方式或儀式。其中的
「語」，或與「道古」相對，或與「乞言」相對，大抵指的是與音
樂相配合、對詩義和禮樂之義作朗誦或表白。「登歌〈清廟〉，既
歌而語，以成之也」云云表明：儀式中須以歌、誦、語相輔相成，
樂語之教包括音樂之教、言語之教和禮儀之教，「語」是聯繫禮與
樂的中間環節。如果說樂教的主要內容是教絃、舞，禮教的主要內
容是教論、說，那麼，語教便是以教歌、誦為主要內容的。換句話
說，「興、道、諷、誦、言、語」之所以被稱作「樂語」，一方面
在於它們服務於禮樂，另一方面，也在於它們有別於日常語言，是

用音樂的語言來覆述詩和詩義。

　　樂語在古代儀式當中，曾經佔有很重要的地位。所以《樂記》以是否使用樂語，作為判別「古樂」與「新樂」的標準。而樂語之所以重要，則因為它能「道古」，即說明禮樂的本事或本義。很明顯，這種制度是以古老的史詩制度為淵源的。因此，儘管樂語之制在後來漸漸失傳了，但它在若干古老的事物中都留下了痕跡。比如中國早期的音樂理論，事實上即是對樂語之教的總結與概括。《禮記·樂記》說：「金石絲竹，樂之器也。詩言其志也，歌詠其聲也，舞動其容也。

　　三者本於心，然後樂器從之。」這裡的「詩」、「歌」、「舞」，便是樂語之教的三項要素。全句的涵義是：用朗誦來表達樂義和樂事，用歌唱來表達樂聲，用舞蹈來表達樂容，這三者是內在思想感情的外發，樂器則是對它的摹仿和追隨。所謂「三者本於心，然後樂器從之」，其現實根據即樂語之教同樂教的區別：樂教強調八音（樂器），是禮的從屬；樂語之教強調「諷」、「誦」、「言」、「語」，是禮的中心。它表明，後來的形下之「器」與形上之「道」的區別，在樂工之教與國子之教的區別中已經有了萌芽。

　　以上情況也意味著，國子所接受的樂語之教，同瞽矇所接受的樂教一樣，是服務於儀式音樂的教育項目。或者說，主持儀式、對儀式上的詩義和禮樂之義作朗誦或表白，是樂語之教的首先一個功能。這一功能具有悠久的歷史。因此，用於諷諫和用於政治交往（布政和聘問），是用於儀式這個基本功能的分支——是較晚起的功能。不過，正因為有了後一功能，在周秦之間的典籍中，才出現

了那麼多獻詩的故事和「賦詩言志」的故事。例如以下資料及故事。

1.賦政或布政

> 《大雅·烝民》：「仲山甫之德，柔嘉維則。……天子是若，明命使賦。」（《傳》：「賦，布也。」）「王命仲山甫，……出納王命，王之喉舌。賦政于外，四方爰發。」

> 《論語·子路》：「誦詩三百，授之以政，不達；使于四方，不能專對：雖多，亦奚以為！」

這幾則資料的中心涵義是：賦誦是賦政的手段，賦政是樂語的基本用途。經過樂語訓練的官吏，有了專對的能力，方可以「出納王命」、「賦政于外」。因此，「賦」的三個義項——貢賦之賦、賦政之賦、賦詩之賦——都和「賦政」有關：「賦」字從「貝」，其原始涵義為斂財、納貢賦，後來才衍指代表頒佈於人的賦政；而正因為賦政須用樂語，所以才有六詩之「賦」。鄭玄注六詩，說「賦之言鋪，直鋪陳今之政教善惡」，便反映了樂語在賦政方面的功用，即上述後兩項的關聯。換言之，「賦」的三重涵義是先後產生的，分別聯繫於一種政教內容。「賦」的第三義——雅言誦一義，乃緣於雅言、誦詩這種賦政的語言方式。《論語》所謂「誦詩三百，授之以政」，故可理解為：誦詩是賦政的基本素養；春秋戰國人的借詩言志，原來本於西周人的借詩「賦命」。

2.從「詩言志」到「賦詩觀志」

　　《左傳·襄公二十七年》載：鄭伯設宴享晉臣趙文子於垂隴。趙文子請求主人賦詩，「以觀七子之志」。鄭臣子展等七人分別賦《召南·草蟲》、《鄘風·鶉之賁賁》、《小雅·黍苗》、《小雅·隰桑》、《鄭風·野有蔓草》、《唐風·蟋蟀》、《小雅·桑扈》等，趙文子就各篇中的針對性詩句發表了評論，又引《小雅·桑扈》「匪交匪傲」句表示對諸大夫的欽敬。

　　《左傳·昭公十六年》載：晉臣韓起聘問於鄭，夏四月歸國，鄭之六卿為之餞行。席間韓起請諸大臣賦《詩》，「以知鄭志」。子齹賦《鄭風·野有蔓草》，取義「邂逅相遇，適我願兮」云云；子產賦《鄭風·羔裘》，取義「彼其之子，邦之彥兮」云云。又子大叔賦《鄭風·褰裳》，子游賦《鄭風·風雨》，子旗賦《鄭風·有女同車》，子柳賦《鄭風·蘀兮》。韓起說：諸君之賦不出鄭志，皆表燕好，「鄭其庶乎」！遂賦《周頌·我將》，取其靖亂保國之義為答。

　　這兩段故事發生於公元前 546 年和公元前 526 年，均在鄭國。前一段說到趙文子請賦詩，「以觀七子之志」；後一段說到韓起請諸臣賦詩，「以知鄭志」。它們證實了《漢書·藝文志》的以下評論：「古者諸侯卿大夫交接鄰國，以微言相感，當揖讓之時，必稱詩以諭其志。蓋以別賢不肖而觀盛衰焉。」也就是說，古老的「詩言志」的傳統，亦即以詩紀事的傳統❼，在春秋時代已發展為「賦

---

❼　古人素以「志」代表文字記載。例如《周書》又稱《周志》、禮書又稱《禮志》。《左傳·襄公二十五年》「志有之『言以足志……』」注：「志，古書也。」《國語·楚語上》「教之故志」注：「故志謂所記前世成敗之書。」《周禮》史官之職為「掌邦國之志」、「掌四方之志」。據此，聞一

詩言志」和「賦詩觀志」。從以上情況看，這裡所謂「志」，理論
上指的是懷抱，實際上指的是交際修養和辭令，亦即針對具體情境
而表現的待人接物的方式。

《漢書》所說的「觀盛衰」，則聯繫於另一個傳統，即采詩傳
統。在第二則故事中，諸鄭臣所賦的都是「鄭志」，亦即《鄭風》
中的篇章。這種以「鄭志」代指「鄭詩」的用法，實際上是以
《詩》為史、為方俗文獻之傳統的遺存。它同賦詩以觀懷抱的「賦
詩觀志」有所不同：一是觀察個人的修養和思想感情，一是觀察國
家的政治與風氣；但它們都有這樣一個思想基礎，即認為詩歌可以
反映祅祥。《左傳·襄公十六年》載晉侯在宴會上讓諸大夫舞蹈，
齊臣高厚的詩與舞不相配合，荀偃遂責其有異志：這是關於前一種
觀志（觀懷抱）的例證。據《詩三百年表》，《鄭風》大體上是鄭
武公（公元前 744 年卒）、鄭莊公（公元前 701 年卒）、鄭昭公
（公元前 695 年卒）時的作品。在先秦典籍中，除齊女引詩及「君
子」引詩各一例以外，鄭風都是由鄭臣所賦的：這些情況，可以作
為後一種觀志（觀政俗）的例證。它們說明，春秋時候的賦詩觀
志，乃是周代諸種詩歌功能的結晶。在觀祅祥、觀異志的故事中，
可以看到詩歌用於祭祀儀式這一傳統的影響，也就是說，關於詩歌
功能的神秘觀念來源於祭祀的神秘；在觀鄭志的故事中，可以看到
古老的采詩、掌詩制度的影響，也就是說，以國風言志的習慣來源
於觀風而驗政俗。

多解釋「詩言志」為「詩的本質是記事的」，「鄭志即鄭詩」，「詩本是記
事的，也是一種史」。見《聞一多全集·神話與詩·歌與詩》。

但在關於兩周賦詩的記載中，最多見的是類似於前一例的情況：多以十五國風和小雅為賦詩題材，多采用寓言式的表意方法。這就反映了古代樂語諷諫之法對賦詩的影響。諷諫詩的特點是：重視較具民間風格的那些詩篇在反映現實方面的意義，注意采用比喻、暗示的方式進行規勸。這也正是兩周人賦詩言志活動的特點。也就是說，樂語之教造成了一種對於詩歌的實用主義的態度：一方面，對詩歌文句的重視超過了對詩歌全篇主題的重視；另一方面，對詩歌的象徵意義的重視也超過了對詩歌本來創作意圖的重視。在這一基礎上，也就產生了斷章取義的詩學風尚。

3.關於「賦詩斷章」

《左傳·襄公二十八年》載：齊國慶氏與盧蒲氏皆姜姓。齊人盧蒲癸得寵於其主人慶舍，慶舍以女妻之。人或對盧蒲癸說：古禮同姓不婚，你因何故不避同宗？盧回答：同宗不避我，我何必避同宗？此正如「賦詩斷章」，但取所求耳。

《左傳·定公九年》載：鄭臣駟歂殺鄧析，而用其《竹刑》。君子據此認為人既有利於國家便不應相棄，舉例說：「〈靜女〉之三章取『彤管』焉，〈竿旄〉『何以告之』取其忠也。故用其道不棄其人。」

這兩則故事說明，一首詩的內容不可能完全適合賦詩用詩的情境，因此，斷章取義是賦詩取義的重要方式。前一故事表明這一方式已得到普遍應用，後一故事則列舉了兩個典型：《邶風·靜女》原是男女私約之詩，但其中第三章「靜女其孌，貽我彤管」云云，卻可以用之於讚揚史家的記事和規誨；《鄘風·干旄》應是關於衛文公好善、招賢之詩，但其中「何以告之」一句，卻可以用於表達

忠信。在春秋賦詩的記載中，處處可見這種斷章取義的方式。例如
《國語·晉語四》及《左傳·僖公二十三年》記有秦穆公與晉公子
重耳賓主賦詩之事。其中重耳所賦《小雅·黍苗》，原為敘述召穆
公營治謝邑之詩，重耳乃取「芃芃黍苗，陰雨膏之」二句，以表示
仰賴秦君庇護有如黍苗仰望霖雨；又賦《小雅·沔水》，乃取「沔
彼流水，朝宗于海」二句，以表示感恩圖報的心情。

這種賦詩斷章的方式，事實上由來已久；若追溯其始，則應當
始於對民歌的整理。有關《衛風·淇澳》、《鄭風·清人》的故事
便提供了某種證明。《衛風·淇澳》本是以少女慕愛君子為詩歌主
題的，但《毛詩序》卻說它是衛人美武公之詩，徐幹《中論·虛
道》則說武公「作〈抑詩〉以自儆，衛人誦其德為賦〈淇澳〉。」
如果此二說成立，那麼，所謂「賦〈淇澳〉」，乃指就民歌〈淇
澳〉而誦為讚頌衛武公之詩。至於〈清人〉，其本事則見於《左
傳·閔公二年》，云：「鄭人惡高克，使帥師次于河上，久而弗
召，師潰而歸，高克奔陳。鄭人為之賦〈清人〉。」這和詩歌內容
也不甚相合：詩云「清人在彭，駟介旁旁」云云，對於師潰而歸一
節並無譏刺。因此，它也應當是對民歌斷章取義而成的刺詩。類似
的情況很多，那些本事記載和內容不一致的詩歌，或者說，那些詩
本義和樂章義不一致的詩歌，應當在整理過程中都經過了斷章取義
的曲解。周秦之間人對具體詩篇的認識，實際上是以這種曲解為指
導的。

總之，如果說樂教是瞽矇之教，服務於國家大禮和諷諫，亦即
服務於國內的政治，那麼，樂語之教便是卿大夫之教，服務於出納
王命和宴享交接，亦即服務於國際的政治。從樂教的觀點看，詩是

民風的表現，是歷史資料和方俗資料，也是用於國家儀式的音樂素材；從樂語之教的觀點看，詩則是語言資料，可用來進行方言和雅言之間的溝通，以及各諸侯國之間的溝通。這樣一來，同樣是詩三百，它就有了兩種不同的面貌和兩種不同的性質。因此，從用於樂教到用於樂語之教，可以看作對詩歌加以整理的過程，也可以看作詩本義逐漸丟失的過程。在大師和樂工那裡，這種丟失表現為詩之辭和詩之樂的疏離：由於辭偏重於諷諫而樂偏重於儀式，故出現了由辭所代表的以及由樂所代表的兩種詩義；而在卿大夫那裡，這種丟失便表現為詩的本來義和詩的引申義的疏離：由於經過了三種引申——借詩賦命（用詩來表示政令）的引申、借詩隱喻志向的引申、斷章取義的引申——在詩的作義、樂章義之外，詩又有了多種多樣的用義。這樣一來，從古代的詩學資料（例如《毛詩序》）中，我們就很難看到詩歌的本義了。不過，從另一意義上說，我們又可以借此看到先秦詩學的真實的歷史。

㈢ 德教：詩教與樂教的分離

　　朱自清《詩言志辨》一文，曾談到「獻詩陳志」、「賦詩言志」、「教詩明志」和「作詩言志」，其中「教詩明志」著重論述了重義不重聲的詩教。作為區別於樂語之教的一個詩學方式和詩學階段，我們稱之為「德教」。

　　德教和詩教的關係是源遠流長的。在周代的國子之教中，即有「樂德」之教，教授中（忠信）、和（剛柔相濟）、祗（恭敬）、庸（有恆）、孝（孝順）、友（友善）。在周代的瞽矇之教中，亦有「以六德為之本」的六詩之教；此「六德」應即前所謂「樂德」。類似的教育項目亦見於《周禮·地官》。例如大司徒須以三

物六德教萬民，六德指知、仁、聖、義、忠、和；小學師氏須以三德教國子，三德指至德、敏德、孝德。有人認為：三德、六德本質相同，中、和為至德，祗、庸為敏德，孝、友為孝德。❼可見在周代的教育中，德教是一項重要而穩定的內容。

但「樂德」的提法和以六德為六詩之本的提法，卻表明當時德教是為樂教和樂語之教服務的。其最明顯的跡象是：國子之教、瞽矇之教都由春官大司樂掌管。《禮記·王制》則說：「樂正崇四術，立四教，順先王詩、書、禮、樂以造士，春秋教以禮樂，冬夏教以詩書。」亦即以樂正（大司樂）掌國子之教❼，而以禮、樂包容詩、書。這種情況應當有較悠久的歷史。據考察，最早的有組織的教育是禮樂教育，它肇始於原始的祭祀活動。《尚書·堯典》記帝舜之語云：「夔，命汝典樂，教冑子，直而溫，寬而栗，剛而無虐，簡而無傲，詩言志，歌永言，聲依永，律和聲，八音克諧，神人以和。」在這裡，德教亦是樂教的一個組成部分。此即清人所謂「檢三代以上書，樂之外無所謂學」。之所以會出現這種情況，乃因為上古時代的教育是圍繞祭祀之禮而建立起來的。《禮記·祭統》即說到這一以祭祀為教育之本的原則：

> 凡治人之道，莫急於禮；禮有五經，莫重於祭。

---

❼ 李光地語，見孫詒讓：《周禮正義》（北京：中華書局，1987 年），第 7 冊，卷 42，頁 1724。

❼ 《禮記·王制》鄭玄注：「樂正，樂官之長，掌國子之教。」

> 夫祭之為物大矣，其興物備矣。順以備者也，其教之本
> 與？……是故君子之教也，必由其本，順之至也，祭其是
> 與？故曰：祭者，教之本也已。

由此可知，以樂教為中心，其實質是以神道設教，旨在造成人們對
君主政治的順從。它的理論基礎是君權神授，所以，儀式語言（包
含音樂）的教育是其中的重要環節。儀式語言的重要性在於：它可
以用於典禮，達到「神人以和」的效果。在神權與王權相結合的制
度下，樂和禮相表裏而成為意識形態的中心事物，這是很自然的事
情。

　　這種以禮樂設教的傳統影響深遠。直到孔子時代，禮樂的訓練
仍然是教育的核心。據《史記·孔子世家》，孔子自幼愛好禮儀，
又學琴於師襄子，即使顛沛流離之時也往往與弟子「習禮大樹
下」，「講誦絃歌不衰」。他的理想，也就是要恢復周代的禮樂制
度。不過，孔子的追求亦恰好證明了周禮的衰敗。到周代後期，一
方面天下禮崩樂壞，「天子失官，學在四夷」❼❹；另一方面諸侯間
兵戎相見，聘問歌詠不行於列國，傳統的樂教遂面臨釜底抽薪的局
面，逐漸變質。於是出現了這樣的情況：過去作為祭祀制度和行為
儀式的「禮」，現在變成作為人格修養或倫理道德規範的「禮」；
過去用於樂教和樂語之教的「詩」，現在也變成用於德教和辭令之
教的「詩」。同以樂教為中心的時期相區別，到東周，各國教育都
進入了以德教為中心的時期。

---

❼❹　《左傳·昭公十七年》引孔子語。

在這一時期，詩的功能有了明顯的變化。其中一個表現是：隨著時間推移，關於引詩的記載越來越多地見於典籍。例如：

1. 《國語·周語上》載：公元前十世紀中葉，周穆王將征犬戎，祭公謀父諫以「先王耀德不觀兵」。又引《周頌·時邁》「載戢干戈」、「我求懿德」等詩句，陳述厚生、利用、修文、懷德、保世的道理。

2. 同上：公元前九世紀中葉，周厲王寵倖榮夷公。芮良夫以此為王室衰敗之徵兆，引《周頌·思文》「思文后稷」、《大雅·文王》「陳錫載周」等詩句，說明布賜施利方能載成周道。

3. 《左傳》載：公元前 706 年，鄭太子忽辭去齊國婚姻。人問其故，太子忽說齊是大國，非宜相耦，引《大雅·文王》「自求多福」句證之。

4. 同上：公元前 672 年，齊侯欲以陳敬仲為卿，敬仲引逸詩「翹翹車乘，招我以弓，豈不欲往，畏我友朋」辭之。

5. 同上：公元前 661 年，狄人伐邢，齊臣管敬仲引《小雅·出車》「豈不懷歸，畏此簡書」句敦請齊侯救援。

6. 同上：公元前 655 年，晉侯委派士蒍在蒲、屈兩地築城，士蒍引《大雅·板》「懷德惟寧，宗子惟城」句，表示德行重於城池。

7. 同上：公元前 651 年，秦伯問公孫枝晉公子郤芮能否安定晉國，公孫枝引逸詩「唯則定國」、《大雅·皇矣》「不識不知，順帝之則」及《大雅·抑》「不僭不則，鮮不為賊」，喻其猜忌多怨、難以成功此事。

所謂「引詩」，也就是不用儀式語言來傳述詩，屬六詩之外的

徒詩。以上七則是公元前十世紀中葉至七世紀中葉的引詩記錄，它表明，從西周中期開始，徒詩的方式便逐漸代替「六詩」而成為主要的用詩方式。據《詩三百年表》，自公元前 650 年起，平均每兩年有一則引詩之事見諸記載；自公元前 600 年起，平均每年有一則見諸記載。相比之下，關於賦詩的記載卻較為少見，而屈指可數的幾次歌詩則都是樂工所為。❼到戰國時代，引詩之風大盛，即《孟子》七篇便有引詩記錄三十九次，《荀子》三十二篇則有引詩記錄八十二次；與此對應，賦詩和歌詩的方式逐漸消聲匿跡，例如《戰國策》中無一例賦詩。這就意味著，從兩周之交時起，出現了詩之辭與詩之樂相分離的趨向。除樂工而外，詩樂之教事實上已經廢除。古籍所謂「教詩、書」，其內容乃是詩義之教和書義之教，較重視詩中的雅、頌。這種引詩活動可以看作過去的政治詩的餘緒，亦即獻詩諷諫的餘緒（上述事例的前兩例即是引詩諷諫的實例）。由此推論：如果說歌詩偏重注意詩的樂章義，賦詩偏重注意詩的情景義或象徵義，它們所實現的是交際功能和儀式功能，那麼，引詩所強調的是詩句的思想內容，實現以道德陶冶人的倫理功能；如果說關於詩歌功能的「美刺」理論是通過春秋時期的引詩實踐鞏固下來的，那麼反過來說，這一理論也是春秋詩學重視德教的證明。

研究《詩經》的學者，曾注意到戰國時人的一個引詩公式：「此之謂也」。如《禮記・大學》：「《詩》云：『樂只君子，民

---

❼ 　據《左傳》統計，引詩共有 181 篇次，賦詩共有 68 篇次。據《國語》統計，引詩共有 26 篇次，賦詩共有 6 篇次。此二書所載歌詩，分別為魯樂工、晉樂工、衛師曹所歌。

之父母。」民之所好好之，民之所惡惡之，此之謂民之父母。」又如《荀子·修身》：「故人無禮則不生，事無禮則不成，國家無禮則不寧。詩曰：『禮儀卒度，笑語卒獲。』此之謂也。」這一現象，一方面反映了儒家對《詩經》的推尊，另一方面也代表了斷章取義的極致。**⑦**從方法角度看，它應當來源於「是之謂」的公式：

> 《左傳·隱公元年》：「君子曰：潁考叔，純孝也，愛其母，施及莊公。《詩》曰：『孝子不匱，永錫爾類。』其是之謂乎！」

> 《左傳·成公二年》：「君子曰：位其不可不慎也乎！蔡、許之君，一失其位，不得列於諸侯，況其下乎！《詩》曰：『不解于位，民之攸塈。』其是之謂矣。」

這種引詩公式是否產生於春秋年間？這是一個尚有爭議的問題。有一種意見認為，所謂「君子」云云皆是《左傳》作者自為論斷之辭。**⑦**不過以下幾則資料卻表明：「此之謂」、「是之謂」、「某

---

⑦ 裴普賢：《從『此』字談到引詩公式『此之謂也』》，《詩經欣賞與研究》改編版（臺北：三民書局，1987年），第4冊，頁241－248。

⑦ 《左傳·隱公元年》楊伯峻注：「『君子曰』云云，《國語》、《國策》及先秦諸子多有之，或為作者自己之議論，或為作者取他人之言論。文二年《傳》躋僖公『君子以為失禮』云云，《魯語》作宗人有司之言；襄三年《傳》『君子謂祁奚於是能舉善矣』，二十一年《傳》作叔向之言，《呂氏春秋·去私篇》則作孔丘之言。《北史·魏澹傳》，魏澹以為所稱『君子曰』者，皆左氏自為論斷之辭。清人張照則云：『君子之稱，或以德，或以

某之謂」等方式在春秋時代已很流行：

> 《左傳·僖公九年》載公孫枝語：「臣聞之：唯則定國。《詩》曰：『不識不知，順帝之則。』文王之謂也。」

> 《左傳·文公元年》載秦伯語：「是孤之罪也。周芮良夫之詩曰：『大風有隧，貪人敗類。聽言則對，誦言如醉。匪用其良，覆俾我悖。』是貪故也，孤之謂矣。孤實貪以禍夫子，夫子何罪？」

> 《左傳·宣公十六年》載：晉士會因軍功受任太傅，將中軍，晉之盜賊因而遠避於秦國。晉羊舌職曰：「吾聞之，『禹稱善人，不善人遠』，此之謂也夫。《詩》曰：『戰戰兢兢，如臨深淵，如履薄冰。』善人在上也。善人在上，則國無幸民。諺曰：『民之多幸，國之不幸也。』是無善人之謂也。」

這說明，從西周後期開始，人們便把詩句當作評判社會政治現象的標準了，而且還使用了較固定的評判格式。到春秋時期，這兩條已成為很通行的法則。

　　每一種活動法則，都可以說是經某種教育而形成的。除以上兩

　　位。左氏所謂君子者，謂其時所謂君子其人者，皆如是云云也，非左氏意以如是云云者，乃可稱君子之論也。』」

種法則以外，春秋人引詩、解詩，還使用過許多較細緻的公式。例如釋詞之時，往往用「某，某也」（「基，始也」）、「某，某之也」（「荒，大之也」）、「某某為某」（「忠信為周」）、「某某曰某」（「心能制義曰度」）等格式；串解之時，往往使用以「言」字起（「言其上下察也」）、以「謂」字起（「謂學問也」）、以「道」字起（「道得眾則得國」）等格式。❼❽這些格式，都是詩教規程的表現。根據其中重倫理的傾向，不難判斷，這是一種把詩當作德教工具或德教課本的教育。

如果我們要在制度上找到上述教育的依據，那麼可以說，它是政府中司掌人事的那部分職能得到強化，而司掌神事的那部分職能相對削弱的結果。具體說來，曾經以禮樂之官大司樂為主導的教育，在西周後期，便轉變為以民政之官大司徒為主導了。因為所謂德教興盛，實際上，是把主要服務於祭祀儀式的教育，轉變為服務於現實政治。據《周禮·地官》，大司徒是「掌邦教」之官。其安民之術有六，「四曰聯師儒」。其教民的項目有三：六德、六行、六藝。其屬下的教育官吏，有鄉師掌鄉之教政，有鼓人教六鼓四金，有舞師教祭祀之舞，有師氏掌教國子以三德，有保氏掌教國子以六藝——師、保是其中最重要的官員。師、保實即後世儒家的前身。鄭玄注《周禮·天官·大宰》：「師，諸侯師氏，有德行以教民者；儒，諸侯保氏，有六藝以教民者。」班固《藝文志》：「儒家者流，蓋出於司徒之官。」因此，後世儒家的昌盛及其所掌六藝

---

❼❽　馮浩菲：《毛詩訓詁研究》（武漢：華中師範大學出版社，1988 年），頁 27－38。

之學的昌盛，便是對上述轉變的證明。

在這裡，我們有必要討論一下「六藝」。它是先秦教育史上最重要的一個概念。**⑦**在西周時代，它指的是禮、樂、射、御、書、數等六個教學科目；但到後來，它的涵義有所變化，指的是設教的六種教本。《史記·孔子世家》：「孔子以詩、書、禮、樂教，弟子蓋三千矣，身通六藝者七十有二人。」《史記·滑稽列傳》：「孔子曰：六藝於治一也。《禮》以節人，《樂》以發和，《書》以道事，《詩》以達意，《易》以神化，《春秋》以義。」兩種「六藝」無疑是有關聯的：前者是儒師教國子的科目，以禮、樂為首；後者是儒家教私學的科目，也以禮、樂為中心。但它們畢竟有了巨大的區別：前者的禮樂是作為祭祀制度和行為儀式的禮樂，後者的禮樂是作為社會理想或倫理道德規範的禮樂。在後一種六藝中，《詩》獨立出來，成為和《禮》《樂》並列的教學課本。這種情況，明確顯示了詩教與樂教的分離。「詩教」一詞出現在《禮記·經解》之中，這便是詩教脫離樂教而獨立的標誌：

> 孔子曰：「入其國，其教可知也。其為人也：溫柔敦厚，
> 《詩》教也；疏通知遠，《書》教也；廣博易良，《樂》教
> 也；絜靜精微，《易》教也；恭儉莊敬，《禮》教也；屬辭
> 比事，《春秋》教也。故《詩》之失，愚；《書》之失，
> 誣；《樂》之失，奢；《易》之失，賊；《禮》之失，煩；

---

⑦ 張瑞璠主編：《中國教育史研究·先秦分卷》（上海：華東師範大學出版社，1991 年）。其第一編的標題是《六藝教育的源流》。

《春秋》之失，亂。其為人也：溫柔敦厚而不愚，則深於
《詩》者也；疏通知遠而不誣，則深於《書》者也；廣博易
良而不奢，則深於《樂》者也；絜靜精微而不賊，則深於
《易》者也；恭儉莊敬而不煩，則深於《禮》者也；屬辭比
事而不亂，則深於《春秋》者也。」

這段話非常清楚地表明了六藝作為德教科目的性質。值得說明的
是，這一性質並不是在孔子時代，而是早在春秋中期就已經形成
了。《左傳‧僖公二十七年》載趙衰語：「說禮樂而敦詩書。詩、
書，義之府也；禮、樂，德之則也；德、義，利之本也。」《國
語‧楚語上》載大夫申叔時答楚莊王所問傅太子之道，列舉出春
秋、世（貴族宗譜）、詩、禮、樂、令、語、故志、訓典（書）等
九個科目，云：「教之詩而為之導廣顯德，以耀明其志」，「教之
樂以疏其穢而鎮其浮」。這兩件事發生在公元前七世紀後半，說明
當時的詩、書、禮、樂都已經是德教的教本。而且，詩、書對於
禮、樂不再是相從屬的關係，而是相平列的關係：詩、書作用於內
在的思想和言談，禮、樂作用於外在的行為和秩序。

　　總之，根據《禮記‧王制》「順先王詩、書、禮、樂以造士」
一語，我們可以概括說，德教就是以行政人才（而非儀式人才）為
目的的教育。即使同樂語之教相比，在這一階段，詩也有了新的面
貌和性質。它的應用範圍遠遠超出過去卿大夫們的出納王命和宴享
交接，而成為人生各種活動的指導；它不僅是用於辭令的語言資
料，而且是用於思想和處世的語言資料。從用於樂語之教到用於德
教，詩歌再次經歷了一個整理過程，詩本義亦接受了新的修飾或校

正。詩歌從此主要不再作為樂歌而存在了，而是作為文學——作為
格言、警句、名物詞語而存在。詩的本來義與其引申義的疏離，因
此也有了進一步發展。張西堂《詩經六論》曾說《毛詩序》有以下
十大謬妄❽：

1. 雜取傳記。例如六義說取自《周官》，關於莊姜、宣姜、
   許穆夫人、鄭莊、鄭忽作詩之本事取自《左傳》。
2. 疊見重複。例如〈江有汜序〉語意三截。
3. 隨文生義。例如因「漢之廣矣」而附會「德廣所被」，因
   「牛羊勿踐」而附會「仁及草木」，因「戚戚兄弟」而附
   會「親睦九族」。
4. 附經為說。例如〈騶虞〉本是春日田獵之詩，序則曲作解
   說為人倫既正，朝廷既治，天下純被文王之化，又說到蒐
   田以時，仁如騶虞，則王道成；〈行葦〉本是燕禮之詩，
   序則曲作解說云周家忠厚，仁及草木，又說內睦九族，外
   尊事黃耇，養老乞言，以成其福祿。
5. 曲解詩意。其例甚多。例如〈小星〉本是奉使言勞之詩，
   序則以為「夫人惠及賤妾」；〈終風〉篇中本無刺譏淫亂
   的內容，序則解釋為莊姜自傷遭州吁之強暴。
6. 不合情理。例如序中所說「若螽斯之不妒忌」、「德如鳲
   鳩乃可以配」、「節儉正直德如羔羊」，皆極不近情理。
7. 妄生美刺。例如〈桑中〉本為民間情詩，序反而說刺奔、

---

❽ 張西堂：《詩經六論》（北京：商務印書館，1957 年），頁 133－139。

刺衛之公室淫亂；〈子衿〉詞意輕儇，序反而說刺學校之
廢也。

8. 自相矛盾。即序中往往有兩重以上的解釋，彼此不能相
合。例如〈野有死麕〉說：「天下大亂，強暴相陵，遂成
淫風。」又說：「被文王之化，雖當亂世，猶惡無禮
也。」

9. 附會書史。例如以〈雞鳴〉附會哀公，〈蟋蟀〉附會刺僖
公，〈宛丘〉附會刺幽公，〈衡門〉附會誘僖公，都是因
惡諡而來的。

10. 誤解傳記。

事實上，這「謬妄」的大部分，都是在德教的背景上發生的。例如
節取詩句而作倫理解釋的「隨文生義」、假借詩語而發政治議論的
「附經為說」、脫離詩義而自由演繹的「曲解詩意」、因勉強說教
而造成的「不合情理」、簡單湊合德教需要的「妄生美刺」、因上
述種種主觀解說而形成的「自相矛盾」──都必須聯繫詩同德教的
關係來解釋，亦即聯繫詩作為德育教材的特殊性質來解釋。或者
說，因為德教的方式，詩的面貌比之過去有了很大改變。在樂語之
教階段，詩畢竟是一種交際語言，穩定的、彼此認同的涵義畢竟是
實現賦詩目的的基本條件；儘管賦詩斷章的方式也造成了對詩本義
的曲解，但在那裡，詩本義未至於大幅度地失落。而到德教階段，
詩作為語言藝術的本質被改變了，成為宣傳和教化的工具。《毛詩
序》這種政治化或倫理化的詩學理論，正是因此而勢所必然地產生
出來的。從這一角度看，「六義」本質上是德教的產物，或者說，

是德教進入儒家詩學階段的產物。因為包含風、雅、頌分類法的詩的文本,通過孔子、孟子、荀子而確立的儒家詩學的傳統,是其理論系統得以完成的兩項基本條件。

四、六義說產生的條件

中國《詩經》學的焦點,是《毛詩序》的存廢問題。但這一問題是經學的問題,而非史學的問題。因為從史學角度看,即使充滿謬誤的歷史資料也不必簡單廢除,值得研究的是它所以然的道理。比如前文談到的十大謬妄,其中「雜取傳記」、「疊見重複」、「附會書史」、「誤解傳記」等四條,恰好可以證明一個歷史真實:《毛詩序》是前述幾個詩教階段的共同產物,是眾多歷史資料的結晶。這些歷史資料,也構成了六義之說的條件和背景。

㈠ 詩文本的形成

前文說到,《毛詩序》六義說有一點很耐人尋味,即它沒有對「賦」、「比」、「興」作出解釋,但卻討論了「變風」、「變雅」、「大雅」、「小雅」、「四始」、「周南」、「召南」等詩體名稱。顯而易見,這是詩三百的文本結構及其結集過程的反映,因為這些術語恰好可以反映《詩經》結構的形成原理。

1.四始

《史記‧孔子世家》說:「四始」代表孔子刪詩後編定的四類詩的首篇,「〈關雎〉之亂以為風始,〈鹿鳴〉為小雅始,〈文王〉為大雅始,〈清廟〉為頌始。」這和今本《詩經》的結構是一致的;但和《毛詩序》以風、小雅、大雅、頌為四始並讚之為「詩

之至」的說法有所區別。一說這是魯詩四始和毛詩四始的區別。**❸**
其實《毛序》的說法與《史記》同出一源，不必視為二說。它們的
共同淵藪即周代禮樂制度。前文引《禮記‧祭統》曾說到：「始」
在西周禮制中又表述為「重」；因升歌是儀式上的始奏之歌，《武
宿夜》是《大武》第一成，故周禮有云「聲莫重於升歌，舞莫重於
《武宿夜》」。由此可知，「始」的涵義是始奏。作為第一奏，它
在典禮中具有特殊意義，故時人以「重」視之。《毛序》所謂「詩
之至」，其出處，即是這個「重」字。驗諸具體記載：在《儀禮》
所記燕禮、鄉射禮和鄉飲酒禮中，升歌始歌之曲為〈鹿鳴〉；在
《大戴禮》所載投壺禮中，雅歌之始亦為〈鹿鳴〉：所以說「〈鹿
鳴〉為小雅始」。〈關雎〉則在西周時期便編為風歌之始（在《儀
禮》燕禮、鄉飲酒禮中，凡合樂三終，〈關雎〉皆用為始奏之
曲），所以說「〈關雎〉之亂以為風始」。因此，若借用前文《詩
經》結構與其儀式功能的對應表，則「四始」之原理可示為下式：

音樂類名	作 品 篇 名	所用儀式	表演方式
頌	清廟（始）、大武、象等	祭宗廟、郊祀天地、大饗等	堂上大樂舞之歌
大雅	文王（始）、大明、綿等	大饗（兩君相見等）	堂上樂舞之歌
小雅	鹿鳴（始）、四牡、皇皇者華、魚麗、南有嘉魚、南山有臺等及「無	燕禮、鄉飲酒禮、投壺禮	堂上弦歌和閒歌

---

❸ 糜文開、裴普賢：《詩經欣賞與研究續集》（臺北：三民書局，1969 年），
頁 495。

		算樂」		
風	南樂	關雎（始）、葛覃、卷耳、鵲巢、采蘩、采蘋、騶虞等及「無算樂」	房中之樂	房中合樂之歌
	鄉樂	關雎（始）、葛覃、卷耳、鵲巢、采蘩、采蘋、騶虞等及「無算樂」	燕禮、鄉飲酒禮、射禮	堂下合樂之歌

此表說明：今本《詩經》的結構，在西周時代即已確定。風、小雅、大雅、頌的四分，其本質是四套儀式節目的區分。「四始」即是從儀式樂序的角度對詩的四分結構的表述。之所以說這一結構產生於西周，是因為據《詩三百年表》，上述詩歌在西周時代已經產生；而無論《儀禮》一書是否由孔子纂輯，上述禮制都是西周的制度。❽此外，《毛序》四始之說只注意詩之四分而忽略了始奏一義，這也正好表明了四始理論同禮制實踐在時間上的差距。

2.南

在以上結構與儀式的對應表中，關於「〈關雎〉之亂以為風始」，列有「南樂」、「鄉樂」兩欄。其依據亦見第三章第一節所引《儀禮》、《周禮》。據《燕禮》「房中之樂」鄭玄注，南樂的演奏方式是「弦歌《周南》、《召南》之詩，而不用鐘磬之節」。據郭沫若《甲骨文字研究·釋南》，「南」是來自南方民族的鈴狀樂器。由此判斷，《儀禮》中的「南」指的是一種奏詩方式或樂隊組合方式，即不用鐘磬，而用鈴狀樂器伴奏琴瑟。它同小雅、鄉樂的區別在於：小雅是弦詩，是「升歌」或「閒歌」，乃以二瑟二工

---

❽　參見楊天宇：〈儀禮簡述〉，《儀禮譯注》（上海：上海古籍出版社，1994年），頁1－25。

歌於堂上，或以堂上之歌與堂下之笙相和；鄉樂是堂下合樂之歌，用瑟、笙、磬合奏；南則是房中樂歌，是以笙瑟主奏、南器伴奏、聲調較清雅的「縵樂」。㊳

　　「鄉樂」就是春秋以後人說的「風」。鄭玄注《燕禮》說：「鄉樂者風也。」可知十五國風實際上是十五種鄉樂。二南之所以編入國風，乃因為南樂是以周之鄉樂、召之鄉樂為基礎，加入南器而形成的音樂。鄉樂、南樂、雅樂三者的關係如同唐代教坊曲、梨園法曲、太常雅樂的關係：法曲乃就教坊曲改造而成；儘管梨園由玄宗直接掌管，法曲風格清雅，但法曲卻不屬雅樂。同樣，南樂亦根據其器樂基礎或樂隊來源屬風樂。從有關記述中約略可見鄉、南、雅三樂的面貌。例如〈關雎〉所云「琴瑟友之」、「鍾鼓樂之」，其器樂組合方式應屬鄉樂。《小雅・鼓鍾》所云「鼓瑟鼓琴，笙磬同音，以雅以南，以籥不僭」，則講到了幾種不同的器樂組合方式：「同音」即「合樂」，「笙磬同音」屬鄉樂；琴、瑟皆弦樂，「鼓瑟鼓琴」屬雅樂；「以籥不僭」意為不以籥這種管樂器僭越人聲，故它應屬南樂。「合樂」又稱「亂」。㊴故所謂「〈關雎〉之亂以為風始」，是說以合樂的方式演奏風詩，〈關雎〉為其始奏之曲。《毛詩序》把周南解釋為王者之風、周公之化，把召南

㊳　參見〔清〕胡培翬《儀禮正義》中《鄉飲酒禮》、《鄉射禮》、《燕禮》等章。

㊴　據《論語・泰伯》：「〈師摯〉之始，〈關雎〉之亂，洋洋乎，盈耳哉！」可知「亂」並非「卒章之節」。據《楚辭・大招》：「叩鐘調磬，娛人亂只。」可知「亂」代表繁聲。故〔清〕劉台拱《論語駢枝》有云：「合樂謂之亂。」

解釋為諸侯之風、召公之教，其緣故在於：周風是周公旦所營建的東都洛邑一帶的舊樂，召風是文王之子召公奭的采地的舊樂。㊙

3. 國風

在今本《詩經》中，周南、召南屬十五國風。這又啟發我們，其餘十三國風的分類亦可推測為樂器組合的分類或樂隊節目的分類。《周禮・春官・籥章》以下一段話可以證成這一推測：

> 籥章掌土鼓、豳籥。中春晝擊土鼓、吹豳詩以逆暑；中秋夜迎寒亦如之。凡國祈年于田祖，吹豳雅、擊土鼓以樂田畯。國祭蜡，則吹豳頌、擊土鼓以息老物。

這裡的意思是說：春官籥章吹奏豳地的籥竹而用之於「豳詩」、「豳雅」、「豳頌」——以豳詩奏於春秋兩節的逆暑迎寒儀式，以豳雅奏於孟春祈穀、孟冬祈年儀式，以豳頌奏於年終的祭蜡儀式。鄭玄注說此處詩、雅、頌皆指《豳風・七月》：因其言及寒暑之事，故謂之風；因其言及男女之正，故謂之雅；因其言及歲終慶功於公堂，故謂之頌。一詩而三用的原則是在不同儀式上各歌其類。孔穎達則依據鄭玄《箋》，說《七月》首章次章言「女心傷悲」者是豳風，三至六章言獲稻為酒者是豳雅，七至八章言「朋酒斯饗，萬壽無疆」者是豳頌。儘管這一斷章取義的解釋曾引起許多爭

㊙　關於《周南》、《召南》的地望，參見黃奇逸：《詩周南、召南、王風地望辨》，《文史》第二十七輯（北京：中華書局，1986年）。

議⑧，但有一點卻不成問題，即：「豳詩」、「豳雅」、「豳頌」是同豳籥相聯繫的。據研究，《七月》和其它《豳風》之作並非產自豳地，豳樂乃指周人居豳之時的音樂，土鼓、豳籥為其特色樂器。⑧由此可見，「豳詩」、「豳雅」、「豳頌」不是因詩篇產地、而是因其所用樂器得來的名稱。

事實上，除《豳風》外，《唐風》、《魏風》、《邶風》、《鄘風》、《鄶風》也是按上述方式得名的。唐亡於周成王之時，其始為成王弟唐侯的封地，繼為唐侯子晉侯的封地。魏則在公元前 661 年被晉獻公滅亡。可見「唐風」、「魏風」代表晉人所襲用的唐、魏舊樂。周武王滅商，使其弟管叔、蔡叔、霍叔為三監，霍叔居邶，蔡叔居鄘。三監亂後，周公盡以其地授封衛康叔。由此又可知，「邶風」、「鄘風」是衛人襲用邶、鄘舊樂而保留的名稱。至於鄶，據《竹書紀年》，則在晉文侯二年（公元前 779 年）亡於鄭，可知其樂產於西周。《左傳·襄公二十九年》記載：季札於魯地觀周樂，評論《唐》歌說中有陶唐氏遺民之憂思，評論《邶》歌、《鄘》歌、《衛》歌說「衛康叔、武公之德如是」。可見這幾支音樂（其實質即樂器組合）可追溯至周初。也就是說，儘管「國風」一名遲至戰國才見於典籍，儘管「風」一名在先秦史籍中較少使用（詳下），但這十五支鄉樂的大部分部類在周初即有雛形。

4.風、雅、頌

---

⑧ 參見〔清〕孫詒讓：《周禮正義·春官·籥章》。

⑧ 徐中舒：《豳風說》，《歷史語言研究所集刊》六本四分（北京：中華書局，1987 年重印商務印書館 1936 年本），頁 431－451。

〈簫章〉資料還提示了這樣一個事實：風、雅、頌的三分，在西周也曾表述為詩、雅、頌三分。這兩種分類的對應，表明它們是關於三種表演（演奏）方式的區分，而不是關於詩體的區分。因為「詩」只有在朗誦與歌唱這一涵義上，才能既同「雅」、「頌」相對待，又同「風」相對應。此即「詩言志，歌永言」一語中的「詩」。換句話說，從豳詩、豳雅、豳頌的區別中可以看到風、雅、頌三分的原理：它們既然不是作品內容的區別（所奏的是同一首《豳風·七月》），那麼，便是音樂形式或儀式形式的區別。孫詒讓《周禮正義》說：此三「豳」詩同而聲異，「豳詩」以土音為聲，「豳雅」以王畿正音為聲，「豳頌」以宮廟大樂為聲。據此，《周禮·韗鞥氏》說：「祭祀則吹而歌之。」這種以簫吹伴和歌詠的形式，應即逆暑迎寒儀式上的「豳詩」形式。《小雅·甫田》說：「琴瑟擊鼓，以御田祖，以祈甘雨。」這種以簫吹伴和琴瑟的方式，應即祈年祈穀祭田畯儀式上的「豳雅」形式。據《禮記·郊特牲》、〈雜記〉、〈明堂位〉等篇，蜡是年終之時的國家大祭，又稱「天子之祭」，其時歌舞繁盛，有「一國之人皆若狂」的熱烈。故用於大蜡的「豳頌」，應為以簫吹土鼓伴奏歌舞的形式。

以上的意思還可以這樣表達：詩、雅、頌三分，實即詩、樂、舞三分。詩代表人聲，雅代表弦樂，頌代表舞樂。顯而易見，這是從樂師角度給出的分類，是從組織形式角度而非歌詠方式角度給出的分類。在這種分類中，瞽矇之教的風、賦、比、興，便一概歸併為「詩」了。這種歸併是不難理解的，因為國家儀式上的技術人員，主要就是樂工樂師。周禮春官中掌審音調樂的大師、掌教樂器的小師、掌打擊樂器的視瞭、掌教東夷之樂的韎師、掌教四方之樂

的旄人以及磬師、鍾師、笙師、鎛師、簫師等等，應當都參加了詩的表演、整理和保存，因而會要求這一分類。也就是說，從西周開始不斷編輯的詩文本，是一個服從於儀式表演需要的文本。儘管它也用於樂教和樂語之教，但就風、雅、頌三分法而言，它的文本性質是由它的儀式功能決定的。

關於這個文本的作品分類的原則，亦即辭與樂的對應原則，事實上，在〈簫章〉鄭玄注中也有提示。這就是見於《左傳·襄公十六年》的「歌詩必類」：與郊廟大祀等祭祀儀式相符的作品編入「頌」，與天子大饗等大型禮儀相符的作品編入「大雅」，與大型燕射之禮相符的作品編入「小雅」，與小型燕禮相符的作品編入「風」。例如〈鹿鳴〉、〈四牡〉、〈皇皇者華〉等之所以編入《小雅》，用為鄉飲酒禮、燕禮之歌，乃因〈鹿鳴〉有「我有嘉賓，德音孔昭」、「我有旨酒，以燕樂嘉賓之心」云云，可以用作迎賓之辭；〈四牡〉有「王事靡盬，不遑啟處」、「不遑將父」、「不遑將母」云云，可以借來讚揚賓客的勤勞；〈皇皇者華〉有「周爰咨諏」、「周爰咨謀」、「周爰咨度」、「周爰咨詢」云云，可以借此表示向賓客諮詢請教。可見在儀式用樂的過程中，亦需采用斷章取義的方式。這是由歌辭身份的變化（例如由民歌變為樂工之詩）造成的。所謂「樂章義」，因而代表了歌辭本義同這種取義方法的結合。

比較值得注意的是三分法中的「風」。在這裡，它的涵義是用鄉樂來伴和歌詠。因此，從樂工的角度看它代表鄉樂，從表演者的角度看它代表比、興、諷、賦等歌詠。《左傳·成公九年》所說「樂操土風，不忘舊也」，即反映了「風」的前一涵義；與「詩」

相對應的「風」，則代表了「風」的後一涵義。從《左傳》的情況看，後一涵義的「風」不太行用，在季札觀樂之前，僅見隱公三年「風有〈采蘩〉、〈采蘋〉，雅有〈行葦〉、〈泂酌〉」一條（此條且是「君子」所引，容為後人的評論）。「雅」的情況也是這樣。究其原因，乃在於當時人已習慣把「風」和「雅」都稱作「詩」。例如《左傳·文公十五年》記載：齊侯進犯魯國和曹國，季文子引用《小雅·雨無正》和《周頌·我將》發表評論說：「詩曰：『胡不相畏？不畏于天。』君子之不虐幼賤，畏于天也。在周頌曰：『畏天之威，于時保之。』不畏于天，將何能保？」很明顯，這就把「詩」和「頌」放在相對待的位置上了。這是較早使用「頌」（「周頌」）一名的材料。在此三十年前，魯僖公十六年，還有兩條相似的材料見於《國語·晉語四》：

> （晉）公子過宋，與司馬公孫固相善。公孫固言於襄公曰：「……公子居則下之，動則諮焉，成幼而不倦，殆有禮矣。樹於有禮，必有艾。《商頌》曰：『湯降不遲，聖敬日躋。』降，有禮之謂也。君其圖之。」

> （晉）公子過鄭，鄭文公亦不禮焉。叔詹諫曰：「……在《周頌》曰：『天作高山，大王荒之。』荒，大之也。……君其圖之。」

與此相對比的現象是：當時人引用《風》、《雅》，是一概稱之為「詩曰」的。這就表明：在當時人看來，「詩」和「頌」是有區別

的兩件事物。在他們所使用的詩文本中,「風」、「雅」、「頌」
是相分離的。這種詩內部的分離和對立,就同以下一個概念相關
了。

5.變風變雅

變風、變雅指的是周道衰敗之際產生的諷諫之詩。因其在正常
的風、雅之外,故稱「變」。這一理論僅見於《毛詩序》和對《毛
詩序》的注釋,因而多是猜測之詞。但這些猜測卻提出了一些值得
思考的問題。例如鄭玄把歌頌周室先王和西周盛世的詩稱作「詩之
正經」,而把產於周末衰亂之世的諷刺詩和愛情詩視為「變」;朱
熹以三《禮》所記合法度的詩為「正」,以未用於宗廟的詩為
「變」;顧炎武以入樂之詩為「正」,以不入樂者為「變」❽:便
從作品來源角度和功能角度提出了詩二分的問題,以及詩文本的形
成過程的問題。

關於詩作品的來源,古已有采詩、獻詩二說。此二說涉及一個
極重要的現象:詩文本形成的過程,原是兩大作品類別——采進之
詩和獻進之詩——相衝突也相和合的過程。我們在前文說到:采進
之詩來自民間,原為歌謠,是既作為文學又作為音樂而進入官府
的。但獻進之詩的性質與此不同,它們往往出自公卿至於列士之
手,大抵是用於諷諫的徒詩。例如《國語‧周語上》載邵公諫厲王
「天子聽政,使公卿至于列士獻詩,瞽獻曲」云云,反映了獻詩同
瞽歌、瞍賦、矇誦在音樂方式上的區別。《左傳‧昭公二十一年》
記楚右尹子革語:「昔穆王欲肆其心,周行天下,將皆必有車轍馬

---

❽ 〔清〕顧炎武:《日知錄》,卷3。

跡焉，祭公謀父作〈祈招〉之詩以止王心」，則是獻詩重諷諫的實例。這類詩歌多存於大小雅中。例如《小雅》之〈節南山〉有云「家父作誦，以究王訩」、〈何人斯〉有云「作此好歌，以極反側」、〈巷伯〉有云「寺人孟子，作為此詩」、〈四月〉有云「君子作歌，維以告哀」，《大雅》之〈卷阿〉有云「矢詩不多，維以遂歌」、〈民勞〉有云「王欲玉女，是用大諫」——均可證其作為王朝公卿大夫列士之詩的身份。但獻進之詩亦曾用於鄉樂，例如鄭風之〈清人〉、秦風之〈黃鳥〉。此外《魏風·葛屨》有云「維是褊心，是以為刺」、《陳風·墓門》有云「夫也不良，歌以訊之」，自述作詩諷諫之意，也是由卿大夫等所作所獻的。由此可以看出采進之詩與獻進之詩的本質區別：前者有樂，可用於儀式，故往往以頌德為內容；後者非為儀式而作，而以諷諫為目的，故往往有怨刺的內容。而且，這些獻進之詩應當是像秦始皇時的〈仙真人詩〉那樣，以「傳令樂人歌弦之」❽❾的方式進入音樂機關的，入散樂而未編入儀式正樂。所謂「正」、「變」，應當是對這種來源二分情況的反映。

　　從詩文本形成的角度看，關於作品的取捨，的確有正與不正的區別。三《禮》所列儀式用詩，按制度演奏，不可更改，自然屬於「正樂」，亦即文本中必備之樂歌。《燕禮》稱之為「正歌」，鄭玄解釋為「升歌」。其餘諸詩，則按另一種方式演奏，屬「散樂」。散樂的一種表現是《儀禮·鄉飲酒禮》、〈鄉射禮〉、〈燕禮〉、〈大射儀〉等篇所說的「無算樂」，亦即或合或間、隨意演

---

❽❾　《史記·秦始皇本紀》。

奏的音樂；另一種表現是上述篇章所說的「鄉樂唯欲」，亦即歌於堂下，即興演奏，盡歡而止。根據「無算樂」這個概念，在詩文本的「風」、「雅」部分，應有按定制使用的與不按定制使用的兩個類別。根據「鄉樂唯欲」這個概念，可知同是儀式用詩，也在莊重程度上有所區別——風樂、雅樂、頌樂的演奏規範即迥不相同。也就是說，所謂「正」、「變」，大抵代表了詩文本中用於正樂和用於散樂這兩部分詩歌的區別。因此，顧炎武用作正、變標準的「入樂」與「不入樂」，若改稱「入正樂」與「不入正樂」，便可合乎歷史事實。

在《詩三百年表》中還可以看到這樣一些情況：除二南外，「國風」的部類名稱和作品都很少見於戰國以前的記載。除《大戴禮·投壺》載有歌《魏風·伐檀》的記錄外，先秦典籍中未見樂工演奏諸國風具體篇章的事跡。引風詩、賦風詩的情況也出現較晚，其最早見諸典籍的事例是：

引詩——據《國語·晉語四》記載，公元前 642 年，齊桓公之女姜氏曾引及《鄭風·將仲子》「仲可懷也，人之多言，亦可畏也」句；公元前 638 年，楚成王曾引及《曹風·候人》「彼己之子，不遂其媾」句。這是今所知引述風詩最早的二例。其後為僖公三十三年（公元前 632 年）《左傳》載晉臼季引《邶風·谷風》「采葑采菲，無以下體」一例。

賦詩——據文公十三年《左傳》記載，公元前 614 年，魯文公與鄭伯燕於棐地，鄭子家為賦《小雅·鴻雁》和《鄘風·載馳》四章。這是今所知賦風詩最早的一例。其後要到成公九年（公元前 582 年）《左傳》，才記載了穆姜賦《邶風·綠衣》之卒章一事。

　　據統計，春秋前葉隱、桓、莊、閔、僖五公之時，《左傳》記引詩賦詩之事十五條，《國語》記引詩賦詩之事十七條，共三十二條，其中僅以上引詩三例屬風詩紀事。若補計至春秋中葉，增加文、宣、成三公，則《左傳》共記引詩賦詩之事五十九條，加《國語》所記得七十六條，其中僅十一條為風詩紀事。⑩這些情況說明了什麼呢？是否像程大昌《詩論》卷二說的那樣，由此可知「《南》、《雅》、《頌》之為樂詩，而諸國之為徒詩」呢？當然不是！因為《禮記·樂記》明明說過「正直而靜、廉而謙者宜歌風」，《左傳·襄公二十九年》也記載了「歌《邶》、《鄘》、《衛》」、「歌《王》」、「歌《鄭》」、「歌《齊》」、「歌《豳》」等等事跡。因此，這只能理解為，在西周時代，周、召以外的風詩尚沒有編入正樂。另外，我們曾統計《左傳》引詩賦詩的篇目，得到這樣一組數字⑪：

	國風	小雅	大雅	頌	總計
賦詩	25 篇次	32 篇次	6 篇次	1 篇次	64 篇次
引詩	15 篇次	35 篇次	44 篇次	19 篇次	113 篇次

據此可知：從總體上看，風詩之被賦引，其頻率亦相當可觀，只是

---

⑩　參見繆鉞：《詩詞散論》（上海：上海古籍出版社，1982 年），頁 4；董治安：《先秦文獻與先秦文學》（濟南：齊魯書社，1994 年），頁 27。

⑪　表示評論的「君子曰」、「孔子曰」未計算在內。朱自清亦有類似的統計，參見《朱自清古典文學論文集》（上海：上海古籍出版社，1980 年），頁 251。

它們在記載中見於較晚的時代而已。相比之下，頌和大雅倒是不適宜賦誦的——儘管它們多見於引述，但卻只是偶爾地用於聘問歌詠。這就從另一角度反映了詩文本中的二分現象：頌和部分大雅是用於正樂但未必適於賦誦的詩歌，風和部分小雅是被視為「變樂」但卻適於賦誦的詩歌。

6. 詩文本的形成

綜上所述，所謂「二變」，乃反映了詩三百中的一種二分現象：其中一分是以頌和大雅為中心的西周儀式正樂之歌，另一分是以十三國風為主體的散樂之歌或無算樂之歌。以此為基礎，我們可以這樣來認識今本《詩經》的形成：

詩文本的編輯過程，實質上是一個詩入正樂的過程。因為伴隨詩文本的存在，始終有大量逸詩存在。《左傳》所謂「國人誦」、「輿人誦」、「鄉人歌」、「城者謳」等，多用四言，辭式與詩三百一致；見於《周易》的大量繇辭，則使用了和詩三百相同的母題、修辭格式和起興方法❾❷：它們所代表的，正是詩三百作品在進入正樂之前的狀態。至於以「詩」的名義出現的逸詩，則在先秦十七種文獻中，被引用五十六次。❾❸其中〈貍首〉、〈新宮〉、〈河水〉、〈彎之柔矣〉被多次引用，表明另有一種詩的文本。〈貍

---

❾❷ 見《羅根澤古典文學論文集》（上海：上海古籍出版社，1985 年），頁 11－16、頁 236－242。

❾❸ 董治安：《先秦文獻與先秦文學》（濟南：齊魯書社，1993 年），頁 12－13。

首〉奏為燕禮、射禮、投壺禮的樂章❹;《大戴禮·投壺》說到:「凡雅二十六篇」,逸詩〈史辟〉、〈史義〉、〈史見〉、〈史童〉、〈史謗〉、〈史賓〉、〈拾聲〉、〈叡挾〉等「八篇廢,不可歌」。由此可知:逸詩並不是不可歌的詩;詩文本的取捨不當只是樂的取捨,確切地說,是正樂的取捨。取捨之中,當然包括因樂制改變而對樂章的刪除。

由於儀式需要,詩文本的編輯過程,還是一個篇幅逐漸增大的過程。按照一般看法,《周頌》是西周王室的廟堂祭祀樂歌,主要產於西周初期;《大雅》是西周王室的儀式頌讚之歌,大多產於西周前期;《小雅》基本上是西周後期的作品,部分刺詩遲至東遷之時;《國風》主要是春秋初期、中期收集的十幾個國家和地區的民間詩歌。如果這個順序大致成立,那麼,詩文本的形成便是與儀式樂的範圍擴大同步的。前文說過,十五國風的大部分,在周初即作為鄉樂成立。因此,上述情況意味著,隨著時間推移,越來越多的散樂加入了正樂。

儀禮中「正歌」的提法,以及作為其對比的「無算樂」、「鄉樂唯欲」等提法,表明不同的儀式樂歌,其規範程度是不一樣的。以上順序,恰與儀式規範性強弱的順序相符。從這一角度看,較晚加入的樂歌便在較大程度上偏離了正統,亦即所謂「變」。孔穎達所說的取大雅之音歌其政事之變者為變大雅,取小雅之音歌其政事之變者為變小雅,就此而言顯得簡單了些。這種「變」應包括以下

---

❹ 見《周禮》中〈樂師〉、〈鍾師〉、〈射人〉諸篇,《禮記》中〈樂記〉、〈射義〉、〈投壺〉諸篇,以及《儀禮·大射儀》、《大戴禮·投壺》。

三種情況：把新的音樂（散樂）納入舊的儀式；把原奏無算樂的儀式改變為作規範演奏的儀式；取正樂之音歌進獻之詩，即在較高層次上使用「傳令樂人歌弦之」的方式。根據諸家對「正」、「變」標準的解釋，「變風」、「變雅」指的是周室東遷以後編入正樂的作品。由此可以推測，「二變」概念是東周之初禮樂改革的產物。

　　如上所說，詩文本是為儀式表演的需要而編輯的。但這一文本同時也用於樂教。關於這一點，《毛詩・小雅》部分的六笙詩是很好的證明。《毛詩傳》說：「〈南陔〉，孝子相戒以養也；〈白華〉，孝子之絜白也；〈華黍〉，時和歲豐宜黍稷也。有其義而亡其辭。」「〈由庚〉，萬物得由其道也；〈崇丘〉，萬物得極其高大也；〈由儀〉，萬物之生各得其宜也。有其義而亡其辭。」這六首「詩」雖然無辭，但卻編進了詩三百，這就證明詩文本原是用於演奏的。關於樂義，先秦人有很多論述，例如有「安樂之義」❾⑤、「情見而義立，樂終而德尊」、「識禮樂之文者能述」❾⑥、「聞其樂而知其德」❾⑦等提法。據此可知，所謂「有其義」，乃說明此文本曾用於「以六德為之本」的樂教。按此六首曾用於燕禮和鄉飲酒禮，前三首用為堂下的笙奏，後三首用為間歌〈魚麗〉、〈南有嘉魚〉、〈南山有臺〉的笙奏，均屬「正歌」。前面說過，儀式是設

---

❾⑤　《禮記・郊特牲》。

❾⑥　《禮記・樂記》。

❾⑦　《孟子・公孫丑上》。

教的手段。故六笙詩之義，乃依於樂而不必依於辭。❾❽換句話說，樂教的特點是重視音樂的倫理意義（《樂記》不妨看作關於這種理論的總結）；六笙詩之所以編入詩文本，正是因為它在樂教方面有重要價值。

前文說過，樂語之教首先一個目的，是造就能夠主持儀式、知禮義、善道古的人才。因此之故，用於樂教的詩文本，也用於樂語之教。樂語之教同樣重視上演於儀式的那些篇章，亦即收入今本《詩經》雅、頌部分的篇章。這一點可以解釋何以頌和大雅較多也較早地見於引述，不僅被當時的樂工反復演奏，而且被卿大夫用於政治和外交。但一般說來，每一時代樂語之教的情況，總須到稍晚之時才會在賦詩引詩的記載中反映出來。因此，據《國語·周語上》所載祭公謀父諫穆王而引「周文公之《頌》」、芮良夫諫厲王而引「《頌》曰」、「《大雅》曰」二事，可知在西周初年，已經有了以《頌》和《大雅》為名的詩文本。據前文關於賦詩引詩事跡的統計，可知在春秋前期，人們尚謹守西周時代的樂教規範，未把「二變」納入樂語之教。特別值得注意的是頌和大雅甚少用於賦詩，對這一現象的合理解釋應當是：興、道、諷、誦、言、語等項目，所使用的文本素材是不一樣的。也就是說，《頌》和部分《大雅》是用於儀式上「言」、「語」、「道古」的素材，《小雅》等

---

❾❽ 過去人昧於古代的樂教，對「有義亡辭說」既有曲解也有責難。曲解者認為笙詩只是貴族宴會典禮中演唱詩歌時插入的清樂，原本無辭，所謂「義」是照篇題推出的。見朱熹《詩集傳》、王質《詩總聞》卷十。責難者認為「既早已亡其辭，又何以知其義？」見夏傳才：《詩經研究史概要》（臺北：萬卷樓圖書公司，1993 年），頁 18－20。

其它篇章才適於「興」和「諷」、「誦」。

　　據此，六詩之教的不同項目也分別使用不同的文本素材，即六詩之風、賦、比、興與《風》和《小雅》對應，六詩之雅與《大雅》對應，六詩之頌與《頌》對應。今本《詩經》按風、小雅、大雅、頌所作的分類，來源於六詩之教，但又有別於六詩的分類。前文所述的若干情況已表現了上述對應規則的端倪。例如說「詩」與「頌」有所區別，詩文本中「風」、「雅」、「頌」三者彼此分離，籥章所掌音樂以「詩」、「雅」、「頌」為三分等等。這些現象意味著：從六詩到六義，其在分類形式上的變化主要緣於三種詩文本的分立；這種三分法是因儀式表演的需要造成的；當賦、比、興離開儀式表演而變成純粹的詩教項目的時候，關於這三個名稱的解釋就出現了文學化、倫理化的傾向。因此說，六義之說是樂教、樂語之教、德教的共同產物。

　　讓我們把前面的論述總結一下：今本結構的詩文本，是在《詩》的名義下產生的。從時間角度看，自周平王年間正、變之樂合併之時起，逐漸有了包括風、雅、頌三方面內容而以《詩》為名的文本。作出這一判斷的根據是：正是從春秋初期開始，出現了引《大雅》、《小雅》而統稱為《詩》的現象，例如《左傳》桓公六年鄭太子忽引《大雅·文王》、閔公元年齊管敬仲引《小雅·出車》、僖公五年晉士蒍引《大雅·板》、僖公九年秦公孫枝引《大雅·皇矣》與《抑》，每有引用，均稱「《詩》曰」云云。這種情況，同周平王之時種種政治、文化特點及其在《詩經》中的反映——例如《詩經》中多有怨刺幽王的作品，《雅》、《頌》中無一篇

詠及周平王以後諸王——相符。❾從此之後，詩文本便走上了逐步定型的進程。其間有三個時期比較重要，可視之為里程碑。

一是公元前七世紀中葉。僖公二十二年，楚成王引《曹風》而稱「《曹詩》曰」⑩；僖公二十八年前後，晉臼季引《邶風》而稱「《詩》曰」。⑩這意味著，此時諸國之詩已與雅歌合併，編為詩歌之集。無獨有偶，另一些資料也呈現了相似的意義：僖公二十七年，晉趙衰有云「《詩》、《書》義之府也」云云；此後八年，秦穆公有云「中國以《詩》、《書》禮樂法度為政」云云。這又意味著，在公元前七世紀中葉，已有以《詩》為名的詩集廣泛流行。

二是公元前六世紀末。宣公十一年（公元前 598 年），晉人郤成子引《周頌》而稱「詩曰」；成公二年（公元前 589 年），齊臣

---

❾ 周室初遷之時，是依靠晉、鄭二國的夾輔而立國的。所以《左傳》、《國語》所載引詩賦詩之事，最多見于晉、鄭兩國。周平王時期的各種政治事件也在今本詩中得到充分反映。例如平王十三年衛武公卒，衛人頌其德，為賦〈淇澳〉；平王十八年衛莊公娶莊姜，衛人賦〈碩人〉：均有多種史料證據。此外，《小雅》中至少有四十首詩是「刺幽王」之詩。其中〈節南山〉云「家父作誦，以究王訩」，〈正月〉云「赫赫宗周，褒姒滅之」，〈巧言〉云「蛇蛇碩言，出自口矣」，〈何人斯〉云「伯氏吹壎，仲氏吹篪……作此好歌，以極反側」，〈巷伯〉云「彼譖人者，誰適與謀……寺人孟子，作為此詩」，〈雨無正〉云「曾我暬御，憯憯日瘁」，〈小旻〉云「謀夫孔多，是用不集」，〈小宛〉云「戰戰兢兢，如履薄冰」，〈白華〉云「維彼碩人，實勞我心」，〈十月之交〉云「十月之交」、「日有食之」，均同歷來所記本事相合，可信為周幽王至周平王之時的作品。

⑩ 見《國語·晉語四》楚成王以周禮享重耳章。

⑩ 事見《左傳·僖公三十三年》和《國語·晉語五》，為晉臣臼季向晉文公推薦冀缺之時所引之詩。其年代無考。茲按晉文公在位九年計，定在僖公二十八年（晉文公五年）前後。

賓媚人引《商頌》而稱「《詩》曰」。⑩這意味著，當時已出現
《頌》與《風》、《雅》的合集。這也正是《詩經》最後幾篇作品
陸續問世的時期。公元前627年魯僖公卒，據《詩序》，《魯頌》
諸篇在僖公時用為樂章；公元前621年秦穆公卒，據《左傳》，此
年秦之良臣、士民一百七十七人從死，國人為之賦〈黃鳥〉；公元
前599年陳靈公死，據《左傳》及《詩序》，陳靈公淫於夏姬，夏
姬子徵舒殺靈公自立，陳人為作〈株林〉和〈澤陂〉。至此，今本
詩三百的全部作品宣告完成。

　　三是擬在下文討論的孔子刪詩時期。即公元前五世紀後期，孔
子的晚年。這是「詩三百」文本最後確立的時期。由於《毛詩序》
的六義說對詩文本形成過程中的關鍵問題作了較完整的反映，也由
於這是一種倫理化的歪曲反映，因此，就本文的主題而言，孔子刪
詩有兩方面重要意義：在上文所說的詩文本方面，以及下文所說的
思想史方面，它都是六義說得以形成的必要條件。

㈡ 儒家詩學的形成

　　完整的六義說，應當說是由鄭玄的《周禮注》表述的。鄭玄以
聖賢遺化釋「風」，以鋪陳政教釋「賦」，以取類進諫釋「比」，
以喻勸善事釋「興」，以後世正法釋「雅」，以誦美今德釋
「頌」，一方面充實了關於「賦」、「比」、「興」的解釋，比
《毛詩序》更加系統；另一方面突出了「美刺」、「風化」、「政
教」等三個倫理主題，比《毛詩序》更加鮮明。這樣一來，我們逐

---

⑩　皆據《左傳》。郤成子所引為《周頌·賚》，賓媚人所引為《商頌·長
　　發》。

可以聯繫儒家詩學的形成，來討論六義說的形成。

1.孔子刪詩

孔子刪詩一事記載在《漢書·藝文志》，云「孔子純取周詩，上采殷，下取魯，凡三百五篇」云云。其依據則見於《史記·孔子世家》：

> 古者詩三千餘篇，及至孔子，去其重，取可施于禮義，上采契、后稷，中述殷周之盛，至幽厲之缺，始于衽席……三百五篇，孔子皆弦歌之，以求合《韶》、《武》、《雅》、《頌》之音。禮樂自此可得而述，以備王道，成六藝。

關於這一說法，後人提出過許多懷疑意見，認為：(1)先秦各種史籍中的引詩，大多仍見於今本《詩經》，諸家所輯逸詩不過五十首，故刪詩三千首之說不足置信。(2)吳公子季札在魯國觀樂之時，孔子只有八歲，但那時演奏的詩樂已同今本《詩經》編次相同，可見今本詩在孔子之前即已成形。(3)孔子自己只說過「正樂」，未說刪詩。(4)《詩經》中有許多「淫詩」，並不符合禮義。

但以上懷疑意見卻是很容易排除的；或者說，孔子刪詩一事的真實性，可以獲得多方面的材料支持。例如：孔子以禮、樂設教，主張「興于詩，立于禮，成于樂」[103]，刪定一個《詩》的教本，是順理成章的事情。在孔子之前幾十年，各國人士引詩賦詩已形成熱潮，說明刪詩已有文本條件。據《左傳》、《國語》的記載統計，

---

[103] 《論語·泰伯》。

僅襄、昭二公之時賦詩引詩歌詩之事即達到 166 篇次；其事雖然最
盛於晉、魯、鄭、楚，但也有衛、齊、秦、宋、陳、邾、許等國人
士參預。❿由此可以推知：當時必已有王朝頒詩之制度，以與諸國
獻詩相應❿；詩教之規範必在諸國亦已確立，各國均有類似於王朝
但具體而微的一套禮樂制度和禮樂節目（季札所見魯樂便是證
明）；因此，取各國所傳而得「詩三千餘篇」，是個不難理解的事
實。有一個旁證是：墨子生活的時代距孔子不遠，而《墨子》引詩
共十首，其中四首不見於今本《詩經》，另五首在文句次序上或字
句上亦不同於今本《詩經》，故足以證明當時所傳《詩》有許多不
同文本。換言之，孔子重視詩「興」、「觀」、「群」、「怨」的
交際功能，重視詩「多識乎鳥獸草木之名」的知識功能，重視詩在
培養語言能力、提高修養水平上的功能（即所謂「溫柔敦厚」、
「不學詩無以言」），他作為中國古代教育傳統的奠基人，作為第
一個以六經設教的私立學校的創辦者，對《詩》加以整理是很自然
的。如前文所說，「可施于禮義」的意思是可結合禮儀以闡發倫理
意義，這同道學家所理解的「禮義」不是一回事。在這種情況下，
曾用於樂教的那些詩篇，曾用於外交場合以賦詩見志的那些作品，
無論是否涉及男女之事，都沒有理由不編入教本。詩是「誦其
言」，不同於「歌」之「詠其聲」，因此，季札所觀的詩樂不能等
同於孔子整理的詩章。孔子「信而好古」，重視三代之禮，生活在

---

❿　參見董治安：《先秦文獻與先秦文學》，頁 27－29。

❿　參見繆鉞：《詩詞散論》，頁 3－4。

當時的文化中心魯國❿，故所謂「純取周詩，上采殷，下取魯」，
既符合他的政治理想，也符合今所見詩文本的結構——除周頌、大
小雅、風詩之外，詩三頌有商、魯，這正好就是「取周、采殷、取
魯」的寫照。陳奐在《清廟之什詁訓傳》中說，《左傳》所記季札
觀樂的「周頌」，是「歌周頌非併魯、商而歌之」❿；據下文可
知，這意味著詩三百中的《魯頌》是孔子所加的。這個說法同以下
幾件事正好一致——秦漢之間《詩經》之學主要流傳在魯齊等地，
《漢書·藝文志》有「與不得已，魯最近之」的說法，孔子自稱
「自衛反魯，然後樂正，《雅》、《頌》各得其所」❿，因此，它
們實際上是關於孔子刪詩的邏輯證據。

　　根據各種資料，孔子整理詩文本，應當是從三個方面措手的：
其一是調正次序。即「純取周詩」，把各國不同的編次統一於「始
於衽席」的四始序列，使《雅》、《頌》各得其所。其二是增加
《魯頌》。在孔子之前，《魯頌》及其作品無一字句見於載籍❿，

---

❿　《左傳·昭公二年》載晉執政大夫韓宣子語有云：「周禮盡在魯矣！」
❿　〔清〕陳奐《詩毛氏傳疏》卷 26：「周太師譜詩入樂，但謂之『頌』，不繫
　　『周』字。後詩在魯，魯有《魯頌》，又有《商頌》，遂加『周』以別之。
　　《左傳》吳札請觀周樂，為之歌《頌》。吳札曰：『五聲和，八風平，節有
　　度，守有序，盛德之所同也。』此歌《頌》者，美文王、武王、成王盛德皆
　　同。歌周頌非併魯、商而歌之也。」
❿　《論語·子罕》、《漢書·禮樂志》。
❿　《左傳·襄公三十一年》衛北宮文子所引「敬慎威儀，惟民之則」，應取自
　　《大雅·抑篇》，而非《魯頌·泮水》。《左傳·文公二年》「是以《魯
　　頌》曰」云云，乃「君子」的評論，年代無考。孔穎達疏：「《傳》有評
　　論，皆託之君子。……僖公薨後始作《魯頌》，為《傳》之時乃設此辭，非
　　當時君子有此言也。」見楊伯峻：《春秋左傳注》（北京：中華書局，1990
　　年 5 月），第 2 冊，頁 524。

季札於魯國所見周樂中亦未有魯頌。⓾從現存資料看，最早提到《魯頌》的是孔子本人。此即《論語·為政》引《魯頌·駉》之句而作的評語：「詩三百，一言以蔽之，『思無邪』。」故《魯頌》應是由孔子補入詩文本的。其三是刪削詩篇。即把得自諸國的十幾種詩文本，三千餘首作品，「去其重」，按是否可以「施於禮義」，刪定為三百零五篇。所以自孔子起，「詩三百」才成為一個通行的名稱。⓫前人關於孔子刪詩的疑惑，若聯繫上文所說詩文本中的二分現象，詩文本中「風」、「雅」、「頌」三者彼此分離的現象，詩文本的形成過程即詩入正樂的過程等，便可冰釋。因為，所謂刪詩，其實質不過是提出一個消除了種種分離現象的，同禮樂相配合的，有秩序的詩歌文本，而非後來書齋中的那種選詩。⓬據《左傳》和《史記·孔子世家》，孔子自衛返魯在魯哀公十一年、

⓾　〔清〕陳奐《詩毛氏傳疏》，卷26。參見注⓭。

⓫　「詩三百」一語始見於《論語》。其中〈為政〉說到「詩三百」，〈子路〉說到「誦詩三百」。《禮記·禮器》則說：「孔子曰：『誦詩三百，不足以一獻。……」

⓬　孔子之「去其重」，與後來劉向整理圖書時的「去其重」情形相近。按劉向《晏子》敘錄云：「所校中書《晏子》十一篇，臣向謹與長社尉臣參校讎。太史書五篇，臣向書一篇，參書十三篇，凡中外書三十篇，為八百三十八章。除複重二十二篇六百三十八章，定著八篇二百一十五章。」又《戰國策敘錄》云：「所校中《戰國策書》，中書餘卷，錯亂相糅苣。又有國別者八篇，少不足。臣向因國別者略以時次之，分別不以序者以相補，除複重，得三十三篇。……中書本號，或曰《國策》，或曰《國事》，或曰《短長》，或曰《事語》，或曰《長書》，或曰《脩書》。臣向以為戰國時遊士輔所用之國，為之策謀，宜為《戰國策》。」可見「刪」的主要涵義是刪去因異本而產生的重複。

公元前 484 年，其時孔子六十八歲。這應是詩三百最後刪定的具體時間。

　　刪詩一舉，比較集中地反映了孔子的詩教思想。孔子重視禮樂，實際上是把詩歌文本當作禮樂的寄託來整理的。所謂「三百五篇，孔子皆弦歌之，以求合《韶》、《武》、《雅》、《頌》之音」，說明他刪詩的方法是正樂。「禮樂自此可得而述，以備王道，成六藝」，說明他刪詩的宗旨是恢復周道──周代的制度和樂教。「興于詩，立于禮，成于樂」，這是他教詩造士的路線，亦即由詩入手，以禮為根基，以樂為修養。「道之以德，齊之以禮」⓭，這是他造士的原則和目標，即和周代德教相似的原則和目標。但到孔子時代，周禮周樂已經完全崩壞了，詩教只可能走上倫理化而非禮樂化的道路。因此，孔子刪詩的客觀效果是：隨著詩文本的確立，詩教也離開禮樂而獨立，成為儒家詩學。對於「六義」說來說，這是它在形成史上的關鍵一步。

　　2.孟子「以意逆志」

　　《史記‧孟子荀卿列傳》說：孟子是在游說諸王而不見用之時，「退而與萬章之徒序《詩》、《書》，述仲尼之意」的。由此可以理解孟子詩學的兩個特點：他是孔子詩教的繼承者，重視禮義；但他在詩學中注入了現實的政治理想，因此有更明顯的經世致用的色彩。所謂「王者之跡熄而詩亡，詩亡然後《春秋》作」，便一方面確認了詩的歷史鑒誡功能在《春秋》當中的延續，另一方面也承認了，正視了詩作為周代禮樂的不可挽回的消亡。《孟子》七

⓭　《論語‧為政》。

篇引詩三十九篇次，遠遠超過孔子。這也反映了他以《詩》為歷史資料，為理論依據的態度。

孟子詩學的上述特點，可以理解為時代特點。到孟子時代，作為禮樂的詩消亡了，詩於是有了作為文學或哲學的身份。孟子對這種情況作了敏銳的反應。他最重要的詩學主張有兩項，其一是《萬章下》所說的「知人論世」：「頌其詩，讀其書，不知其人，可乎？是以論其世也，是尚友也」；其二是《萬章上》所說的「以意逆志」：「故說詩者，不以文害辭，不以辭害志，以意逆志，是為得之」。前一項講修身之法，主張通過誦詩而知古人的為人和時世，上與古人為友；後一項講理解作品的方法，主張不拘泥於作品局部而要掌握全篇大義。這兩項主張的基本前提便是肯定了《詩》作為作家作品的存在，亦即肯定了脫離禮樂之義的詩本義的存在。其理論特點則表現為對詩學方法的重視。這兩種情況都是空前的。因此可以說，中國嚴格意義上的文學理論是從孟子開始的。孟子結束了讓文學理論附庸於音樂理論的局面，使儒家詩學成為以文本為對象的學說。

但關於「以意逆志」一說的本來涵義，近幾十年來，卻似乎從未有過正確的解釋。在我們看來，根據《孟子》引詩的具體事例，所謂「以意逆志」，其實質涵義是主張借助詩來闡發儒家的倫理道德原則。例如借助《豳風·七月》來解釋「有恆產者有恆心，無恆產者無恆心」，借助《大雅·思齊》來說明「推恩足以保四海」，把《大雅·公劉》理解為公劉好貨，把《大雅·綿》理解為太王好色。⑭

---

⑭ 第一例見《孟子·滕文公上》，餘見《孟子·梁惠王》。

孟子所提出的要求實際上是：在字詞之義同章句之義相衝突的時候，在章句之義同全詩之義相衝突的時候，要按自己的理解去追尋詩人的本意——追尋詩人在詩歌字句之外的隱喻和暗示。這並不是一個同他的解詩實踐相矛盾的理論，相反，是一個讓比附說詩合法化的理論。

請看《孟子》書中另一些引《詩》之例：

《大雅·靈臺》，本是對文王建靈臺之事的描寫。孟子答梁惠王問時引之，解釋為「古之人與民偕樂，故能樂也」。❶❶❺

《大雅·文王有聲》，原是描寫文王遷豐、武王遷鎬之詩。孟子引其中「自西至東，自南至北，無思不服」句，解釋為王不論大小，要在以德服人。

《豳風·鴟鴞》，原是敘說苦難的禽言詩。孟子引其中「迨天之未雨，徹彼桑土，綢繆牖戶，今此下民，或敢侮予」句，解釋說「仁則榮，不仁則辱」，「明其政刑，雖大國必畏之」。❶❶❻

《小雅·伐木》，原是燕朋友故舊之歌；《魯頌·閟宮》，原是歌頌僖公之詩。孟子引其中「出自幽谷，遷於喬木」、「戎狄是膺，荊舒是懲」等句，說明用夏變夷而非變於夷的道理。❶❶❼

《大雅·下武》，原是諸侯祝賀周王即位，歌頌歷代帝王功德之詞。孟子引其中「永言孝思，孝思惟則」（原義為堅持效法先王，以為天下法式）句，說明「孝子之至，莫大乎尊親；尊親之

---

❶❶❺　《孟子·梁惠王上》。

❶❶❻　以上兩則見《孟子·公孫丑》。

❶❶❼　《孟子·滕文公》。

至，莫大乎以天下養」。⑱

《大雅·既醉》，原是祭祀燕會時的祝福之詞。孟子引其中「既醉以酒，既飽以德」句，主張「飽乎仁義」，而「不願人之膏粱之味」。⑲

《魏風·伐檀》，原是諷刺剝削者不勞而獲之詩。孟子認為君子有功於國，固可安享富貴，「不素餐兮」乃是對他的讚詞。⑳

這些例子，可以證明「以意逆志」理論和實踐的統一性。因為它們都超出詩歌文辭所表達的原本涵義，去追尋了孟子想像中的作者的意旨。它們所表達的主要是仁、德、孝、義、性善、安民等倫理觀念㉑，這些觀念所具有的正是「志」的品質而不是「意」的品質㉒。這和春秋時候的賦詩、引詩有所不同。過去賦詩引詩重視修辭——借詩修飾辭令，用委婉的方式來說明私人的感情和立場，或說明當下的某種事理；而孟子之引詩則重視探求作詩者的仁義之志。這是超出個人感情的一種探求，因而推動了詩學中「政教」、

---

⑱ 《孟子·萬章上》。

⑲ 《孟子·告子上》。

⑳ 《孟子·盡心上》。

㉑ 參見糜文開《孟子與詩經》所列舉的例證，《詩經欣賞與研究》改編版（臺北：三民書局，1987 年），第 4 冊，頁 143－172。

㉒ 此二字有細微的差別。「意」在《孟子》書中僅二見，指心意及文字之義；「志」在《孟子》書中則往往用指理想、節操，如〈公孫丑上〉：「夫志，氣之帥也；氣，體之充也。……其為氣也，配義與道。」〈滕文公下〉：「志士不忘在溝壑，勇士不忘喪其元。」〈離婁上〉：「苟不志於仁，終身憂辱。」〈萬章下〉：「懦夫有立志。」〈盡心上〉：「君子之志於道也，不成章不達。……曰：何謂尚志？曰：仁義而已矣。」

「風化」、「美刺」等原則的建立。換言之，如果說孔子的詩學代
表了對周代樂教的繼承，那麼，孟子的詩學便代表了對周代德教的
發展；如果說孔子詩學重在述而不作，那麼，孟子詩學則有明顯的
比附倫理原則的傾向。這實際上也是漢以後詩學的方向和路線。茲
舉兩個細小的例子：《毛詩序》說：「〈靈台〉，……文王受命而
民樂其有靈德以及鳥獸昆蟲焉。」又說：「〈既醉〉，大平也。醉
酒飽德，人有士君子之行焉。」在這裡，分明可以看到孟子詩解的
影響。

3.荀子宗經與徵聖

荀子是儒學史上一個承前啟後的人物：既是先秦儒學的集大成
者，又是漢代各派儒學的淵源。據汪中《荀卿子通論》，儒家六經
均經過荀子的講習，因而得以不墜。漢代《詩經》毛、魯、韓三
家，其傳授淵源也都可以追溯至荀子。

荀子的時代比孟子大約晚上半個世紀，加上個性原因，二者的
詩學有相當大的差別。其主要點在於：詩對於孟子代表的是「王者
之跡」，而對於荀子則代表聖人的志趣；孟子主張用主觀的態度去
追尋詩的本旨，荀子則認為詩的本旨只能體悟冥會，而不能言說；
詩在孟子那裡常常是游說時君的手段，而在荀子這裡卻是修身、學
禮的工具。如果說，從孔子到孟子，詩由禮樂之所在變成王道之所
在，那麼，從孟子到荀子，詩便最終成為聖人的經典。以下言論，
即反映了荀子的上述思想：

〈儒效〉：「聖人也者，道之管也。天下之道管是矣，百王
之道一是矣，故《詩》《書》《禮》《樂》之（道）歸是

矣。《詩》言是其志也，《書》言是其事也，《禮》言是其
行也，《樂》言是其和也，《春秋》言是其微也。」

〈大略〉：「善為《詩》者不說。」

〈勸學〉：「學惡乎始？惡乎終？曰：其數則始乎誦經，終
乎讀禮；其義則始乎為士，終乎為聖人。」「上不能好其
人，下不能隆禮，安特將學雜識志，順《詩》《書》而已
耳，則末世窮年，不免為陋儒而已！」

值得注意的是，中國古代文學理論最重要的兩個概念——「徵聖」
和「宗經」，在這裡已見端倪。

根據戰國時期「諸侯異政，百家異說」，「天下亂，姦言起，
君子無執以臨之，無刑以禁之」⑫的情況，荀子所說的「經」，應
有兩個延伸涵義：其一，《詩》和六藝的其它著作，都有了廣為流
行的定本；其二，關於六藝，已有多種多樣的傳授系統。因為
「經」是同「傳」相對的詞語。「傳」字從「人」，指通過人、在
口耳之間進行的闡釋與傳授。「經」則是書籍的通稱，指連綴竹簡
成冊的絲編或韋編。「六經」一名，表明有定本的「經」已構成同
無定本的「傳」的區別。這一點在上引「好其人」一語中也得到了
證明。「好其人」的意思是尊敬良師，即《勸學》中說的「學莫便
乎近其人」。它表明了荀子時代《詩經》傳授的多樣性。從這一角

---

⑫　《荀子·解蔽》、〈正名〉。

度看，荀子的徵聖宗經理論，是對當時詩學面貌的反應。他主張建立權威的詩學理論和《詩經》闡釋原則，原先王，本仁義，以造就雅儒和大儒而抵制俗儒和陋儒。因此，當荀子為《詩經》闡釋學確立徵聖宗經的理論綱領的時候⑫，他也宣告了儒家詩學系統的完成。

同孟子一樣，荀子的詩學理想也在解詩實踐中得到了生動體現。《荀子》一書引《詩》八十二次，所討論的問題涉及修身、隆禮、正師、為善、奉君、愛民等方面，其中最重要的是德化這一主題：

〈儒效〉引《大雅·文王有聲》「自西自東，自南自北，無思不服」句說明人師之四海歸心：「儒者在本朝則美政，在下位則美俗，……近者歌謳而樂之，遠者竭蹷而趨之，四海之內若一家，通達之屬莫不從服，夫是之謂人師。」

又引《小雅·鶴鳴》「鶴鳴于九皋，聲聞于天」句說明君子聲遠：「故君子務修內而讓之於外，務積德於身而處之以遵道。如是則貴名起如日月，天下應之如雷霆。」

〈王霸〉再引〈文王有聲〉「自西自東」句說明明道足以化人：「致忠信，著仁義，足以竭人矣。」

---

⑫　建立理論綱領是荀子的自覺意識。〈勸學〉有云：「將原先王，本仁義，則禮正其經緯、蹊徑也。若挈裘領，詘五指而頓之，順者不可勝數也。」

〈君道〉引《大雅·常武》「王猶允塞，徐方既來」句說明隆禮可使四海致平：「上好禮儀，尚賢使能，無貪利之心，則下亦將慕辭讓，致忠信，而謹於臣子矣。……敵國不待服而詘，四海之民不待令而一，夫是謂至平。」

〈議兵〉引《曹風·尸鳩》「淑人君子，其儀不忒」句說明盛德可化天下：「故近者親其善，遠方慕其德，兵不血刃，遠邇來服，德盛於此，施及四極。」

又引《大雅·常武》「王猶允塞，徐方既來」句再論盛德可化天下：「故民之歸之如流水，所存者神，所為者化，……暴悍勇力之屬為之化而願，旁辟曲私之屬為之化而公，矜糾收繚之屬為之化而調。」

此外有〈解蔽〉引《大雅·大明》「明明在下，赫赫在上」句，說明「上明而下化」；有〈君子〉再引《曹風·尸鳩》「淑人君子」句，說明正身待物則四國皆化。這些詩學實踐，既發展了孔子的復禮的思想，也加強了孟子的「以意逆志」的思想，使政教、風化成為儒家詩學最重要的主題。而詩歌通過讚美、罵詈、悲歎、勸誡等內容所實現的倫理評價功能⑫，經過荀子的誇張，也逐步凝結成為「美」、「刺」這兩個儒家詩學的常用術語。因此，如果說孔子、

---

⑫　參見胡念貽：《詩經中的怨刺詩》、《詩經中的頌贊詩》，《先秦文學論集》（北京：中國社會科學出版社，1981年）。

孟子建立起了儒家詩學的基本原則,那麼可以說,這一詩學傳統在荀子這裡得到了完成。不難判斷,《毛詩序》所謂「風天下而正夫婦」、「風以動之,教以化之」、「經夫婦,成孝敬,厚人倫,美教化,移風俗」,所謂「言王政之所由廢興」、「化自北而南」,都可以溯源於由孔、孟、荀代表的儒家詩學。而鄭玄之以風化、諷諫、鋪陳政教等教條解釋風、賦、比、興、雅、頌——這種完全倫理化的「六義」觀念,也無疑是儒家詩學體系形成之後的觀念。顯而易見,這一切同西周的「六詩」已有漫長的歷史距離。

五、結　論

綜上所述,《毛詩序》的「六義」說是按儒家倫理觀念改造而成的一個文學理論術語,它來源於《周禮·春官·大師》中的「六詩」之說。「六詩」和「六義」都指「風、賦、比、興、雅、頌」等項目,但它們的涵義截然不同。「六詩」是西周時代用於樂教的概念,指對瞽矇進行語言與音樂訓練的六個科目;「六義」是漢代儒家詩學的概念,是用倫理的語言對《詩經》作品及其表現手法之分類的反映。這是一個非常混亂的分類,所以,當漢以後人對其進行解釋之時,出現了以「風、雅、頌」代表三種詩體、以「賦、比、興」代表三種詩用的「三體三用」概念。這幾個概念折射了不同時代的詩歌面貌:「六詩」對應於詩作為音樂文學而流行的時代,「六義」對應於詩作為文本文學而流行的時代,「三體三用」則是《詩》成為經學典籍之後的概念。從「六詩」到「六義」,其間有一個內涵變化的過程。對風、賦、比、興、雅、頌的理解之所以會成為歷史懸案,是因為人們忽視了上述概念在歷史屬性和歷史

背景上的差異。

　　比照大司樂施於國子之教的「樂語」（「興、道、諷、誦、言、語」），我們可以求得「六詩」的原始涵義。六詩之分原是詩的傳述方式之分，它指的是用六種方法演述詩歌。「風」和「賦」是兩種誦詩方式——「風」是本色之誦（方音誦），「賦」是雅言之誦；「比」和「興」是兩種歌詩方式——「比」是賡歌（依同一曲調相倡和之歌），「興」是相和歌（依不同曲調相倡和之歌）；「雅」和「頌」則是兩種奏詩方式——「雅」為用弦樂奏詩，「頌」為用舞樂奏詩。風、賦、比、興、雅、頌的次序，從表面上看，是藝術成分逐漸增加的次序；而究其實質，則是由易至難的樂教次序。

　　六詩與樂語的對應，在「風」「賦」這一組術語中表現較為明顯。國子之教中的「諷」（直述）和「誦」（吟誦）的對比，乃對應於瞽矇之教中的「風」（方音的謠歌或吟誦）和「賦」（雅言誦）的對比。這兩組對比，均反映了詩在西周時代的社會功能。周代有在祭祀儀式上諷誦史詩和四方之志的節目，以向君王提供鑒誡；又有雅言制度，以實現王朝與諸侯國的政治文化交流。前一制度講究語言、音樂、歷史、風俗的真實性，要求瞽矇以精審的聽覺和記憶作準確轉述，因而產生了「風」這種傳述方式。後一制度則要求瞽矇和行人之官先用「風」之法采集歌謠與「代語」（方言間意義相當而語音不同的詞語），然後用雅言之誦轉述其意義，這樣就產生了「賦」的傳述方式。換言之，「風」的目的是保存各地的風歌，故用方音來作背誦；「賦」的目的是以詩言志（事），故使用不同於風歌的雅言來作吟誦。所謂「不歌而誦謂之賦」，即指這

種脫離了詩歌「風」本色的吟誦。今存「詩三百」既有形式整齊、語言規範的特點，又廣泛反映了兩周的社會面貌。這兩個特點，便是分別與「賦」「風」二法對應的。它們是用風之法記錄詩，用賦之法整理詩這段歷史的結晶。

如果說「風」和「賦」的涵義可以從詩歌功能的角度去認識，那麼，「比」和「興」的涵義則可以從《詩經》內部找到證明。「比」在各種典籍中的用例表明，它代表相比次、相輔弼的事物關係。作為一種傳述詩的方式，指的是依次倡和、更疊相代的歌唱。《尚書·益稷》所記帝庸等人的「作歌」和「賡歌」，就是「比」的一個實例。與此相應，「興」是一種以正歌與輔歌相倡和的歌唱。《毛詩傳》在 116 篇詩歌中所注「興也」二字表明，所謂「起」，指的是起調而歌；所謂「興物而作謂之興」，指的是以起唱引出和唱；傳所注「興」的位置，乃是起唱與和唱相間的位置。《鄭風·蘀兮》反映了「比」「興」兩種歌詩方式的區別：「比」代表比次重疊的倡和關係，表現在文辭上，是章節的重複，亦即通常所說的「複沓」；「興」代表起調與和調相連續的倡和關係，表現在文辭上，是樂句的有規律的豐富，亦即通常所說的「單行章段」和「詩章章餘」。幾千年來爭訟紛紜的《周南·關雎》的章節問題，正是這個單行章段的問題：其首章的單行，乃是「興」歌的表現；其二章、三章的複沓，則是「比」歌的表現；所謂「〈關雎〉之亂」，指的是首章的眾聲合唱，亦即同起興之調相應和的眾聲。

早期詩歌的傳述方式，決定了今本《詩經》的面貌。例如，由於「風」的方式，四方之詩才得以薈萃於官府，編為詩集；由於

「賦」的方式，詩才能在語言風格上取得統一；而詩之所以有相對整齊的體裁格式，則是因為它采用了「比」和「興」的歌唱方式。據統計，《毛傳》注「興」之詩，在《國風》160 篇中有 72 篇，佔 45%；在《小雅》74 篇中有 38 篇，佔 51%；在《大雅》31 篇中有 4 篇，佔 13%；在三《頌》40 篇中有 2 篇，佔 5%。而回環複沓的作品，在以上四個部類中分別佔有 88%、67%、13%、5%的比例。這意味著，絕大部分風詩和小雅詩采用了比歌或興歌的方式，這兩種歌唱方式直接影響到其體裁的形成。而從總體上說，《詩經》體制可以看作多種傳播方式相作用的產物。其中以四言為主要辭式的特點以及問答體的特點，來源於儀式上的祝頌，所以多見於《頌》和《大雅》；其中回環複沓的特色以及起調與和調結合為用的特色，則來自民間比歌和興歌，所以在《國風》和《小雅》中獲得廣泛應用。

關於「雅」為樂歌、「頌」為舞歌，前人已作較多的論證。在「雅」為正、為律呂、為樂器、為中原之聲、為朝廷之音等義項中，我們已經看到了雅作為樂歌的身份。古代關於歌詩、采詩方式的記載，以及《詩經》中的樂舞描寫，都證明雅的方式或樂歌方式是傳述詩的重要方式。通過《漢書·藝文志·六藝略》樂類的著錄資料⑫，我們並可進一步確定：「雅歌」之「雅」指的是弦歌──配合雅琴而歌。由於這種歌唱多用於宴會儀式，故《小雅》詩往往

---

⑫　《漢書·藝文志·六藝略》樂類著錄了兩類典籍：一是關於雅樂的理論，即《（樂）記》和《王禹記》；二是關於雅琴的理論，即《雅歌詩》、《雅琴趙氏》、《雅琴師氏》、《雅琴龍氏》。

記有宴飲群臣嘉賓的內容，按儀式需要彼此組合，並保留了因用於儀式而被改造的痕跡——例如〈皇皇者華〉的首章是女子思征夫之歌，其它各章則改用第一人稱來贊美諸侯朝周。

這種改造還廣泛見於由興歌與正歌相結合的作品：興歌用民歌風格的語句，正歌則描寫大型宴會。總之，六詩之「雅」「頌」與《詩經》之「雅」「頌」，是既有聯繫又有區別的兩組術語。它們的區別在於：前者是教詩、奏詩的方式，後者是用詩的文本。《雅》是某種儀式樂歌，「雅」則是弦歌；《頌》是祭祀樂歌，「頌」則是舞歌。

根據《毛詩》序、傳中種種相互矛盾的情況，可以知道《詩傳》、《詩序》、《詩小序》、《詩小序》的後序這四樣東西，並非出自一人之手。《詩傳》所注「興也」云云，其依據可以推至西周的六詩說；而大序的六義說帶有濃厚的大一統的政治色彩，可以判為漢代人的思想。從六詩到六義，大體經過了三個發展階段：一是以樂教為中心的階段；二是重在樂語之教的階段（或曰以詩為聘問歌詠之手段的階段）；三是「聘問歌詠不行于列國」而以德教為中心的階段。隨著詩歌功能的變化，六詩的涵義也發生了改變。

作為服務於儀式的教育，樂教原則上是瞽矇之教。詩三百的早期作品，都是瞽矇唱於郊廟祭祀或王室朝會典禮上的詩歌。這表明用於儀式上的記誦、祝禱或頌讚，是早期詩歌最基本的功能。這一點可以在民族學資料中得到印證：各民族最早的文學，都是因儀式記誦需要而產生的韻文。這一點也可以解釋以詩諷諫之傳統的來歷：它始於瞽矇在祭祖儀式上歌唱史詩以為王者鑒誡，繼為瞽矇諷誦各地土風以表四方之志，後來發展成公卿大夫列士獻詩以刺時

弊。大量怨刺詩的存在，證明了古籍所記採詩、陳詩、獻詩事跡的真實性。古代資料同時也反映了樂教的功能和內容，例如關於大師掌管詩歌、國家禮儀和樂教的資料，關於在燕射禮儀上演奏升歌、笙歌、間歌的資料，關於春秋時期外交禮儀上奏詩樂的資料。從中可以知道：最早的詩學實際上是禮樂之學，「樂章義」是古人理解詩歌的重要視點；詩歌分類來源於樂教中的儀式分類，在《詩經》結構與儀式功能之間可以看到如下一種明顯的對應：

> 《頌》（以〈清廟〉為首）：用於郊廟祭祀等儀式的堂上大樂舞之歌；
>
> 《大雅》（以〈文王〉為首）：用於君臣朝會等儀式的堂上之歌；
>
> 《小雅》（以〈鹿鳴〉為首）：間歌：用於燕禮、鄉飲酒禮、投壺禮等儀式的堂上之歌；
>
> 《小雅》（以〈鹿鳴〉為首）：笙詩：用於燕禮、鄉飲酒禮、投壺禮等儀式的堂下之奏；
>
> 《風》（以〈關雎〉為首）：南樂：用於房中之樂，為合樂之歌；
>
> 《風》（以〈關雎〉為首）：鄉樂：用於燕禮、鄉飲酒禮、射禮等儀式堂下「合樂」。

所謂「四始」，實際上就是指對應於上述儀式的詩歌序列。

同施於瞽矇的樂教相區別，樂語之教是施於國子的教育，旨在培養各種禮儀的主持者和擔負布政、聘問之責的使者行人，包括詩

聲之教、詩義之教和詩言之教。它同樣來源於古老的史詩制度，所以有「道古」這一重要的儀式項目。樂語此外還用於布政（誦詩賦政）和聘問（賦詩言志以行專對）。在那許多賦詩斷章的故事中，樂語之教乃是把詩當作語言資料來看待的。因此，從用於樂教到用於樂語之教，是詩歌被整理的過程，也是詩本義進一步丟失的過程。在大師和樂工那裡，這種丟失表現為詩之辭和詩之樂的疏離；而在卿大夫那裡，這種丟失便表現為詩的本來義和詩的引申義的疏離。詩歌作義、樂章義、用義的彼此分裂，就是這樣產生的。

詩教的發展過程，實際上也是同音樂相分離的過程。從西周中期開始，詩的文辭得到越來越高的重視，遂有大量引詩的事跡見於載籍。這標誌區別於樂教、樂語之教的另一個詩教項目——德教，已從樂教中逐漸獨立出來。其背景則是制度的變化：隨著神權政治的削弱，曾經以禮樂之官大司樂為主導的教育，在西周後期，轉變為以民政之官大司徒為主導；到春秋時代，其重心進一步轉移為各地師儒、師保的教育。詩教於是成為「六藝」的組成部分；至晚在春秋中期，《詩》也成為和《禮》《樂》並列的教學課本。同樂語之教相比，在這一階段，詩有了新的面貌和性質。它的應用範圍遠遠超出過去卿大夫們的出納王命和宴享交接，而成為人生各種活動的指導；它不僅是用於辭令的語言資料，而且是用於思想和處世的語言資料。它從此主要不再作為樂歌而存在了，而是作為倫理的文學——作為格言、警句、教條而存在。「六義」說這種政治化或倫理化的詩學理論，正是在這樣的基礎上產生出來的。

但孕育六義說的直接條件，卻是詩文本的形成和儒家詩學的形成。前一過程實即詩入正樂的過程。在西周初年，今本《詩經》中

的《頌》和《大雅》，即以祭祀樂歌的身份構成正樂的主體；在另一方面，《國風》的大部分類別，亦作為「鄉樂」而有了基本的器樂組合。此後鄉樂中的周樂、召樂采用來自南方的鈴狀樂器來伴奏琴瑟，奏為房中之樂，因而進入正樂，被稱為「周南」、「召南」。與此同時，《小雅》的一部分也以二工二瑟歌於堂上，用為燕射禮儀上的「間歌」或「笙詩」。在這一時期，人們是以堂上之歌、堂下之歌來區分正樂與否的：堂上之歌是「升歌」或雅歌，堂下之歌則被稱作「無算樂」或「鄉樂」。堂下之歌采用合唱形式，把風、賦、比、興四種歌唱方式統一於一身，人們遂有了詩（堂下之歌）、雅（堂上之歌）、頌（廟堂之歌）的三分概念。到周道衰敗、王室東遷之時，這種正樂與散樂的區分演變為「正」「變」之分：大量「無算樂」變為規範的儀式樂歌，大量獻進之詩被奏入歌弦，大量新的音樂被納入舊的儀式。於是，一場禮樂變革，使儀式所用的風歌、雅歌都成了正歌（舊樂）與變歌（新樂）的混合。今天所見的詩文本，應當就是在這時初步形成的。因為從春秋初期開始，不斷出現了引《大雅》、《小雅》而統稱為《詩》的現象；也因為今天的詩文本，仍然保留了正變合流的痕跡——例如所謂「六笙詩」，即由於它用於燕射禮儀的正樂身份、由於它在樂義方面的價值而在詩文本中得到了保存。

由於缺少資料，我們無法判明詩文本的產生時間；但詩文本最初的流行時代，卻可以確定在春秋初期。因為早在西周時期，與諸國獻詩制度相應，便有了王朝頒詩的制度；到春秋時期，各國遂亦有了一套類似於王朝的樂工隊伍和禮樂節目，因而也有了傳抄歌本的需要。根據史籍所載各種詩歌作品的使用和稱謂，我們還可以進

一步確定：至晚在公元前七世紀中葉，諸國之詩與雅歌合編為一集，以《詩》的名稱廣泛流行。至晚在公元前六世紀末，《頌》與《風》、《雅》合編為一集，今本詩三百的全部作品宣告完成。到公元前 484 年前後，晚年的孔子便貢獻了我們今天所見到的詩的定本。——他「純取周詩」，把各國不同的編次統一於「始于衽席」的四始序列，使《雅》《頌》各得其所；他增加《魯頌》，把得自諸國的十幾種詩文本、三千餘首作品，去其重，按是否可以施於禮義，刪定為三百另五篇。所以自孔子起，「詩三百」才成為一個通行的名稱，進而成為「六經」的第一部經典。

　　儘管孔子刪詩的目的是恢復周禮，但禮樂不可挽回的崩壞，卻使他的詩教走上倫理化的道路，離開禮樂而獨立，成為儒家詩學。這一詩學得到了孟子、荀子等人的發展和補充。在孟子「以意逆志」的理論中，《詩》作為作家作品的存在被肯定了下來，脫離禮樂之義的詩本義也被肯定了下來。孟子於是一方面建立了一個讓比附說詩合法化的理論，另一方面也使儒家詩學成為以文本為對象的學說。荀子則以「徵聖」和「宗經」的詩學理論使政教、風化成為儒家詩學最重要的主題，因而也使詩歌通過贊美、罵詈、悲歎、勸戒等內容所實現的倫理評價功能，逐步凝結成為「美」「刺」這兩個儒家詩學的常用術語。這樣一來，「六詩」這個西周時代關於詩歌表演藝術的分類概念，經過一個漫長的過程，到漢代終於演變成「六義」了。中國人的政治詩學和比附詩學，於是有了一個堅強的基石。

　　——本文發表於「經典與文化的形成」研究計畫第二十二次讀書月會（2005 年 10 月 22 日）。

經典的傳播與歧異
——以《春秋》經傳爲中心

趙生群[*]

文獻在流傳過程中，並非恆定不變。而經典文獻（特別是儒家經典）在流傳過程中產生變異的情況可能尤爲突出。這裏以《春秋》經傳爲中心，兼及《易》、《書》、《詩》、《禮》等典籍，加以論證分析。

一、《春秋》經文的脱落與變異

㈠ 經文脱落

楊伯峻《春秋左傳注・前言》說：「至于《春秋》是否有傳寫脱漏，從古今所載《春秋》字數的差距來看，未嘗無此可能。《史記・太史公自序集解》引張晏說，《春秋》一萬八千字。《公羊傳》昭公十二年『其詞則丘有罪焉耳』下徐彥《疏》引《春秋說》也說『《春秋》一萬八千字』。王觀國《學林》卻說：『今世所傳《春秋經》，一萬六千五百餘字。』李燾爲謝疇作《春秋古經序》

_____

* 　趙生群，南京師範大學文學院教授。

說：『張晏云《春秋》萬八千字，誤也。今細數之，更缺一千四百二十八字。』張晏為曹魏時人，王觀國和李燾都為南宋初時人。假若張晏的『萬八千字』的數字可靠，則相隔九百年光景，《春秋》便漏抄一千四百二十八字。據汪伋《十三經紀字》，依清乾隆甲寅（1794 年）刻本，《春秋》為一萬六千五百十二字，較之李燾所細數，又少了六十字。輾轉抄刻，字數難免有脫落。試想，《春秋》一條，多則二十餘字，少則幾個字，而自張晏以來，幾乎少了一千五百字，至少是脫了一百多條。」今本《春秋》，春、夏、秋、冬四時或不完備，又有「夏五」、「郭公」之類，可證其確有脫落。

㈡ 經文歧異

在雕版印刷術發明之前，文獻傳播只能依靠手抄。古籍經過長期傳抄，很容易產生訛誤。《公羊》、《穀梁》因其經師眾多，傳授系統複雜，產生異文更在所難免。即以兩傳所據經文而論，就至少有數百處異文。唐代陸淳撰《春秋集傳纂例》，中有《三傳經文差謬略》一篇，列舉《春秋》異文將近 300 處，其中三傳經文各不相同者 16 處，《公羊》經文異於《穀梁》、《左傳》者 157 處，《穀梁》經文異於《公羊》、《左傳》者 38 處，《左傳》經文異於《公羊》、《穀梁》者 76 處。

經文的差異，有時也直接影響到對經文的理解。如：

桓公十八年《公羊經》：「十有八年春，王正月，公會齊侯於濼。公夫人姜氏遂如齊。」《公羊傳》云：「公何以不言及夫人？夫人外也。夫人外者何？內辭也。其實夫人外公也。」《公羊傳》以為桓公和夫人都是單獨行動，所以生出「外夫人」、「夫人外

公」的一番議論。《穀梁傳》云：「十有八年春，王正月，公會齊侯於濼。公與夫人姜氏遂如齊。濼之會，不言及夫人何也？以夫人之伉，弗稱數也。」《穀梁經》云「公會齊侯」，又云「公與夫人姜氏遂如齊」，前者但稱公，後者則公與夫人並稱，筆法似乎有異，《穀梁傳》闡釋的重點正在於此。兩傳所據經文不同，所以解說各異。

僖公九年《公羊經》：「冬，晉里克弒其君之子奚齊。」《公羊傳》云：「此未踰年之君，其言弒其君之子奚齊何？殺未踰年君之號也。」《穀梁傳》則云：「冬，晉里克殺其君之子奚齊。其君之子云者，國人不子也。國人不子何也？不正其殺世子申生而立之也。」《公羊》立論的基礎是「弒」，而《穀梁》是「殺」，故解說相去甚遠。

僖公十年《公羊經》：「冬，大雨雹。」《公羊傳》云：「何以書？記異也。」《春秋繁露·二端》云：「故書日蝕，星隕……冬大雨雹，隕霜不殺草，自正月不雨，至于秋七月，有鸛鵒來巢，《春秋》異之，以此見悖亂之徵。」雹多見於夏而冬季罕見，故《公羊》以「記異」釋之。《穀梁傳》所據經文則作「冬，大雨雪」，未作任何解釋。

成公十五年《公羊經》：「晉侯執曹伯，歸之于京師。」《穀梁傳》所據經文無「之」字。《傳》云：「晉侯執曹伯，歸于京師。以晉侯而斥執曹伯，惡晉侯也。不言『之』，急辭也。斷在晉侯也。」

襄公九年《公羊經》：「九年春，宋火。」《公羊傳》云：「曷為或言災，或言火？大者曰災，小者曰火。然則內何以不言

火？內不言火者，甚之也。何以書？記災也。外災不書，此何以書？為王者之後記災也。」《穀梁傳》所據經文「火」作「災」，《傳》云：「九年春，宋災。外災不志。此其志何也？故宋也。」

　　昭公十三年《公羊經》：「楚公子棄疾弒公子比。」《公羊傳》云：「比已立矣，其稱公子何？其意不當也。其意不當。則曷為加弒焉爾？比之義，宜乎效死不立。大夫相殺稱人。此其稱名氏以弒何？言將自是為君也。」《穀梁傳》云：「楚公子棄疾殺公子比。當上之辭也。當上之辭者，謂不稱人以殺，乃以君殺之也。討賊以當上之辭殺，非弒也。比之不弒有四。取國者稱國以弒，『楚公子棄疾殺公子比』，比不嫌也。《春秋》不以嫌代嫌。棄疾主其事，故嫌也。」書「弒」與「殺」，關乎《春秋》大義，《公羊》、《穀梁》所據經文各異，故其釋義不止相去萬里。

　　昭公二十一年《穀梁經》：「冬，蔡侯東出奔楚。」《穀梁傳》云：「東者，東國也。何為謂之東也？王父誘而殺焉，父執而用焉，奔，而又奔之。曰東，惡之而貶之也。」昭公二十七年《春秋經》載：「蔡侯東國卒于楚。」《穀梁傳》以為「蔡侯東」即昭公二十七年之「蔡侯東國」，故有此解釋。《公羊傳》、《左傳》「東」均作「朱」。據《左傳》，蔡侯朱為蔡平公之子，東國為平公之弟，朱之叔父。

　　定公六年《公羊經》：「季孫斯、仲孫忌帥師圍運。」《公羊傳》云：「此仲孫何忌也，曷為謂之仲孫忌？譏二名。二名非禮也。」《穀梁經》云：「季孫斯、仲孫何忌帥師圍鄆。」「仲孫何忌」為魯大夫，《春秋》屢見其名，《穀梁》所據經文與他處一致，故不作解釋。《公羊》此處經文無「何」字，與他處有異，因

而有「譏二名」的解說。

哀公十三年《公羊經》：「晉魏多帥師侵衛。」《公羊傳》云：「此晉魏曼多也。曷為謂之晉魏多？譏二名。二名非禮也。」《公羊經》哀公七年有「晉魏曼多帥師侵衛」之文，《公羊傳》以「魏多」為「魏曼多」之異名，故有「譏二名」之說。《穀梁經》哀公十三年載侵衛者為「魏曼多」，與哀公七年經文所載完全相同，故未作解釋。《春秋繁露·觀德》云：「魯、晉俱諸夏也，譏二名獨先及之。」看來《公羊》家「譏二名」的說法，由來已久。

《公羊》、《穀梁》與《左傳》一樣，最初都與經文分離，經傳合併，是後來的事情。《漢書·藝文志》載「《春秋古經》十二篇」，是指《左傳》依據之經文；「《經》十一卷」，指「《公羊》、《穀梁》二家」（班固自注）；又分列「《左氏傳》三十卷」、「《公羊傳》十一卷」、「《穀梁傳》十一卷」，即是明證。由於經傳分別單行，都有可能產生訛誤。今本《公羊傳》就有傳文與經文脫節的例子。

僖公十九年《公羊傳》云：「夏六月，宋人、曹人、邾婁人盟于曹南。鄫子會于邾婁。其言會盟何？後會也。」《春秋》載諸侯之事，多稱「會」或「盟」，「會盟」連稱，則罕見其例，故《公羊傳》特地加以解說，而今本《公羊經》並無「會盟」一詞。《穀梁傳》云：「夏六月，宋公、曹人、邾人盟于曹南。鄫子會盟於邾。」《公羊傳》對經書「會盟」的解說，與《公羊經》脫節，反與《穀梁經》配合得天衣無縫。據此，知今本《公羊傳》所據經文有脫誤。

哀公四年《公羊傳》云：「四年春，王三月庚戌，盜殺蔡侯

申。弒君，賤者窮諸人，此其稱盜以弒何？賤乎賤者也。賤乎賤者
孰謂？謂罪人也。」經文作「殺」，而傳文釋《經》何以「稱盜以
弒」，二者可謂南轅北轍。《穀梁經》作「盜弒蔡侯申」，與《公
羊傳》所作解釋吻合。

二、《公》《穀》門派家法之異

《春秋》經文的變異，主要表現在文字的脫落與歧異，而傳文
的變化幅度可能更大，甚至有可能是系統性的差異。

㈠ 門派的不同

孔子之後，其後學者傳承不絕，門戶不一。到了漢代，「春秋
分為五」。五家之中，《左傳》屬於古文經學，《公羊》、《穀
梁》、《鄒氏》、《夾氏》屬於今文經學。今文經學同出孔門傳
授，卻又各自獨立成家，是經典在流傳過程中產生變異的典型例
證。今之《公羊》、《穀梁》，相同者僅為十之二三，而不同者占
十之七八，足見其差異之大。《鄒氏》、《夾氏》雖已亡佚，然以
《公羊》、《穀梁》例之，亦必有相當之差距。

㈡ 家法之差異

據《漢書·儒林傳》，胡母生之後，西漢傳《公羊春秋》而另
立門戶者，即有疏、顏、嚴、泠、任、筦、冥七家。〈儒林傳〉
云：「孟喜字長卿，東海蘭陵人也。父號孟卿，善為《禮》、《春
秋》，授后倉、疏廣。世所傳《后氏禮》、《疏氏春秋》，皆出孟
卿。」又云：「嚴彭祖字公子，東海下邳人也。與顏安樂俱事眭
孟。孟弟子百餘人，唯彭祖、安樂為明，質問疑誼，各持所見。孟
曰：『《春秋》之意，在二子矣！』孟死，彭祖、安樂各顓門教

授，由是《公羊春秋》有顏、嚴之學。」又云：「（顏）安樂授淮陽泠豐次君、淄川任公……由是顏家有泠、任之學。」又載：筦路、冥都俱事顏安樂，「故顏氏復有筦、冥之學」。

《穀梁傳》的情況，與《公羊傳》正相類似。《漢書·儒林傳》載瑕丘江公受《穀梁春秋》於魯申公，傳子至孫為博士，魯人榮廣從江公受學。榮廣授田千秋、周慶、丁姓。又云：「上愍其學且絕，乃以千秋為郎中戶將，選郎十人從受。汝南尹更始翁君本自事（田）千秋，能說矣，會千秋病死，徵江公孫為博士。劉向以故諫大夫通達待詔，受《穀梁》，欲令助之。江博士復死，乃徵周慶、丁姓待詔保宮，使卒授十人。自元康中始講，至甘露元年，積十餘歲，皆明習。」又云：「（丁）姓授楚申章昌曼君，為博士……尹更始為諫大夫、長樂戶將，又受《左氏傳》，取其變理合者為章句，傳子咸及翟方進、琅邪房鳳。」又云：「始江博士授胡常，常授梁蕭秉君房，王莽時為講學大夫。由是《穀梁春秋》有尹、胡、申章、房氏之學。」

同出《公羊春秋》，在傳授過程中，疏廣、顏安樂、嚴彭祖、泠豐、任公、筦路、冥都又分立門戶，自成一家。《穀梁春秋》則衍為尹、胡、申章、房鳳之學。每一家的獨立，都意味著對舊說的增補或改動。

《公羊春秋》衍為顏、嚴兩家之學，後來都列於學官，產生了深遠影響。《後漢書·儒林列傳上》載光武帝時立十四博士，《顏氏春秋》、《嚴氏春秋》俱列其中。《顏氏春秋》在西漢時衍為泠、任之學，又衍為筦、冥之學，學者甚眾。據《後漢書·儒林列傳下》，東漢時，張玄「少習《顏氏春秋》，兼通數家法」，「諸

儒皆伏其多通，著錄千餘人」，後為《顏氏》博士，諸生上言，謂玄「兼說《嚴氏》、《冥氏》，不宜專為《顏氏》博士」。嚴彭祖為宣帝博士，授琅邪王中，為元帝少府，家世傳業。王中授公孫文、東門雲。文為東平太傅，「徒眾尤盛」。《嚴氏春秋》在東漢時影響極大。《後漢書·儒林列傳下》載，丁恭「習《公羊嚴氏春秋》」，「諸生自遠方至者，著錄數千人，當世稱為大儒」；周澤「少習《公羊嚴氏春秋》」，「隱居教授，門徒常數百人」；甄宇「習《嚴氏春秋》，教授常數百人」，傳業至孫承，「講授常數百人」，其後「子孫傳學不絕」；樓望「少習《嚴氏春秋》」，「教授不倦，世稱儒宗，諸生著錄九千餘人」；程曾「習《嚴氏春秋》」，「會稽顧奉等數百人常居門下」。

　　《穀梁春秋》衍出尹、胡、申章、房鳳之學，在西漢時徒眾頗盛，而總體影響不及《公羊》顏、嚴諸家。因未能列於學官，後來影響逐漸式微。但後漢時亦有傳習者。《後漢書·賈逵傳》云：「（賈逵）悉傳父業，弱冠能誦《左氏傳》及《五經》本文，以《大夏侯尚書》教授，雖為古學，兼通五家《穀梁》之說。」李賢注謂：「五家謂尹更始、劉向、周慶、丁姓、王彥等，皆為《穀梁》，見《前書》也。」李賢所言，未必盡確。然為《穀梁》之學者非止一家，殆無疑義。所謂「五家《穀梁》之說」，當指西漢習《穀梁春秋》而各自成家者。

　　新的經說分立門戶，並在不斷變化的狀況下長期傳承，必然會導致異說的孳生。

三、《公》《穀》歧異考

漢時七家《公羊》、五家《穀梁》之說，現今多已亡佚，其異同已無從確考。但從今本《公羊》、《穀梁》可以大略推知當時各家傳聞異辭的情形。

㈠ 兩傳存諸家之說

《公羊》、《穀梁》二傳解經，屢屢標舉姓氏，說明他們不限於一家之言。

《公羊傳》行文，稱「子沈子」者，凡三處：隱公十一年、莊公十年、定公元年；稱「子公羊子」二處：桓公六年、宣公五年；稱「魯子」六處：莊公三年、二十三年、僖公五年、二十年、二十四年、二十八年；稱「子司馬子」、「子女子」、「高子」、「子北宮子」各一處：莊公三十年、閔公元年、文公四年、哀公四年。總計稱引諸家之說共十五條。

《穀梁傳》稱引「尸子」有兩處：隱公五年、桓公九年；稱「穀梁子」、「沈子」各一處：隱公五年、定公元年。總計三處四條。

《公羊》、《穀梁》傳經，往往諸說並存。

《公羊》、《穀梁》解經，多以「或曰」、「或說曰」、「一曰」、「其一曰」、「傳曰」、「其一傳曰」領起，重在羅列異文。此類條目雖未標舉他人姓氏，但同樣可以看出傳中所列並非一家之言。這類條目，《公羊傳》有四處，《穀梁傳》則多達二十餘處。

㈡ 兩傳中隱含的異說

《公羊》、《穀梁》中的一些條目，有時在形式上並無明顯的標誌，表明它采自他說，但在內容上仍留有自采異說的蛛絲馬跡，儘管這種痕跡有時相當隱蔽。早期的《公羊傳》和《穀梁傳》，今天已無法見到。因此，無法將它們與今本進行系統的比較，以判定它們與今本之間的差異。但是，我們可以找到其他途徑，判斷出兩者之間的某些不同。

1.《公羊傳》與今本之不同

董仲舒為西漢《公羊》家的主要代表人物，武帝時曾代表《公羊》學派，與《穀梁》學代表瑕丘江公辯論。《漢書·董仲舒傳》云：「（仲舒）說《春秋》事得失，〈聞舉〉、〈玉杯〉、〈繁露〉、〈清明〉、〈竹林〉之屬，復數十篇，十餘萬言，皆傳於後世。」《春秋繁露》述說《春秋》大義，多同於《公羊傳》，但也有不一致的地方。如：

《春秋繁露·王道》云：「桀、紂皆聖王之後，驕溢妄行……周發兵，不期會於盟津者，八百諸侯，共誅紂，大亡天下，《春秋》以為戒，曰『蒲社災』。」據此，董仲舒認為《春秋》哀公四年載「蒲（亳）社災」，意在告誡後人以殷紂亡國之事為戒。《穀梁傳》云：「六月辛丑，亳社災。亳社者，亳之社也。亳，亡國也。亡國之社以為廟屏，戒也。其屋，亡國之社，不得上達也。」《漢書·五行志上》云：「（哀公）四年『六月辛丑，亳社災。』董仲舒、劉向以為亡國之社，所以為戒也。」今本《公羊傳》云：「六月辛丑，蒲社災。蒲社者何？亡國之社也。社者，封也。其言災何？亡國之社蓋揜之，揜其上而柴其下。蒲社災何以書？記災

也。」顯而易見,《穀梁傳》的解說比《公羊傳》更接近於《春秋繁露》。

《春秋繁露·王道》云:「天王伐鄭,譏親也。」據此,《春秋》桓公五年載「天王伐鄭」,是譏諷天子親自率兵征伐。而今本《公羊傳》云:「秋,蔡人、衛人、陳人從王伐鄭。其言從王伐鄭何?從王,正也。」傳文不僅沒有譏諷天王親伐的意思,反而認為從王伐鄭是正確的做法,正好與原意相反。《穀梁傳》云:「秋,蔡人、衛人、陳人從王伐鄭。舉從者之辭也。其舉從者之辭何也?為天王諱伐鄭也。鄭,同姓之國也,在乎冀州。於是不服,為天子病矣。」《穀梁傳》云「為天王諱伐鄭」,與《春秋繁露》意思較為接近。

《春秋繁露·王道》云:「鄭、魯易地;晉文再致天子;齊桓會王世子,擅封邢、衛、杞,橫行中國,意欲王天下;魯舞八佾,北祭泰山,郊天祀地,如天子之為。以此之故,弒君三十二,亡國五十二,細惡不絕之所致也。」又云:「會王世子,譏微也。」據此,《春秋》僖公五年載諸侯會王世子,是以齊桓公會王世子為僭越,且譏諷周王室勢力衰微,有失尊嚴。今本《公羊傳》云:「公及齊侯、宋公、陳侯、衛侯、鄭伯、許男、曹伯會王世子于首戴。曷為殊會王世子?世子貴也。世子猶世世子也。」傳文中並無《春秋繁露》所言「譏微」之意。

《春秋繁露·王道》云:「祭公來逆王后,譏失禮也。」據此,《春秋》桓公八年載祭公來逆王后,為譏諷天王不親迎。今本《公羊傳》云:「祭公來,遂逆王后于紀。祭公者何?天子之三公也。何以不稱使?婚禮不稱主人。遂者何?生事也。大夫無遂事。

此其言逐何？成使乎我也。其成使乎我奈何？使我為媒，可，則因用是往逆矣。女在其國稱女。此其稱王后何？王者無外，其辭成矣。」傳文中並無「譏失禮」之意。

《春秋繁露・王道》云：「魯舞八佾，北祭泰山，郊天祀地，如天子之為。」又云：「獻八佾，諱八言六。」據此，《春秋》隱公五年載初獻六羽，為隱諱之辭。今本《公羊傳》云：「初獻六羽。初者何？始也。六羽者何？舞也。初獻六羽何以書？譏。何譏爾？譏始僭諸公也。六羽之為僭奈何？天子八佾，諸公六，諸侯四。諸公者何？諸侯者何？天子三公稱公，王者之後稱公，其餘大國稱侯，小國稱伯、子、男。天子三公者何？天子之相也……始僭諸公昉於此乎？前此矣。前此則曷為始乎此？僭諸公猶可言也，僭天子不可言也。」傳中所作解說，與《春秋繁露》「諱八言六」之意，相去甚遠。

《春秋繁露・王道》云：「鄭伯髡原卒於會，諱弒，痛強臣專君，君不得為善也。」今本《公羊傳》襄公七年云：「十有二月，公會晉侯、宋公、陳侯、衛侯、曹伯、莒子、邾婁子于鄔。鄭伯髡原如會，未見諸侯，丙辰，卒于操。操者何？鄭之邑也。諸侯卒其封內不地，此何以地？隱之也。何隱爾？弒也。孰弒之？其大夫弒之。曷為不言其大夫弒之？為中國諱也。曷為為中國諱？鄭伯將會諸侯于鄔，其大夫諫曰：『中國不足歸也，則不若與楚。』鄭伯曰：『不可。』其大夫曰：『以中國為義，則伐我喪；以中國為彊，則不若楚。』於是弒之。」《穀梁傳》云：「鄭伯將會中國，其臣欲從楚，不勝其臣，弒而死。其不言弒，何也？不使夷狄之民加乎中國之君也。」《穀梁傳》的解說與《春秋繁露》頗為接近，

而《公羊傳》反倒與之格格不入。

《春秋繁露・王道》云：「曹羈諫其君曰：『戎眾以無義，君無自適。』君不聽，果死戎寇……《春秋》明此，存亡道可觀也。」今本《公羊傳》莊公二十四年云：「冬，戎侵曹。曹羈出奔陳。曹羈者何？曹大夫也。曹無大夫。此何以書？賢也。何賢乎曹羈？戎將侵曹，曹羈諫曰：『戎眾以無義，君請勿自敵也。』曹伯曰：『不可。』三諫不從，遂去之。故君子以為得君臣之義也。」《公羊傳》載曹羈諫曹君，與《春秋繁露》合，而不載曹君戰死事，疑有脫漏。交代曹君戰死之結果，方顯曹羈諫言之可貴。考《春秋繁露・滅國下》云：「曹伯之所以戰死於位，諸侯莫助憂者，幽之會，齊桓數合諸侯，曹小，未嘗來也。」《滅國下》也確認了曹君戰死的事實。

莊公十六年《公羊傳》云：「冬十有二月，公會齊侯、宋公、陳侯、衛侯、鄭伯、許男、曹伯、滑伯、滕子，同盟于幽。同盟者何？同欲也。」而《春秋繁露・滅國下》云：「魯大國，幽之會，莊公不往，戎人乃窺兵於濟西，由見魯孤獨而莫之救也。」《左傳》、《穀梁》也都無「公」字，與董仲舒說吻合。《穀梁傳》且云：「不言公，外內寮一疑之也。」

《漢書・五行志》引《公羊傳》，也有與今本不同者。

《五行志上》：「嚴公（即莊公）二十年『夏，齊大災。』……《公羊傳》曰：大災，疫也。」今本《公羊傳》云：「夏，齊大災。大災者何？大瘠也。大瘠者何？痬也。何以書？記災也。外災不書。此何以書？及我也。」

《公羊傳》文公十一年：「冬十月甲午，叔孫得臣敗狄於鹹。

狄者何？長狄也。兄弟三人，一者之齊，一者之魯，一者之晉。其之齊者，王子成父殺之；其之魯者，叔孫得臣殺之；則未知其之晉者也。其言敗何？大之也。其日何？大之也。其地何？大之也。何以書？記異也。」傳文說《春秋》載長狄兄弟三人事，意在「記異」，但傳中並無任何特異之處。「記異」之說，實在令人費解。考《漢書·五行志下之上》云：「文公十一年，『敗狄於鹹』。《穀梁》、《公羊傳》曰：長狄兄弟三人，一者之魯，一者之齊，一者之晉。皆殺之，身橫九畝；斷其首而載之，眉見於軾。何以書？記異也。」據此，知《公羊傳》本當有長狄兄弟「身橫九畝」、「斷其首而載之，眉見於軾」的內容。這樣的記載委實奇異非常，故《傳》云「記異也」。今本《公羊傳》內容有殘缺（可能是傳寫脫誤，也可能是後人刪削），致使上下文義脫節。「記異」之說，遂不可解。

《五行志下之下》云：「隱公三年『二月己巳，日有食之』。《穀梁傳》曰：言日不言朔，食晦。《公羊傳》曰：食二日。」今本《公羊傳》云：「三年春，王二月己巳，日有食之。何以書？記異也。日食，則曷為或日或不日，或言朔或不言朔？曰某月某日朔，日有食之者，食正朔也；其或日或不日，或失之前，或失之後。失之前者，朔在前也。失之後者，朔在後也。」今本《公羊傳》的解說，與《五行志》所引「食二日」的意思，顯然不同。

《五行志下之下》云：「嚴公十八年『三月，日有食之』。《穀梁傳》曰：不言日，不言朔，夜食。……《公羊傳》曰：食晦。」《志》引《穀梁傳》之文，與今本全同。而今本《公羊傳》對此次日食卻沒有任何解釋。《五行志下之下》又云：「凡春秋十

二公，二百四十二年，日食三十六。《穀梁》以為朔二十六，晦七，夜二，二日一。《公羊》以為朔二十七，二日七，晦二。《左氏》以為朔十六，二日十八，晦一，不書日者二。」三傳一致認為，「食晦」是《春秋》所載日食類型之一種，對此作出解釋，必要性顯而易見。《公羊傳》將《春秋》所載日食分為三類：朔、二日、晦。這三種凡例，而今本《公羊傳》明確解說者，卻只有一種。《公羊傳》隱公三年云：「曰某月某日朔，日有食之者，食正朔也。」食正朔者凡二十七次，分別見於桓公三年、莊公二十五年、二十六年、三十年、僖公五年、文公元年、十五年、成公十六年、十七年、襄公十四年、二十年、二十一年（2次）、二十三年、二十四年（2次）、二十七年、昭公七年、十五年、十七年、二十一年、二十二年、二十四年、三十一年、定公五年、十二年、十五年。莊公十八年《經》書「十有八年春，王三月，日有食之」，僖公十五年《經》書「夏五月，日有食之」，均不書日，不書朔，《五行志》引《公羊傳》云「食晦」，知《公羊傳》以此為食在晦日之例。《春秋》書日不書朔或書朔不書日者凡七，分別見於隱公三年、桓公十七年、僖公十二年、宣公八年、十年、十七年、襄公五年。《五行志下之下》云：「隱公三年『二月己巳，日有食之』。⋯⋯《公羊傳》曰：食二日。」《五行志》稱引《公羊傳》對「食晦」、「食二日」的解說，並概括其適用次數，與《春秋》記載完全吻合，足補今本《公羊傳》之不足。

2.《穀梁傳》與今本之不同

漢代文獻引述《穀梁傳》，也有與今本不同者。

陸賈《新語・道基》云：「《穀梁傳》曰：『仁者以治親，義

者以利尊。萬世不亂，仁義之所治也。』」《新語》引《穀梁傳》之文，不見於今本《穀梁傳》。戴彥升曰：「〈道基〉篇所引《傳》曰『仁者以治親，義者以利尊』，今《穀梁傳》亦無此二語。彥升案：《穀梁》之著竹帛，雖不知何時，而出自後師。陸生乃親受之浮丘伯者，實《穀梁》先師。古經師率皆口學，容有不同，如劉子政說《穀梁》義，亦有今傳所無者，可證也。或乃以《穀梁傳》為賈所不及見，既昧乎授受之原，且亦不檢今傳文矣。」

　　《漢書·楚元王傳》云：「會初立《穀梁春秋》，徵更生受《穀梁》，講論《五經》於石渠。」又云：「宣帝時，詔（劉）向受《穀梁春秋》，十餘年，大明習。及（劉）歆校秘書，見古文《春秋左氏傳》，歆大好之……父子俱好古，博聞彊志，過絕於人。歆以為左丘明好惡與聖人同，親見夫子，而公羊、穀梁在七十子後，傳聞之與親見之，其詳略不同。歆數以難向，向不能非間也，然猶自持其《穀梁》義。」劉向是《穀梁春秋》的重要代表人物。但他的論著所引《穀梁春秋》之文，也多與今本不同。

　　《漢書·楚元王傳》載元帝時劉向上《封事》：「周大夫祭伯乖離不和，出奔於魯，而《春秋》為諱，不言來奔，傷其禍殃自此始也。」顏師古注引張晏曰：「隱元年『祭伯來』，《穀梁傳》曰『奔也』。」據劉向上書及張晏引文，知《穀梁傳》原本有祭公出奔、《春秋》為此事隱諱的解說。《公羊傳》隱公元年云：「冬十有二月，祭伯來。祭伯者何？天子之大夫也。何以不稱使？奔也。奔則曷為不言奔？王者無外，言奔則有外之辭也。」而今本《穀梁傳》云：「冬十有二月，祭伯來。來者，來朝也。其弗謂朝何也？

圜內諸侯，非有天子之命，不得出會諸侯。不正其外交，故弗與朝也。」劉向上書引《穀梁傳》之文，與《公羊傳》俱言祭公出奔，與今本《穀梁傳》言祭公「來朝」大異。

劉向《封事》述《春秋》之義云：「是後尹氏世卿而專恣，諸侯背畔而不朝，周室卑微。」《公羊傳》隱公三年云：「夏四月辛卯，尹氏卒。尹氏者何？天子之大夫也。其稱尹氏何？貶。曷為貶？譏世卿。世卿非禮也。」今本《穀梁傳》云：「尹氏者何也？天子之大夫也。外大夫不卒。此何以卒之也？於天子之崩為魯主，故隱而卒之。」劉向所引之文，與《公羊傳》吻合，而與《穀梁傳》渺不相涉。

劉向《封事》云：「（《春秋》載）李梅冬實。七月霜降，草木不死。」顏師古云：「（劉向）云『七月霜降，草木不死』，與今《春秋》不同，未見義所出。」

《楚元王傳》載劉向成帝時上《封事》云：「周大夫尹氏筦朝事，濁亂王室，子朝、子猛更立，連年乃定。故《經》曰『王室亂』，又曰『尹氏殺王子克』，甚之也。」尹氏殺王子克事，不見於今之經文。

文公十三年《穀梁傳》云：「大室屋壞。大室屋壞者，有壞道也，譏不脩也。大室，猶世室也。周公曰大廟，伯禽曰大室，群公曰宮。」《公羊傳》云：「世室屋壞。世室者何？魯公之廟也。周公稱大廟，魯公稱世室，群公稱宮。此魯公之廟也，曷為謂之世室？世室猶世室也，世世不毀也。」《穀梁》經文作「大室」而《公羊》作「世室」，究竟孰是孰非？《漢書・五行志中之上》云：「文公十三年『大室屋壞』。……《穀梁》、《公羊經》曰

『世室』。魯公伯禽之廟也。周公稱太廟,魯公稱世室。」

　　《漢書·五行志中之下》云:「文公三年『秋,雨螽于宋』。……《穀梁傳》曰:上下皆合,言甚。」今本《穀梁傳》云:「雨螽于宋。外災不志。此何以志也?曰:災甚也。其甚奈何?茅茨盡矣。著於上,見於下,謂之雨。」今本《穀梁傳》的解說,與《漢志》所引「上下皆合」,涵義亦有差別。

　　前面已經提到,《公羊傳》著於竹帛在漢景帝時。《漢書·藝文志》云:「及末世口說流行,故有公羊、穀梁、鄒、夾之傳。四家之中,《公羊》、《穀梁》立於學官,鄒氏無師,夾氏未有書。」據此可知,至遲在西漢末年,《穀梁傳》也已著竹帛。上文所舉陸、董、劉氏及《漢書》稱引《公》、《穀》之文,有的在兩傳著於竹帛之前,有的則在其後。這一現象表明:在整個西漢時期,《公羊》、《穀梁》學者解說經文多有不同,兩傳仍處在變化之中(《左傳》因未列于學官,基本上保留了原貌)。

四、其他經典之歧異

　　《漢書·藝文志》:「昔仲尼沒而微言絕,七十子喪而大義乖。故《春秋》分為五,《詩》分為四,《易》有數家之傳。」儒家的其他經典同樣也存在歧異。

㈠ **《易》**

　　《漢書·藝文志》六藝類載:「及秦燔書,而《易》為筮卜之事,傳者不絕。漢興,田何傳之。訖于宣、元,有施、孟、梁丘、京氏列於學官,而民間有費、高二家之說。」

　　《漢書·儒林傳》載丁寬從田何學《易》,「復從周王孫受古

義，號《周氏傳》」。寬授田王孫，「王孫授施讎、孟喜、梁丘賀。繇是《易》有施、孟、梁丘之學。」丁寬從從田何學《易》而益以古義，可知已不同于田何之學，施、孟、梁丘三家之學皆出於丁寬而自成一家，則又不盡同于丁氏矣。

施、孟、梁丘亦各有分支。

《儒林傳》載，「讎授張禹」，「禹授淮陽彭宣」，「繇是施家有張、彭之學」。

《儒林傳》又載：「（孟）喜授同郡白光少子，沛翟牧子兄，皆為博士。繇是有翟、孟、白之學。」

據《儒林傳》，梁丘賀授從京房受《易》，傳其學者有士孫張、鄧彭祖、衡咸，「繇是梁丘有士孫、鄧、衡之學」。

施、孟、梁丘三家之外，又有京房、費直、高相之學。

費氏「長於卦筮，亡章句，徒以彖象系辭十篇文言解說上下經」。

京房受《易》於焦延壽，延壽云嘗從孟喜問《易》。會喜死，房以為延壽《易》即孟氏學，而翟牧、白生以為非是。而後世有京氏之學。

高氏「治《易》與費公同時，其學亦亡章句，專說陰陽災異」。

㈡ 《書》

《漢書·藝文志》載：「《尚書古文經》四十六卷。為五十七篇。」「《經》二十九卷。大、小夏侯二家。」「《歐陽經》三十二卷。」《儒林傳》云：「世所傳《百兩篇》者，出東萊張霸，分析合二十九篇以為數十，又采《左氏傳》、《書序》為作首尾，凡

百二篇……成帝時求其古文者,霸以能為《百兩》徵,以中書校之,非是。」

《藝文志》:「《易》曰:『河出圖,雒出書,聖人則之。』故《書》之所起遠矣,至孔子纂焉,上斷于堯,下訖秦,凡百篇,而為之序,言其作意。」漢興,伏生以二十九篇,教于齊、魯之間。孔安國得《古文尚書》,以校二十九篇,多得十六篇。《漢志》所載「《經》二十九卷」、「《歐陽經》三十二卷」,當為今文,與「《尚書古文經》四十六卷」者不同。

《藝文志》:「訖孝宣世,有歐陽、大小夏侯氏,立於學官。」據《儒林傳》,歐陽生與大、小夏侯氏之學皆出於倪寬。

歐陽生與大、小夏侯氏《尚書》之學,亦各有傳人。

林尊事歐陽高,授平當、陳翁生,「由是歐陽有平、陳之學」。

傳大夏侯《尚書》之學者,有孔霸、許商,「由是大夏侯有孔、許之學」。

傳小夏侯之學者,有鄭寬中、張無故、秦恭、假倉、李尋,「由是小夏侯有鄭、張、秦、假、李氏之學」。

三) 《詩》

《漢書·藝文志》:「漢興,魯申公為《詩》訓故,而齊轅固、燕韓生皆為之傳。或取《春秋》,采雜說,咸非其本義。與不得已,魯最為近之。三家皆列於學官。又有毛公之學,自謂子夏所傳,而河間獻王好之,未得立。」

魯、齊、韓三家詩列於學官,亦自成派別。

《漢書·儒林傳》載,韋賢、韋玄成父子為《魯詩》,「由是

《魯詩》有韋氏學」。又載張長安、唐長賓、褚少孫傳《魯詩》，「由是《魯詩》有張、唐、褚氏之學」。其後許晏師事張游卿，「由是張氏家有許氏學」。

翼奉、匡衡、師丹、伏理傳《齊詩》，「由是《齊詩》有翼、匡、師、伏之學」。

王吉、食子公、長孫順傳《韓詩》，「由是《韓詩》有王、食、長孫之學」。

㈣ 《禮》

《漢書·藝文志》載：「《禮古經》五十六卷。」又載：「《經》十七篇。后氏、戴氏。」又云：「漢興，魯高堂生傳《士禮》十七篇。訖孝宣世，后倉最明。戴德、戴聖、慶普皆其弟子，三家立於學官。《禮古經》者，出於魯淹中及孔氏，與十七篇文相似，多三十九篇。及《明堂陰陽》、《王史氏記》所見，多天子諸侯卿大夫之制，雖不能備，猶瘉倉等推《士禮》而致于天子之說。」《禮經》亦有古、今之異，且各有缺失。

《儒林傳》載，大戴授徐良，小戴授橋仁、楊雄，「由是大戴有徐氏，小戴有橋、楊氏之學」。

㈤ 《樂》

六藝之中，《樂》最先亡。其流傳之具體情形，今不得而知矣。

五、經典產生歧異之原因

綜上所述，可知經典在流傳過程中，產生了相當大的歧異。而產生歧異的原因，主要有以下幾點。

㈠ 流傳失真

經典在早期多以口說流傳，非常容易產生歧異。

《漢書·藝文志》云：「（《春秋》）有所褒諱貶損，不可書見，口授弟子，弟子退而異言……及末世口說流行，故有公羊、穀梁、鄒、夾之傳。四家之中，《公羊》、《穀梁》立於學官，鄒氏無師，夾氏未有書。」孔門弟子，同受經於孔子，已不免退而異言；其後十口相傳，孔門《春秋》之學，遂衍為公羊、穀梁、鄒、夾四家之傳。公羊、穀梁二子創立門戶，至景帝時著於竹帛，大約也經過了三百年。長時間的口耳相傳，自然會有遺漏、誤記的現象發生。弟子非一，各安其意，產生歧異也在所難免。

文獻經過長期流傳，容易產生脫落與訛誤，這也增加了產生異說的可能性。

㈡ 學派競爭

《漢書·儒林傳》云：「自武帝立《五經》博士，開弟子員，設科射策，勸以官祿，訖於元始，百有餘年，傳業者寖盛，枝葉蕃滋，一經說至百餘萬言，大師眾至千餘人，蓋祿利之路然也。」武帝時，瑕丘江公與董仲舒議，江公不如仲舒，「於是上因尊《公羊》家，詔太子受《公羊春秋》，由是《公羊》大興」。榮廣傳《穀梁春秋》，高材捷敏，「與《公羊》大師眭孟等論，數困之，故好學者頗復受《穀梁》」。宣帝時，詔太子太傅蕭望之等大議殿中，平《公羊》、《穀梁》同異，議三十餘事。「望之等十一人各以經誼對，多從《穀梁》」，「由是《穀梁》之學大盛」。門派興衰，直接關係到學者利祿仕進之得失。

自武帝始立五經博士，儒家經典受到空前的重視，激烈的競

爭，導致門戶分立和不同學說的整合。

為了取得競爭的主動權，各門各派都不遺餘力，以求完善自身的學說。與此相適應，這一時期的經學，呈現出求變求新的趨勢。在這種趨勢下，同一門派的學者，往往自創新說，另立門戶。所以，胡母生之後，西漢傳《公羊春秋》而另立門戶者，即有疏、顏、嚴、泠、任、筦、冥七家，而《穀梁春秋》有尹、胡、申章、房氏之學。《易》有施、孟、梁丘、費、高之學，《書》有歐陽、大小夏侯，《詩》有魯、齊、韓、毛四家，《禮》有大、小戴之學，其立於學官者，又各有分支。

各家為了完善自己的學說，也勢必對舊說進行整合。

對舊說的取捨整合，首先體現在同一學派內部。《漢書·儒林傳》云：「胡母生字子都，齊人也。治《公羊春秋》，為景帝博士……弟子遂之者，蘭陵褚大、東平嬴公、廣川段仲、溫呂步舒。大至梁相，步舒丞相長史，唯嬴公守學不失師法。」胡母生為《公羊春秋》一代宗師，而弟子多不遵其師法，可見西漢經師不甚看重師法。其後疏、顏、嚴、泠、任、筦、冥各家自立門戶，而學者雲從，尤為明證。同一學派經說滋多，對各種說法加以鑒別、選擇、整合，也是非常自然的事。今之《公羊傳》、《穀梁傳》，或稱「子沈子」、「子公羊子」、「子司馬子」、「子女子」、「子北宮子」、「魯子」、「高子」，或稱「穀梁子」、「尸子」、「沈子」，又稱「或曰」、「或說曰」、「傳曰」、「其一傳曰」、「一曰」、「其一曰」，即是這種整合的標記。

有跡象表明，對舊說的取捨整合，有時並不限於同一學派內部。《公羊傳》、《穀梁傳》兩傳，對《左傳》的內容也有所吸取。

六、餘 論

　　一些經典（特別是某些解經之傳）的形成，並非是成於一時，亦非成於一人之手：它們在相當長的一段時間內，一直處在變化過程之中，並非一成不變。經文在流傳過程中，也同樣存在衍脫訛誤。我們今天所見到的某部經典，可能只是它在流傳過程中形成的眾多本子中的一個而已。從理論上說，將來完全可能出現一種甚至是幾種與今本差異巨大的文本（如《公羊傳》、《穀梁傳》）。因此，探討這類文獻的流傳和成書過程，考辨其成書時代及真偽，判定其價值，都應該考慮到這一因素。從這一角度出發，也可以證明：傳統的「疏不破注，注不破經」的做法，不僅不符合實事求是的精神，而且從學理上也是站不住腳的。

　　——本文發表於「經典與文化的形成」研究計畫專題演講
　　（2005 年 3 月 20 日）。

「《春秋》筆法」的詮釋與接受

王基倫*

　　源自《春秋》經而來的「《春秋》筆法」，又稱為「《春秋》書法」、「《春秋》義法」。這原是我國自發性的經學名詞，先後經由《左傳》、《孟子》、《公羊傳》、《史記》、乃至歷代史學家及文學家的評論詮釋之後，逐步邁入史書筆法及文學碑誌傳狀寫法的領域，成為很重要的寫作觀念。近年來學界開始對此論題進行討論，相關論著愈來愈多❶，雖有不錯的成績，但也流於各說各話的形式，並未釐清此一名詞的涵義。本文試圖「釋名以彰義」，先作清楚的詮釋之外，也想探討它在後世的發展演變，尤其是從經學轉向文學思考的接受討論。這涉及到幾個問題：一是詮釋的有效性

---

*　王基倫，臺灣師範大學國文學系教授。

❶　參見李凱（1966－）：《儒家原典與中國詩學》（北京：中國社會科學出版社，2002 年），第三章第三節，〈「《春秋》筆法」與儒家詩學話語言說方式〉，頁 255。該書指出自錢鍾書（1910－1998）《管錐編》以來，討論過「《春秋》筆法」者僅有敏澤（1927－，詳下註㉟）、曹順慶（1954－，詳下註㊺）、張毅（1957－，詳下註❸）三篇相關論文。而據筆者所見，尚有周振甫（1911－2000）、楊濟襄（1969－）、張高評（1949－）、賀汪澤、詹華明、李穎科、符均、王春淑（1950－）、李萍、李綉玲等人有相關論著。詳見參考書目。

問題。「《春秋》筆法」的意義作何解？誰的詮釋較合乎孔子（仲尼，前 551－前 479）本意？二是接受者的可能性問題。後世學者如何延伸「《春秋》筆法」的意義？從經學到史學、文學的思考轉化，勢必有一些接受、再接受，重新再作創造性解讀的過程，那麼，接受的主軸意義為何？以下我們從文本如何被詮釋出來的意義、歷代學者接受「筆法」的詮釋的流變，以及接受此詮釋意義之後有無再轉化、再延伸的現象進行討論。

一、先秦漢初「微言大義」的詮釋之確立

中國儒學有其解經的傳統，這在經傳文本、評注，以及歷代學者對經學的相關討論中相沿不衰。經是聖人的著作，尤其《春秋》經更可能是孔子唯一親手撰著的典籍，無形中後世學者解經時，必然會以追尋作者（孔子）原義與文本原義為唯一堅實化的目標。宋明儒之前的學者，似乎集中心力在尋求某種策略與途徑，以便有效而客觀地掌握文本的意義，他們想追求的是歷史主義的第一層次，強調歷史的淵源並且藉此回歸到文本的原貌。因此所謂的「解經」，其實就是「前反省式」地一種思考，比較誰能更早獲得最接近孔子原義的解釋權，一旦說得愈早愈合理，就愈能獲得世人的認同，這時，他的詮釋就會產生風行影從的效果，成為後世不斷沿用的對象，於是新文本又由此產生，接受者又成為被接受者。

考察「《春秋》筆法」的經義內容，最早是由《左傳》所提出。《春秋·宣公二年》記：「秋，九月，乙丑，晉趙盾弒其君夷皋。」《左傳·宣公二年》解說道：

晉靈公不君。……。乙丑，趙穿攻靈公於桃園。宣子（趙
盾）未出山而復。大史書曰：「趙盾弒其君」，以示於朝。
宣子曰：「不然。」對曰：「子為正卿，亡不越竟（境），
反（返）不討賊，非子而誰？」宣子曰：「烏呼！『我之懷
矣，自詒伊感』，其我之謂矣。」孔子曰：「董狐，古之良
史也，書法不隱。趙宣子，古之良大夫也，為法受惡。惜
也，越竟乃勉。」❷

這裡指出「大史書曰：『趙盾弒其君』，以示於朝」這件事的書寫
方式，孔子認為具備客觀公正的史筆，❸這種明辨是非善惡、立下
褒貶判斷的史傳書寫方式，就是「《春秋》筆法」。文本顯示，孔
子之前已有「良史書法不隱」的傳統，「書法」一詞的首度出現是
由孔子提出來的。從史事本身來看，是趙穿殺了晉靈公。但趙盾身
為正卿，「亡不越竟，反不討賊」，所以從道義上更應該承擔「弒
君」的惡名。董狐明確寫出來趙盾的責任，寫出了歷史的真相，如
果沒有這段史筆，一般讀者對這段史事的理解不會如此清楚，原本
幽微不彰的現象不會被他彰顯出來，所以孔子稱許他為「良史」，

---

❷ 〔周〕左丘明（前 519?－前 447）傳、〔晉〕杜預（222－284）注、〔唐〕
孔穎達（574－648）疏：《春秋左傳注疏》（嘉慶二十年江西南昌府學開雕
重刊宋本，臺北：藝文印書館，十三經注疏第 6 冊，1989 年），卷 21，宣公
二年，頁 365。

❸ 有關「趙盾弒其君」一事，《春秋》三傳的記載大體相同，而《左傳・宣公
二年》的記載較為詳細，其書寫方式十分公正明確，乃「《春秋》筆法『微
而顯』的典範」，可參考張毅：〈論「《春秋》筆法」〉，《文藝理論研
究》2001 年第 4 期，頁 49－50。

原因在於他做到了「書法不隱」。而「書法不隱」的效用在哪裡呢？在於一種求全責備的精神。即使一位素行良好的士大夫，若因一時的疏忽，也須承擔「為法受惡」的罪名。更何況那些亂臣賊子，作惡多端的人，更應該知所警惕了。因此，「《春秋》筆法」帶有強烈的褒善貶惡的道德教化意義。很值得注意的是，在這個事例中，孔子只談「義」的部分，文辭方面未作任何要求，只強調「不隱」二字，說清楚、講明白而已。

對此種「書法」的詳細解釋，另可參見《左傳‧成公十四年》的說法：

> 故君子曰：「《春秋》之稱微而顯，志而晦，婉而成章，盡
> 而不汙，懲惡而勸善，非聖人誰能脩之？」❹

《左傳‧昭公三十一年》也討論到「書法」之例說：

> 冬，邾黑肱以濫來奔，賤而書名，重地故也。君子曰：「名
> 之不可不慎也如是。夫有所有名，而不如其已。」以地叛，
> 雖賤，必書地，以名其人終為不義，弗可滅已。是故君子動
> 則思禮，行則思義，不為利回，不為義疚，或求名而不得，
> 或欲蓋而名章，懲不義也。齊豹為衛司寇守嗣大夫，作為不
> 義，其書為「盜」。邾庶其、莒牟夷、邾黑肱以土地出，求
> 食而已，不求其名，賤而必書。此二物者，所以懲肆而去貪

---

❹　同註❷，卷 27，成公十四年，頁 465。

也。若艱難其身，以險危大人，而有名章徹，攻難之士，將
奔走之。若竊邑叛君，以徼大利而無名，貪冒之民，將寘力
焉。是以《春秋》書齊豹曰「盜」，三叛人名，以懲不義，
數惡無禮，其善志也。故曰：「《春秋》之稱微而顯，婉而
辨。」上之人能使昭明，善人勸焉，淫人懼焉，是以子貴
之。❺

　　《左傳》這兩段話是最早說明《春秋》的寫作方式的文獻，因此後
世常藉此說明所謂的「筆法」問題。此處《左傳》作者解釋《春
秋》經的筆法，指出「賤而書名」的寫法，「書為『盜』」的寫
法，都是為了「懲不義」，「所以懲肆而去貪也」的緣故。可見
《春秋》經文非常重視「名」的使用，考量到對於後世道德教訓的
意義，寓有貶惡勸善的目的。由此可知，用字工夫是極其細微之
舉，往往在細小的文辭中，寄託有顯著的意義，而「善人勸焉，淫
人懼焉」的目的則又是彰著而昭明，此即所謂「《春秋》之稱微而
顯，婉而辨。」因此，《左傳》認為《春秋》經文是「微言」而富
有「大義」，「大義」應當具有明確的史學上的道德教化目的。這
可以說是我國最早明確提出來的「《春秋》筆法」的詮釋意義。以
文辭幽微的方式呈現出史家的褒善貶惡之義，這就是所謂的「《春
秋》筆法」。
　　這個定義出現在孔子之後不久，應當是儒家一直相沿不絕的傳
統。其實戰國時代的孟子（前 372－前 289），對《春秋》經的寫

---

❺　同前註，卷 53，昭公三十一年，頁 930。

作動機及寫作目的也有肯定的說法，他對《春秋》之「義」發揮得很深入。這位「終身願學孔子」的儒家忠誠信徒，後世更成為「亞聖」的重要人物，他的說法影響極其深遠。《孟子·離婁下》說：

> 王者之迹熄而《詩》亡，《詩》亡然後《春秋》作。晉之《乘》，楚之《檮杌》，魯之《春秋》，一也。其事則齊桓、晉文，其文則史，孔子曰：「其義則丘竊取之矣。」❻

《孟子·滕文公下》又說：

> 世衰道微，邪說暴行有作，臣弑其君者有之，子弑其父者有之。孔子懼，作《春秋》。《春秋》，天子之事也，是故孔子曰：「知我者，其惟《春秋》乎！罪我者，其惟《春秋》乎！……孔子成《春秋》而亂臣賊子懼。❼

這段話說明《春秋》的產生是源於亂世，因為亂世而有寓褒貶別善惡的必要，具有導正君臣習氣的社會功能。除了肯定孔子為《春秋》經的作者，並且指出《春秋》有記述的內容——「事」，有記述的文辭——「文」，這些都不如表述出來的「義」來得重要。錢穆（1895－1990）曾經從歷史現象說明「王者之迹熄而《詩》亡，

---

❻ 〔周〕孟軻、〔東漢〕趙岐（?－201）注、〔北宋〕孫奭（962－1033）疏：《孟子注疏》（臺北：藝文印書館，1989 年影印嘉慶二十年江西南昌府學開雕重刊宋本），十三經注疏第 8 冊，卷 8 上，〈離婁章句下〉，頁 146。

❼ 同前註，卷 6 下，〈滕文公章句下〉，頁 117－118。

《詩》亡然後《春秋》作」之間的必然發展，然後指出：「亂臣賊子是時代性的，而孔子《春秋》則成為歷史性的。……時代的雜亂，一經歷史嚴肅之裁判，試問又那得不懼？孔子以前的亂臣賊子早已死了，那會有懼？但《春秋》已成，孔子以下歷史上的亂臣賊子，則自將由孔子之作《春秋》而知懼。」❽雷戈也說：「孔子作《春秋》的『懼』有多重的含義：一是懼禮壞樂崩；二是懼《春秋》乃天子之事；三則正因為它是『天子之事』，所以，孔子這種精神的僭越便造成了對『亂臣賊子』的道德威脅，從而，使他們感到恐懼。」❾可見這個「懼」的概念是非常豐富的。這個觀念，是褒貶之義的真正落實，得到《史記》的繼述與發揮，遂成為長期以來的定論。

孟子之後，《荀子・儒效》也說：「《春秋》言是其微也。」唐代楊倞的注解是：「微，謂儒之微旨，一字為褒貶，微其文，隱其義之類是也。」❿漢代董仲舒（約前 179－前 93 左右）《春秋繁露》說：「《春秋》之論事，莫重乎志。」⓫又說：「《春秋》記天下得失，而見其所以然之故，甚幽而明，無傳而著，不可不察

---

❽ 錢穆：《中國史學名著》（臺北：三民書局，1973 年），第 1 冊，〈春秋〉，頁 21。

❾ 雷戈：〈從亂世之《春秋》到治世之《史記》〉，《西北師大學報》第 34 卷第 4 期（1997 年 7 月），頁 46。

❿ 〔周〕荀子（前 313－前 238）著、〔唐〕楊倞注、王先謙（1842－1917）集解：《荀子集解》（北京：中華書局，諸子集成，1954 年），卷 4，〈儒效〉，頁 84。

⓫ 〔西漢〕董仲舒：《春秋繁露》（臺北：臺灣商務印書館，四部叢刊初編，1979 年），卷 1，〈玉杯〉，頁 12。

也。」❷到了司馬遷（前 145－前 86?）撰寫《史記》時，很願意
也很能繼承《春秋》精神；對他來說，他已意識到《春秋》能指導
修史的原則，但也面對了《春秋》三傳解讀不同的矛盾與困難。他
曾說「魯君子左丘明懼弟子人人異端，各安其意，失其真，故因孔
子史記，具論其語，成《左氏春秋》。」❸可見他是肯定《左傳》
繼承了孔子原意；但是另一方面，他自幼學習《春秋》的過程，顯
然也深受他的老師今文經學派的董仲舒《春秋繁露》的影響。於是
我們看到司馬遷《史記》帶有濃厚的折衷色彩。首先，他繼承《左
傳》、《孟子》舊說，認為《春秋》深具大義，《史記·孔子世
家》說：

> （孔子）因史記作《春秋》，上至隱公，下訖哀公十四年，
> 十二公。據魯，親周，故殷，運之三代。約其文辭而指博。
> 故吳楚之君自稱王，而《春秋》貶之曰「子」；踐土之會實
> 召周天子，而《春秋》諱之曰「天王狩於河陽」；推此類以
> 繩當世。貶損之義，後有王者舉而開之。《春秋》之義行，
> 則天下亂臣賊子懼焉。……為《春秋》，筆則筆，削則削，
> 子夏之徒不能贊一辭。弟子受《春秋》，孔子曰：「後世知
> 丘者以《春秋》，而罪丘者亦以《春秋》。」❹

---

❷ 同前註，卷 2，〈竹林〉，頁 8。
❸ 〔西漢〕司馬遷：《史記》（臺北：鼎文書局，1980 年），卷 14，〈十二諸
　 侯年表序〉，頁 509－510。
❹ 同前註，〈孔子世家〉，頁 1943－1944。

這裡司馬遷引用了《孟子》原文，是對他有關「微言大義」的接受。司馬遷注意到孔子根據魯國的《春秋》作史，尊重周王室的宗主地位，參考殷商的歷史，以此討論三代禮樂政教的因革。杜預〈春秋序〉也說：「仲尼因魯史策書成文，考其真偽，而志其典禮，上以遵周公之遺制，下以明將來之法。」⓯這不正是追求王道的落實？這就指明作史須有褒貶的旨意。司馬遷也注意到了修辭原則和社會功能原則，「約其文辭而指博」、「筆則筆，削則削」講的是寫法，此寫法的目的正是彰明「貶損之義」、使「天下亂臣賊子懼焉」，這就更強調了功能目的。結合起來，即是所謂的「《春秋》筆法」。因此，司馬遷正式提出了「義法」一詞。《史記・十二諸侯年表序》說：

> 孔子明王道，……論史記舊聞，興於魯而次《春秋》，上記隱，下至哀之獲麟，約其辭文，去其煩重，以制義法，王道備，人事浹。⓰

《史記・太史公自序》又說：

> 余聞董生（董仲舒）曰：「周道衰廢，孔子為魯司寇，諸侯害之，大夫壅之。孔子知言之不用，道之不行也，是非二百四十二年之中，以為天下儀表，貶天子，退諸侯，討大夫，

⓯　同註❷，卷 1，杜預〈春秋經傳集解序〉，頁 10。

⓰　同註⓭，卷 14，〈十二諸侯年表序〉，頁 509。

以達王事而已矣。」子曰：「我欲載之空言，不如見之於行
事之深切著明也。」夫《春秋》，上明三王之道，下辨人事
之紀，別嫌疑，明是非，定猶豫，善善惡惡，賢賢賤不肖，
存亡國，繼絕世，補敝起廢，王道之大者也。……《春秋》
辯是非，故長於治人。……《春秋》以道義，撥亂世反之
正，莫近於《春秋》。❿

我們感受得到，司馬遷強調《春秋》的價值力量在於「治人」，在
於「道義」，他很在意「王道」精神的實踐。「義法」的提出，固
然與「約其辭文，去其煩重」的文章寫法有關，而這種簡約的寫
法，是為了指向「王道備，人事浹」的寫作目的，寓「褒貶之
義」，才更是撰寫史書者念茲在茲的問題。司馬遷非常瞭解孔子一
生是「行事」不成，退而求其次以「記事」來寄托未行之道的苦
心，故而多就《春秋》「別嫌疑，明是非，定猶豫，善善惡惡，賢
賢賤不肖，存亡國，繼絕世」的「微言大義」作法來發揮。

　　前述司馬遷之言來自董仲舒，可見董仲舒也注意到《春秋》的
文義勝過史事紀錄，文辭雖然幽微，而文義則明白確鑿。漢代公羊
家學派也多著墨於此。董仲舒的《春秋》義法之學，首重「道往以
明來者」，認為「《春秋》論十二世之事，人道浹而王道備」，❽
可以從歷史中尋得借鑒。司馬遷生逢董仲舒提出「獨尊儒術」的時
代，的確受到儒家的影響，因此他本人以及後世所撰作的史書，無

---

❿　同註❸，卷130，〈太史公自序〉，頁3297。
❽　同註⓫，〈玉杯〉，頁14。

不盡力遵循孔子《春秋》筆法的精神從事撰述工作。王充（27－91）《論衡·佚文》說：「文人之筆，勸善懲惡也。」**⑲**即是此意。稍後不久，班固（32－92）撰寫《漢書》，自然會注意到史書的書寫原則，也對司馬遷說過的《春秋》精神知之甚詳。他概括出來而為後世所襲用的「微言大義」**⑳**，就更能傳神的說明《春秋》筆法的精義。

二、兩漢古文經今文經學家對 「大義」的堅持與歧義

就經典的傳統看，傳只可以解經，傳不可以離經文而獨立的被理解，如果反客為主，逕自不理會經文，那些解釋就不能落實成為一種意義。其次，當傳文把經典簡括為幾個抽象概念的作法時，我們不能只貪圖運用概念操作的便利性，而有必要再度把這些概念重新帶回到經典文本，求證它是否能完整地掌握經典的原始意義。就這點來說，我們可以舉《春秋·隱公元年》「鄭伯克段于鄢」的書法為例，我們發覺《左傳》對此句的解釋是：

---

⑲ 〔東漢〕王充：《論衡》（臺北：臺灣商務印書館，四部叢刊初編，1979年），卷 20，〈佚文〉，頁 20。王充此意，後人多因之。如初唐劉知幾（661－721）《史通》說：「《春秋》之義也，以懲惡勸善為先。」參見〔唐〕劉知幾撰，〔清〕浦起龍（1730 前－1752 後）釋：《史通》（臺北，里仁書局，1980 年），卷 20，〈忤時〉，頁 591。

⑳ 〔東漢〕班固撰、〔唐〕顏師古（581－645）注：《漢書》（臺北：藝文印書館，1955 年）：「昔仲尼沒而微言絕，七十子喪而大義乖。」注引李奇曰：「隱微不顯之言也。」顏師古曰：「精微要妙之言也。」參見該書卷 56，〈藝文志〉，頁 3。

段不弟，故不言弟。如二君，故曰克。稱鄭伯，譏失教也。謂之鄭志，不言出奔，難之也。㉑

《公羊傳》對此句的解釋是：

克之者何？殺之也。殺之則曷為謂之克？大鄭伯之惡也。曷為大鄭伯之惡？母欲立之，己殺之，如勿與而已矣。段者何？鄭伯之弟也。何以不稱弟？當國也。其地何？當國也。齊人殺無知何以不地？在內也。在內雖當國不地也，不當國雖在外亦不地也。㉒

《穀梁傳》對此句的解釋是：

克者何？能也。何能也？能殺也。何以不言殺？見段之有徒眾也。段，鄭伯弟也。何以知其為弟也？殺世子母弟目君，以其目君，知其為弟也。段，弟也，而弗謂弟；公子也，而弗謂公子，貶之也。段失子弟之道矣，賤段而甚鄭伯也。何甚乎鄭伯？甚鄭伯之處心積慮成於殺也。于鄢，遠也，猶曰取之其母之懷中而殺之云爾，甚之也。然則為鄭伯者宜奈

㉑　同註❷，卷2，隱公元年，頁36—37。
㉒　〔周〕公羊高傳、〔東漢〕何休（129—182）注、〔唐〕徐彥疏：《春秋公羊傳注疏》（臺北：藝文印書館1989年影印嘉慶二十年江西南昌府學開雕重刊宋本），十三經注疏第7冊，卷1，隱公元年，頁13。

何？緩追逸賊，親親之道也。㉓

三傳皆在解釋「鄭伯克段于鄢」一句原文，詮釋內容不同，各有其重點。「稱鄭伯，譏失教」也好，「大鄭伯之惡」也好，「段失子弟之道」也罷，「親親之道」也罷，各自言之成理，都是一種政治化、倫理化的解讀，而不是純粹的歷史史實的陳述。其追求經書大義的目標相當一致，只是《公羊傳》、《穀梁傳》對於「鄭伯之惡」、「段失子弟之道」批判的更多，看得出今文家立場有較相近的地方。綜上所述，《春秋》經富有道德教化的褒貶之義，都有彰明「微言大義」的走向，這是孔門弟子、解經三傳者一致同意的事實。㉔

　　然而，古文經學家與今文經學家畢竟仍有各自的立場進行詮釋。杜預解釋前引《左傳・成公十四年》原文時說：「志而晦」是「約言以紀事，事敘而文微」；「婉而成章」是「曲屈其辭，有所

㉓　〔周〕穀梁赤傳、〔晉〕范甯（339－401）注、〔唐〕楊士勛疏：《春秋穀梁傳注疏》（臺北：藝文印書館 1989 年影印嘉慶二十年江西南昌府學開雕重刊宋本），十三經注疏第 7 冊，卷 1，隱公元年，頁 10－11。《春秋穀梁傳》重視「親親之道」，因此痛責鄭伯「處心積慮成於殺也」，這觀點被南宋呂祖謙（1137－1181）所接受，參見〔南宋〕呂祖謙：《東萊左氏博議》（臺北：廣文書局，1973 年），卷 1，〈鄭莊公共叔段〉，頁 1－4。

㉔　類似的例證不勝枚舉，如《春秋・隱公元年》「春，王正月」一句，《公羊傳》從中發掘出「大一統」的「大義」，《穀梁傳》從中看出「謹始」和褒貶之義。又如前引《春秋・宣公二年》「趙盾弒其君」一句，《左傳》記載甚詳，顯現善惡褒貶之意。參見張毅：〈論「《春秋》筆法」〉，同註❸，頁 52－53、李凱：《儒家原典與中國詩學》，同註❶，第三章第三節 2，〈「影射式言說」是「春秋筆法」的根本特點〉，頁 260－262。

辟諱，以示大順而成篇章」；「盡而不汙」是「直言其事，盡其事實，無所汙曲」；「懲惡而勸善」是「善名必書，惡名不滅，所以為懲勸」。㉕而他在〈春秋經傳集解序〉又對此說法分別作了些文義上的解釋，提出所謂「五例」之說：「微而顯：文見於此，而起義在彼」；「志而晦：約言示制，推以知例」；「婉而成章：曲從義訓，以示大順」；「盡而不汙：直書其事，具文見意」；「懲惡而勸善：求名而亡，欲蓋而章」。杜預注、孔穎達疏曾舉證史事以落實這些寫法，學者也有附和者，然而亦有駁斥者。㉖

㉕ 同註❷，卷 27，成公十四年，頁 465。

㉖ 孔穎達的意見，同註❷，卷 1，杜預〈春秋經傳集解序〉，頁 13－14。當代學者周振甫根據孔穎達說法略作修正，提出更合理的說明：「一、微而顯，像《春秋》僖公十九年：『梁亡。』不寫秦滅梁，含梁君暴虐自取滅亡之意，是微；但責備梁君較顯。二、志而晦，《春秋》宣公十七年：『公會齊侯伐蔡。』用『會』表示魯公事前不知道，倘事前知道得用『及』。這樣記（志），含義隱晦。三、婉而成章，《春秋》桓公元年：『鄭伯以璧假（借）許田。』鄭國拿田來和魯國交換許田，因為價值不相當，再加上塊璧。因為照規矩，諸侯的田不能互相交換，所以寫成用璧來借許田，這是婉轉隱諱的說法。四、盡而不汙，《春秋》桓公十五年：『天王使家父來求車。』照禮節，天子不能在諸侯貢品外向諸侯要東西，這裡老實寫出，不加隱諱，是『盡』而又未『汙』於天子。五、懲惡而勸善，《春秋》襄公二十一年：『邾庶其以漆、閭丘來奔。』邾庶其沒有名望，他的名字沒有資格寫進《春秋》，因他帶了土地來投奔，孔子憎惡他出賣祖國土地，所以記入《春秋》，以懲惡而勸善。」參見周振甫：《文心雕龍辭典》（北京：中華書局，1996 年），〈五例微辭以婉晦〉，頁 39。又如詹明華解釋道：「一曰微而顯，即辭微而義顯。如魯成公十四年：『秋，叔孫僑如如齊逆女。』『九月，僑如以夫人婦姜氏至自齊。』前一句點出族姓『叔孫』，表示尊重君命，因他奉命去齊國迎接君夫人，是一件隆重的大事；後一句去掉『叔孫』，就為了尊重君夫人姜氏了。這種寫法是『禮』的需要。二曰志而晦，

　　細思上述「微而顯」等五例說法的解釋，尚有許多討論空間。其一，「志而晦」解釋成「約言示制，推以知例」，又解釋成「約言以紀事，事敘而文微」，王春淑說：「比較杜預的這兩種解釋，其含義是有所不同的。前一種是指《春秋》簡約記事，故言辭表達規範有度，可以推知其凡例。……後一種解釋則認為《春秋》婉約記事，史實要記載，而文辭要微妙；亦即『微而顯』之意；亦杜預所謂『情見乎辭，言高則旨遠，辭約則義微』之意。筆者贊同杜預者後一種解釋。認為前一種所云『推以知例』、言辭表達規範有度，只是『志而晦』的一種表現形式，而不是所有形式；認為也不必一定要把『志而晦』與『微而顯』分別開來。」❷⃝實則，從字面看來，「志而晦」沒有限定解釋成「知例」的理由，推測起來，這

即用字儉省，而意義隱含其中。如魯桓公二年：『秋，公及戎盟于唐。』魯宣公十七年：『公會齊侯伐蔡。』前一句用『及』，表示魯桓公事前已和戎商量好，在唐結盟；後一句用『會』，表示魯宣公事前不知道，只是應命去『伐蔡』。一字之差，意義各別。根據這種用法，可以了解史實以及當時制度。」參見詹華明：〈試解「春秋筆法」〉，《成都教育學院學報》第 4 期，1999 年 9 月，頁 11−12。又如王春淑解釋「微而顯」時，再加上《春秋》僖公十四年「城緣陵」一例；解釋「志而晦」時，加入《左傳》桓公二年謂《春秋》「參會不地」的說法。然而，王春淑亦有反面的意見，參見王春淑：〈論孔子《春秋》筆法〉，《四川師範大學學報》第 27 卷第 3 期，2000 年 3 月，頁 85−87。陳恩林在前賢研究成果的基礎上，指出杜預注所謂「三體」，既不出自周公，也不出自孔子；至於「五例」，則為漢代左氏學者贊美《春秋》的文字，後被竄入《左傳》原文中，皆不可信據。參見陳恩林：〈評杜預〈春秋左傳序〉的「三體五例」問題〉，《史學集刊》1999 年第 3 期，頁 64−69。

❷⃝　同前註，王春淑：〈論孔子《春秋》筆法〉，頁 85。

當是經學家們在熟讀經傳時，試圖歸納出來的《春秋》「義例」，但是它未必能等同「《春秋》義法」。王春淑認為「志而晦」解釋成「約言以紀事，事敘而文微」較妥，且認為「推以知例」只是「志而晦」的表現形式的一部分，並不是全部，這樣的看法較為合理。也因此，「微而顯」與「志而晦」其意義相同。

其二，「婉而成章」解釋成「曲屈其辭，有所辟諱，以示大順而成篇章」，其中強調了「避諱」的寫法問題，這很值得注意。《春秋》記載二百四十二年的歷史，若以孔子生活作觀照，其中由近而遠可分為「有見」、「有聞」、「有傳聞」三個時段，然而孔子親身所見的哀、定、昭三公，卻是文字紀錄最少的時段。《春秋公羊傳》認為其中有隱諱而不直接用言語表達的現象。董仲舒《春秋繁露》也作出這樣的解釋：

> 義不訕上，智不危身。故遠者以義諱，近者以智畏。畏與義兼，則世逾近而言逾謹矣，此定、哀之所以微其辭。以故用則天下平，不用則安其身。㉘

不久之後，司馬遷《史記·匈奴列傳》的贊語也說：

> 孔子著《春秋》，隱、桓之間則章，至定、哀之際則微，為其切當世之文而罔襃，忌諱之辭也。㉙

㉘　同註⓫，卷1，〈楚莊王〉，頁6—7。
㉙　同註⓭，卷110，〈匈奴列傳〉，頁2919。

比較董、司馬二人的說法，仍以後者較可信。原因之一是「以義
諱」和「以智畏」不易區隔，原因之二是《春秋》寫到越晚期越有
涉及不可書或不便書者，因此筆墨減省許多，這種「忌諱之辭」的
說法較合情理。前引司馬遷《史記・孔子世家》已舉證孔子作《春
秋》時，有吳楚之君自稱王，而《春秋》貶之曰「子」；踐土之會
實召周天子，而《春秋》諱之曰「天王狩於河陽」的實例，這是古
文經學家和今文經學家都不能否定的事實。歷代經學詮釋以及史
書、文學作品也常有類似隱諱的寫法，不絕如縷。

　　《春秋公羊傳》認為經文有「為尊者諱，為親者諱，為賢者
諱」的寫法，㉚而杜預卻在〈春秋經傳集解序〉提出反對「隱諱」
的寫法說：「若夫制作之文，所以章往考來，情見乎辭。言高則旨
遠，辭約則義微，此理之常，非隱之也。聖人包周身之防，既作之
後，方復隱諱以辟患，非所聞也。」㉛他強調《春秋》必須意義明
確，才能夠供後人「章考往來」。前引杜預〈春秋經傳集解序〉已
表達史書須「考其真偽，而志其典禮」，這告訴我們史書乃實錄，
不因大小事件而不書。表面上看來，這與他將「婉而成章」解作
「曲屈其辭，有所辟諱」的說法矛盾。然而更深入而真誠的看法，
則是他在追求「微而顯」、「志而晦」兩組書寫方式的兼容並蓄，
達到文筆的和諧統一。其中「辭約則義微」的說法，乃認為「大
義」就在「微言」之中，須從文字中講求其義，因而「辭」與
「義」都可能趨於隱微。王春淑說：「『微婉志晦』乃《春秋》

㉚　同註㉒，卷9，閔公元年，頁114。

㉛　同註❷，卷1，杜預〈春秋經傳集解序〉，頁18。

『屬辭』的總辭原則，而非僅用於『有所避諱』的諱書記事。」❷
實則，從字面看來，「婉而成章」也沒有限定解釋成「辟諱」的理
由，推測起來，這也是經學家們在熟讀經傳時，試圖歸納出來的
《春秋》「義例」。

其三，「婉而成章」的「章」字作「彰明」、「彰著」解，不
宜作「篇章」解。錢鍾書（1910－1998）說：「『微』、『晦』、
『婉』，意義鄰近，猶『顯』、『志』、『成章』。『微』之與
『顯』，『志』之與『晦』，『婉』之與『成章』，均相反以相
成，不同而能知。」❸換言之，「微而顯」、「志而晦」與「婉而
成章」，這三句話的涵義相近，都是運用一種濃厚的修辭藝術，達
到某種書寫出來的文字效果。所以，「章」字作「彰明」、「彰
著」解是毫無疑義的。

其四，所謂「微」、「晦」、「婉」、「不汙」，各自有其意
味，其能達到「顯」、「志」、「成章」、「盡」的寫作風格，而
終極目標都是為了達到「懲惡而勸善」，帶有完成史書的強烈社會
功能指向。錢鍾書說：「『五例』之一、二、三、四示載筆之體，
而其五示載筆之用。」❹敏澤說：「『微而顯』以下的四點，屬修
辭學方面的特點；最後一點『懲惡而勸善』，則是講社會的功
用。……『微而顯，婉而辨』，同樣是對《春秋》修辭原則的稱

---

❷ 王春淑：〈論孔子《春秋》筆法〉，《四川師範大學學報》第 27 卷第 3 期
（2000 年 3 月），頁 86。
❸ 錢鍾書：《管錐篇》（北京：中華書局，1979 年），〈左傳正義一·杜預
序〉，頁 162－163。
❹ 同前註，頁 162。

頌。」❸《春秋》筆法終究是為了達成史學上褒貶的目的而設,其修辭和社會功能是一而二、二而一的體用關係。

其五,「微而顯」、「婉而辨」、「婉而成章」和「志而晦」、「盡而不汙」又是兩組不同的書寫方式。「微」、「婉」則用字幽微,委婉成辭;「志」、「盡」則用字明確,詳盡成文。而與此寫法相對應,則又有兩組不同的效果。「顯」、「成章」、「辨」則意義明確,敘事完整;「晦」、「不汙」則義在其中,含蓄保留。換言之,懲惡而勸善的褒貶之義,可以義顯,也可以意義隱含於其中,書寫方式容許有不同的運作空間。「微而顯」這一組的說法,以及「志而晦」這一組的說法,乃至於兼用這兩組解釋的說法,在後世的討論都不斷的出現。這裡,把「文」與「義」全都「隱」「微」了起來,它有了另一層的詮釋意義。

其六,《左傳》兩度以「微而顯」詮釋《春秋》,可見它的詮釋立場是以「微而顯」這一組的說法為主。杜預注分別解說「微而顯」是「辭微而義顯」、「文微而義著」,「婉而辨」是「辭婉而旨別」,孔穎達的疏解也明白表示:「此『婉而辨』,則與『微而顯』,其意一也。」❸據此,「微」是指文辭的表達,「顯」是指褒貶之義的表達。這告訴了我們,《春秋》經文的文辭可以是「幽微」的。不過,「大義」仍是最主要的表達目的,「言」是不同的

---

❸ 敏澤:〈試論「春秋筆法」對於後世文學理論的影響〉,《社會科學戰線》1985 年第 3 期,頁 254。

❸ 同註❷,卷 27,成公十四年,頁 465、卷 53,昭公三十一年,頁 930,兩處杜預注文字皆解釋了「微而顯」三字,後者孔穎達疏提出了「婉而辨」和「微而顯」相通的說法。

運用方式，也是一種文辭表達出來的風格現象。

　　然而，從董仲舒《春秋繁露》以來，為了將《春秋》所記天下得失，與當時世間事物勾連起來，於是將文辭幽微處附會五行災異說，因而產生偏離的歧義。譬如他藉公羊學的以義解經講《春秋》大義時，提出「六科」、「十指」之說，**❸❼**意圖結合陰陽五行的天道觀，建構起他的「天人合一」、「君權神授」學說，想為當時大一統的帝王政治提供依據。《漢書·董仲舒傳》記載了他的說法：

> 臣謹案：「《春秋》之中，視前世已行之事，以觀天人相與之際，甚可畏也。國家將有失道之敗，而天迺先出災害以譴告之；不知自省，又出怪異以警懼之；尚不知變，而傷敗迺至。以此見天心之仁愛人君而欲止其亂也。」**❸❽**

類似的言論頗多，散見於董仲舒《春秋繁露》和《漢書·董仲舒傳》的稱引。我們看他援引《春秋》，卻又比附以陰陽災異說，或許覺得荒謬可笑；然而他的「《春秋》學」在當時發揮了極大的影響力。張毅指出：「在其（董仲舒）所講的《春秋》『十指』中，五行的木生火、火為夏，以及災異之變等，都被認為是『天之端』，以為《春秋》所記體現了天的微意，故專就難知的『微』或『端』入手，由原文所表達的意義，推衍出原文所沒有或不能表達的至意，所謂『見其旨者，不任其辭。不任其辭，然後可與適道

---

❸❼　同註**⓫**，卷5，〈正貫〉，頁10－12、〈十指〉，頁12－14。
❸❽　同註**⓴**，卷56，〈董仲舒傳〉，頁3。

矣。』」❸由此可知，董仲舒深察幽微的工作，有些已跳出原文字義的解釋；這個觀念和前述歷來對「微而顯」的詮釋顯然不同。

自漢武帝（劉徹，前 156－前 87；前 140－前在位）時起，公羊學列於學官，設博士。東漢何休費時十七年完成《春秋公羊傳解詁》，為《公羊春秋》制定凡例，提出關於歷史進化的太平世、升平世、衰亂世的「三世」說。他認為《春秋》一書，「將以理人倫，序人類，因制治亂之法。……內其國而外諸夏，先詳內而後治外，錄大略小，內小惡書，外小惡不書，……著治法式。」❹他有意以「即錄大略小，內外有別」的原則，將「筆法」具體化為「義例」。❹劉知幾《史通》也跟著說：「略外別內，掩惡揚善，《春秋》之義也。」❹過去研究《春秋》筆法的論著，有從經學觀點出發者，指出《春秋》筆法的表達方式有「書年月日之例」、「稱名稱地之例」、「書廢立之例」、「書喪葬之例」、「書婚嫁之例」、「書盟會之例」、「書征伐之例」、「書災異之例」「書土功之例」等❹，也有討論史書含有虛構成分、史筆與詩筆糾結的問

---

❸ 同註❸，張毅：〈論「《春秋》筆法」〉，頁 53。文中引文，同註❶，董仲舒：《春秋繁露》，卷 5，〈十指〉，頁 12－14、卷 2，〈竹林〉，頁 5。

❹ 同註❷，卷 1，隱公元年，頁 17。

❹ 同註❶，第三章第三節 1，〈「春秋筆法」涵義溯源〉，頁 258。

❹ 同註❶，劉知幾撰，浦起龍釋：《史通》，卷 7，〈曲筆〉，頁 196。

❹ 賀汪澤：《先秦文章史稿》（開封：河南大學出版社，1995 年），第十章第二節，〈《春秋》筆法的表達方式〉，頁 221－238。

題等；❹反而對於《春秋》筆法直接影響到散文文體的表達方式較少著墨，這是有待商榷的地方。雖然如此，公羊學源遠流長，師承傳播甚廣。董仲舒為孔子修《春秋》，踐行天子之事，所以稱他為「素王」❺，直到清代龔自珍（1792－1841）、魏源（1794－1856）、康有為（1855－1927）等人，也都承襲此說，搬用公羊學的「微言大義」以進行政治革新，《春秋》大義的影響深遠可知。

　　前文引述杜預〈春秋序〉時，我們也曾對於他的「五例」說法的來源感到疑惑。究竟是否有「義例」的存在，學界猶有爭論。即使古文經《左傳》和今文經《公羊傳》、《穀梁傳》都認同「《春秋》筆法」的存在，但是他們對「義例」的講求，卻是前者以「事」主，後者以「義」為主；杜預主張史書「不因大小事件而不書」，何休主張「錄大略小，內外有別」，內容有所出入，莫衷一是。而今，在討論「微言大義」時，若以「義例」繩之，有時不免出之於主觀臆斷，穿鑿發揮；更何況該依從哪一家的說法呢？《左傳·定公八年》記載陽虎叛亂一事，《春秋》經文未著錄，劉知幾《史通》曾提出質疑：「如陽虎盜入于讙，擁陽關而外叛，傳具其

---

❹　錢鍾書首先論及此，而後敏澤、李凱對此反復申說，參見同註❸，錢鍾書：《管錐篇》，〈左傳正義一·杜預序〉，頁 164－166、同註❸，敏澤：〈試論「春秋筆法」對於後世文學理論的影響〉，頁 255－259、同註❶，李凱：《儒家原典與中國詩學》，第 3 章第 3 節 3，〈「春秋筆法」與「比興互陳」〉，頁 266－268。

❺　董仲舒〈賢良對策二〉說：「孔子作《春秋》，先正王而繫萬事，見素王之文焉。」同註❷，卷 56，〈董仲舒傳〉，頁 10 引。又同註❶，王充：《論衡》更明確說：「孔子不王，素王之業在於《春秋》。」參見該書卷 27，〈定賢篇〉，頁 28。

事，經獨無聞，何哉？」❻又如《左傳·宣公七年》云：「凡師出，與謀曰及，不與謀曰會。」❼楊伯峻（1909－1992）《春秋左傳注》也提出質疑：「然此例也，考之經傳，亦有未必然者。如隱公十年傳云：『公會齊侯、鄭伯于中丘。』……又如桓公十六年傳亦云：『會于曹，謀伐鄭也』，則魯與宋、衛、陳、蔡之伐鄭亦『與謀』矣，然經仍書『公會宋公、衛侯、陳侯、蔡侯伐鄭。』此皆當書『及』而書『會』之例也。」❽可見史書未必能合其體例。因此，與其尋訪經書的義例，倒不如從史事中尋求解答；與其以「義」主，倒不如以「事」為主，蓋《魯史》以記事為中心，旁及同時代各國之史事，每事自成一條，必與他國事件相連屬，因而：「《春秋》雖以一字為褒貶，然皆須數句以成言」❾，由此顯現出《春秋》屬辭比事的編年特色。❿元代趙汸（1319－1369）說：「學《春秋》以考據《左傳》國史史實為主，然後可求書法。能考據事實而不得書法者，亦有之，未有不考據事實而能得書法者

---

❻　同註❿，劉知幾撰，浦起龍釋：《史通》，卷14，〈惑經〉，頁403。

❼　同註❷，卷22，宣公七年，頁377。

❽　楊伯峻：《春秋左傳注》（北京：中華書局，1981年），頁691。

❾　同註❷，卷1，杜預〈春秋經傳集解序〉，頁15。

❿　〔清〕孫希旦（1736－？）：《禮記集解》（臺北：文史哲出版社，1984年）解釋《禮記·經解》「屬辭比事，《春秋》教也」的文句說：「屬辭者，連屬其辭，以月繫年，以日繫月，以事繫日也。比事者，比次列國之事而書之也。」參見孫希旦：《禮記集解》，卷49，〈經解第二十六〉，頁1149。

也。」❺王春淑也解釋義例不合用的原因說：「應該理解，規範只是相對而言，只是力求達到的標準。史事紛雜、千差萬別，再加上先前史家的記載又各自為例，所以，難免有取事不周、修改不盡，有未必如凡例者的存在。」❺

三、兩漢以後「微言」進路所作的思考與接受

當我們討論「微言大義」時，重點在「大義」上。然而另有一進路是從「微言」作思考，畢竟我們不能忽略《春秋》本為史書的這個特質，也就是如何通過語言文字進行闡述的問題。前引荀子、董仲舒、班固、李奇、杜預的說法相似，說明《春秋》之所以令亂臣賊子懼怕，是因為聖人一字褒貶的「微言」起了作用。

「《春秋》筆法」的定義是以幽微、隱晦的文辭，表達褒貶懲勸的史學目的，這自然會帶領史筆逐步走向「簡約言辭」的路途。司馬遷撰述《史記》時，首先將「微言」帶向孔子「約其辭文，去其煩重」的筆法，並且指出孔子有「筆則筆，削則削」的寫法，於是史書有「簡筆」的說法逐漸浮現出來。班固更是儒家思想的忠實擁護者，「《漢書》關於漢武帝以前的史料，多採自《史記》，文字上都本著『《春秋》筆法』的原則，作了許多的刪削。班固……還很不贊成違背『《春秋》筆法』的繁文。」❺

然而簡之太簡，反而容易造成文義的隱晦難知。《漢書·藝文

---

❺　〔元〕趙汸：《春秋師說》（臺北：臺灣商務印書館，文淵閣四庫全書第164 冊，1983 年），卷下，〈論學春秋之要〉。

❺　同註❷，王春淑：〈論孔子《春秋》筆法〉，頁79。

❺　同註❸，頁259。

志》為此開脫道:「《春秋》所貶損大人,當世君臣有威權勢力,其事實皆形於《傳》,是以隱其書而不宣,所以免時難也。」❺在這裡,班固把「簡約」與「隱晦」結合在一起,符合《左傳·成公十四年》「志而晦」的說法,似乎也為後來杜預將此句解作「約言以紀事,事敘而文微」(前註 25 引)奠立了基礎。

　　從前述簡筆概念引申而來另一種「微言」、「微辭」的詮釋,乃是通過筆法的省略隱諱進行詮釋。杜預曾提出《春秋》經文「五例」說,也認為經文的「辭」與「義」都可能趨於隱微。這種說法不盡可取,卻被辭章家廣泛接受。南朝梁劉勰(約 464－522)《文心雕龍·宗經》說:「《春秋》五例,義既極乎性情,辭亦匠於文理,故能開學養正,昭明有融。」❺基本上,《文心雕龍》繼承了杜預的「五例」說,循此對《春秋》經作詮釋。《文心雕龍·徵聖》又說:「……文成規矩,思合符契;或簡言以達旨,或博文以該情,或明理以立體,或隱義以藏用。故《春秋》一字以褒貶,〈喪服〉舉輕以包重,此簡言以達旨也。……四象精義以曲隱,五例微辭以婉晦,此隱義以藏用也。」❺這裡指出《春秋》以「簡言」達到「褒貶」之義;也採取「隱義」、「微辭」的手法,達到「藏用」、「婉晦」的寫作目的。《文心雕龍·隱秀》大談「隱」的作法「餘味曲包」,正是劉知幾《史通·敘事》所說「晦」的作

❺　同註❷,卷 30,〈藝文志〉,頁 19。

❺　〔南朝梁〕劉勰著、范文瀾(1893－1969)注:《文心雕龍注》(臺北:學海出版社,1977 年),卷 1,〈宗經〉,頁 21。

❺　同前註,卷 1,〈徵聖〉,頁 15－16。

法「情在詞外」。❺❼《文心雕龍·宗經》也說：「《春秋》辨理，一字見義，五石六鷁，以詳略成文；雉門兩觀，以先後顯旨；其婉章志晦，諒以邃矣。……《春秋》則觀辭立曉，而訪義方隱。」❺❽這其實是很有名的筆法精妙的例正好說明了「隱」、「晦」作法是《春秋》筆法的具體實踐。曹順慶指出：「這種『一字褒貶』、『一字見義』恰恰是通過隱晦的方式來達到的，所以『其婉章志晦』是一種『隱義以藏用』式的文學話語方式。〈宗經〉篇說：『五例微辭以婉晦，此隱義以藏用也。』對所謂『五例』，許多《文心雕龍》注釋者都引用杜預〈春秋經傳集解序〉之言以證：『為例之情有五：一曰微而顯，……。』看來《春秋》的『微言大義』，確實成為了中國文人公認的並努力效法的權威學術話語。這就是『孔子作《春秋》』、『文約指博』、『善善惡惡』的巨大的影響力。」❺❾綜上可知，東漢至六朝期間，「《春秋》筆法」已由「簡」的概念，開展出「避諱」的詮釋，也大力強調「隱」、「晦」作法。

　　到了初唐劉知幾，主要繼承前代「尚簡」和「用晦」的主張。他的《史通·敘事》篇說：

---

❺❼　錢鍾書說：「《史通》所謂『晦』，正《文心雕龍·隱秀》篇所謂『隱』，『餘味曲包』、『情在詞外』；施用不同，波瀾莫二。」同註❸❸，頁 164。

❺❽　同註❺❺，卷 1，〈宗經〉，頁 22。其中「五石六鷁」、「雉門兩觀」，分別見於同註❷❷，僖公十六年，頁 139、定公二年，頁 317−318，確實是省文減字的精妙筆法。再可參考同註❶❶，卷 10，〈深察名號〉，頁 6、同註❸，頁 54。

❺❾　曹順慶：〈「《春秋》筆法」與「微言大義」——儒家經典的解讀模式及話語言說方式〉，《北京大學學報》1997 年第 2 期，頁 104。

敘事之工者，以簡要為主。簡之時義大矣哉！歷觀自古，作者權輿，《尚書》發蹤，所載務於寡事；《春秋》變體，其言貴於省文。……文約而事豐，此述作之尤美者也。……顯也者，繁詞縟說，理盡於篇中；晦也者，省字約文，事溢於句外。然則晦之將顯，優劣不同，較可知矣。夫能略小存大，舉輕明重，一言而巨細咸該，片語而洪纖靡漏，此皆用晦之道也。……夫經以數字包義，而傳以一句成言，雖繁約有殊，而隱晦無異。❻⓪

此處讚美《春秋》的文字「簡要」，因而有「省字約文」的現象，並認為用「晦」比用「顯」更為可取，「隱晦」的作法是有其必要性的。《史通·六家》又說：「逮仲尼之修《春秋》也，……據人事，仍人道；就敗以罰明，因興以立功；……微婉其說，志晦其文；為不刊之言，著將來之法。」❻①這說法告訴我們，《春秋》有其「大義」，但是須仔細考察文辭而後得知。顯然劉知幾很重視文辭的作用。

綜上所述，《春秋》筆法又加入了「尚簡用晦」、「辭約義隱」的特色，周振甫說：「所謂《春秋》筆法，主要是指不由作者出面來對人和事件表示意見，是通過人物或事件的敘述來表示褒貶，含有讓事實說話的意味。」❻②傅延修也說：「史家的第一要務

---

❻⓪ 同註❶⑨，劉知幾撰，浦起龍釋：《史通》，卷6，〈敘事〉，頁168－174。

❻① 同前註，卷1，〈六家〉，頁7。

❻② 周振甫：《古代作家寫作技巧漫談》（北京：人民出版社，1986年），〈《春秋》筆法〉，頁9。

是記述史事，其態度觀點只能隨史事的敘述而流露，孔子於是創立了一套措詞遣字的規則，含蓄而又毫不含糊地傳達自己的政治觀念。隨著以後儒家學說地位的提高，糅入了孔子尊王攘夷思想的《春秋》被奉為經典，這套規則也受到人們的尊崇，被稱為《春秋》筆法。」❻李凱說：「歸納起來，作為創作基本原則和方法的『《春秋》筆法』主要有兩方面的意思，一是以幽微、簡約的文辭表達顯明的意思；二是以一字定褒貶，從而起到『懲惡勸善』的作用。」❻這些觀念早已受到歷代學者注意，不過，杜預以來對此詮釋的修正，逐漸從伏流成為一條主流，這也是接受學史上值得注意的現象。

四、「《春秋》筆法」的史學與文學的接受現象

我們發覺，關於「《春秋》筆法」的辭約義隱，由於經文一開始並未作出詮釋，因此本義帶有深刻的不確定性。《春秋》經文是一種表達方式。而《春秋》三傳對「微言大義」的追求，讓我們瞭解到「《春秋》筆法」是一個修史原則；然而《春秋》三傳的解讀各自不同，於是「《春秋》筆法」的解讀，又可能會產生歧義。

司馬遷《史記》所說的「義法」是「筆法」，講修史的原則，包含修辭原則和社會功用的原則。李塗（約 1147 前後）《文章精義》曾說：「《史記》者，《春秋》之變。」揆其旨趣，大概是指

---

❻　傅延修：《先秦敘事研究：關於中國敘事傳統的形成》（北京：東方出版社，1999 年），第 5 章第 3 節，〈《春秋》：記事與立法〉，頁 178。

❻　同註❶，第三章第三節 1，〈「《春秋》筆法」涵義溯源〉，頁 259。

《史記》繼承了《春秋》精神,而又在體例等方面有些差異。事實上,後世許多作品都以嚮往《春秋》精神為主要寫作目標。南朝范曄(398－445)在〈獄中與諸甥姪書〉也說到自己撰著《後漢書》的目的是:「欲因事就卷內發論,以正一代得失。」❻唐代殷侑說:「歷代史書皆記當時善惡,繫以褒貶,垂裕勸戒。其司馬遷《史記》、班固、范曄兩《漢書》,音義詳明,懲惡勸善,亞於六經,堪為世教。」❻也證明了這點。《舊唐書》載唐高祖武德五年(622)李淵(566－635;618－626 在位)下達了有名的修史詔書也說:「司典序言,史官記事,考論得失,究盡變通,所以裁成義類,懲惡勸善,多識前古,貽鑒將來。……務加詳覈,博采舊聞,義在不刊,書法無隱。」❻這是以官方欽定的立場為修史原則定了調。到了中唐新《春秋》學派的呂溫(774?－813?)說:「所曰《春秋》者,非戰爭攻伐之事,聘享盟會之儀也。必可以尊天子,討諸侯,正華夷,繩賊亂者。」❻這雖是因應時局而發,但仍然相當真實的反映了史書筆法的理解。北宋歐陽脩(1007－1072)又因為《五代史》不符合「垂勸戒,示後世」的要求,於是另撰《新五代史》,這又是以私人的立場發揮《春秋》筆法的精神的另一個實

---

❻ 〔清〕嚴可均(1762－1843):《全上古三代秦漢三國六朝文》(臺北:世界書局,1963 年),第 28 冊,〈全宋文〉,卷 15,頁 12。

❻ 引自〔北宋〕王溥(922－982):《唐會要》(臺北:臺灣商務印書館,國學基本叢書四百種第 75－76 冊,1968 年),卷 76,〈三傳〉,頁 1398。

❻ 〔後晉〕劉昫(887－946):《舊唐書》(臺北:鼎文書局,1981 年),卷 73,〈令狐德棻列傳〉,頁 2597－2598。

❻ 〔唐〕呂溫:《呂和叔文集》(臺北:臺灣商務印書館,四部叢刊初編,1979 年),卷 3,〈與族兄皋請學《春秋》書〉,頁 4－5。

例。徐無黨在《新五代史·梁本紀》注中歸納過一些義例：

> 用兵之名有四：兩相攻曰攻，以大加小曰伐，加有罪曰討，
> 天子自往曰征。
> 我敗曰敗績，彼敗曰敗之。
> 用兵無勝負，攻城無得失，皆不書。
> 易得曰取，難得曰克。
> 以身歸曰降，以地歸曰附。
> 叛者，背此而附彼，猶臣於人也。反，自下謀上，惡逆之大
> 者也。
> 辛，已至也。如，往而未至之辭。⑥

以上言及用兵的字眼、得到土地的情形、歸順關係、國君的行動，
根本就是《春秋》書法的再次呈現。再如記述皇帝事跡時，他堅持
「即位以前，其事詳，原本其所自來，故曲而備之，見其起之有漸
有暴也。即位以後，其事略，居尊任重，所責者大，故所書者簡，
惟簡乃可立法。」⑦他主張皇帝「自即位以後，大事則書，變古則
書，非常則書，意有所示則書，後有所因則書。非此五者，則
否。」⑦不難看出歐陽脩修史有他自己的堅持。由此可見，孔子的
《春秋》筆法對我國的史學發展影響深遠。

---

⑥ 〔北宋〕歐陽脩：《新五代史》（臺北：鼎文書局，1979 年），卷 2，〈梁
  本紀〉，徐無黨注語，頁 14、15、16、17、21。
⑦ 同前註，卷 1，〈梁本紀〉，徐無黨注語，頁 1。
⑦ 同前註，卷 2，〈梁本紀〉，徐無黨注語，頁 13。

　　南宋朱熹（1130－1200）是集經學、史學、文學於一身的大儒，他主張把《春秋》當史書看，闡明《春秋》大義，而不逐字褒貶，也對以往流行的所謂《春秋》的「義例」說不能認同。⑫《朱子語類》載朱熹說：「孔子但據直書，而善惡自著。」⑬又說：

> 當時史書掌于史官，想人不得見，及孔子取而筆削之，而其義大明。孔子亦何嘗有意說用某字，使人知勸；用某字，使人知懼；用某字，有甚微詞奧義，使人不曉得，足以褒貶榮辱人來？不過如今之史書，直書其事，善者惡者了然在目，觀之者知所懲勸，故亂臣賊子有所畏懼而不犯耳。近世說《春秋》者皆太巧，皆失聖人之意。又立為凡例，加某字，其例為如何；去某字，其例為如何，盡是胡說。⑭

這段話仍然肯定《春秋》有懲惡勸善的精神，認定孔子只是「直書其事」，加上「筆削」的工夫完成此書。如果把筆法說之太過，講之太巧，甚至於追逐尋找「凡例」於一字一句之間，其實都悖離了聖人的本意。上述朱熹的詮釋意見大體正確，只不過我們不能否定《春秋》經文某些字眼的使用仍有其深義。而對辭章家來說，不穿鑿附會於字義之間，只把《春秋》當作閱讀學習的典範，仍可從中

---

⑫　蔡方鹿：《朱熹經學與中國經學》（北京：人民出版社，2004 年），第 10章第 1 節，〈朱熹的《春秋》觀〉，頁 463－468。

⑬　〔南宋〕黎靖德編：《朱子語類》（北京：中華書局，1986 年），卷 83，頁 2146。

⑭　同前註，卷 55，頁 1318。

悟得許多習文之道。劉勰《文心雕龍・宗經》說：「紀傳盟檄，則
《春秋》為根。」⑦顏之推（531?－591?）《顏氏家訓》也說：
「書奏箴銘，生於《春秋》者也。」⑦這是從文體方面進行學習。
韓愈（昌黎，768－824）稱讚「《春秋》謹嚴」⑦，柳宗元（773
－819）習作古文時，「本之《春秋》以求其斷」。⑦這是從文章
創作方面進行學習。又譬如唐傳奇〈謝小娥傳〉作者李公佐（約
813 前後），直接於文末說明為小娥作傳的緣由：

> 君子曰：「誓志不捨，復父夫之仇，節也；傭保雜處，不知
> 女人，貞也：女子之行，唯貞與節能終始全之而已。如小
> 娥，足以儆天下逆盜亂常之心，足以觀天下貞夫孝婦之
> 節。」余備前事，發明隱文，暗與冥會，符於人心。知善不
> 錄，非《春秋》之義也。故作傳以旌美之。⑦

這裡表明他寫作小說的意圖，是透過謝小娥的行事來弘揚《春秋》

---

⑦　同註⑤，卷 1，〈宗經〉，頁 22。

⑦　〔北朝齊〕顏之推：《顏氏家訓》（臺北：臺灣商務印書館，四部叢刊初
　　編，1979 年），卷上，〈文章篇〉，頁 72。

⑦　〔唐〕韓愈著，〔南宋〕朱熹校：《朱文公校昌黎先生文集》（臺北：臺灣
　　商務印書館，四部叢刊初編，1979 年），卷 12，〈進學解〉，頁 5。

⑦　〔唐〕柳宗元著，〔宋〕童宗說注釋，〔宋〕張敦頤音辯，〔宋〕潘緯音
　　義：《增廣註釋音辯唐柳先生集》（臺北：臺灣商務印書館，四部叢刊初
　　編，1979 年），卷 34，〈答韋中立論師道書〉，頁 7。

⑦　王夢鷗（1907－2002）：《唐人小說校釋》（臺北：正中書局，1985 年），
　　頁 33－34。

大義的精神。❽甚至於到了清初孔尚任（1648－1718）《桃花扇》的書前小序仍說：「傳奇雖小道，凡詩賦、詞曲、四六、小說家，無體不備。……其旨趣實本於三百篇，而義則《春秋》，用筆行文，又《左》、《國》、太史公也。於以警世易俗，贊聖道而輔王化，最近且切。」❽這麼有名的劇本，說明了文人不論擅長的文體為何，他們往往從聖賢經典取得資源，而《春秋》經文的「大義」就成為效法的榜樣之一。

《春秋》經對古文寫作的影響是相當大的。歐陽脩在〈論尹師魯（洙，1001－1047）墓誌〉一文提倡「簡而有法」的觀念，並認為：「此一句，在孔子六經，惟《春秋》可當之。其他經非孔子自作文章，故雖有法而不簡也。」且自言寫給尹師魯的墓誌「用意特深而語簡」等。❽敏澤指出：「這幾乎是後世碑誌文、甚至史家信守的原則，他修《新唐書》，也正是本此原則進行的。……他的『尚簡』說則直接地影響了『桐城派』的文論。例如，桐城派始祖方苞（1668－1749）就是提倡『《春秋》筆法』的『尚簡』原則的，認為『《易》、《詩》、《書》、《春秋》及《四書》，一字

---

❽ 劉良明（1946－）：《中國小說理論批評史》（臺北：洪葉文化公司，1996年），頁 89。

❽ 〔清〕孔尚任：《桃花扇》（臺北：里仁書局，1996 年），〈桃花扇小引〉，頁 1。據劉大杰（1904－1977）考證，此文署名「雲亭山人」，為孔尚任友人徐旭旦所作，原題為〈桃花扇題辭〉，見《世經堂初集》卷 17。參見劉大杰：《中國文學發展史》（臺北：華正書局，2002 年），第三十一章第四節，〈孔尚任與桃花扇〉，頁 1455－1456。

❽ 〔北宋〕歐陽脩：《歐陽文忠公集》（臺北：臺灣商務印書館，四部叢刊初編，1979 年），卷 73，〈論尹師魯墓誌〉，頁 9。

不可增減，文之極則也。」甚至認為『文未有繁而能工者』，並把『尚簡』看作『義法』的根本：『所取必至約，然後義法之精可見。」」❽實則，這為書寫人物傳記開一法門。事實上，方苞讀取《史記》「義法」二字後，還是張揚出《春秋》之道：

> 《春秋》之制義法，自太史公發之，而後之深於文者亦具焉。「義」即《易》之所謂「言有物」也；「法」即《易》之所謂「言有序」也。義以為經，而法緯之，然後為成體之文。❽

此處的「義法」——以「言有物」和「言有序」為準則的文章作法，與《史記》所說的「義法」不同。方苞試圖在《春秋》、《易經》、《易傳》為義法理論找源頭，標榜自己的學說來自儒家傳統，實際上卻脫離了自古以來有關「《春秋》筆法」說的詮釋。這是因為他身受「《南山集》案之株連，及清廷《春秋》大義的禁忌，故方苞義法雖宗師《春秋》書法，卻止取修辭謀篇，而揚棄大義微言。」❽不過，他仍建立起桐城派文風，對清代以下的古文寫

---

❽ 同註❽，頁 260。文中引文，出自〔清〕方苞：《方望溪全集》（臺北：世界書局，1965 年），集外文，卷 4，〈古文約選序例（代）〉，頁 304、303。

❽ 同前註，方苞：《方望溪全集》，集外文補遺，卷 2，〈史記評語·十二諸侯年表約其辭文去其煩重以制義法〉，頁 426。

❽ 張高評：〈方苞義法與《春秋》書法〉，收在張高評：《春秋書法與左傳學史》（臺北：五南圖書公司，2002 年），頁 255。

作有推波助瀾的功效。例如方苞〈春秋通論序〉曾說：「《春秋》之義，則隱寓於文之所不載：或筆或削，或詳或略，或同或異，參互相抵，而義出於其間。」⑧⑥這是重視筆法的觀點。稍晚於方苞的浙東史學家章學誠（1738－1801）接續此義，提出重視「史義」與「史法」的說法：

> 章子曰：史之大原，本乎《春秋》；《春秋》之義，昭乎筆削；筆削之義，不僅事具始末，文成規矩已也。以夫子「義則竊取」之旨觀之，固將綱紀天人，推明大道，所以通古今之變，而成一家之言者，必將有詳人之所略，異人之所同，重人之所輕，而忽人之所謹。繩墨之所不可得而拘，類例之所不可得而泥，而後微茫杪忽之際，有以獨斷於一心。⑧⑦

此乃從筆法之詳略、輕重，表明《春秋》「大義」由此而出。職是之故，雖然錢鍾書《管錐篇》曾引證多家說法，說明「古人無紙，汗青刻簡，為力不易」，因此《春秋》「文不得不省，辭不得不約，勢使然爾。」⑧⑧然而這只就物質條件來說；從讀者接受的立場來說，他們看到了《春秋》「筆削」的現象，確實有值得學習借鏡的地方，因此文章雖然不以繁簡定高下，而主張《春秋》「簡要」者始終居於主流地位，也影響到後世學者對「簡」的支持。從文學

---

⑧⑥　同註⑧③，方苞：《方望溪全集》，卷 4，〈春秋通論序〉，頁 41。

⑧⑦　〔清〕章學誠：《文史通義》（臺北：臺灣商務印書館，1968 年），卷 5，內篇 5，〈答客問上〉，頁 47－48。

⑧⑧　同註⑧③，頁 163。

方面來說，後世學者常能跳接杜預、劉知幾的說法，逐步傾向「尚簡」重於「用晦」。

五、結　論

　　總結前文，我們可以明瞭《春秋》筆法是一種通過委婉文辭以表達懲惡勸善目的的寫作方式，《左傳》的詮釋顧及到「微言大義」、「尚簡用晦」兩個層面，也由於《左傳》的詮釋是「前反省式」地一種思考，所謂的「解經」，其實就是回歸到文本的原貌，因而受到後人的重視，例如杜預〈春秋經傳集解序〉即據此書進行了許多的詮釋。《春秋》筆法的精神強調史家之筆有其特殊的社會道德責任，甚至於主觀詮釋歷史現象有時候比客觀記述史事來得更為重要，這一直是詮釋過程中的主流意見，例如孟子、司馬遷、朱熹對孔子作《春秋》的背後意義也進行了許多合理的詮釋。然而在這主流系統發展的同時，也有如董仲舒《春秋繁露》之類，跳脫出經典文本的解釋，逕行製造獨斷性思考的現象，這種詮釋並不能完整地掌握經典的原始意義。經學家所說的《春秋》「義例」，並不能等同於《春秋》筆法。

　　此外，從經學延伸至文學的思考轉化，主要以古文創作為主，然而劉知幾的「晦」，歐陽脩的「簡」，都是創造性的解讀。方苞以「言有物，言有序」詮釋出來的「義法說」，更是從《史記》的接受而再接受的過程所詮釋出來的意義。我們不能忽略其對文學創作——尤其是史傳類文章的影響。他們都不悖離《春秋》筆法的主軸意義，成為接受現象的多元呈現。通過許多接受、再接受，重新再作創造性解讀的過程，我們得知《春秋》筆法的詮釋意義一再轉

化、延伸，持續影響到後世文學的寫作，包括各種文體方面皆有此
現象。

——本文發表於「經典與文化的形成」研究計畫第十一次讀
書月會（2004 年 9 月 13 日）。

參考書目

〔周〕左丘明、〔晉〕杜預注、〔唐〕孔穎達疏：《春秋左傳注
　　疏》，嘉慶二十年江西南昌府學開雕重刊宋本，臺北：藝文
　　印書館，十三經注疏第 6 冊，1989 年

〔周〕公羊高傳、〔東漢〕何休注、〔唐〕徐彥疏：《春秋公羊傳
　　注疏》，嘉慶二十年江西南昌府學開雕重刊宋本，臺北：藝
　　文印書館，十三經注疏第 7 冊，1989 年

〔周〕穀梁赤傳、〔晉〕范甯注、〔唐〕楊士勛疏：《春秋穀梁傳
　　注疏》，嘉慶二十年江西南昌府學開雕重刊宋本，臺北：藝
　　文印書館，十三經注疏第 7 冊，1989 年

〔周〕孟　軻、〔東漢〕趙岐注、〔北宋〕孫奭疏：《孟子注
　　疏》，嘉慶二十年江西南昌府學開雕重刊宋本，臺北：藝文
　　印書館，十三經注疏第 8 冊，1989 年

〔周〕荀　子著、〔唐〕楊倞注、王先謙集解：《荀子集解》，北
　　京：中華書局，諸子集成，1954 年

〔西漢〕董仲舒：《春秋繁露》，臺北：臺灣商務印書館，四部叢
　　刊初編，1979 年

〔西漢〕司馬遷：《史記》，臺北：鼎文書局，1980 年

〔東漢〕王　充：《論衡》，臺北：臺灣商務印書館，四部叢刊初
　　　編，1979年

〔東漢〕班　固撰、〔唐〕顏師古注：《漢書》，臺北：藝文印書
　　　館，1955年

〔北朝齊〕顏之推：《顏氏家訓》，臺北：臺灣商務印書館，四部
　　　叢刊初編，1979年

〔南朝梁〕劉勰著、范文瀾注：《文心雕龍注》，臺北：學海出版
　　　社，1977年

〔唐〕劉知幾撰，〔清〕浦起龍釋：《史通》，臺北，里仁書局，
　　　1980年

〔唐〕呂　溫：《呂和叔文集》，臺北：臺灣商務印書館，四部叢
　　　刊初編，1979年

〔唐〕韓　愈著，〔南宋〕朱熹校：《朱文公校昌黎先生文集》，
　　　臺北：臺灣商務印書館，四部叢刊初編，1979年

〔唐〕柳宗元著，〔宋〕童宗說注釋，〔宋〕張敦頤音辯，〔宋〕
　　　潘緯音義：《增廣註釋音辯唐柳先生集》，臺北：臺灣商務
　　　印書館，四部叢刊初編，1979年

〔後晉〕劉　昫：《舊唐書》，臺北：鼎文書局，1981年

〔北宋〕王　溥：《唐會要》，臺北：臺灣商務印書館，國學基本
　　　叢書四百種第75－76冊，1968年

〔北宋〕歐陽脩：《歐陽文忠公集》，臺北：臺灣商務印書館，四
　　　部叢刊初編，1979年

〔北宋〕歐陽脩：《新五代史》，臺北：鼎文書局，1979年

〔南宋〕呂祖謙：《東萊左氏博議》，臺北：廣文書局，1973年

〔南宋〕黎靖德編：《朱子語類》，北京：中華書局，1986 年

〔元〕趙　汸：《春秋師說》，臺北：臺灣商務印書館，文淵閣四
　　　庫全書第 164 冊，1983 年

〔清〕孔尚任：《桃花扇》，臺北：里仁書局，1996 年

〔清〕方　苞：《方望溪全集》，臺北：世界書局，1965 年

〔清〕章學誠：《文史通義》，臺北：臺灣商務印書館，1968 年

〔清〕孫希旦：《禮記集解》，臺北：文史哲出版社，1984 年

〔清〕嚴可均：《全上古三代秦漢三國六朝文》，臺北：世界書
　　　局，1963 年

錢　穆：《中國史學名著》，臺北：三民書局，1973 年

錢鍾書：《管錐篇》，北京：中華書局，1979 年

楊伯峻：《春秋左傳注》，北京：中華書局，1981 年

王夢鷗：《唐人小說校釋》，臺北：正中書局，1985 年

周振甫：《古代作家寫作技巧漫談》，北京：人民出版社，1986年

賀汪澤：《先秦文章史稿》，開封：河南大學出版社，1995 年

周振甫：《文心雕龍辭典》，北京：中華書局，1996 年

劉良明：《中國小說理論批評史》，臺北：洪葉文化公司，1996年

傅延修：《先秦敘事研究：關於中國敘事傳統的形成》，北京：東
　　　方出版社，1999 年

楊濟襄：《董仲舒春秋學義法思想研究》，臺北：臺灣師範大學博
　　　士論文，2001 年

劉大杰：《中國文學發展史》，臺北：華正書局，2002 年

朱恆夫：《文學文化論》，南京：江蘇古籍出版社，2002 年（收
　　　錄李萍：〈從《公羊傳》看「春秋書法」的修辭藝術〉一

　　文，頁 253－262）

李　凱：《儒家原典與中國詩學》，北京：中國社會科學出版社，
　　2002 年

張高評：《春秋書法與左傳學史》，臺北：五南圖書公司，2002年

蔡方鹿：《朱熹經學與中國經學》，北京：人民出版社，2004 年

敏　澤：〈試論「春秋筆法」對於後世文學理論的影響〉，《社會
　　科學戰線》1985 年第 3 期

曹順慶：〈「《春秋》筆法」與「微言大義」——儒家經典的解讀
　　模式及話語言說方式〉，《北京大學學報》1997 年第 2 期

李穎科、符　均：〈論孔子的「春秋筆法」〉，《雲夢學刊》1997
　　年第 3 期

雷　戈：〈從亂世之《春秋》到治世之《史記》〉，《西北師大學
　　報》第 34 卷第 4 期，1997 年 7 月

陳恩林：〈評杜預〈春秋左傳序〉的「三體五例」問題〉，《史學
　　集刊》1999 年第 3 期

詹華明：〈試解「春秋筆法」〉，《成都教育學院學報》第 4 期，
　　1999 年 9 月

王春淑：〈論孔子《春秋》筆法〉，《四川師範大學學報》第 27
　　卷第 3 期，2000 年 3 月

張　毅：〈論「《春秋》筆法」〉，《文藝理論研究》2001 年第 4 期

李綉玲：〈論《春秋》筆法與大義——以《左傳》經解為據〉，
　　《玄奘人文學報》第 3 期，2004 年 7 月

原始儒家思想與經學：
經學之本質

重澤俊郎[*]著・金培懿[**]譯

前　言

　　面臨周朝末期封建組織崩解時期，中國思想以一種驚人的速度，充實了其驚人之內容，並隨著統一國家的成立而停止其發展，代之而起的則是經學的出現。爾後橫亙兩千年之久，經學雖然一路支配著知識階級的生活，並指導其文化，但隨著清末專制君主制度的告終，經學同時也喪失其社會性意義。筆者此種說法雖然不過是一概觀式的理解，但因此種轉變是以一相當明瞭的形態而產生，故不只設法區分經學時代與非經學時代一事並非不可能，至少只要是涉及思想史之研究，前述區分法堪稱是一合理的基本區分法。周末和清末兩時代，其社會之根本組織自不待言，就是在經濟、政治、文化等各領域，也有其各自對應其時代的特色存在，但其最顯著的

---

[*]　　重澤俊郎（1906－1990），前京都大學文學部教授。

[**]　　金培懿，日本國立九州大學文學博士，中正大學中國文學系副教授。

特色之一，則不可不揭舉出所謂士人階級的生存與否這一問題。未存在於非經學時代之前後的這一特殊階級，若吾人注意到貫串整個經學時代，此一階層始終掌握著支配中國社會的權力，則吾人大致可以想見其與經學有著不可分割的關係。若不能具體確實掌握此兩者之共榮關係，則當吾人在審視理解經學時，或恐將忽略其思想之核心。而若不能解明經學之核心思想，則終將落入對中國兩千年之學問只是一知半解的田地。故筆者於本文中所抱持的些微企圖，並非經學史性的研究；而是將研究基礎置於經學史之事實，而試圖掌握所謂經學本身之基本特性。有關經學史之研究，國內外皆不乏其數，可謂幾乎皆已盡究明其事實。然而能夠就著經學史之發展而對經學進行本質性探究，甚至掌握其社會性意涵者，或許是筆者孤陋寡聞所致，至今仍未必知道有足以滿意的考究論證存在。或許吾人應該始終立足於經學史之事實，同時另一方面要從只追求經學史之枝微末節的繁瑣主義式歷史學中解放出來，聚焦存在於個別性現象之基底的普遍性事物才是。今日支那學之發達，正須如此要求。而筆者此篇拙作，若能為此研究領域帶來任何助益，實為有幸。因此，筆者於本文中，乃將經學史的基礎事實視為一既知的常識，若無特殊必要，則不涉獵其論證。

本　論

一、經之成立及其意義

若要為經學下一極簡單之定義，則經學可以說是對儒家所稱之為經的，亦即針對一定範圍內的古聖典所作出的創造性解釋學。然

而為了使其意義更為明確，則不得不進一步闡明此命題之主要辭彙的「經」、「創造性解釋」等字詞的意義內容。而此意義之闡明，正是吾人欲理解經學於中國社會中所具有的意義時，一個不可或缺的必要前提。蓋無論是在何時或在何地，只要支配階級希冀其自身的支配性地位可以永續存在，則彼等也將會希望能保持其支配性地位的社會條件可以恆久不變，也正因為如此，故彼等也會考慮到種種政治手段，此實為極自然不過之現象。經學所以對中國社會有其特殊之意義，原因就在於其呼應了過去兩千多年來，中國社會中支配階級的此種需求，而且經學也成為一股為了維持其固定化社會的有力的精神支柱。因此，當吾人在論述中國社會和中國文化時，絕不能無視經學所起的作用。同時，若欲闡明經學的意義，可以說至少得掌握住舊中國社會及其文化，此亦非過言。要言之，經學不失為一個吾人在究明中國社會時的根本問題。❶

　　筆者於前文中雖已將經學定義為：經的解釋學。但有關所謂：經具有何種意義？又其是經歷何種過程而成立等問題，必須在此先作一說明。當然，對後世的人而言，「經」乃是因為獲得人們的認可，所以才成為根本聖典一事，此事被解釋成如同以下引文所謂的：

---

❶　若將經學的意義解釋成是：廣泛地有關「經」的學問，則「經」之概念成立以後，當然自不待言，即便是「經」之概念尚未成立之前，只要存在有與某種其經典權威獲得普遍承認的古典相關的學問，則經學的存在便可以直接獲得肯定。但此種廣義的經學，當吾人對之進行社會觀察時，因為其並不具備重要意義，故筆者在此並不將之列入考慮。

> 三極彝訓,其書曰經。經也者恆久之道,不刊之鴻教也。
> (《文心雕龍》)

> 聖人制作曰經,賢者著述曰傳。(《博物志》)

又如果吾人將之作一典型的漢儒式的定義,就如同以下所謂的:

> 臣聞之於師,曰天地設位,懸日月,布星辰,分陰陽,定四
> 時,列五行,以視聖人,名之曰道,聖人見道,然後知王治
> 之象,故畫州土,建群臣,立律曆,陳成敗,以視賢者,名
> 之曰經,賢者見經,然後知人道之務,則詩、書、易、春
> 秋、禮、樂是也。(《漢書》〈翼奉傳〉)

亦即,「經」的內容當然是在討論萬古不易的真理,而其成書之關
鍵則在聖人制作,故與「傳」以下之諸書截然不同,不可等而視
之。不僅如此,若按照漢代經學者之解釋,此萬古不易的真理性之
中,還必須將宇宙之最高支配者的意志加以具體化。❷即便釋、道
二家,有些稱為「經」的書籍,大致上也符合上述的概念規定,然
而此一定義雖然是「經」最總括性的定義,但卻未必是在原初時就
有如此嚴密規定的概念產生。

　　首先,殷墟文字中的「經」字,自不待言,就是被視為是
「經」字之前身的「巠」字,但該字至今仍未出現在殷墟文字中。

---

❷　匡衡中亦有與此幾乎相同的見解。

要待至彝器銘文中，方才開始出現此「經」、「巠」二字。其用法
由以下用例可得知，如：

　　敬雝德巠。（《大盂鼎》）

　　巠雝明德。（《晉姜鼎》）

　　肇堇德經。（《齊陳曼鼎》）

　　經緯四方。（《虢季子盤》）

又「治」一字，也是在與「經」字意義相近的情況下被加以使用，
至於寓有「經書」之意的用例則無。繼而在檢閱先秦古書時，《論
語》、《孟子》書中在引用被後世視為經書，而且在當時已經是具
有權威性的古典，並且獲得普遍認同的《詩》、《書》等典籍時，
亦未發現有將之稱為「經」的例文。而將古記錄稱之為「傳」的例
子，雖可見於《孟子》書中，但「經」字卻全都只在與金文場合類
似的意義上而被加以使用。至於在《墨子》書中，則以「夏書」、
「周書」等語來稱呼後世的經書。即便「先王之典籍」這一概念與
所謂「經」的概念相當吻合，墨子也不過就是將之特別題為「先王
之書」。而雖然《墨子》書中現存有〈經〉、〈經說〉上、下兩
篇，但從內容上來看，該書並非墨翟之書，此事今日已成為學界之
定論。而《詩經》中有如下之用法：

經營四方。（《詩經》〈北山〉）

經始靈臺。（《詩經》〈靈臺〉）

又《書經》中亦只發現下述之用法，如：

經德秉哲。（《書經》〈酒誥〉）

弗克經歷。（《書經》〈君奭〉）

厥既得卜則經營。（《書經》〈召誥〉）

即便是在《左傳》書中，「經」字也大多用在「治」的這層意義上，並無太大的變化。例如：

禮之經。（《左傳》〈襄廿一年〉）

先王之經。（《左傳》〈昭廿六年〉）

言以考典，典以志經。（《左傳》〈昭十五年〉）

在此吾人必須注意的事實是：「經」字與明白表示不變的權威性之所在的這一概念相近，而且有逐漸增加的傾向。如《國語》〈吳語〉中可以看見所謂：

挾經提鼓。

韋昭將之注為：

經，兵書也。

若韋昭此解得當，則吾人可將之視為是：以「經」來稱呼某一固定
典籍的最古老用例，遺憾的是：若從前後的關係來考量，吾人並無
法認同韋昭之注解。其理由在以下所引俞樾的話中，已相當明白。

世無臨陳而讀兵書者，經當讀為莖，謂劍莖也，〈考工記·
桃氏〉曰，以其臘廣為之莖圍，注曰，鄭司農云莖謂劍夾，
人所握鐔以上也，玄謂莖在夾中者，莖長五寸，此云挾莖，
正謂此矣，作經者叚字耳，韋不通叚借之旨，望文生訓，失
之。（《群經平議》）

另外就如吳大澂所言，原來「經」之古字為「巠」，《說文》解
「巠」為：

巠，水脉（編案：脈）也，從川在一下。一，地也。

然而若從留在金屬器面的字形來作判斷的話，則必須將「巠」字看
作是象徵織布機之縱絲的文字。而所謂織布機之縱絲，自不待言
地，便是直線，而且是用來製治布匹的。在此可知「巠」是從其形

態而直接塑造其概念；再從其機能而產生「治」的概念。蓋《禮記》〈月令〉中有文曰：「審端經術」。經術不外是徑遂之音通假借，而徑則言步道，步道在原則上應該為直線。今得以經字示之，則不外是經有直義之佐證。劍在鐔以上，由人所握處是為筆直，今以經字示之，亦是由於經有直義。故〈禮器〉上所說：「經禮三百，曲禮三千」之文，「經」顯然是與「曲」相對立的。而「經」有直義一事，由從「巠」之多數文字，亦即「莖」、「脛」、「頸」、「鋞」等字，皆表示出與「直」這一觀念相結合的意義，便可獲得證明。又如同吳麥雲已經注意到的：「直」這一概念，其實共同存在著「貫通」的概念，或者說其具有容易轉換為「貫通」之義的可能性。故無論是織布機之縱線，或是步道，其原本就為「直線」，同時其義不外就是「貫通」。然而凡「貫通」之概念，不久即發展成為「恆常不變」之概念，而對於直這一觀念，若吾人能設想到其內容具有其價值性，則吾人便可理解到：經所以會發展成為一貫通古今、具有保存價值的典籍之名稱，並非有著何等思想上的跳躍，而是一極為自然不過的開展。經歷過這一階段，到了周朝末年荀卿之書中，便可見到：

> 始乎誦經。（〈勸學〉）

> 道經曰：人心之危，道心之微。（〈解蔽〉）

此時，「經」顯然已成為指稱某一特定之典籍者。在〈勸學〉篇中，吾人可以發現在「誦經」一詞底下的文句中，還闡述了

《禮》、《樂》、《詩》、《書》的重要性，故所謂誦經的「經」，自然不得不說是限定在此五部典籍。至此，經之內容已甚為明確地被意識到。至於「道經」一語，無非就在表現其企圖將經之內容性的標準，規定為必須是「道」的這一意志，此舉可謂充分暗示了經之內容如何規定成立的途徑。與此並行的是，吾人必然要想起一個事實，那就是：相對於《墨子》中的〈經說〉篇，可知有〈經〉篇存在的事實。以及《管子》分為經言、內言、外言等諸群，但只有伴隨著「解」的諸篇，被總稱為「經言」的這一事實，而無論是稱之為「說」、或是稱之為「解」，皆是針對具有必須解明之這一基本權威的諸篇而用的稱呼，而必須被解明的諸篇，則名之為「經」。亦即，就崇奉墨子和管子的學者而言，各種被認定有恆久性價值的述作，皆稱之為「經」。而因《墨子》、《管子》書中體裁如此整然，故吾人亦可想見其與荀子的時代相去不遠，只要就現存的資料來看，吾人便可知曉：經乃具有權威的典籍之名稱，是獨立於非經的群書之外，而此種觀念應於周、秦之際形成，筆者以為此一結論應無大過才是。並且，經未必始於儒家，而是透過各學派來產生各家獨自的經。蓋試圖甄別經與非經的意欲之所以會產生，首先其前提必須是著作已達到某種程度的量，而且知識也普及於世。著作量的累積，則又促使知識分子親自對著作進行整理運動。如古詩三千中，有三百零五篇被保存下來；三千二百四十篇的古書中，傳說有三千三百二十篇亡佚（《尚書緯》）等情形，無非是在訴說在某一時代，知識分子的自行整理作用，至於《八索》、《九丘》、《百國春秋》、《百二十國寶書》等所以作為《左傳》、《國語》之材料而被擷取其精華，大致也是被前述相同的原

理所支配。即便原本非一人之力所能為，但是當其條件成熟時，某種文化作用必然會以一種社會性的規模發動起來。而學者之活動極為自由旺盛的周朝末年，正可以滿足此文化作用的條件。此時代的人們所以會對作為古典的，特別是對足以使其興發崇敬之心的某一群典籍產生顧念之情，其中包含著巨大的理由。因為畢竟經的成立，其必須條件乃是社會上要能產生古典意識，前述諸多經的屬性，亦有待此古典意識的產生，無非是自然而然的事。然而因為以《經》、《書》為己說之依據的態度既然已可見於《論語》等書中，則可知若干古書被學界婉轉承認其經典權威的事實，未必要等到周末才發生。但是如果從所謂針對某一定範圍內的書籍，究竟是否要賦予其「經」這一特別名稱一事，則還要斟酌考慮。由此看來，吾人不得不承認：在古典意識發展的過程中，其實有著若干的差別。而到了學派明顯分立的時代，各學派之中獨自進行典籍整理，遂產生其學派獨自的經；而在學派分立不明顯的時期裡，則產生一種全體的、或者毋寧說是立足於民族式立場的古典意識運動。例如《詩》、《書》很早就成為一般人尊敬的對象，此種情形可以說是後者的例證；而儒家之六經則適用於前者之例。

　　一般經的產生過程大致如上所述，接著筆者將探討經是以何種狀態存在於儒家之中？經又是如何被儒家所理解？《莊子》〈天運〉篇中雖然已見六經之名，其內容為《詩》、《書》、《禮》、《樂》、《易》、《春秋》，但吾人實在很難將之視為是莊周時代既存的事實❸，正確規定經之內容者，以《荀子》之文為最古老的

---

❸　有關《莊子》書中原文之批評，因學界已多有定論，故筆者在此省略之。

文獻。《荀子》曰：

> 其數則始乎誦經，終乎讀禮，其義則始乎為士，終乎為聖
> 人，故書者政事之紀也，詩者中聲之所止也，禮者法之大
> 分，類之綱紀也，故學至乎禮而止矣，夫是之謂道德之極，
> 禮之敬文也，樂之中和也，詩書之博也，春秋之微也，在天
> 地之間者畢矣。（〈勸學〉）

亦即在儒家之中，最初被視為最高之古典而被賦予價值的，乃是
《禮》、《樂》、《詩》、《書》、《春秋》五者，爾後到了《莊
子》〈天運〉篇成立的漢初，方才加入《易》，六經之目才終於完
成。❹

　以五經為代表的經之內容，雖然隨著時間的發展而邁向遞增一
途，如增加為九經、十二經、十三經，但若從儒家立場出發而來看
經的本質性價值，則其原本就沒有變化的理由。司馬遷於《史記》
〈太史公自序〉中曾就六經之特質而如下論述道：

> 易者天地陰陽四時五行，故長於變，禮經紀人倫，故長於
> 行，書記先王之事，故長於政，詩記山川谿谷禽獸草木牝牡
> 雌雄，故長於風，樂樂所以立，故長於和，春秋辯是非，故

---

❹　《荀子》〈大略〉篇中有文曰：「六藝之博則天府已」。誠如一般的說法，
　　〈大略〉篇乃荀卿後學之雜錄，故不能證明荀卿當時六經已存在。又前述
　　〈大略〉篇中的「六藝」本作「六貳」，今從盧文弨、俞樾之考校以正之。

長於治人。

今在《禮記》〈經解〉中亦可看見如下之文：

> 其為人也溫柔敦厚，詩教也，疏通致遠，書教也，廣博易
> 良，樂教也，絜靜精微，易教也，恭儉莊敬，禮教也，屬辭
> 比事，春秋教也。

到了賈誼《新書》則從德之六理來闡明六經之性質。如：

> 書者著德之理於竹帛而陳之，令人觀焉，以著所從事，故曰
> 書者此之著者也，詩者志德之理，而明其恉，令人緣之以自
> 成也，故曰詩者此之志者也，易者察人之循德之理與弗循，
> 而占其吉凶，政曰易者此之占者也，春秋者守往事之合德之
> 理與不合，而紀其成敗，以為來事師法，故曰春秋者此之紀
> 者也，禮者體德理，而為之節文成人事，故曰禮者此之體者
> 也，樂者書詩易春秋禮五者之道備，則合於德矣，合則驩然
> 大樂矣，故曰樂者此之樂者也。（〈道德說〉）

賈誼之解釋原本難免稍有偏頗，但卻表明出一個具有特色的形而上
立場。今若合以上諸文來考察的話，則吾人便可以明白：經之中，
小自個人的修養處世要訣，大至國政之變化原理、自然現象之統
御，遑論其乃所謂修身、齊家、治國、平天下這一關係人間社會所
有的根本性準則，甚至連自然哲學和一部份的形而上學，都被解釋

成應該被論述的對象。正因如此，其才具有被視為經的理由。又隨著各時代思潮的發展，被如此認定的書籍也漸次被賦予經的資格，所以經目也就不斷增加。而在經學的世界中，闡明經義乃學問之全部，而且至少只要是與公領域生活相關的，則經的倫理所以被視為社會規範之淵源的理由便在於此。同時又因為諸經的著作者被認為若不是孔子，就是亞於孔子的聖賢，故原則上不允許對其內容採取自由批判的立場。明末李贄、孫鑛、鍾惺等人，因為評騭經書，施加丹黃，遭後世儒家之徒問其侮蔑經傳之罪，此乃最能反映出經之不可侵犯的事實。評騭經文便已如此，當然也就不允許將經之內容視為對象而自由批判，此實自不待言之事。若從此特點來作考量，則經學在其根本上便受到非常大的一種束縛。至於經中並未存在的原理，不論其究竟為何？都是不被認可的。若欲將之視為原理而使之得以妥當，若不是將其書列入經，否則就必須依據他經中既存的原理而來演繹導引出與之相關的原理。至於經以外的書籍，或者是經無法支配的書籍中，若其主張有一獨立存在於經之外的社會生活之基本原理，此對經學而言也是不被容許的。就這層意義而言，以經為對象的學問，可以說原本就具備了僵固、封鎖特性發達的要素。當然，在經學的世界中亦有爭論，也會展開其理論邏輯，但其爭論絕非是在絕對自由的立場上展開，彼等受到經學根本性的束縛所支配，不過是在經所公認的法則和範圍中展開其爭論。而其行為就如下棋，因為棋子雖然大致上可以自由移動，但終究只能在棋局中依據規定之法則而來移動。當然，吾人亦可在經學發展史中看出相當重大的變化，特別是當經學與外來思想接觸時，其迫不得已而產生顯著變化的事實，實不容否定。然即便如此，經學思想之主體

仍未有動搖，外來思想大體上皆被經學體系所吸收，結果反而多是
當其完成對經學進行輸血效用的功能後，便告終結。有關經學之性
格，後文仍有機會再論及，但其特性基本上與其不可侵犯性之間有
著深刻的關聯。

經所以由五經擴大到十三經，無非是因為各時代所認定為經的
標準有異。而選擇的標準既然不同，則被選擇的典籍之內容當然也
就有異。自五經成立至十三經出現為止，因歷經了千餘年之久，故
諸經之思想內容也存在著相當的差距，此毋寧說是再自然不過之
事。但既然同時並列為經，故其總體而言，絕對必須使其無有障礙
而得以成立。而要使此種不可能成為可能，其唯一途徑只有樹立與
經之原義無關的自由解釋。又經在過去橫亙了二千年之久的時光，
始終是中國社會的精神性泉源。為因應各時代思潮的轉變，雖然是
一經，甚或是一句文句之解釋，也必須要能滿足其時代需求，而這
也正是超越經之原義的主觀解釋所以產生的理由之所在。筆者於前
文所說的創造性解釋，皆就該層意義而言。而被定義為經之解釋學
的經學，乃是以經為中心，有機地被組織而成，故本來就具備有經
常企望於經本身而欲復歸之的傾向，此事實不容否定。若吾人著眼
於這一層面，則或許將以為經學無論在何種意義上，其實在很難承
認創造性。但是就如同筆者於後文所陳述的，擔負著所謂必須將社
會生活之根本原理，悉數自經書中導引出的這一使命的經學，終究
無法允許經書作者執著於其當時所意識到的唯一的原義。故為求廣
泛且無限地達成此使命，與其單純地復歸於唯一原義，代之而起的
則常常必須是由經學本身持續創造出經的意義。在藉由經書之權威
而主張之這點上，其或許可以稱為是形式上的復歸，然而實質上則

是：首先必須自己創造出新經義，然後在表面上採取所謂復歸的形式。《論語》所謂：

> 孝弟也者，其為仁之本與。（《論語·學而》）

其無論是在漢代或宋代，皆被尊奉為真理，並成為生活之規範，但對於其解釋，漢、宋之間則有不小的差異。宋儒首先確信其獲得了由其自身之哲學立場出發所理解到的原義，並創造出新義，彼等便在此種基礎上，方才承認其可作為其生活之原理。此種情形只要我們翻閱經學史和解釋學史，便可發現相同的例子不可勝數。彼等無有一人將其自身的主張作為自身之主張而獨立將之提出，而是在新義創造的形式上，一旦將之寫入經書中，則吾人便可在其假藉經書權威之處，發現經學之特色。此即經學所以被視為創造的解釋學之原因所在，而純粹的復歸乃是歷史性的，故不可將創造的解釋學與純粹的復歸視為同一性質。以創造為其實而名目上號稱為復歸者，並非歷史性的，作者的唯一原義，毋寧可以說是被超越的。經學因為能反復進行此種不間斷的自新作用，故不會受到經原本僵固、封鎖的性質所束縛，而是隨著社會及思想的一般性開展，得以發揮其成為社會及思想之精神性支柱的使命。

二、經之成立及其與中國社會之關係

只要經學不得離開經而存在，則經學成立之必須條件便是要在儒家之中確立經，並且將經視為絕對。但若只有此必須條件，亦仍稱不上具有經學成立的充分條件。為了使經學得以成立，除此之外

更有一絕對不可或缺的條件，此條件乃醞釀經學發生的社會性事
實，具體而言便是歡迎經學、或者是視經學為必要的社會性階級的
產生。而此一社會階級不外就是一般被稱為士人階級（士大夫、讀
書人）的社群。此一社會階級與周朝末年封建制度的瓦解同時發
生，漢高祖的成功，因為就是藉著所謂：依靠此新興階層來打倒舊
有貴族社群的形式而得以實現，故自漢初以來，其勢力遂變得屹立
不搖。但隨著中央武力的弱化，而地方諸侯勢力恰與之成反比而逐
漸強化，對大宗周室血族意識的冷卻，遂與加速進行的經濟情勢之
變化相互結合，東周時代於是成為一帶有特色的統一式封建制度瓦
解的歷史，並帶來了身分式傳統的瓦解。而為了對抗此無秩序的情
勢，當然多多少少也發生了企圖保存舊態的反動現象。例如所謂霸
者的出現正是如此，彼等雖然樹立了所謂被稱為「文襄之制」的新
秩序，並且整頓新封建制度以防止混亂，但是因為其仍然未能長久
維持其妥當性，遂從根本上否定了身分性傳統的支配，進而產生了
一個向個人之主體性價值追求秩序淵源的新社會。（請參照第一節
〈前言〉）自周末經秦至漢的期間，是一由舊階級制度解放開來的
人們，藉由離合聚散而成立新階級制度的成熟期，而所謂的士人階
級，不外就是如此被樹立而成的一群新支配者。故彼等之身份或為
貴族末流，或為商賈賤民、或為下級軍人，其身分位階雖極為駁
雜，要言之，彼等皆非以傳統之威勢為其背景；而是以其個人實力
來獲得其地位，並且與新社會情勢下的支配者有著一致的利害關係
這點，兩者完全一致。漢初的官吏，其實就是以此種分子所構成，
但原本是支配者的彼等，一旦得志居官位，便直接享受到支配階級
的利益，終不可避免地淪為在經濟上、精神上，抱持著與被支配者

對立的意識。然而無論是何種階級，其支配性地位既然已經穩固，則必然需要有可以支撐其自身之支配正當性的理論。當漢初的士人階層產生此欲求時，能回應此需求的，除儒家之外無他。而當時的儒家思想，並非原原本本的原始儒家思想。吾人應還記得：無論是以荀子為代表的原本立足於與儒家最為對立立場的法家思想，或者是在某種情況下，融會法家思想以擴大其思想體系的一方，彼等皆周到地準備了足以受到支配階級歡迎的主張。亦即為求思想統一之標準性原理，有必要將當時的政治性權威說明成神聖事物，並且必須提供全面肯定掌握者的理論。而當時的支配階級雖都被稱為士大夫，然誠如前文所述，其身分性、經濟性基礎，則與封建時代的士大夫性質全然不同。此種新勢力的出現，乃是全面謳歌周代封建制度，並希求其復活的原始儒家做夢都沒想過的。而漢初的儒家，則不吝於以無條件承認此既成事實為前提，進而構成其己身之學說。從根本上而言，儒家思想所以能滿足彼等，理由之一便是依據《孟子》所謂的：

> 或勞心或勞力，勞心者治人，勞力者治於人，治於人者食人，治人者食於人，天下之通義也。（《孟子·滕文公上》）

《孟子》此語最能清楚代表社會性分工論，並成為儒家一貫的根本主張。勞心者即精神勞動者，其作為支配階級而治人，可以由勞力者，亦即肉體勞動者的農民，供給其衣食。亦即站在儒家立場而言，支配階級由勞動階級供給衣食，乃是作為其支配的當然報酬，無關乎生產，不事勞動而依賴被支配階級，並無任何錯誤。蓋此種

思想在孔子的時代便已存在，至孟子之際，因為受到與農家這類反對派處於對立狀態的關係所影響，故終於提出如前述引文這般明顯的主張。而或許是偶然，孟子此種思想恰好原原本本地肯定了漢初支配階級的經濟性現實。蓋彼等支配階級乃獨立於傳統的、封建的權威之外，是依靠庶民的租稅以得其衣食。再者則是因為儒家是支配封建制度的緣故，所以在強調所謂保護成為其經濟基礎的農民的生活這點，其立場始終一貫。漢初的士人階級為了確保其自身的經濟安全性，深知必須防止農民疲病過度。就此點而言，儒家之學說具有保證彼等利益的效果。第三點則是在政治上，就如當時的春秋家具有「大一統」的思想，當此「大一統」思想逐漸變得強大時，則其必將抱持意圖使獨裁君主王權正當化的態度，因此其結果便是：間接地承認並支援將政權歸屬於以君主為頂點的士人階級。對彼等而言，此不失為是一極應受到歡迎的思想。儒家思想所以受彼等喜愛，並依靠彼等而被視為是國家唯一公認的教義，實以此理由為其根基。而因為儒家之主張，畢竟都被視為是源於經的思想而被加以闡說，故以經為中心而成立的學問，或是以經為研究對象的學問，當然要賦予其絕對的價值，故吾人可以說：經學成立上不可或缺的條件，至此已然具備。最明顯的便是董仲舒如下的建言。

> 諸不在六藝之科、孔子之術者，皆絕其道，勿使並進。
> （《漢書·董仲舒傳》）

除了說武帝得以實行董仲舒此建言之主旨的社會條件已然成熟之外，另一方面，儒家本身的發達，也促使所謂儒家向其教說之根本

典籍探究的這一古典意識的產生，而在此時，經也已然確立。上述
兩條件堪稱是使經學得以成立的原因，兩者缺其一，則經學便無法
成立。於是，自此以後，經學成為針對士人階級直接有所貢獻的唯
一學問。士人獲得經學以強固自身之支配體制的同時，經學者也藉
由闡述經義，以保障其在學界的寶座，可以享有國家所給予的殊
遇。此兩者之間交相互利的關係，爾後歷時兩千餘年，原則上始終
持續不斷，直至清末科舉制度廢除為止。而伴隨此利益交換所必然
產生的現象，最終將使學問隸屬於政治，此乃吾人必須特別注意的
一點。而經學的社會性意義，基本上也因為此種關係而受到制約。❺

　　原始儒家以周代之社會制度為理想，志在復興周文化一事，例
如從孔子敬仰周公之言語中，也可明白看出。到此基本立場確立為
止，期間所從事的，完全是從自由立場出發的嚴肅檢討和思考。孔
子曰：

> 夏禮吾能言之，杞不足徵也，殷禮吾能言之，宋不足徵也，
> 文獻不足故也，足則吾能徵之矣。（《論語・八佾》）

---

❺　所謂經名自孔子始，經學自孔門傳，乃是一般經學者的普遍概念。然事實並
　　非如此，此由筆者前文所述看來，已可大致明瞭。假設即便吾人承認經之名
　　乃始於孔子的說法，則吾人又是否可以說：原始儒家並非為了支配階級的利
　　益而來闡述經義？又蒙獲利益的士人階級尚未確立之際，如何才能肯定所謂
　　經學的存在？至少在此並沒有具有始終成為問題的社會性意義的經學。經、
　　經之權威、士人階級，立足於一體關係的此三者，其若不能結合為一，則吾
　　人可以說經學便無法存在，筆者以為此說應為妥當。

孔子此言吐露出其對夏、殷二代之文物制度，賦予其慎重之歷史性研究與價值批判的苦心孤詣。然後達到所謂：

> 周監於二代，郁郁乎文哉，吾從周。（《論語·八份》）

的結論。此處所謂的「監」，就如孔安國所作的解釋：「監」即「視」，而「視」即「比較」的意思。亦即此文乃將周與二代相比較，因為周之文化郁郁且優越，故孔子言「吾從周」。其對封建制度的支持、或對知識階級支配的主張，並不是從所謂無條件承認現狀，並向企圖發現其說明理論的權力阿諛所導引出的。與之相反的，到了以利益交換為原則的經學者，終究無法擺脫服從權力的意志，結果不得不將其對學問的根本態度，乘勢與利祿之道密切結合。班固於《漢書》〈儒林傳贊〉中評道：

> 一經說至百餘萬言，大師眾至千餘人，蓋利祿之路然也。

班固此言，可謂準確地道破當時學者的心情。以學問為成功發跡之手段的事已不足為奇。此若不是將學問作為政治之附屬，那又是什麼？故經學原本是成立於儒家地盤一事，並無不同，但吾人卻必須看出其包藏著在精神上不得正當承繼原始儒家的要素。而此要素卻是有利於士人階層一事，則已如前文所述。

經學支援士人階級得以永世存續的方法不外乎只有一種，此種方法就是對作為此階級之一時性代表者的君主個人，提供所以必須極為嚴格的監視與限制君主的正當理論。此方法乍見之下，吾人或

許會以為此舉如同是透過壓抑君主權，來否定士人階級的一種機能，然事實正好相反，在經的思想內容中，原本就不乏許多方便專制君主的主張，但另一方面，不利專制君主的主張亦絕非少數。例如：常監視君主並壓抑其權力之濫用；甚至在政治上也肯定改朝換代；在經濟上否認君主有私有財產，甚至連許多尖銳思想亦包含其中。正因如此，照理說對大帝國世襲專制君主而言，經學絕對沒有理由受到歡迎。但是，經學對此也是依據經的權威來徹底認可其不可侵犯性，而且利用經學的君主也不敢排斥之，自己不吝將其支配視為至上之命令而甘之如飴。於是便以反復無常的政治革命為常道，這也是因為中國社會此種對一夫大開皇帝之途的政治開放性所導致的必然結果。蓋經學並不從事諸如保護一君主或一王家的作用，其作用之目標通常是在全體士人階級的存立，或者是在士人所支配的社會制度本身。君主究竟能否以一最高的政治權力者而存立，端視其自身能否從屬於士人階級並獲得其支持。即便是出身寒微的新王朝之立國君主，其背後也要有士人支持，才有可能開國創業。亦即，君主乃士人階級之代表者，若君主無有代表士人之資格，則其君主之地位，雖一日也不能獲得其保障。而此一不過是士人之代表機關的君主，即便在社會上、政治上存在著要求其更迭的事態，卻仍將君主保留在其地位，此對士人階級而言，絕非是一良策。因此士人階級也經常監視其自身之代表機關的行為，逼不得已的話，士人階級亦不怠於準備廢置其自身之代表機關——君主的方法，彼等乃仰仗經學以找出廢置君主的充分理論性根據。士人階級藉由經學的此種機能，而來防止導因於其自身之代表機關的君主的過失所帶來的自我瓦解，成功地從腐敗中挽救其生命。因反復更迭

君主所引起的改朝換代，對士人階級內部而言，不過只是替換代表者而已，故雖有強化其存立者，但對其根柢原本就無法產生任何威脅。此一事實，自不待言地，對士人階級之命運發揮了有利的作用。

　　而且，經學也透過調和士人階級與被支配階級的這一作用，而帶來強韌士人內部組織的結果。支配者的士人一如其又被稱為讀書人，彼等同時也是知識階級。以知識階級來支配社會，無非就是儒家傳統的理想，但此知識階級絕非是一固定、封鎖性格的階級。亦即，縱使政權必須由此階級的代表機關所掌握，但此階級本身對其他階級，大致上是極為開放的。隨著將其自身階級中的失格者擯斥於外的同時，其亦毫不躊躇地將被支配者中，具有知識教養的有資格者吸收進入其階級。此一特性，終士人階級之全體生涯，始終不渝地存續下來，吾人可以說彼等一路始終擁抱全體知識人，此乃是一無誤的實情。然若言及可以證明其為知識人的標準為何？其實條件就在其有無經學的教養。畢竟凡被支配階級中，有不滿於現狀、欲導正社會之不合理、或有欲寄與文化之創造者，若其首先不能與士人階級為伍，則其將不能達成其志向，因此其前提是要能遊於經學之世界，必須要能獲得經學的知識。故經學與士人之不可分的這一關係，於此最為明白。而雖然對於具有知識者均等開放其通往該階級的門戶這點，或許堪稱極為自由，但是進身於此階級的道路，卻被限定於只能以唯一的經學這點，則不得不說極為不自由。士人們依據前項特點來誇示其階級的寬容性與普遍性；又依據後項特點，成功地長久維持住其自身階級的純粹度。彼等不給一切非經學性思惟有入侵該階級的餘地，而且此兩項特點，一面安撫了低下階

層不平分子的叛逆心；一面藉由自身階級內容上的新陳代謝來發揮維持強韌性的作用，因此就如同前人所指出的：其所達成的貢獻，便是使得舊社會組織得以永續存立。

只要士人階級將經學作為保存自我之武器，則經之解釋便不能放任學者自由為之。故所謂追求真理的這一學問本來之絕對自由性，在經學的世界中，吾人很難在其本質上有所期望。其必須以某種形式確定標準解釋，並有必要強制執行之。而此種必要在政治力高度集中於士人階級之手中時，換言之，也就是大帝國出現時，更是迫切地必須使之如此。然而凡政治革命之發生，皆與社會情勢之不安定有關，而因為經學之自新作用亦與社會情勢之轉變相應發生，故基於大帝國之成立而出現的統一解釋，大致皆與解釋的分裂革新保持相互關聯的關係。此種情形於漢、唐、宋等朝代，皆有實例為證。例如在西漢末年，王莽因握有政治權柄，故於今文博士之外，另立《左氏春秋》、《毛詩》、《逸禮》、《古文尚書》之博士，到了東漢時，陳元、賈逵發端推崇古文，終於使政府選拔《公羊》、《穀梁》之諸生二十人，認可講《左氏》而任以官職，此即其實例。又如唐代之《五經正義》，乃唐朝王室為了樹立思想統一之標準而作成，其中《周易》、《尚書》、《左傳》等諸經所以採用南學，乃是因六朝以來新興的觀念式學風，受到當時知識階級高度評價而產生的結果，而觀念式學風的興隆，其根本原因就在東漢末年以還的社會性變動中。宋代理學的產生，以及其所以樹立公認程朱學的制度，其原因也在相同的關係之中。又如士人對政權的看法，由原本以自我為中心的見地，到作出一標準解釋並公布之，此實與以自由探討為本旨的學問精神背道而馳。因此，若無政治力的

背後作用，則無法期待有其效果。當然，士人也會思考出具體的方法。蓋歷代之博士官，以及各時代任用官吏的制度，就是呼應此種需求而出現的產物。

自西漢武帝之際設立五經博士以來（然博士官職之創設是在秦時），此五經博士作為學官，是在掌管所謂的「通古今」者，講授國家公認之學問以養成子弟，其門下生原則上可以依一定之規則而直接被任用為官吏。任用官吏的形式雖因時代不同而有差異，但自唐以後，因科舉制度的確立，有意為官吏者能走的正當門徑，亦僅限於此一途徑。雖然科舉的科目並不只限於直接以經義為對象的所謂明經科，但總體而言，經學素養乃是其必須的根本學問，此即使是對於非經由科舉的旁系官吏任用者亦無不同。而此種風氣絕非創始於科舉時代，蓋遠自經學發生之時期便是如此，科舉制度不過就是在制度上，將其社會性需求明確地加以具體化。由漢至隋的期間，國家考試的形式尚未完成，人才登用乃沿用所謂鄉舉里選的精神來舉辦。漢代任官之途徑，涉及賢良、方正、孝廉、博士弟子等各式各樣的項目，然自不待言地，無論是何者皆須以經學素養為其基礎資格（相關諸例屢見於《漢書》）。郡及郡縣之官吏，乃任官之初階，由此而進階高官的實例亦不在少數，其所須之資格由應劭《漢官儀》中所說：

能通倉頡史籀，補蘭臺令史，滿歲為尚書郎。（引自《通典》）

亦可略察一、二。又《說文》之序引「尉律」說：

學僮十七已上始試，諷籀書九千字，乃得為史，又以八體試
之，郡移太史并課，最者以為尚書史。

《漢書》〈藝文志〉將之視為蕭何所創之律，亦載有與之同旨之
文。此規定之目標，終究是在確保作為任官之資格需要有某種程度
的經學知識。至武帝之際，設立了所謂通一藝以上者，可補於卒史
之制度，此制度之旨意，更深入一層貫徹為官須有某種程度的經學
知識。魏晉之際，九品中正之法雖是在任官方法上採取特殊的形
態，但只要甄別人物之準據仍在州里之清議手中，則其任官用人之
精神便可說是毫無變化。今且將晉武帝所揭示的六個任官標準羅列
如下：

> 乙未令諸郡中正，以六條舉淹滯，一曰忠恪匪躬，二曰孝敬
> 盡禮，三曰友于兄弟，四曰絜身勞謙，五曰信義可復，六曰
> 學以為己。（《晉書·武帝本紀》）

值得吾人注意的是：即便是在老莊之學興盛的時局之中，誠如上述
引文中此六個標準所揭示的，登用人材的根本精神，事實上仍離不
開經學式的理念。就如隋煬帝雖然於大業三年設置「十科舉人
法」，但十科之中除了「膂立驍壯」一科之外，其他九科諸如「孝
悌有聞」、「德行敦厚」等，其內容皆為經學式教養。正因如此，
雖然煬帝創建進士科一事，於所謂廢除古來之鄉舉里選諸侯貢士之
遺法上，有其程序上的劃時代意義，但是對於登用人材的評價原則
上則依然無所動搖。昔秦始皇之際，丞相李斯彈壓學問，禁止民間

自由教授學問，強行所謂欲學法令者，必須以吏為師的政策。此舉可為空前之措施，堪稱確實是中國教學史上值得大書特書之事件。此法令於剝奪學問之自由性的效果上，與經學主義酷似，正可以說是一官僚於中央集權國家中，為求強固其獨裁性地位而從事的政治手段。換言之，此舉不外是為使新興支配階級得以存立，遂只容許有利於自己的學問，以行思想統一之作為，因此必須將學問隸屬於政治。唯在此際，一方面新興支配階級的社會性地位尚未充分穩固；另一方面尚未出現有可以對此階級之支配與存立賦予其正當理論的學問，此情形與漢初經學成立時代的條件相異。而此社會性條件的相異，使得當時的政治家，竟然強制施行明顯地足以刺激學者之反動的拙劣的高壓手段。然距此時代約八十年後，在漢武帝初期之際，所有的狀況卻朝極有利於支配階級的方向展開。即便武帝無須施行任何強壓政策，學者方面反而自動提出統一思想的方案，政治力介入的學問支配，只要藉由學者的利祿心，便很容易達成。故經學上因政治力介入而造成的學問支配，即便無武帝和董仲舒，也同樣會產生，當然吾人並不能否定彼等於經學史上的存在意義，但能使彼等有此行動的根本的、更巨大的動力，必然要在當時的社會中才能找出。要言之，無論是科舉時代或是科舉時代以前，經乃所有知識的淵源，同時經學又是學問之全部，作為一士人，其足以誇耀的教養，全由此培養。故若欲求得新知識以進身於士人階級之一員，則首先其必須修治經學，士人藉由樹立巧妙地得以強制新入者受此洗禮的制度，名實相符而且成功地徹底同化異質者。就該層意義而言，科舉及準科舉之習慣與制度，其為士人階級所作的貢獻，不可不謂巨大。而只要士人階級能含括進全體知識人而無有遺漏，

則吾人當然無法期待彼等會立刻發現所謂：諸如以士人支配為主軸的社會組織之不合理性，以及其足以誘發根本性改革的精神性刺激。蓋知識的獨佔與封鎖，可說為他們帶來極大的幸福。

過往橫亙兩千年之久，士人之勢力所以無有動搖的理由，雖說根本原因是在於經濟狀態的停滯，但仍多有賴於諸如前文所述的經學所營造出的精巧機能，以及有效使之作用的程序、制度。清末外國資本入侵中國，是導致此根本強固的階級勢力產生變異的最直接原因，但廢除科舉制度的呼聲，首先由革新論者所大聲疾呼，與此同時的，經學也被進步的學者放置於科學批判的俎板上，終至經也不得不喪失其權威的地步。此一事實充分訴說著經學與士人階級之命運，過去其在本質上存在著何等不可分離的關係。曾經幾度超越政治革命，即便對於反復傳來的外國文化，也多能營造主體性同化作用，以擁護士人生命的經學，於此清末之際，不知何故，竟然無力回天。原本在此期間，亦有人努力以經學式理念，圖謀克服危機，例如《校邠廬抗議》四十七條和《勸學》內、外篇，乃其代表之作，其著者馮桂芬及張之洞，破除「用夷變夏」之瞽說，思考以先聖之法救時弊。此二書之間，自然存在著思想上的新舊之別，但在多有承認經學式秩序之價值這點，則相當接近。即便如此奮力抵抗經學最後之必死危機，終究無法撼動天下之形勢。筆者以為其理由當從經學與社會之間的基本關係中去探求。蓋知識之獨佔、文化之獨佔、以及知識的封鎖性，亦必招致文化的封鎖性。士人於所謂經學的磐石上，兩千年來將其自身安置於穩若泰山的安適之中，卻忘卻了其磐石乃是被所謂中國社會的經濟特殊性這一大地所支撐，一旦此大地遭逢地震，他們便無法找出任何可以自保的對策。若士

人階級的存在乃中國社會之象徵的話，則經學的存在或可說是僵固的中國學問的象徵。

三、經學之特性

只要經學居於與中國社會組織不可分的地位，則其特性終究都要依據此種關係來規定。今筆者在此揭舉二、三項其被視為本質性者，試著進行考究。

㈠ 經學中之二大學派及其特徵

論及經學之特性，則不得不事先注意到作為其前提的，所謂自西漢以來，經學之派別便有今、古文二者。蓋「文」者意味著「字」，因而此兩者要而言之，雖然不過是各自依據經典字體的差異而產生的流派，但誠如眾所周知的，此兩派對經文之解釋原本就不同，甚至其學問態度以及思想等，幾乎每事必採尖銳的對立立場，可以說經學史上宜加注意的諸多問題，主要皆因此兩派相互抗爭而導致問題的產生，此說實非言過其實。而在漢初的經學成立時代，此兩派中代表經學之勢力者，自不待言地，當然是今文學派。原本在此時代，崇奉古文經之學者，尚未能形成一大學派，因此在所謂古文學派之名尚未成立的同時，相對於古文學派的所謂今文學派之名，其命名亦尚未確立。總之，經學界中崇奉今文經之學者的勢力，有壓倒性優勢，幾為今文經所獨占。漢惠帝之世廢除了秦朝以來的「挾書律」，而大開學問復興之道。又景、武之際，因為出現了諸如河間獻王這類古籍愛好家，故隱匿於民間的所謂古文先秦之舊籍，遂陸續問世。今舉河間獻王傳以示其一例。

> 河間獻王德修學好古，實事求是，從民得善書，必為好寫與
> 之，留其真，……或有先祖舊書，多奉以奏獻王者，故得書
> 多，與漢朝等。獻王所得書皆古文先秦舊書，《周官》、
> 《尚書》、《禮》、《禮記》、《孟子》、《老子》之屬，
> 皆經傳說記，七十子之徒所論。（《漢書・景十三王傳》）

與河間獻王同時的魯恭王和淮南王，亦以蒐得多數古書而聞名。又
劉歆之〈七略〉中有言曰：

> 孝武黃帝敕丞相公孫弘，廣開獻書之路，百年之間，書積如
> 山。（引自《文選注》）

由此可知漢初朝野之文化復興政策，使得天下古書大量出現。而新
出現的古書中，如相傳為共王所得的某一批書中，雖未明記是以科
斗文字所寫成，然若由周圍諸多條件來作考量，則不難想像古文之
書頗為豐富。誠如上述，即便在經學產生的當時，古文經作為學界
之資料，雖然已受矚目的標的物，但為何卻只有今文家一家獨大？
蓋自秦以來，皆以博士官為傳承之中心，經文被改寫為今字的這一
事實，意味著經書當時大致上已經從事過所謂本文的整理、文字的
訓詁等古典學的基礎工作。因此吾人可以想見：在崇奉今文的學派
中，比較容易展開可以進一步探究理論的蹊徑；而在古文學派中，
則全都處於與今文學派相反的條件中。長期遠離學者之手，出自山
巖屋壁的古文經，不僅正文有錯亂，訓詁根本也尚未完成，不僅須
要從事隸古定之工作，還特別須要如二劉所從事的大規模校定事

業。以處於此種狀態的古文經為學問對象的學者，沒有充裕的時間可以整備其理論，這也是不得已之事。因此在經學產生當時，士人階級之所須，終究是在賦予其自身正當的基礎性理論。原本只要經學產生的理由是在於此，則能呼應此需求而提供理論以與政權勾結合謀之狀態中的，以當時情況看來，除今文家之外無他。古文家雖然也在西漢末年王莽創設新國之際，取代今文家而提供王莽篡奪政權的理論與方法，以求接近政權，但此兩者基於出發點所擔負的宿命，相對於一是作為國家公認之學而獲得其政治之優越性；一是委於民間樸學者之手以至於自政治中獨立出來。由於獲得政治優越性，當今文學在完全達成其對支配階級的本來之責任後，致使其學問更加注重主觀性之理論。與之相反的，古文學則立足於專重訓詁之完備與正文之整頓的學問立場，則使其學問更加傾向客觀實證性，亦即採取所謂實事求是之為學態度。也就是說在經學發展伊始，今文學已有往哲學性發展的契機；而古文學則已有往歷史性發展的契機。此兩種相反的特性，形成今、古文學之本質，爾後貫串整個經學時代而支配著今、古文派兩者，並隨著兩者勢力之消長而於各時代決定該時代經學之特性。例如大體而論，西漢時代因為今文學興盛之故，抽象理論遂得以活潑地展開；與之相反地，隨著時代進入到東漢，訓詁注釋之學所以能風靡一世，實因古文派於經學界中占有優越之地位。又代表清初經學界的考證學之昌隆，雖說是實事求是之欲求所使然，但清中葉以還，以武進為中心而興盛的公羊學，其產生的動機之一，便是對考證學之無理論性的不滿，其思維終成為清末學界之特徵。當然，依時代之不同，今古文之特色未必會如此顯現出來，或者說有時未必沒有只是在意識層面上表示出

揚棄兩者的態度。但是要言之，諸如所謂哲學性立場與歷史性立場，因而導致所謂容易傾向對政治直接貢獻的性格；與遠離政治的純學問性性格。進而又是思想性過剩；與思想性不足等對比。若吾人無視於區別今、古文兩派之諸多根本性素質的存在，則終將無法期待吾人可以對經學有一正當的認識與確切的理解。

〔二〕 邏輯性特性

當吾人跳離今、古文之別，而對經學作一全體性之觀察時，可以舉出作為其明顯特性之一的邏輯性。即便在經之內容數量最少的五經時代，雖然其於時間上和空間上皆有相當的廣度，但試圖於經之權威中來統一其內容的經學，可以說原本就存在著故意漠視其差異的此種需求。例如雖然同為五經之一，《尚書》與《春秋》之成書時間，前後相距；又如《詩經》，即便是其本身，不僅是在時間上，就是在地理上也包含範圍廣泛的詩作。另外如作者方面，與風、雅、頌相呼應的，因為其作者之階級性也極為多樣，故經之思想複雜多岐，甚至互相牴牾，此乃時代環境所支配下的結果，不過是極為自然的發展。然而經學並不喜歡依據此時間性、發展空間性的差別，而來說明此不可避免的不一致，反而採取在同一時間、同一空間中，試圖以相同次元來解決之的態度。而欲使其企圖成為可能的途徑，則不得不寄望於作為說明之技術的邏輯學。此一傾向在日後經之數量不斷增加的情形下，愈演愈甚。在此，其應該被看作是樸素之方法的，在東漢集訓詁學之大成，企圖於諸經中樹立統一性訓詁的鄭玄身上，已明白顯現出來。鄭玄在為諸經傳作注時，與其說其是立於自身之立場而來創成新說，毋寧說其折衷的態度，乃是極為徹底地敢於試圖雜揉前代以來水火不容的今、古兩家，若遇

著經書中無法說明的相互矛盾之記載，則其慣用的解決手法，常常是將之視為是夏、商、周三代等相異時代中，各自分別的歷史事實。以下筆者且舉一、二實例以證。如相對於《周禮》〈大宗伯〉中將四時祭祀之名，作為春祠、夏禴、秋嘗、冬烝；《禮記》〈王制〉則將之定為春礿、夏禘、秋嘗、冬烝；〈祭義〉中則有春禘、秋嘗之文。鄭玄為解決此意義有所參差的經文，在〈王制〉的注文中便說：

> 此蓋夏殷之祭名，周則改之，春曰祠，夏曰礿，以禘為殷祭。

並且將此禘祭與祫祭置於同列，試圖將之比擬於〈大宗伯〉中所記載的肆獻裸饋食之二禮，巧妙地將之加以調和。自不待言地，祭名之異同，乃發生於秦、漢之際有意識地整理祭祀之時，特別是古文《周禮》與今文〈王制〉之間存在著不一致的現象，此實不足為奇。即便此絕非可以基於三代之異制而獲得解決之問題，鄭玄仍然勉強選擇此解決之道，終究無非是為了固守經學中視為是經之本質的，所謂聖人之統一性意志。又《周禮》〈大司馬〉中規定天子四時之田制，其名為春蒐、夏苗、秋獮、冬狩；但《穀梁》〈桓四年〉之傳，則與之有所出入，作為春田、秋蒐，但在每年認可四田之制這點，又與〈大司馬〉之職相吻合。因此《公羊傳》乃採春苗、秋蒐、冬狩的三田說，〈王制〉亦然。在此，鄭玄注〈王制〉則言：

　　三田者夏不田，蓋夏時也。

又據《春秋緯・運斗樞》，駁何休以《穀梁》之義為短的看法，而言：

　　四時皆田，夏殷之禮。（〈釋廢疾〉）

即便四時之田名亦與祭祀相同，有其落實固定的過程，但鄭玄依然堅持採取以三代之異制而來解釋之的態度。誠如上述，透過鄭玄之注解，隨處可見有一根本的調和法，雖然其場合各異，然三代之際果真是否存在此種事實？此事並不能客觀地加以論證，而鄭玄本身亦不努力證明之。亦即鄭玄此種分配與三代的作法，僅止於是一種說明的手段，不過是一個完全缺乏科學性的獨斷罷了，在鄭玄而言，其若不如此作，則導因於傳聞之異而產生的數種矛盾記載，便無法使之毫無障礙地成立，經學的權威亦無法獲得守護。❻邏輯性

---

❻　配置予三代的注經法，嚴格說來並非始於鄭玄。其明顯實例可以在《禮記》〈明堂位〉中看到。例如「鸞車有虞氏之路也。鉤車夏后氏之路也。大路殷路也。乘路周路也。」「有虞氏官五十，夏后氏官百，殷二百，周三百。」（值得注意的是：鄭玄亦未能將此數字與他經之記載成功地加以調和。）若更往前回溯，則《論語》中宰我對哀公問主的回答中，其所謂主之材依三代而異的主張，可說是三代配置法的濫觴。今若從前後之事情而來加以推測，宰我恐怕並無實證性的根據，而且有關社的研究，恰好也提供了否定宰我之回答的材料。蓋《五經異義》中所引的《公羊》說法，乃是從觀念上發展宰我的立場，而將夏、殷、商的帝都所在地，各自說明成松、柏、栗，但卻無法證明其真實性。惟〈明堂位〉之記載，雖同樣是將之配置予三代，但其並

的注經手法,至六朝以後的注疏學者時,最被頻繁地加以援用。蓋
注疏之學除了經之外,就連等同於經的注的權威性,亦必須承認
之。而且經學者一般因為多是極端的經中心主義者,故甚至連經以
外的史書雜著,皆盡可能企圖使之成為經的羽翼。這些多數的資料
原本是與經獨立存在的,但因為為了能以經為中心並使之得以成
立,故須要有游離開歷史性地盤的高度邏輯性技術,此可謂是一當
然的歸趨。例如《禮記》〈中庸〉中,以周公為追封周之大王王季
為王的人,相對於此,〈大傳〉則以武王才是追封周之大王王季為
王的人。賦予周先王王號的時期為何時?此非經學上可以等閑視之
的問題。於是《禮記正義》之作者於〈中庸〉之疏文中便辨駁說:

> 武王既伐紂追王,布告天下,周公追而改葬。

兩者雖皆不惜努力疏通經義,但卻都不是基於已經被確認的事實,
不過就單單只是望文弄技罷了。而對於《春秋》中所謂:「隱元年
秋七月,天王使宰咺來歸惠公仲子之賵。」這句經文,《左傳》以
惠公之葬乃是在《春秋》之前為理由,譏諷地說出下文:

> 贈死不及尸非禮也。

相對於此,《禮記》〈雜記〉中則可看到所謂:「待含者時,既葬

非只是一純粹的觀念性產物,也有比較古老的歷史傳統原原本本遺留下來的
例子,吾人須加以分別之。

則蒲席；未葬則葦席」的記載，亦即〈雜記〉是肯定葬後不及尸之含者。但《左傳正義》則以如下的方法來解決此兩者之矛盾。《左傳正義》曰：

> 雜記弔含襚贈臨之等，未葬則葦席，既葬則蒲席，是葬後得行，此言緩者，禮記後人雜錄，不可與傳同言也，或可初葬之後則可，久則不許。

《左傳》疏的作成立場，大體上是否定〈雜記〉的記載，但仍試圖於經的權威下使之成立，故附加進所謂「或可～」的此種調和性解釋。之所以如此，無非是因為要將此兩者之乖離置於相異的歷史性條件中，此乃經學性意識所不能容許的。又如《左傳》〈隱八年〉中的「先配而後祖」之解釋，乃古來異說聚訟之處。而《正義》為了證明杜注所謂的：「先逆婦，歸而後告廟。」遂採用所謂先羅列賈逵、鄭眾、鄭玄之說，再藉由指摘其謬誤而消極地使杜說得以成立的方法。在破解三說時，特別強調其內在皆存著某種邏輯上的矛盾這點。關於《尚書》〈堯典〉的「曰若稽古帝堯」的解釋，孔《傳》言道：

> 若順，稽考也，能順考古道，而行之者帝堯。

《正義》當然是敷陳孔《傳》之說，但其以「古道順考」所以可以特別標識帝堯的說法，則很難使人可以無條件信服。何況還有鄭玄所解釋的訓稽為同，訓古為天，能順天而行，與之同功的有力立

場，故更加使人難以信服《正義》的說法。而且因為鄭玄之注解乃
本於《論語》的「惟天為大，惟堯則之。」故於經學上看來更為合
理。然作為已然採用孔《傳》的疏家，假令即便其內心也感知到鄭
義的妥當性，但其仍有必須稱言孔《傳》的義務。《正義》對此節
經文的一段解釋，不外是依據上述的經學性意識，而來辯解孔
《傳》之長處的邏輯性技術。凡如上述之情形，充滿於經的解釋之
中，吾人充分可以將之視為是注疏家的基本性格。至此，吾人可以
說：與其說注疏家是立足於創造性解釋經義的立場，毋寧說其乃踟
躇於一更狹隘的世界，其關心的重點是放在所謂：如何可使數個相
異的資料獲得一元性的統一，抑或縱令終究不得已必須否定其中之
一，則其大致會在理論上試圖明確界定可以正當主張其成立之界限
的這一邏輯學式的關懷。但是，此種對界限的考量，自不待言地，
最後將與必須證明其所依據的注是妥當的這件事產生關聯。誠如眾
所周知的，義疏之學乃產生於六朝，是受沙門影響，以原本是討論
的形式而來敘述。結果既然已經是難疑應答，又要於經中求其典
據，則自然會展開邏輯上的爭論，而且吾人亦無法否定其大多受到
當時的玄學所影響。故義疏之學對邏輯性的高度關心，其時代條件
雖然本就是一有力的原因，但根本原因仍在於以經典權威為成立要
素之一的經學之中，原本就存在著足以形成此種特性的契機。

　　關於經學乃學者利祿之道一事，前文已有論述，而此種關係也
是使經學成為邏輯學的另一原因。漢武帝始設五經博士之際，只有
《詩》有三家之別，其他四經無論何者，也不過僅有一家之學，其
後各經並增為數家，若據《後漢書》〈儒林傳〉所載，至此已立有
所謂的十四博士（《易》有施、孟、梁丘、京；《書》有歐陽、

大、小夏侯；《詩》有齊、魯、韓；《禮》有大、小戴；《春秋》有公羊嚴、顏。《後漢書》〈儒林傳〉中記有：「詩：齊、魯、韓、毛。」如此則有十五博士。但因其他多有明文可以徵驗所謂東漢十四博士一事，故「毛」字應為衍字。關於此事，《日知錄》卷二十六有所考論。）因為立於博士官一事，不外意味著國家將其視為官許的學問而來對待的具體措施，故自不待言地，學者當然對之有所期望。然而為求可以被承認為一家，則不可不對經提出前所未見的新說，亦即所謂創造性的解釋，其解釋比之於舊解，自然要有能特別誇異之處，故不可避免地，在此便產生玩弄抽象性理論的現象。例如從《尚書》今文家之夏侯勝（所謂大夏侯）治《尚書》的從父昆弟之子（〈儒林傳〉作從兄之子）夏侯建（所謂小夏侯），其為了增飾師說，竟被毀謗說「章句小儒，破碎大道」，但夏侯建亦輕侮夏侯勝而言其「為學疏略，難以應敵。」當吾人在審視兩者之爭論時，除了明白夏侯建所從事的增飾之舉，乃是有關師說在邏輯上的不完備而有的舉動之外，吾人同時亦可以推測得知當時經學界頗盛行邏輯性論戰。不然，吾人實在無法理解夏侯建對夏侯勝所發出的「因疏略而難以應敵」的非難所指為何？而夏侯建之弟子秦恭亦增益師說，傳言其說《尚書》〈堯典〉之「堯典」篇目二字，竟達十餘萬言；還用二萬言以解「曰若稽古」四字，諸如此種現象，若非耽於抽象性議論則不可能如此。蓋在擔負所謂提供支配階級以有利哲學這一責任的經學世界中，真正意義上的學問之進步，最早並無法存在。若再加上利祿觀念或多或少牽制著學者，則彼等除了埋首於經的觀念性解釋之外，當然也無法發現經的存在意義。而且其行為在當時，亦與榮達之途互為一致。此種傾向於兩漢之

際，並無殊甚之差異，但到了唐、宋以後，亦即到了可以在某種程度上自由解釋經書的時代，此種行徑卻又以另一種形式反復從事相同的現象。此情形不得不說是經學本質上終究難以避免的問題。❼

(三) 超歷史性及歷史觀

　　經學於其本質上以及存立上無法逃脫的邏輯性特質，直接與其超歷史的性質有所關聯。蓋採取所謂將經的內容皆視為真實，應平面地給予肯定的這一態度，已經是一超越歷史的態度，如今經學在面對多數與經之成立有著直接間接關係的聖賢先哲，其不得不更加深化穩固此一立場。若從經學之自我中心式的立場而言，當其言不得有無關經之成立的聖賢先哲的同時，則其亦不容許所有的賢哲有本質上的差異。蓋多數的古代聖人乃所謂加上思想的產物，在各個時代，各個學派依其自身之需要，將之創設寄託於所謂：在更古老的時代，聖人便已存在。例如即便在儒家，吾人雖然可以極為明白地看出：在孔子的時代對文、武、周公的敬仰態度，但當時尚未盛行如後世之人這般，將堯舜視為至上之聖人而來憲彰之。其中特別是有關堯的傳說，乃是孔子以後所加上的，此即其中一例。待至經學成立之際，與周朝末年乃加上作用之旺盛期有關，經歷此一過程，古聖人大量地增加，甚至如黃帝、伏羲、神農，其作為儒家範疇內之聖人的尊嚴性亦被確立。此等太古之帝王，就如人稱其乃人

---

❼　王充曾對經學界的一般性傾向如下記道：「漢立博士之官，師弟子相訶難，欲極道之深，形是非之理也。不出橫難，不得從說，不發苦詰，不聞甘對。」（《論衡》〈明雩〉）王充此言正說明了當時經學界好於邏輯上爭論的現象。

身牛首、蛇身人首，皆含有傳說性、超人性、或者是圖騰性要素的
一面；另一方面則如同《易》〈繫辭傳〉中所記載的，彼等或結繩
罔罟以教佃漁，或以耒耜而廣耕作之利，更有作八卦以開交易等，
相傳彼等為人類帶來文化上、經濟上的進步，此類事情則向吾人提
示了此類樸素的傳說，轉化融合入儒家思想性範疇的實情，此事可
謂意義深遠。此等諸聖若單單僅止於只是在個別性上承認其意義的
話，尚無任何問題，但隨著經學的發達，逐漸地當然也就不能放任
彼等而不管，故不得不在原本無有任何關係而產生出的群聖之間，
賦予某種統一性。筆者今且試圖就黃帝而來考察此發展變遷之情
形。作為一傳統性存在的皇帝，自古便膾炙人口，此由春秋時的占
卜繇辭中就已見其名的事實，亦可獲得肯定。《左傳》有言曰：

> 使卜偃卜之，曰吉，遇黃帝戰于阪泉之兆。（《左傳·僖二
> 十五年》）

繇辭中所以存其名一事，強力證明了此乃遠離個人和特殊的學派性
認識，其背後有其傳承的社會性。關於黃帝最初是作為呼應何種需
求的對象而出現在傳說史上，除了可以設定一兩個假定之外，今日
仍缺乏可以論斷的材料。總之，其應是基於某種理由才出現的（即
便筆者如此說，但筆者的意思並非說：黃帝完全是一憑觀念和空想
而出現的產物）。春秋時代，黃帝既已被放入繇辭中，則可知道其
隨著文化思想的發展，已經從各式各樣的觀點而發展成為被選擇作
為一傳說統一的中心，其中之一便是將黃帝作為血緣性統一的中
心。與黃帝之出現相前後的，吾人不難想像與黃帝一樣具備相同特

性的古代英雄，亦由神話和民族傳說的世界中，移入現實的歷史性
世界，這些為數甚多的人物，當然需要藉由某種原理而被加以整
理。而血緣式的整理即是其中的一種形式。誠如《國語》所說的。

> 凡黃帝文子二十五宗，其得姓者十四人，為十二姓，昔少典
> 娶于有蟜氏，生黃帝炎帝，黃帝以姬水成，炎帝以姜水成。
> （〈晉語〉）

《國語》此文揭示出血緣性整理的原初式形態，此形態若再經過進
一步的合理性整理，則將會形成如同《大戴禮記》之〈五帝德〉、
〈帝繫〉和《史記》〈五帝本紀〉中所記載的整然體系一般。相對
於血統性整理，亦有嘗試從文化式觀點來整理的。《易經》〈繫辭
傳〉所謂的：

> 古者包犧氏王天下也，仰則觀象於天，俯則觀法於地。……

此段引文正是其例，在此以包犧氏為代表，至神農、黃帝、堯、舜
等各人，彼等漸次創造各個時代的文化，被記載為是文明的代表
者。而且又進而從事近似於文化史式的整理，同時還將之視為隸屬
於不同範疇的對象而不得不加以區別之，此舉乃政治性整理的行
為。《國語》中展禽曾說過以下這段話：

> 昔列山氏有天下也，黃帝能成命百物，以明民共財，顓頊能
> 修之，帝嚳能序三辰以固民，堯能單均刑法以儀民，舜勤民

　　　　事而野死。……（〈魯語〉）

展禽此語乃在稱讚炎帝烈山氏以下的黃帝、顓頊、帝嚳、堯、舜、禹、文、武等先帝之政治性功績，並闡述了彼等以其功績，故死後才可以作為禘郊祖宗的對象而被加入祀典之中。在此須要注意的是：彼等群賢之功績，原則上是被理解成後者是繼承發展了前者的遺功，展禽亦將評價的標準置於此一重點。發展至此，彼等已非中國最早古代神話的主人或是部族傳說中的英雄，而是成為在文化高度發達的政治機構中，占有一席地位的完全的政治支配者。然而彼等的價值只要是依照憲彰先王的原則而被賦予的話，吾人則不得不肯定其中有某種政治理念，以及因而與之相對應的道德理念，作為一貫地被繼承授受於彼等之間的思想存在。政治性的統一同時意味著道德性的統一，此事鑑於儒家之政治概念，雖為理所當然，但此種統一恰好含有最富技巧性文飾的要素，也正因為如此，故不可不謂其乃最為觀念性、理念性的產物。其實也因為如此，故此一統一形式遂成為經學中一個不可或缺的整理範疇，甚至成為一個重點。而吾人可以發現所謂的道統思想即是其代表性且合理化的形式。

　　蓋所謂的道統，自不待言地，乃意味著以經學式思惟所思考出的絕對真理傳授的系統源流，而只要其絕對真理之內容，必須充填以足以滿足各時代之經學思想的諸多條件，即便其必須因應時代而產生必然之變化，但在以之為自最古聖人以來就無有變化地被傳承下來這點，便已發揮其超歷史的特性，同時其也無有遺憾地揭示了其乃經學理念之產物。今筆者乃舉出朱熹之道統論，以作為其中一例，介紹如下。

蓋自上古聖神繼天立極,而道統之傳有自來矣。其見於經,則「允執厥中」者,堯之所以授舜也;「人心惟危,道心惟微,惟精惟一,允執厥中」者,舜之所以授禹也。堯之一言,至矣,盡矣!而舜復益之以三言者,則所以明夫堯之一言,必如是而後可庶幾也。

蓋嘗論之:心之虛靈知覺,一而已矣;而以為有人心、道心之異者,則以其或生於形氣之私,或原於性命之正,而所以為知覺者不同,是以或危殆而不安,或微妙而難見耳。然人莫不是有形,故雖上智不能無人心,亦莫不有是性,故雖下愚不能無道心。二者雜於方寸之間,而不知所以治之,則危者愈危,微者愈微,而天理之公卒無以勝夫人欲之私矣。精則察夫二者之間而不雜也,一則守其本心之正而不離也。從事於斯,無少間斷,必使道心常為一身之主,而人心每聽命焉,則危者安,微者著,而動靜云為自無過不及之差矣。

夫堯、舜、禹,天下之大聖也。以天下相傳,天下之大事也。以天下之大聖,行天下之大事,而其授受之際,丁寧告戒,不過如此。則天下之理,豈有以加於此哉?自是以來,聖聖相承,若成湯、文、武之為君,皋陶、伊、傅、周、召之為臣,既皆以此而接夫道統之傳。若吾夫子,則雖不得其位,而所以繼往聖、開來學,其功反有賢於堯舜者。然當是時,見而知之者,惟顏氏、曾氏之傳得其宗。及曾氏之再傳,而復得夫子之孫子思,則去聖遠而異端起矣。子思懼夫愈久而愈失其真也,於是推本堯舜以來相傳之意,質以平日所聞夫師之言,更互演繹,作為此書,以詔後之學者。蓋其

憂之也深，故其言之也切；其慮之也遠，故其說之也詳。其
曰「天命率性」，則道心之謂也；其曰「擇善固執」，則精
一之謂也；其曰「君子時中」，則執中之謂也。世之相後，
千有餘年，而其言之不異，如合符節。歷選前聖之書，所以
提挈綱維、開示蘊奧，未有若是之明且盡者也。自是而又再
傳以得孟氏，為能推明是書，以承先聖之統，及其沒而遂失
其傳焉。則吾道之所寄不越乎言語文字之間，而異端之說日
新月盛，以至於老佛之徒出，則彌近理而大亂真矣。然而尚
幸此書之不泯，故程夫子兄弟者出，得有所考，以續夫千載
不傳之緒；……（《中庸章句》〈序〉）

其他朱子於《大學章句》〈序〉等文中，亦展開其旨趣相同的道統
論。依據此道統論，堯、舜以後之群聖賢哲，皆於此道統傳承中占
有一席地位，又因為其占有一席地位，故其價值亦獲得了保障。但
其被賦予的價值，在所謂忠實地傳承祖述堯舜之際已然存在並完成
的道這一點上，因為始終是等質性的，故不得不將各聖賢之學問思
想之間的歷史性發展軌跡加以抹殺。蓋子思《中庸》之作，果真是
否是推敲堯舜以來相傳之意的著作？原本就值得懷疑（因《中庸》
乃是一可以被區分為所謂新經、古經兩部分特質的書籍，至少新經
的部分，其成書乃與子思全然無關一事，今已成定論）。而且到了
朱子採取所謂以《論語》之「允執其中」、〈大禹謨〉之「人心惟
危」等四句為堯舜傳授之言的這一態度，自不待言地，此若從歷史
性立場而言，終究沒有可以承認的餘地。要言之，道統思想乃是一
立足在歷史性否定上，方才得以成立之理念，而其理念其實又是一

個與經學本質上所要求的超歷史性格不可分離的理念。

　　道統思想在其性質上以及在其內在性可以痛切感受到經學組織之整備的同時，亦即在外在性當其與其他思想、或者其他學問進入一對峙的環境時，其性質則最為昂揚彰顯。此一思想之萌芽，若往前回溯，則可以在《孟子》中發現之。蓋孟子於〈滕文公〉、〈盡心〉諸篇中，便已揭示了其試圖藉由政治道德上或連續的原理，而來理解堯、舜、禹、湯、文、武、周公、伊尹、萊朱、孔子等聖哲的態度，筆者以為此正是道統思想的發現，但在孟子之際，此連續性事物的具體內容，尚未成為一明確的認識對象。此不外是因為連續的觀念，在孟子的身上尚未發達成為一個如同所謂道統的具體式形態。而即便只是此一道統思想的萌芽，孟子所以會擇取此種連續性解釋，不可說與在孟子之時代，儒家和儒家以前之諸多思想，亦即儒家與楊朱、墨翟等之對立極為尖銳的事實無關。漢初之際，進言必須以儒家思想實行思想之統一的董仲舒，其言道涉萬世而無弊端，其所以不斷強調堯、舜、禹等三聖人相互授受而守護一道，無非是道統觀念稍有發達的結果。匡衡、谷永、梅福、尹更始等漢朝代表性的經學者，當彼等在論及政治理論和制度時，多將上古以來的傳統作為其立論的基礎，此現象亦是道統觀念形成之佐證。至西漢末年之揚雄時，則可以看出道統觀念已有長足的組織性進展。此事透過揚雄努力憲彰孟子的事實，被明顯地展現出來。今姑且揭示《法言》中可以看到的孟子批判為例，《法言》有言：

　　　古者楊墨塞路，孟子辭而闢之廓如也。（〈吾子〉）

> 或問勇，曰軻也，曰何軻也，曰軻也者謂孟軻也，若荊軻君
> 子盜諸，請問孟軻之勇，曰勇於義而果於德，不以貧富貴賤
> 死生動其心，於勇也其庶乎。（〈淵騫〉）

> 或問孟子知言之要，之德之奧，曰非苟知之，亦允蹈之，或
> 曰子小諸子，孟子非諸子乎，曰諸子者以其知異於孔子也，
> 孟子異乎，不異。（〈君子〉）

如上文所述，揚雄對漢時列於諸子之列的孟子之功績，給予高度評
價，其確認孟子之功異於諸子一事，乃是有以孟子為孔子之正當繼
承者的認識基礎。東漢之際，趙岐指出孟子與孔子的旨意相符合，
進而至晉代，袁瓌、馮懷之徒上奏進言孟子足以看作是孔子之繼承
者，此事見載於《宋書》〈禮志〉。此等現象無論是何者，只要吾
人將之理解為：其思想底流乃是彼等欲確立儒道之傳授，則吾人便
可以說：憲彰孟子的過程，即道統思想完成的過程。而若思及其濫
觴實在揚雄，則在不得不承認其於道統發展史上有其重大意義的同
時，肯定亦可將之視為道統思想發達史上的劃時代者。至唐朝一
代，韓愈著〈原道〉一篇而開始正式舉出道統問題，而確立堯舜以
來至孟軻（其實是經由孟軻而及於其自身）為止的道統的，朱熹則
將之下及二程子而得以詳述之，此亦皆有賴揚雄以來道統思想之發
達。至韓愈、朱熹之際，道統組織已見完成，此二人就各種意義而
言，皆與經學必須更新的時期因緣際會，故吾人必須注意其更新事
業之主軸為何？而吾人可以看見經學的更新，可能是藉由所謂道統
這一人為性歷史的整備而得以推動，故當吾人理解到經學的超歷史

性理念，如何成為其自我保存上不可或缺的利器的同時，吾人亦可以理解到其亦賦予經學本來之合理主義一大性格與界限。蓋經學中的合理主義之要求，當然是源自儒家思想之本質的產物，但在另一方面，依據道統思想的特性，此合理主義又必須是非實證性的觀念，故遂朝向所謂重新編組歷史事實、合理解釋神話傳說的方向前進。在這層意義上，如朱熹者亦是一傑出的合理主義者，在朱熹的道統論之中，如伊尹、傅說這類從儒家立場而言，帶有非常駁雜之傳說要素的人物，亦無有忌諱地將之列入道統傳授的系列中的這一事實，可說是完全表明了經學的合理主義之特性。此處得以存立的合理主義，並非充分具備實證科學式客觀性的合理主義，而是藉由經常創造意義以求完結自我的極為主觀的合理主義。其立場則是只追求形式的合理性，而將內容的不合理置於次要地位。要言之，道統乃是賦予經學系統的手段之一，而成為道統之中心內容的道，不外是所謂的絕對真理。經學者根據絕對真理的思想而來確立經學體系，結果便是其在形式上成功地揚棄歷史性矛盾，同時不得不徹底強化其超越的歷史性。此即道統思想之宿命。

由於道統思想將道的完成，置於吾人可想到的最古老的聖人身上，故第二代以下的賢哲，在理論上單單只能保守祖述之，而不得使之有本質上的進步。若依據朱子的說明，孔子的整體功業反而被認為是賢於堯舜的，然這也僅止於其環境與活動所使然，而不能說其功業使得道本身有了變化或發展。之所以如此，並不是因為孔子自己以「述而不作，信而好古」來自我標識所導致，而是因為絕對真理本身並不存在有施加增損的餘地。人類應當要從事的，便是要能自覺到自己在先天上便已具備絕對真理，亦即仁、義、禮、智之

性，故應努力使之顯現擴充，並引導人使之努力如此，換言之，此不外就是所謂的「盡性復性」。而伏羲、神農、黃帝、堯、舜等所以繼天立極以教化人民，其理由便在於此（見朱熹《大學章句》〈序〉）。此等聖人生存的當代，雖然是道最被完全實現的時期，但隨著聖人出現的絕跡，道的實現亦變得稀有，道統遂邁向堙沒一途。亦即，若依據經學性解釋，道的實現只存在於過去，其缺乏可期望於將來的可能性。子思、孟子、二程子之輩，其在所謂為顯現絕對真理上曾遺留下絕大的努力與功績這點，可說是道統史上值得大書特書之人，然而彼等也不過就是具有所謂挽回滔滔頹勢的復古式意義。但即便只從此點來考量，經學性歷史觀的實相，大體上皆相彷彿。而自不待言地，其歷史觀是否定社會進步的，至少是否定精神生活上的進步的。理想之社會乃道最為普遍光被的時期，亦即只存在於道統的出發點上，而其後的歷史，則永遠不外是退步的過程。故世界史並不是作為實現道的過程，反而是從相反的方向來對之進行理解，史上多數的賢哲則被理解為是：反抗此決定性潮流，對鈍化其低落速度有所貢獻之人。此自不待言地，乃與經學的絕望式尚古主義之立場，有著非常密切的關係。蓋儒家通常被說成是回顧式的、是尚古主義的，但若因此吾人就以為原始儒家也是如此的話，此種理解實為顯著之謬誤。彼等不過是同時具備所謂：當其不滿於現狀時，與其空將理想寄託於將來，不如想成理想其實曾存在於過去的人類通性；以及漢民族所謂相較於抽象性理解，對事物的完全確實之理解乃存在於具體性理解的這一特徵。但是，彼等絕不認為人類社會全體是往退步方向邁進的。亦即對彼等而言，較之於現在及將來，他們並非首先相信優越過去的實在並將之視為模範以

導引出將來之理想；相反地，彼等乃是先獨立建構出期望可於未來
實現的理想，然後將之投影於過去，於所謂先王之名底下來假託於
具體事實。亦即，其並非以過去來規定未來；而是以未來創造過
去。若未來是無價的，則彼等並不在過去設想未來的實在。故筆者
以為：原始儒家的尚古，不過單單只是一種由說明技術之必要和彼
等先天性心理傾向所產生的偽裝，吾人必須注意的是：其實質上不
外是託古這點。《淮南子》中所說的：

> 世俗之人，多尊古而賤今，故為道者必託之於神農、黃帝而
> 後能入說。（〈修務訓〉）

此段話可以說是相當符合實情的言論。蓋言必稱堯舜且謳歌先王之
道的孟軻，一般多被視為尚古主義者之代表，但其所闡說的有關社
會進化的有名的一治一亂之法則，卻與所謂的尚古主義性質不同。
亦即，孟子以堯時的洪水氾濫為一亂，以禹之治水為一治；以紂之
出現為一亂，周公、武王之平定為一治；以東周之道義頹廢為一
亂，孔子之作《春秋》為一治；以楊墨邪說之流行為一亂，而竊以
其自身之辯楊墨為一治。對於亂後足以期待之治，分別承認其獨立
之意義，就如道統思想之闡說，並非將之視為復古性質之物。另
外，孟子以為聖人出現的週期為五百年，而其在承認各個聖人之存
在意義有其各自的獨特性這點，則與道統思想相反。當吾人仔細思
量其所頻繁引用的有關先王的傳說時，則可發現所謂尚古的傾向，
其實也不過單單只是託古而已。

　　上述情形不獨儒家而已，可以說在經學時代以前，所有的思想

家皆是如此。如《老子》所謂的：

> 失道而後德，失德而後仁，失仁而後義，失義而後禮。
> （〈三十八章〉）

> 大道廢有仁義，知慧出有大偽。（〈十八章〉）

《老子》此言雖然多被當作是足以證明道家之尚古特性的證據，但此文原本是用來闡明邏輯性關係的，亦即此文是在討論所謂的德，必須在否定道的基礎上，方才允許其成立；而所謂的仁，必須等到德被否定，其成立方才被允許，若只是將此文單純地解釋成是在表示時間性關係的話，則無法得其本義。實際上，規定邏輯性相互關係的文句，多與表示時間性前後的場合，在形式上使用相同的表現。又為了使論旨通暢達義，亦不無將邏輯性關係託於時間性關係者，故吾人不應被此偽裝掩飾所欺騙。此種情形在《莊子》中亦相同，雖然其寓言中往往存在著乍見之下可以將之理解為尚古式的言辭，但莊子並非是一個單純地就可乾脆成為真正尚古主義者的人，此由以下引文便可看出。

> 夫尊古而卑今，學者之流也。且以狶韋氏之流觀今之世，夫孰能不波，唯至人乃能遊於世而不僻，順人而不失己。彼教不學，承意不彼。（〈外物篇〉）

此文顯然是侮蔑尚古的言論。蓋道家原本不問自然現象和社會現

象，是將萬象理解為一連續性變化的過程，而承認在棄絕主我以順應其變化的消極性中，有著至高無上的價值。此一態度乃是將所謂現在的瞬間，分割為過去和未來，並獨立解釋之，換言之，此即意味著現在就其本身而言有著絕對的意義。由此種立場出發，所以不會發生所謂較之現在、未來，總是執著賦予過去較高價值的這一思想，乃理所當然之事。而此種於過去尋求規範的思想，與道家在根本上方向相異。在道家而言，此立場乃是極為根本的，此於魏晉清談家之思想中亦可看見，又如在代表當時之思想的《抱朴子》之〈鈞世篇〉中，其明顯地肯定社會之進步，又如在詩文方面，其亦對世人多輕視現代之作品而一味尊敬《詩》、《書》的此種無謂的尚古主義，嗤之以鼻。

依據前文所述，吾人應可理解：先秦諸思想中一般被認為最具尚古性的儒、道兩家，其實並非尚古，其不過是託古而已。即便在儒家之中，例如《荀子》的後王思想和《公羊傳》的三科九旨說，亦存有大致肯定社會進步的思想。而且如果吾人將視野向儒、道兩家之外延伸，則可發現亦有如公然主張進化而徹底評擊先王主義的韓非子。要言之，無論從何種面向來考察，吾人不得不說在經學尚未形成的先秦時代，實在很難承認當時有尚古思想存在。蓋在社會停滯性尚未確立，對學問思想全無任何拘束的時期，此乃理所當然之事。與之相反的，經學者之歷史觀乃真正是尚古主義的，故較之於現在及未來，彼等總是無條件相信具有高度價值之過去的實在性。故朱熹所謂的：

　　物久自有弊壞。秦漢而下，二氣五行自是較昏濁，不如太古

之清明純粹，且如中星自堯時至今已自差五十度了。秦漢
而下，自是弊壞，得箇光武起，整得略略地，後又不好了。
又得箇唐太宗起來，整得略略地，後又不好了。終不能如太
古。（《朱子語類》）

朱熹此語正可謂毫無忌憚地吐露出只可懷抱真正之尚古主義的徹底
絕望感。因為堯舜時代乃位於絕不可能到達的永遠的彼岸，人們日
復一日不斷遠離絕對真理的實現而無可奈何。學者的任務及學問、
道德、政治等文化活動，只能在所謂僅有依靠提振復古精神，盡可
能減緩其速度這點上發現其意義。此類消極性歷史觀，充斥於經學
文獻中，幾乎應接不遑。例如《禮記》〈儒行篇〉中，有稱儒之德
為：

儒有今人與居，古人與稽，今世行之，後世以為楷。

《禮記》所以可以用此屬性來賦予儒特徵，吾人可以設想此乃因為
其背後有經學的尚古性。其他如所謂：

詁誓不及五帝，盟詛不及三王，交質子不及二伯。（《穀梁
傳》〈隱八年〉）

三皇步，五帝趨，三王馳，五伯鶩。（《白虎通》所引〈鉤
命訣〉）

上述二引文無論何者皆以為古代正因為其古故較為優，此無非反映出真正的尚古主義。總而言之，消極性歷史觀在經學以前並不存在，到了此社會退步之觀念一般化後，為因應社會之固定，學問思想亦停止本質性進步時，亦即其時期與經學之成立相同。

蓋加上思想乃出現於思想極為發達自由的周朝末年。此隨著新思想之發生，遂於更古之時代中主張其自身之理想社會的實在，同時亦產生試圖賦予其自身之主張以權威的託古式欲求。然而當思想一旦固定化，而且新的理想社會之構想亦無法產生時，則必須加上的觀念性過去亦因而無法產生，於是當初為了方便說明而被設定的過去，隨即作為真實的過去而固定落實下來，遂成為真正尚古思想產生的溫床。亦即為使尚古思想成熟，某一觀念上的過去，若要帶有歷史的實在性，則必須要有足夠的時間餘裕。而為了達成此種目的，若處於凌駕於其上的理想性過去之構想無法創造出的狀態中，則社會便不得不介入其中。而經學確立以後的中國社會，正好滿足此種條件。在思想性、社會性皆帶有濃厚的停滯性特質的經學時代，原則上其進步是停止的，堯舜也獲得其永久作為尚古目標的穩固地位。

因尚古思想始終就是與經學式歷史觀俱存，故兩者互為表裡關係。而吾人若無條件將之與儒家本來之歷史觀等同視之，則不免誣謗事實。

㈣ 自我擴大性

若士人階級試圖使其自己作為唯一的支配者而得以永久存續，則其亦必須使作為其武器的學問也成為唯一之學問。若在經學之外，還別有與之完全獨立的學問體系存在的餘地，則士人獨裁的基

礎將經常受到威脅。當然，士人為了防備此種情形產生，雖然曾經講述了幾乎無懈可擊的各種手段，然而諸如制度性的措施，其所扮演的終究不過只是輔助性的效用，根本的作法則是必須解決所謂經學本身對其他非經學的學問思想，要採取何種存在方式的此種精神層面的問題。在經學而言，經皆為社會生活之原理，經學理當是學問之全部，而且根據此種強烈訴求，經學亦曾經建構出一個世界。蓋邉論政治原理，舉凡由道德、法律制度、習慣等社會規範，到天文、農業技術等，若其為與社會生活有著不可分之關係的知識，則其皆為經學所包含。若以五經為例，不僅如眾所周知的：政治原理和法律之基礎理論，主要可求之於《春秋》；道德制度、習慣等之理想性形式，主要可求之於《禮記》；西漢王式向昌邑王講說三百五篇時，至忠臣孝子之篇，則為君王反覆誦讀之，至危亡失道之君，必流涕而深切陳述之；又如《齊詩》、《韓詩》中的五際六情之說；另外如治黃河用〈禹貢〉，察災異以〈洪範〉之理，在去封建時代千餘年之後，猶欲以封建井田宗法救時弊（宋明儒者中多有為此論者）；進而如可見於《易經》之自然哲學性發展中的諸多現象，可謂皆表現出經學的世界性特質。而若吾人將視野轉投向五經之外，則或許可於該處發現更為寬廣且高超的世界。到了某一群被稱為緯書的書籍時，此類書籍正是足以窺知經學如何形成一個完備世界的極佳資料。蓋只要是與人類生活有關，無論是何知識，沒有不可依據經學而來提供的。此若由內在層面而言，支撐經學的社會條件則不得不使經學獲得並具備涉足此廣大範圍的百科知識，並以之形成一知識性的廣大世界。若非如此，則無法完成所謂成為唯一支配階級的哲學，並足以賦予其存立之理論性基礎的這一經學使

命。然而就歷史事實來看，即便是在經學成立以後，就如早先有道教，其後有佛教，其皆提出另外的世界觀與另外的生活原理，事實上常常存在著不允許經學獨尊的情勢。而且若只是以利祿而餌、以制度為束縛，佛、道二教仍具有不受壓制的理論與權威。經學若僅止於單單只是在異端的名下，在同一次元來排斥彼等的話，則作為士人階級支配之精神性支柱的職責，終究亦不得完成。然而幸運的是：即使冒著更改自身思想內容的危險，經學堪稱亦能夠成功地在主體上含括異質性的思想及學問。若更精確地說，使士人支配得以成立的社會性條件，乃是其自身將其武器之經學置於極高度，而來經營一種沒有危險性的自我擴大作用。

蓋兩漢雖是經學支配力最為強固的時代，但隨著東漢末年政治勢力的分散，與政權處於關係密切的經學遂告衰微，道、佛之勢力呈現出其試圖指導知識階級之精神生活的態勢。因為道、佛的內在深刻性，使人深切感受到經學思想的空虛性，故此時期乃成為經學之危機時代，但即使處於此種情境，經學所據以存立的基礎卻依然確實存在，因為只要沒有從根本上動搖經學的理由，則其原來的自我中心作用在受到周圍的刺激後，反而會變得更為活潑。魏晉南北朝學界的顯著特徵，誠如其經常被指出的，就在以釋老解經這點。如何晏、皇侃之解疏《論語》、王弼之注《周易》，實無須多言，支道林、慧遠等優秀沙門輩出，確實迫使經義之解釋產生某種變貌。然而若只是根據此等事實便簡單地將之理解為是經學的讓步，此番理解又果真妥當？在經學興盛的時期，因為經學強烈地想要以自我為中心地來整理所有的知識，所以甚至有敢對與經完全矛盾的異質性思想及學問嘗試經學性解釋者。例如東漢的范升原本是一著

名的經學者，但其早先就精通《老子》，在其上書中便可見到如下
之語。

> 《老子》曰：「學道日損者」，損者約之意。
> 「絕學無憂」者，意在絕末學。（《後漢書·范升傳》）

此乃強以儒學解玄學，藉此試圖有利地展開自身的立論，其解釋本
就與《老子》的真義相距甚遠。與此種徹底的經學式立場相對照
的，依照釋老之理而來解釋經的作法，或許姑且可以稱之為經學的
讓步。然而無論是何種場合，問題在於經學之主體性是否存在。若
由此觀點來作判斷，則經學在經義解釋上所以不會一再援用釋老義
理，此種情形毋寧說正說明了經學的健全性。如果多大的讓步都不
會動搖自身之本質，也不會威脅到自身之生命的話，這難道不是因
為面對急遽變動時，經學仍然具有足以保持主體性的生命力？因此
經學並未被釋老所併吞，而是成功地獲取釋老之義理以補足自身之
不備。經學因甘受若干的內容性變化，可以說反而藉由原本的自我
擴大作用，而得以強固其核心實體。至少從經學這方面來說，可將
之視為是施行了一種補強工作後所獲得的一種作為學問體系的完全
性。如果《論語》和《周易》沒有容納釋老式解釋之餘地的話，則
其理論性、思想性價值或許將屈服於釋老之下。然其卻捨棄了僅通
用於經學興盛時期的傳統式解釋，但並未失去所謂允許基於新解釋
而來創造嶄新意義的寬容性與強韌性。然經學並未與釋老二氏平等
抗衡以爭勝負，取而代之的是將二氏與自己置於其自身之中，完全

具備將低層次者揚棄於高層次的主體性生命力。❽

　　而宋學的情形亦相同。因為唐代《五經正義》之成立，經學乃進入其新統一時代，經學於此遂不容許外教之刺激。《五經正義》對內雖然透過經義的統一而有效地進行了思想的統一；但在對外方面，言其無力亦非過言。對於經學此種思想上的薄弱有所認識與反省的，首先在韓愈（〈原道〉等諸篇）與李翱（如〈復性書〉）的言論中已有所道破，至於宋學的出現，則可將之看作是應中唐以還經學改造之需求，最後所完成的結果。誠如眾所皆知的，宋學雖然帶來了經學史上幾乎空前的哲學性開展，但其有賴於佛道二教者甚多。即便自韓愈以來，經學者全部採取排佛毀玄之態度，但當時經學在內容上若不假佛道之力則實在無可奈何，故仍不斷受佛道所影響。當時經學最緊要的問題是宇宙論的構成，以及以此宇宙論為基礎的人性的哲學性解釋，但因此種超越性的問題，本來就在儒家的關心之外，所以是屬於無法藉由純粹的儒家本身的思想性開展而獲得解決的範圍。因此，經學者不得已乃將一度由正門驅逐出的佛道二氏，再度暗中由後門將之引入的同時，經學並未喪失其使經學者敢行此奇術的穩固基礎。經學依據接受佛道二氏的輸血，完全達成其不產生任何本質性變化的核心體之擴大作用。如〈河圖〉、〈洛書〉於宋學中具有非常重要之意義，關於其傳承，朱震就如下說道：

---

❽　有關經書之釋老式解釋的實例，實不勝枚舉。今筆者在此僅指出皇侃《論語義疏》中所引十三家等之注，與王弼注《周易》二例，應已可充分證明。

劉牧傳於范諤昌，諤昌傳於許堅，堅傳於李溉，溉傳於种
放，放傳於希夷陳摶。（《漢上易集傳·卦圖》）

朱震此語揭示了〈河圖〉、〈洛書〉之基礎哲學乃源於五代、宋初
的某一道士。又若據朱震〈經筵表〉中之記載，邵雍之〈先天圖〉
乃是由陳摶傳予种放，种放傳予穆修，穆修再傳予李之才，而邵雍
學之於李之才一事，《宋史》本傳中亦有明文記載。而作為宋儒哲
學之第三根柢的，則不得不舉出周敦頤之〈太極圖〉。其「無極而
太極」之說，使得後世的朱陸之間展開有名的論爭，又有關該說與
《通書》之間的關係，亦使得經學者之間產生諸多疑問。此類情形
暗示著〈太極圖〉原本就包含著重大問題，不禁使人認為其並非純
經學性之產物。黃宗炎曾遠溯〈太極圖〉之源而如下說道：

周子太極圖創自河上公，乃方士修鍊之術也，實與老莊之長
生久視，又屬旁門，老莊以虛無為宗，無事為周，方士以逆
成丹，多所造作，去致虛靜篤遠矣，周子更為太極圖，窮其
本而反於老莊，可謂拾瓦礫而得精蘊，河上公本圖，名無極
圖，魏伯陽得之，以著參同契，鐘離權得之，以授呂洞賓，
洞賓後與陳圖南同隱華山，而以授陳，陳刻之華山石壁，陳
又得先天圖於麻衣道者，皆以授种放，放以授穆修與僧壽
涯，……修以無極圖授周子。（《易學辨惑》）

即便河上公之事姑且不談，陳摶以下之源流則如朱震所言，沒有理
由可以否定之。若欲於儒家思想之中求此宇宙論的要素，惟獨漢易

之中才有，然漢易之傳統其後偏離儒家而傳於道家，於道家之中完成其特殊之發達。宋儒藉由採用之，方才成功地建構其自身之哲學體系。另外必須注意的是：彼等之思想中亦受到起信論、唯識論不少的影響。

到了諸如明代之講學家，經學為了能極度擴張自我擴大的範圍，有時雖亦會呈現出乍見之下如同非經學性的外觀，但是仍然沒有產生所謂廢棄經學或全面脫離經學而投入另一世界的此種根本性變革。王守仁的心學雖不斷遭受到正統經學者的排斥，今見其所作〈朱子晚年定論〉之序，文中如下說道：

> 既乃稍知從事正學，而苦於眾說之紛撓疲癃，茫無可入，因求諸老釋，欣然有會於心，以為聖人之學在此矣，然於孔子之教，間相出入，而措之日用，往往缺漏無歸，依違往返，且信且疑，其謫官龍場，居夷處困，動心忍性之餘，恍若有悟，體驗探求，再更寒暑，證諸五經四子，沛然若決江河而放諸海，然後嘆聖人之道坦如大路，而世之儒者妄開竇逕，蹈荊棘墮坑塹，究其為說，反出二氏之下，宜乎世之高明之士，厭此而趨彼也，此豈二氏之罪哉。

上述引文乃王陽明簡明陳述其自身學問立場之形成過程，陽明於〈朱子晚年定論〉文中，絲毫沒有任何捨棄孔教以就佛道二氏的意圖，反而將佛道二氏吸收於經學體系之下而企圖刷新之。而王陽明的此種態度先前已見於元朝吳澄。吳澄追求訓詁之精與講說之密，並指摘為學不離語言文字之末的末門末學之弊，故為救此流弊而提

倡完全德行之說。吳澄此呼聲到底是產生自其欲有助於聖學的這一需求，絕非是在聖學之外去追求另一個世界。要言之，即便是最極端的講學家，其對當時經學弱點的反彈，結果不過就是使得其過度廢除健全之經學所必然具有的實證性特性，而在經學存立的可能極限內引進佛道二氏之思想。此舉若從經學式的觀點來看，即使其無異是一病態現象，但並不能因為其是病態的，就直接言其並非經學。因為雖然經學的自我擴大性在此已達到極限，但經學的主體性仍未喪失。

如上所述，經學無論處於何種情境，其絕不會在平等的立場上對待異端，經學總是在擴大其自我的同時，亦將異端含攝吸收進來，而此種不屈不撓的豐沛彈性，當然不外是源自經的創造性解釋的這一本領。至於無論經學如何擴充其內容，卻沒有為其存立之根本帶來些許威脅一事，此乃因為畢竟支撐經學的中國社會之根本組織依然沒有變化所導致。或者是因為中國社會之根本組織沒有變化，然而無論經學是何種學問，只要在所謂經的創造性解釋這一名義底下，要吸收佛道二氏並非難事。當經學喪失此種能力的時候，應該正也是中國社會完成其根本性變革的時後，而且這個時候也是經學本身不得不瓦解的時機。

而可以視為經學自我擴大機能的一種變形現象的，就是所謂的擬經。如揚雄以為經者莫有大於《易》者，故作有《太玄》；又以為傳者莫有大於《論語》者，故作有《法言》。又如王通作《禮論》二十五篇、《樂論》二十篇、《讀書》百五十篇、《續詩》三百六十篇，《元經》五十篇、《贊易》七十篇，王通因而被視為擬經之雄而喧騰於古今。然擬經被認為是侵犯聖人制作之特權，而遭

受儒家正統立場所彈劾，又如連章學誠這類立足於歷史性立場的學者，也非難擬經是「無其實而為其事之無謂」（《文史通義》）藉由將經限定在聖人制作而試圖高度維持其純粹度的此種經學之本能性傾向，成為經學在樹立道統之際，必須嚴格從事資格審查的原動力。若由此傾向來看，則非聖人之擬經會遭到非難，當然也就不足為奇。但吾人在此應該注意的是：擬經人的心理狀態。例如以王通為例，其賦予儒家之道絕對的價值，並以崇敬虔誠之祖述者自任一事，亦可由文中子、《中說》中各處之言辭看出。《中說》〈王道篇〉首章中，王通感嘆王道之難行而說到：

　　服先人之義，稽仲尼之心，天人之事帝王之道昭昭乎。

〈敘篇〉中在論述《中說》各篇之次第時說：

　　文中子之教繼素王之道，故以王道篇為首。

此文可謂率直地表露出王通的基本立場。正因如此，故阮逸在敘周公、孔子、孟子之傳授後，則言：

　　文中子聖人之修者也，孟軻之徒歟，非諸子流矣。（文中子〈中說序〉）

阮逸試圖將王通安置入道統中，使之成為道統成員之一。筆者在此且省略逐一之考證，蓋上述此種維護儒家之道的立場既然是擬經者

的共通立場，則擬經並不是在經學之外企圖形成一針對經學的敵
國，反而是試圖在經學之內擔任其守護的精神表現。然彼等於擬作
經書的形式中而試圖達成此冀求，確實在名分上有與經學之嚴正主
義相抵觸的嫌疑。但針對這一相同的現象，若從其反面來說，吾人
亦可將之解釋為：這不也是因為經學確實具有足以寬容此種名分上
之自由放縱的穩固基礎。蓋於經學之名下來立言者，大致是將其自
身置於聖人之地位，若就此著眼點，則彼等無異於是一種異類，但
經學並非將之擯斥於其體外，反而具備了將之吸收消化的機能。此
乃筆者將擬經視為經學擴大作用的一種變形的原因所在。若將擬經
單純地理解為反經學的作為，則此理解不免流於皮相。❾

　　經學在定立道統時所顯示出的嚴正自我限定作用，在與其於同
化異質性的諸多思想，以及容許認可擬經等層面所發揮的自我擴大
作用相對比時，不容否定的是其方向恰好相反。而此兩種不可偏廢
的作用，所以可以無有矛盾地被加以統一，乃因經學有其存立之基
礎。

---

❾　擬經分別有模擬經書而作的全新著作，以及為補足經書亡佚部分而作者。本
　　文前述揚雄與王通所作之各書乃屬前者；如晉束皙《補亡詩》、唐白居易
　　《補湯征》、皮日休《補大戴禮祭法》等乃屬後者。擬經在其性質上，毋寧
　　可以說是經學時代必然會伴隨產生的現象。而無論其精神、種類如何，其總
　　是試圖成為經學之忠臣。束皙於《補亡詩》自序中曾述及擬經之動機為「皙
　　與同業疇人肄，修鄉欲之禮。然所咏之詩，或有義無辭，音樂取節，闕而不
　　備。于是遙想既往，思存在昔，補著其文，以綴舊制。」晉朝夏侯湛補〈南
　　陔〉、〈白華〉等六篇亡詩，名之曰《周詩》，根據夏侯湛之自序看來，其
　　擬經動機亦與束皙想法相同。

㈤ 宗教性特質之問題

　　自有史以來至今日為止，中國並未產生中國所固有的體系性宗教的這一事實，被尖銳地指摘說是中國社會的一大特色。而若吾人理解到橫亙過去兩千餘年，經學始終一路支配著中國知識階級之精神生活，則此兩種現象之間，無論是從積極性或是從消極性而言，此兩者之間或恐存在著某種關係。所以筆者以為在此有必要對經學的宗教性大致作一番審視。

　　自不待言地，所謂經學，乃經由儒家者流之手而成立、開展之學問。然儒家思想中宗教性要素原本就非常稀少一事，吾人由儒家所思索的對象，總是限定於與現實社會有關之事項，以及其思索問題的方法頗為理智等特點看來，便可容易窺知其原因所在。故當孔子知道子路在其病危之際欲向神靈祈禱一事後，孔子便說：

　　　　丘之禱久矣。（《論語·述而》）

取笑子路之舉並無意義。又當其被問及事鬼神之事時，孔子回答說：

　　　　未能事人，焉能事鬼。（《論語·先進》）

在被問及死亡之意義時，孔子答道：

　　　　未知生，焉知死。（同上）

上述孔子的各項回答，明白表示了凡針對超現實的問題，不須加以思慮的根本方法。相反地，只要是事關社會生活之現實問題，就必須要對之作透徹的觀察與真摯的考察，此種思惟方式於孔子言行中不勝枚舉。而此種根本性的訴求，使得孔子立足於「非生而知之者」的自覺立場，堅持「學不厭，誨不倦」的經驗性方法，遂使其將「性相近，習相遠」的重點，放在後天性學習的效用，而不是將重點放在先天的性。學問的課題始終是在解決人類的問題，使之有益於世道人心，而學問的方法是具體的，是以人類為中心的。故超越作為學問之對象的人類的學問是被排斥的，而與之並行的則是必須要以人類自身的力量來解決問題。蓋所謂博學、審問、慎思、明辨、篤行乃徹底的人為努力，對儒家而言，原則上沒有盡了此等人為努力卻仍無法解決的問題。故云「雖愚必明，雖柔必強」。而此種立場可以說原本就內含有難以向所謂設想有一超越者存在，並冀求其偉大力量這一方向發展的制約性。極端地說，儒家者流乃徹底的理性主義者，言其在意識上反彈所有的他力性的態度，此實非過言。原始儒家所採取的此種態度，強烈制約了後世儒家的性質，不得不說因為此種態度，所以儒家所承繼性展開的經學，其宗教性亦無發達之理由。然而強加宗教性要素於經學之中，使之成為一宗教體系的工作，某一時期在儒家之間亦被從事進行過。蓋所謂緯學的產生即是。由於「緯」乃相對於「經」之文，故其名稱便已明白表示其欲以其學補翼經學的意圖。若見其名與經對立，就以為其欲於經學之外自樹一學問體系的話，則此理解將會失真。《釋名》所以解緯為：

> 緯，圍也。反覆圍繞以成經也。

其理由便在於此。緯學又稱讖緯學，緯與讖者原本嚴然有所區分，《釋名》於上述緯字之解釋後，繼續說道：

> 讖，纖也。其意纖微而有效驗也。

而且若藉《四庫提要》所謂：

> 讖者，詭為隱語，預決吉凶；緯者，經之支流，衍及旁義。

這一說明，則讖、緯不能說完全是同一類。然而實際上，至少就目前現存的資料而言，兩者卻總是相伴出現。例如西漢末年，郗萌集結圖緯讖雜占成五十篇，名之為《春秋災異》，此事顯示了讖緯兩者的相似性，進而如王莽、光武二人皆利用讖，使之有利於自己的統治地位，自此之後，緯讖之相互融和交流更加深一層。亦即，讖並不存在於緯以外的形式中，而緯之內容通常含有預言未來的要素。東漢的尹敏是一讖緯排斥論者，其言曰：

> 讖書非聖人所作，其中多近鄙別字，頗類世俗之辭，恐疑誤後生。（《後漢書》〈儒林傳〉）

此引文中所謂「近鄙別字」者，可以解釋為諸如以金卯刀為劉者之類。然若如此，由於此事於現存之文獻中乃見於緯書，但因為尹敏

稱之為讖，故此或許是讖緯兩者之別已經消失的佐證。而誠如眾所皆知的，張衡是依據最具實證性方法而來批判讖緯的學者。然即便《後漢書》之作者對張衡之上疏冠以所謂：

> 衡以圖緯虛妄，非聖人之法。

但本傳所收錄的上疏中，其或言讖書、或言讖錄、或言春秋讖、或言詩讖、或言圖讖，未嘗見有一言稱緯的這一事實，或許則暗示了讖緯合一。

關於讖緯的成立一事，大多數經學者皆毫不躊躇的將之歸於孔子。亦即所謂：

> 孔子既敘六經，以明天人之道，知後世不能稽同其意，故別立緯及讖，以遺來世。（《隋書·經籍志》）

上述《隋書》〈經籍志〉的此種說法乃是其代表，事實上此種學問流行於世，乃屬西漢中葉以還之事，以及若從其思想內容來作考察，自不待言地，將之歸於孔子的說法其實失於附會。惟若使其支持者言之，則誠如內學以及祕緯之別名所顯示出的，所謂：

> 其理幽昧，究極神道，先王恐其惑人，祕而不傳。（同上）

這是以《隋書》〈經籍志〉之說來解釋其晚出，而《史記》〈趙世

家〉中的「秦讖於是出矣」之語、〈秦本紀〉中的「亡秦者胡也」
之預言、以及太史公所引的「我欲載之空言，不如見之於行事之深
切著明也」、「失之毫釐，差以千里」等語，因為這些話語今現存
於春秋緯及易緯中，故可看出其努力試圖證明讖緯之古的意圖。又
如清朝之朱彝尊，其則採取稍稍合理的立場，其因東漢小黃門譙敏
之碑文中有所謂：

> 其先故國師譙贛，深明典奧讖錄圖緯，能精微天意，傳道與
> 京君明。

故朱彝尊引據之而主張讖緯出於譙贛及京房。至俞正燮時，其斷
言：

> 緯者，古史書也。（《癸巳類稿·緯書論》）

然無論何者，皆非可以令人滿意之說。蓋預言未來之文獻，乃是呼
應人類本能的需求而有的產物，因為其具有此種機能的緣故，所以
在任何時代皆無法否定其存在。但現在的問題是：其是在一個組織
性體裁之下，作為學或者是思想而被建構成，並不是一分散性的文
獻。例如卜筮之書除了其自身原本就是讖書之外，亦不難想見在漢
易的世界中，其被加進各種合理性的整理，故吾人絕對無法否定京
房之徒必定與之有所關聯，但朱彝尊與俞正燮二人所言，乃是在論
及思想以前的樸素的未來預言，與漢代緯學之間的區別意識不夠清
晰。若如朱、俞二人所謂的讖緯，則有關讖緯是何時才有的這一問

題，無論怎麼說也都沒有任何妨礙。畢竟緯學之成立無法上溯至西漢中葉一事，其定論不外大致就如張衡所論。

蓋緯書之內容不能違背其乃經之支流而衍及旁義的這一旨趣，其內容橫亙極多方面，凡有關政治、道德、制度、天文、地理等人類社會生活之全盤事項皆含括在內，此點不僅與經無異，甚至其中亦記載了大量諸如有關古代帝王的奇異傳說，以及伴隨改朝換代而產生的異常的自然現象，或陰陽五行說式的宇宙論、因果說、占星等以及神秘的傳說與理論。特別是其相信所謂的所有的人事與自然之間，存在著一定的對應與因果定律的此種天人相關思想，貫通該群書籍，而且該群書籍中也呈現出一被完成的天人相關思想觀。在論及政治、道德、制度等問題時，必求其原理於此天人相關思想中。與經之性質總是人間性的相反的，緯之特性卻是非常超越性的。此即緯與經的第一個相異點，而此特點不得不說與儒家不語怪力亂神的本來態度相去甚遠。而其第二個特徵便在將先王及孔子神格化這點。蓋在經書中，無論是先王或孔子，僅止於將其視為思想上、理性上所崇敬的對象；但緯書卻將其轉換為信仰的對象，成功地使其成為一個偉大的、超人的預言家。故在讖緯書中，三皇、五帝皆有超人的智能，皆能感受到人類所不能感受體得的神靈之啟示而可預見將來，其誕生則藉由所謂特殊星辰之精華的感生帝說而被加以說明。甚至連所謂孔子能預知秦始皇之焚書而不懈怠地設想其相關對策，而且因為孔子已經預知漢朝的出現，於是提示了治國的理想方案等事，緯書中亦有記載。例如：

　　趨作法，孔聖沒，周姬亡，慧星出，秦政起，胡破術，書紀

散，孔不起。（引自《公羊疏》所引〈演孔圖〉）

丘攬史記，援引古圖，推集天變，為漢帝制治，陳敘圖錄。（《公羊疏》所引〈演孔圖〉）

丘乃授帝圖攗文。（《文選注》所引〈鉤命訣〉）

以此為代表，與此同類之文，實不勝枚舉。緯書中甚至還說孔子有預知漢代以還之中國歷史的能力，此由所謂：

孔子曰：漢三百載，計曆改憲。（《後漢書》注所引〈保乾圖〉）

等文亦可推知。凡如上述之事，皆非尋常人類所能從事。於是緯書乃被迫必須進一步在孔子身上加入超人類的要素，以求完成其神格化。例如所謂的：

孔子母徵在游於大冢之陂睡，夢黑帝使請己，己往夢交，語曰，女乳必於空桑之中，覺則若感，生丘於空桑之中，故曰玄聖。（《藝文類聚》、《太平御覽》所引〈演孔圖〉）

孔子長十尺，大九圍，坐如蹲龍，立如牽牛，就之如昂，望之如斗。（《太平御覽》所引〈演孔圖〉）

　　仲尼虎掌，是謂威射，胸應矩，是謂儀古，龜脊輔喉駢齒。
　　（《太平御覽》所引〈鉤命訣〉）

　　此類文句無非是緯書作者在有關孔子之誕生及其肉體方面，努力以非常性來使其致於神聖。讖緯學，特別是在上述兩特點方面，具備了經書所完全不具有的特性，吾人藉由此兩項特點，亦可明白察知讖緯學所企圖達成的目的。其目的就在以孔子為教祖，使儒教成為一宗教體系。其所謂孔子於精神能力、肉體、誕生等各方面皆具備非常條件之主張，正是為了達成此目的的必要條件。

　　吾人在此必須探究經學者之間會產生此種意圖的原因何在？當然，經學者欲以經學之力來滿足人類的宗教性需求的這一冀求並非沒有，但此只是部分理由。最初漢朝之際提倡讖緯學者，其實是今文學者，但到了被視為是讖緯學之成熟期的哀、平之際，哲學派今文學的停滯性與空虛性，被古文學的實證性所壓倒，此時期正值今文學於學界喪失其勢力之安定的時期，而《左氏春秋》以下若干之古文博士亦於此時被立為官學。在此種局勢之中，挽回頹勢乃當時今文學派最重要的課題。而藉由引入宗教性要素使儒教宗教體系化，無非是今文學派為解決此課題所採取的手段。而作為其要點，今文學家並未忘記要將之與國家相結合的這一問題，因為與政治勢力保持緊密關係，並以之為背景，此作法一般被認為是學問昌隆的捷徑。蓋自武帝以來，今文學與國家權力有著特別的關係，一路始終被賦予思想性標準的學問地位，如今在與古文學勢力對峙時，卻使之深切感受到自身學問的脆弱性，故被迫須要補強其與國家的關係。然值此之際，已經無法期待今文學在學問思想上能有正常的向

上開展，今文學說之內容陷於僵化的症狀，實不容忽視。但是，今文學所具有的特殊思想和特殊理論，在今文學完成士人階級之精神性支柱這一使命的需求上，將使今文學統合發展此原始性思惟，並將之朝哲學性、邏輯學性的水準向上發展。而古文學的有利點則是其雖缺乏此邏輯性，但卻具有不會游離開歷史的實證性。今文學企圖能與國家威權維持緊密關係時，因為受到歷來的歷史性制約所致，故不得不更加發展其自身並不喜好的特性，此亦是不得已的結果。亦即今文學為了使其自己的地位更為有利，故不得不日益增加其作為學問的非正常性特質，此結果堪稱為今文學中的歷史性之必然。因此，今文學之特殊理論橫亙所有領域，徹底貫串至最大極限，終於發展到所謂主張漢朝國家本身之神聖性乃獲得神靈保證。而為因應此要求就必須重新對某人奉上神明之稱號，故自然而然地也就選中作為經學者的孔子。特別是為了對抗尊崇周公而欲將之加於孔子之上的古文派，除了在與歷來不同的層面上進一步提升孔子之權威性之外，實在別無其他方法。今文學者將孔子當作是一個神明，使其以此神靈來預言漢代劉氏王朝國家的出現，並使其為漢室制法以啟示君王治國之根本原理，讖緯思想的意圖，其所以都集中在此一目標的理由，至此已十分清楚。亦即在政治性的關心之下，其必須要有宗教性。日後王莽、光武出現之時，此思想依然於政治及學術世界中維持其指導性勢力，此終究可以說是源自經學產生以來的政治性格。而終東漢一代，緯學風靡經學界，就如鄭玄亦篤信緯學，其注經亦多援用緯學之說，甚至還為緯書作注，而由於其出發點本來就不是為了救濟人類之苦惱的此種純粹動機，故隨著政治勢力的轉變，緯學於學界亦喪失其勢力，墮入低級迷信的層次。至

六朝時，其學終於被禁遏，日後其書亦散失亡佚。如歐陽修這類合理主義的經學者，彼等所以擯斥緯學之理由亦在於此。❿

　　產生於經學內部，唯一具有宗教性要素的讖緯思想，誠如前文所述，只不過是披著宗教的假面具，實質上不過就是政治思想，此實不容輕忽之事實。原本在經學之中，自天地、山川、日月、百物乃至祖先之祭祀，其相關之宗教性禮儀亦被認為具有極重要之意義，而其具體性規定亦被詳密地加以闡說，但此等一連串的信仰，其被重視的全都只是其政治性意義，其並未以獨立的宗教形態存在，取而代之的，是將之與政治結合，與政治同時居於其中，此在中國亦成為一種特異性。至於祭祀之執行，也是預期透過祭祀而能夠達到各種明瞭的政治性效果。例如：

　　　夫祀國之大節也，而節政之所成也，故慎制祀以為國典。

---

❿　魏晉以後對緯書的壓制頓時增大。據《魏書》之記載，魏高祖於太和九年下詔禁緯，指摘緯書起於末世，並非經國之典，下令自今以後一切圖讖祕緯以及名為《孔子閉房記》之類的書籍全數燒毀，藏之者處以死罪。南朝之際，宋、梁俱頒布禁令，隋朝時高祖、煬帝亦相繼禁之，其中特別是煬帝，其禁緯書最為嚴厲，《隋書》〈經籍志〉所以記載說：「自是無復其學，祕府之內亦多散亡。」其理由便在於此。

　　歐陽修對緯書的擯斥，尤其於荀子中主張九經正義中有關讖緯之文字，全都應該刪去一事便可看出。歐陽修之目的欲使學者不為怪異之言所惑亂，能厚純其學問德行。亦即，歐陽修是將讖緯思想視為經學內之異質性攙雜物，故欲藉由去除緯學以全面提升經學世界的純粹度。然而根據宋呂希哲之《呂氏雜記》所記載的，仁宗雖然依照歐陽修之上書而使學官將諸經及正義中的讖緯之言逐一摘出並上奏之，但因當時的執政對歐陽修此項建議並不表示關心，故歐陽修欲刪去九經正義中一切有關讖緯的主張並未實現。

　　（《國語》〈魯語〉）

　　國之大事在祀與戎。（《左傳》〈成十三年〉）

　　凡治人之道，莫急於禮，禮有五經，莫重於祭。（《禮記》
〈祭統〉）

上述諸引文同樣都在強調祭祀的政治性意義，如《呂氏春秋》之
〈十二紀月令〉，乃是以祭祀為中心而來論述一年之行政次序。又
以〈周官〉、《唐六典》為代表，若吾人檢視中國歷代之法典，則
可以發現：中國完全不存在有所謂將執行宗教禮儀視為純然之行政
事項而來對待之，進而否定自我而歸依於超越者的此種宗教性本
質。封禪之禮被推測說是自對泰山的神仙性信仰所發展而來的，但
當封禪之禮作為國家禮儀之地位與形式固定後，該禮儀遂遠離其原
本之意義，其最大目的遂變成在歌頌天子於政治方面上的成功。❶
而關於以思慕祖先之情為基礎的宗廟之祭，《禮記》〈中庸〉有以
下一條記載：

---

❶　有關封禪在文獻上的根據，並非存於經書之中，只能求之於緯書之中。在此
　　值得吾人注意的是：六朝以後主張應廢止封禪之禮的呼聲乃產生自經學者之
　　間。梁朝許懋曾言：
　　　舜柴岱宗，是為巡狩，而鄭引《孝經鉤命決》云：「封於泰山，考績燔
　　　燎；禪于梁甫，刻石紀號。」此緯書之曲說。……若聖主不須封禪，若凡
　　　主不應封禪。
　　此即其中之一例，後世如胡致堂者亦左袒此說。

父為大夫，子為士，葬以大夫，祭以士，父為士，子為大
夫，葬以士，祭以大夫。

此條引文之旨意乃在說明祭祀之際，祖先的待遇經常須以祭祀當事
者的子孫之社會地位來規範。雖然崇拜祖先之情不應受地位所左
右，但此種主張卻已阻止了當事者與神靈之間自然而完全的融合。
或者說結果其於宗廟之祭加入了某種人為性的限制。故人若想要以
一種可以滿足的形式來祭祀其祖先，則其首先必須要能達成社會
性、政治性的榮達。此在儒家而言，或許此處正存有禮教社會之本
質，然而當此種思想成為制度而被具體化的時候，宗廟祭祀遂成為
亦帶有現實性、政治性等性質的行為，此亦理所當然之歸趨。蓋過
去的諸多事實，現今正可證明此事。

　　前述之事，乃是將得以祭拜天地、日月等祭祀上的特權，與天
子諸侯等社會性地位，嚴密使之相對應的規定，例如：

　　天子祭天下名山大川，五岳視三公，四瀆視諸侯，諸侯祭名
　　山大川之在其地者。（《禮記·王制》）

此種被規定的經學性秩序相對比時，實饒富深趣。蓋從事司祭的特
殊階級不離士人，士人始終於政治家資格中，來司掌各種祭祀一
事，此乃中國社會之特徵。在中國，並不是因為其為祭祀上的特權
者，所以其便擁有政權；而是因為其是政治性權力的所有者，所以
其被承認在祭祀上可以享有特權。而士人之首席代表的天子，無非
就是祭祀禮儀上的最高位者。而只要經學與其士人階級處於不可分

離之關係，則祭祀禮儀本就與真正的宗教性特質無緣，同時其亦不須要有此真正的宗教性特質。⓬

餘　論

　　有關經學成立的條件，以及其於中國社會的意義與其主要之特質，筆者於前文已作一概觀，而關於經學於未來中國社會中的意義，吾人自然亦可預知。蓋經學與過去賦予中國社會特徵的士人階級之抬頭同時產生，而其貢獻士人階級的形式，始終是政治性現實。若中國社會完成其根本性變革，而士人階級亦沒落，則吾人不得不說經學亦將失去其存立之基礎，而且其使命亦告完結。當某一文化體系完全完成其使命，則當然會有一嶄新的文化體系取代前一文化體系而被形構完成。或許在將來，所謂的讀書人原本就不可能驟然絕跡，故還會出現肯定經之權威並以之為生活規範的經學家也

⓬　只要人類於現實社會中抱持不滿且不斷有所冀求，縱令體系性的宗教並未能發展完成，當然還是會產生某種信仰性、咒術性的情感。此可以說並無上、下；貴、賤之別，乃人類的普遍現象。而既然經學缺乏根本上可以滿足此一情感的機能，則人們亦將藉由某一他者來滿足此一情感需求？於是人們便將佛教、道教，以及以此兩者為核心，並包含複雜之要素而發達起來的所謂民間信仰的對象視為諸神。庶人自不待言地，即便是在公領域始終以經學為生活之規範的士人，一旦其進入私生活，亦多蒙受此等卑俗諸神之恩惠。就該層意義而言，或許也可以說士人階級乃無可奈何地活在一種矛盾之中。相對於讖緯思想乃起於經學內部的宗教性要求，由外部附加於經學的要素亦非絕無。以六朝時三教交涉的現象為代表，宋學與佛道的關係，禪對陽明學的影響等，皆是其顯著之例。然而無論是何種情形，經學雖然受到重大影響，但所以又能與之結合，原因就在經學只限於在理論等理智要素上與之結合，此點吾人不可忽視之。而吾人亦可由此窺知經學對宗教的根本傾向。

說不定，何況又有為政者從政策性的觀點出發，圖謀尊孔並普及孔教。然而無論此種條件如何具全，只要士人階級的社會性意義無法復活，則經學除了永久邁向衰微一途之外無他。即便作為某一階層的昔日的士人知識分子集團仍然存在，但既然其於中國社會的意義已經產生根本性變化，則其作為某一社會階級，可以說是已經潰滅，因此不得不說彼等已經沒有能力使經學復活。

蓋在士人出現以前的封建時代，有效發揮維持以周室為中心之封建制度之效用的，乃血緣性秩序的宗法。依據宗法制度，大宗、小宗之支配關係被嚴格地規範，並且以此來支撐封建體制之存立基礎。在士人這一特殊階級尚未存在，公卿、大夫、士等身分關係為傳統世襲所維持的時代，縱令實質的支配關係是在權力的有無與否，其仍有理由使宗法制度作為社會秩序之原理而充分發揮其機能（宗主所具有的經濟上的實力，可從三族、九族之名，以及喪服關係來說明）。然而當封建制度瓦解，等到士人支配的體制完成時，宗法制度的政治性機能則不得不變得無力化。然而話雖如此，宗法在其性質上並無一朝是亡滅掉的，因為既然宗族生活有被經營，則此舉無異就具有權威，而所謂士人階級支配的社會性條件，因為不能單單只是以此就能獲得滿足，故不得不有所謂於宗法之外，遠離血緣，發明一全然是思想性產物的嶄新原理的需求。而這乃是源於士人階級這一非血緣性特質的必然歸趨。

於是貫穿西漢以還所謂的經學時代，中國自法律、道德、制度等所有社會規範，乃至家庭生活之某一儀式活動，言其沒有不蒙受經學感化的，此說未嘗不可。如董仲舒以《春秋》之義斷獄，《唐六典》等歷代法典，將其法律根據置於經學思想之中，其實不僅是

有關公領域方面，即便到了現在，在民間禮俗方面，經學思想仍發揮其約束力，也會使無知的庶民在無意識之中遵從經學式秩序，故不得不使人深切感受到過去其勢力之龐大。但即便如此，吾人必須明白：將來經學的存在意義，並不會如同最早的經學時代，而是極為消極性和惰性的。只要一旦士人支配告終之際來臨，則經學亦將隨之衰亡，而吾人便可以說：中國社會亦可由長期的經濟性停滯中解放出來，在政治上可與二千年來的專制政治訣別，至於在思想上，中國已有機會踏出打破思想之封鎖性的第一步。

——譯自《原始儒家思想と經學》（東京：岩波書店，1949年9月），頁193－285。

經書觀形成過程之一考察
（序說）

關口　順*著・王　迪**譯

　　清朝滅亡到現在大約八十年左右。與兩千年的王朝支配體制，同時進展的可說是成為中國傳統文化主軸的經學，它也隨著社會構造戲劇性地變化，其存在之基層亦失去良久。對於這樣的狀況，思考其所完成的重要任務，當然應該從經學過去的文化遺產層面與歷史層面的總結，並且從近代學問意識來說，當然也必須以經學為研究的對象。可是現在的狀況不盡使人滿意。

　　這是為什麼呢？其原因很多，就經學本身來看，可舉下列兩點。一是，統合經學廣泛的範疇之學問被分解了，被歷史學、中國思想史、哲學史、中國語學、文學等新學問領域所接受，成為其研究的對象。二是，經學本身之不易把握——歷經了如此長時期，其內容也變得多種多樣，領域之周邊的界線並不很明確。

　　何謂經學？簡單地可說是「以經學為對象的學問」，但嚴密思

＊　　關口順，日本埼玉大學大學院文化科學研究科教授。
＊＊　王迪，日本御茶之水女子大學博士，開南大學應用日語學系助理教授。

考的話，卻很難下定義。以往的研究，並非有一致的把握方法。
「經學」一語，在兒寬時代（？－103B.C.）就有記錄（《漢書·
兒寬傳》、〈儒林傳〉），至少在武帝時代（156－87B.C.）已經
存在了。如此追究歷史的用例，確實是研究方法之一。可是比就歷
史動態來把握還重要的是，將其置於高層次，如何以方法論術語來
規定「經學」？

　　本論文在此種意圖之下，首先考察如何理解作為經學對象的經
書，滿足了何種條件謂之經書？試著儘可能明示出作為方法論上術
語的經學概念。

　　我到目前為止著眼於經學思惟的形態與構造，不斷添加少許的
考察。❶此次就中國人對經書有如何的看法──經書觀，試著考察
其形成期的情形。

　　在導入本論之前，將於序說檢討到目前為止與本論題有關之研
究。

---

❶　拙稿：〈經學的思惟構造の分析──春秋公羊傳に即して〉，《東洋學》第
　　51 輯（1976 年）。

序　說

一、皮錫瑞《經學歷史》與
劉師培《經學教科書》❷

　　與清朝末期政治動盪的同時，出現了今文派與古文派的對立，其對立一直深深地影響到民國期的學術界。❸並且包括意圖從這爭論的漩渦中，釐清今文古文的立場，總結地把握以往的經學，於是《經學歷史》（1907）、《經學教科書》（1905）（未完）二書相繼出版。此二書均基於兩派的黨派意識，以積極地參與現實政治為其經營之一環，將過去的經學之歷史總括起來論述。不過在此已可看出經學已踏入了解體之途。

---

❷　〔清〕皮錫瑞：《經學歷史》（〔清〕光緒三十三年〔1907〕湖南思賢書局本）。此為附上周予同注釋之《經學歷史》，於 1928 年上海商務印書館列為〈學生國學叢書〉之一出版。北京中華書局將此書修訂、補遺加上附錄，於 1959 年出版。

　　劉師培：《經學教科書》（上海國學保存會，1905 年（第一冊）、1906 年（第二冊））。此作為五種中學國學教科書之一印行。未完成。收入《劉申叔先生遺書》（寧武南桂馨 1939 年校印，臺灣大新書局 1965 年影印 4 冊本）之乙類。

❸　到了清末已經非常明顯的今文派與古文派的概念，可以說是將當時的知識界分為兩個思想體系。因此，現在將此概念無檢討地擴大適用於經學史全體，此事必須慎重。例如，「西漢今文學」這一用語多妨礙到正確的認識。

　　對於民國初、中期就經學的傳統學術再次編成之動向，可參照內野熊一郎：〈民國初、中期の經學觀〉，《日本中國學會報》第 9 集（1957 年）。不過其結論的部分之論斷讓人感覺過於牽強。

　　本論文無充分之篇幅論及民國期之國學、國故學，另待機會考察。

皮錫瑞（1850－1908）是今文學派之驍將，其論述比較穩當。其在《經學歷史》的第一章〈經學開闢時代〉所力說的論點是，經學始於孔子（551－479B.C.）。現將皮錫瑞的主張整理於後，(1)孔子以前就有成為六經之材料的存在，但是六經並不存在。(2)孔子以其資料為基礎，加以「刪定（根據清末公羊學派之表現亦可稱為『作』）」，其中附有孔子之「義（理念、理法、規範）」，六經始以成立。(3)因此經學歷史之敘述，應從孔子開始才是。

這些主張之中，雖然《易》之卦爻辭為孔子所作之主張是他獨特的看法，讓人覺得牽強，但是圍繞著經書刪定之說的這一環，大致上根據《史記‧孔子世家》之記載，從傳統的立場來看，保持著其穩當性。只是他極度地重視公羊今文學派刪定的涵義，認為那是經學成立之決定性的主要原因。

與此相對的《經學教科書》，從第一冊第一課〈經學總述〉到第八課〈尊崇六經之原因〉的論述中，可看出與皮錫瑞之主張相對立的論點。劉師培（1884－1919）所示如下：(1)六經為上古之書，到了後世被認為是先王之舊典。(2)只不過上古的六經與周公之舊典周之六經比較之下，上古之六經未經整理。(3)孔子編定周之六經，制成了教科書或講義錄。(4)後世尊敬孔子的同時也尊崇六經。(5)並且西漢、東漢、魏晉、宋明，每個時代都從其風尚，應時代之風尚，六經之書廣泛地為中國所接受。

與今文派之主張迥異的是，在孔子之前就有經書，亦即六經並非始於孔子的觀點。並且在孔子以前的經書中，作為具有一貫性的六經，虛構了「周公之六經」。古文派如此的見解，因將六經之概念追溯到周公或周公之前，所以將經書的概念稀薄化了，當被問到

「經書是什麼」時，就難以回答。雖然他們實際上根據所謂的「孔子編定六經」論述，但因理論上認為其存在是涉及整個時代之六經，所以說明涉及整個時代之六經的本質時，只能將其說成「古籍」。也就是並不像今文派那樣認為孔子以前和孔子以後的兩者間，在質上有差別。

再推進一步，成了忽視孔子編定經書之任務，只將經書作為史料來處理，把取法於天地的經書，當作民族主義的「國學」之一部分來認識。可是劉師培在這一階段還是基於《史記・孔子世家》，承認孔子的編定作業，井然有序地言及其給予後代重大的影響。這點與皮錫瑞一樣，兩者並無差別。只是對於不認為其在作業上有決定性的意思之處，異於皮錫瑞。

總結地說，再次將兩者之論對照地檢討看看。劉師培所說的「周公或上古三代之六經」的概念很明顯的是虛構的。即使闡明了「經」之字義自上古以來再怎麼變遷，並非古代之「常」、「常典」之意，認為「六經」的概念甬說周公，必須追溯到上古（第三課〈古代之六經〉），可以說這表示劉師培本身浸在履行道的上古三代的經學歷史觀裡。❹經學的歷史觀如不過分地形成歷史性之虛

---

❹ 經學的歷史觀如後述，是中江丑吉的發端詞，那可認為是連繫著據重澤俊郎所繼承的尚古思想。最近戶川芳郎以「經學的世界觀」、「經學的〔史觀〕」、「經學史觀」等表現得更為詳細，以漢魏思想史之「思想狀況の全貌を把捉（把握思想狀況之全貌）」的關鍵字而受到重視，見氏著：〈漢書の志・表－偶談の餘（6）－（漢書之志、表－偶談之餘（6）－）〉，《漢文教室》第112號（1975年）。岩本憲司：《春秋古梁傳范宵集解・序》（東京：汲古書院，1988年），頁8-9等。成為其「史觀」之前提的是，把唐虞三代看做實際存在的理想（行道）王朝時代（聖王時代）的觀念。

構，其「周公或上古之六經」的概念也就不成立。《經學教科書》被作為對抗當時公羊學派依據孔子之主張的經書觀，這樣看來，也可以說其本身還是不能免於成為經學之一環。

那麼，皮錫瑞的「六經始於孔子」之論能否被認可呢？劉師培不也承認孔子刪定的事實嗎？確實，若孔子刪定是歷史上的事實的話，那麼此論或許有其穩妥性吧？不過，在此省略論證❺，作為歷史上實際存在的所謂孔子刪定經書如不是事實，皮錫瑞的這個議論仍然不能成立。因為皮錫瑞（劉師培也同樣）認為孔子的刪定是歷史上的事實。

不過、他指摘的「六經始於孔子」，如後所述，在考察經學史之際，應注意的重要觀念。這與劉師培默認作為前提的素樸未開之履行道之三代的觀念，為經學形成史上應注目的是一樣的。

二、折衷派（傳統復歸派）

在今文學派與古文學派論爭的時代之後，出現繼承並將其兩者折衷的折衷派。這種學派一方面恢復以往傳統的經書觀，所以亦可稱為傳統復歸派。

這時，與政治、社會上的改革或改良等主張，直接聯結的今古兩派的激烈的論爭，古文派佔優勢後始告一段落。一方面，西洋學術的傳入、五四運動和疑古派歷史家的活躍等影響，讓傳統的經學有了解體的傾向。像這樣的時代，如果要設作為學問上之一個部門

---

❺　日本已經從 1930 年代，認為《史記》孔子世家之記載孔子刪定《詩》、《書》、《禮》、《樂》、《易》、《春秋》之說並非事實，這種主張已成定論。

的經學史領域的話,省察歷史,本來重新把握作為當時之對象的經書或經學等,是不可欠缺的作業。因此、如果怠惰這樣的作業的話,之後也只能回歸傳統之途。若選擇這樣的路途,就如同走入了死胡同一樣。

馬宗霍(1898-1976)之《中國經學史》為中國文化史叢書之一,於 1936 年出版。❻此書特別在序裡,將折衷派(傳統復歸派)之特徵明白地勾勒出來。

> 經者載籍之共名,非六藝所得專。六藝者羣聖相因之書,非孔子所得專。然自孔子以六藝為教,從事刪定,于是中國言六藝者,咸折中於孔氏。自六藝有所折中,于是學者載籍,雖博必考信於六藝,蓋六藝專經之稱,自此始也。(頁1)

以上僅將序文的開頭部分翻譯(作者關口氏此文其譯為日文),此書之第一篇〈古之六經〉及第二篇〈孔子之六經〉所敘述的內容要點,以這短篇文章說是就可道盡其意亦無妨。僅僅如此,也可理解將馬宗霍之觀點評為「折衷」之理由。總之,認為孔子以前,經書已存在(古文派之主張)的同時,也認為孔子之刪定作業有決定性之意義(今文派之主張)。在第一節見到的,今古文兩派彼此不相容的尖銳主張──正因為如此醞釀了經學內部崩潰的契機──在此乍看之下像是協調的再度地合併了。這是為何可稱之為傳統復歸,將於後述之本論詳細述之。在此指摘,清末民初的今文、

---

❻ 馬宗霍:《中國經學史》(上海:商務印書館,1936年,中國文化史叢書)。

古文的經書觀之對立，是把構成傳統經書觀的觀念之一部，各據其一面而將之強調。

因此，就馬宗霍之意識來說的話，就是矯正前代的偏向，回到正道來吧？站在這樣的觀點，論述的基調當然不得不說是護教的、守舊的。他之所以著述的是「閔斯道之將喪，懼來者之無聞」。

這種傳統復歸派之著述，之後其跡亦不間斷。最近有徐復觀（1903－1982）的《中國經學史的基礎》，和李威熊（1941－）的《中國經學發展史論（上冊）》❼，這些也都在這系統上可把握得到的。畢竟因這兩本書都是八〇年代的著作，潛伏著現代常識上行不通的「履行道之三代」構思的陰影……。❽

徐復觀的書，護教意識比較薄弱，並且在方法上也從「中國過去涉及經學史時，只言人的傳承，而不言傳承者對經學所把握的意義」（頁 208）的反省，立下了以往經學史之著作所看不到的「經學思想」的論述之柱，試著彌補其缺陷。並且與以往所提出的諸子的思想家區別，另立了「經學家型的人物」之類型，言及戰國時代推進經學活動的思想家的思考形態，這論點也受到矚目（頁50）❾。

因此，也許與完全表露出護教意識的李威熊的著作不相提並論

---

❼ 徐復觀：《中國經學史的基礎》（臺北：臺灣學生書局，1982 年）。
　李威熊：《中國經學發展史論（上冊）》（臺北：文史哲出版社，1988 年）。
❽ 儘管如此，李威熊在上列書籍第二章第一節〈羣經形成的背景〉裡，與地理環境或農業社會等經書形成之要因，同時羅列的堯、舜、禹歷史上的實在性之主張，表現出對舊觀念的執著。
❾ 有關諸子之思想與經學者之思想的區別，註❶之拙稿也有論述。

比較好。但是,他對經學有如下之說,⑴周公發端,⑵在內容上,到了孔子其基礎已定,⑶在形式上,經由荀子門人之手,於秦代六經之學已完成,看到這些論說就不得不將其置於馬宗霍後裔的位置上。以「文化」之概念,代替道理或道義。

> 孔子之學,從文獻上說,概括了後來所謂六經,所以他才真正可以說集古代文化的大成。同時,他並轉換了傳統的價值觀念,創發了新的價值觀念。所以他才真正可以說是後來文化的源泉。(頁27)

這樣的敘述,結果徐復觀也是將其當做歷史事實,認為「無孔子即無所謂經學」❿(頁26)。

　一般這類的著述,是站在主體性地內在性地把握經書或經學的立場。於是,最後就急於尋求經學史上之「事實」。有必要再稍微用經書或經學,將其對象化,把眼光放在「觀念之事實」、「想

---

❿　徐復觀:《中國經學史的基礎》,同註❼,頁7-8:
　……就經學而論,孔子刪《詩》刪《書》的說法是難於置信的。但他在下述三點上,給了經學以決定性的基礎。第一,他把貴族手上的文化及文化資料,通過他的「學不厭,教不倦」的精神,既修之於己,且擴大之於來自社會各階層的三千弟子,成為真正的文化搖籃,以宏揚之於天下,成為爾後兩千多年中國學統的骨幹。……第二,孔子說「興於詩,立於禮,成於樂」,把《詩》、《書》、禮、樂當作人生教養進昇中的歷程,……第三,從《論語》看,他對《詩》、《書》、禮、樂及《易》,作了整理和價值轉換的工作,因而注入了新的內容,使春秋時代所開闢出的價值得到提高、昇華,因而也形成了比較確定的內容與形式。

法之變遷」才是。馬宗霍也不談「事實」，認為不言及「觀念之事
實」不行。

由《中國經學發展史論（上冊）》來看，李威熊可說是馬氏真
正的子孫。此書也有部分採取近來學者之業績，但全面地相信《史
記·孔子世家》之六藝刪定的記述，將其以歷史事實為例（頁
58），這比徐復觀還要守舊。還有，徐復觀認為「無孔子即無所謂
經學」的想法，是從經學的內容上實質上的事實之層面來敘述的，
並非將《史記》所記載的，就這樣作為歷史事實而肯定它。李威熊
將自己的這個著作作為經學活動之一環，亦即以經學本身自認（頁
3），所以其護教意識明顯可見。

三、受古文派經書觀影響之著作

在此稍將時間回溯，考察 1927 年出版的本田成之（1882－
1945）的《支那經學史論》。⑪此書是日人最初的經學通史著作。⑫
當時已有《古史辨》第一冊的問世（1926），經學的歷史觀受

---

⑪　本田成之：《支那經學史論》（東京：弘文堂書房，1927 年）有翻譯。江俠
庵譯：《經學史論》（上海：商務印書館，1934 年）。孫俍工譯：《中國經
學史》（上海：中華書局，1935 年）。

⑫　在這之後有下列兩本書出版。
大東文化學院研究部編：《經學史》（東京：松雲堂書店，1933 年）。這是
根據安井小太郎、諸橋轍次、小柳司氣太、中川久四郎各以時代別分擔演講
的演講筆記而成。
瀧熊之助著：《支那經學史概說》（東京：大明堂書店，1934 年）。這完全
是內容的整理，並沒有什麼見解。長沙商務印書館譯成《中國經學史概說》
於 1941 年出版。

到學術上的批判，眼看著難以維持下去。並且作者本田也以日本人之客觀態度從容地遠眺中國文化，論述可知的上古的事實，是從殷代之後等等（頁 14），其論述表現出沉著的態度。只不過從第一章到第二章有少許不易理解之處。

第一章〈經學の起源（經學的起源）〉概述了〈經名の由來（經名的由來）〉之後，其文章朝著醞釀六經素材的上代教學的各種階段——巫祝在明堂掌教學之職的時期（殷），大史、內史等史掌握了政教之全權的時期（周），庠序等在學校施行教育的時期（周），依大司樂而將詩與樂舞看做學校教育的主要學科的時期（周）——進行。

第二章在〈經學內容の成立（經學內容之成立）〉考察了經學內容形成的情況。其中就詩書禮樂敘述如下。孔子採用詩書禮樂，做為教學的教材，對這些只是參考資料的程度，毋寧說是輕視有書籍形態的《詩》、《書》，而對當時無形的禮樂作為經書活用。《春秋》是孔子歿後孟子以前，體察孔子的遺志，由孔子的七十名弟子中的幾名弟子所作的。《易》是孟子以後荀子以前（也可能是荀子以後）成立的等等。

總之、他斷言「經學雖昉自孔子，但在孔子時卻沒有經學的名稱」（頁 77），六經刪定說是漢代時的創說，「以詩、書、春秋等命經名，完全將其歸於孔子手訂或制作的是在漢代，以儒教定為國教是，因尊敬孔子而來的」（頁 12）。

不僅是此書，我在本節所舉的著作是站在繼承古文派的經書觀，經書不僅是史料，也是有價值的，而且是以有價值的來處理的——也就是承認其為經書——的立場。這些著作否定孔子刪定（編

定）的事實，或者有儘量輕視乃至忽視此事實之傾向，一方面極為
重視經書的價值。⑬可是，因「履行道的三代」之構思，已不為時
代所容許，雖說是繼承古文派之經書觀，但並不會完全以往年經學
的歷史觀為前提。這是《古史辨》之後的趨勢中理所當然的態度。
於是經書的價值泉源——為何可貴？過去為何可貴的？——就難以
說明。就如本田所述「經學雖昉自孔子，但在孔子時卻沒有經學的
名稱」（前出）、「經學雖淵源孔子，然孔子之時沒有所謂的經
學」（頁 75），唐突的、不合邏輯的一再地請出孔子。

　　在此應該注意的是，像站在這樣的立場提出經書或經學的場
合，被歷史「事實」的變遷拖拉著一直影響到往後，那就很難以方
法論規定「經書」或「經學」等概念。這在哪個著作都有是一樣。

---

⑬　馮友蘭：《中國哲學史》（上海：商務印書館，1934 年）的見解也可放入這
　　個門類。有關經書觀完全按照劉師培的風格（第一篇第四章之〔一〕孔子在
　　中國歷史之地位）。
　　但是，他並不止於此，孔子以六藝作為教材教育時發表了「新意」，也就是
　　指摘了「以述為作」這一點。之後的儒家結果將「以述為作」的路線擴大發
　　展而體系化了（同章〔四〕孔子以述為作）。這意思也可說是（孔子教學之
　　際，有選擇和解釋），有「刪正」，那絕不是今文派所提倡的決定性意義，
　　今文學家眼中的孔子不是歷史上的孔子，而是理想上的孔子。
　　這樣看來，也許讓人感覺到馮友蘭只是意圖將今文派和古文派的見解折衷，
　　其實並非如此。這是將《中國哲學史》大分為二的「子學時代」與「經學時
　　代」之見解和理論強勁地聯結著。馮友蘭的「經學時代」之經學不只有儒教
　　經學之含意，對於《老子》、《莊子》等諸子文獻及佛典，也認為是經學的
　　經營（以述為作）。依存著經書、諸子、佛典，借（述）其術語示（作）自
　　己的見解，這就是中古哲學的狀態（經學）。在這裡很明確地重新把握經學
　　為一個方法之概念。

例如本田對於經書有如下的敘述：

> 不限於詩，就是經學也是這樣的性質。也並不是把從來所行
> 的風俗、習慣、人情、義理隔絕了，卻是把取了這等的長
> 所，更修正改造，使其對於人類給與幸福的這事，作為經典
> 而提倡的。（頁72）

將經學定義如下：

> 所謂經學乃是在宗教、哲學、政治學、道德學底基礎上加以
> 文學的藝術的要素，以規定天下國家或者個人底理想或目的
> 廣義的人生教育學。（頁2）

這是從正面的敘述，如上所示沒有孔子也沒有三代，是非常抽象的
經書觀、經學之定義。與先前從孔子那裡尋求價值淵源之言將如何
聯結呢？這是對於古典或一般古典學從稍微特殊的角度來說明、定
義的。一般站在這樣立場的著作，有普遍性人文主義之傾向，這在
此也反映出來。而且將這樣的傾向更顯著地表示出來的是吉川幸次
郎（1904－1980）的《支那人の古典とその生活（支那人之古典與
其生活）》。❶

---

❶ 正確地說應是《支那人の古典とその生活》（東京：岩波書店，1944 年）裡
收錄〈支那人の古典とその生活〉及〈支那人の日本觀と日本人の支那觀〉
之前者。〈支那人の古典とその生活〉是根據 1934 年在東京帝國大學的演講
稿。收錄於《吉川幸次郎全集》（東京：筑摩書房，1937 年）第二卷，拙論
所引用的頁數也依此書。

　　《支那人の古典とその生活（支那人之古典與其生活）》與以往所舉的純粹經學史著作之性格迥異，其對於經書或經學在中國文化所起的作用，簡潔地具體且易懂的敘述的這一點看來，可說是劃時代的著作。這之後沒有更勝於此著作的。**⑮**

　　其構成分為九小章。一章是觀察中國人的生活與古典的關係。二章是就一章所凸顯出來的關係，為何發生？闡明其原理。三、四章是就一、二章所說的具體地敘述其歷史性的展開。五章是一一的說明「五經」的內容。透過全部「五經」得以指摘其特質，並且包含其特質的意思、作用。六、七章是明示出從漢武帝到民國革命為止所持續的「五經」所規範的生活，其所表現的特殊情況（中世及近世）。九章是總結（日本人對中國的協助的方法，應有的態度）。

　　這些從一章到八章，將經學從各個層面，非常周到且簡潔地，徹底地敘說。只不過與拙論有關的一～四章並不是沒有問題，這與

---

⑮　沒有如〈支那人の古典とその生活〉伴有洞察力與構想力的，但是沒有埋入追究經學史，而稍微從外側對於經書或經學作概說的，可說是入門用的手冊之書，僅限於偶見的有如下的書籍。

周予同：《羣經概論》（上海：商務印書館，1931 年）（收於 1983 年上海人民出版社《周予同經學史論著選集》）。

范文瀾：《羣經概論》（北平：樸社，1933 年，有影印本）。

諸橋轍次：《經學研究序說》（東京：目黑書店，1936 年，1941 年同書店改訂版。1976 年收於東京大修館書店《諸橋轍次著作集》第二卷）。

蔣伯潛：《十三經概論》（上海：世界書局，1944 年，1983 年上海古籍出版社）。

竹內照夫：《四書五經：中國思想の形成と展開》（東京：平凡社，1965 年，東洋文庫 44）。

五章～八章的部分沒有其他類似的著述，到今天為止是極為有益的論說不同。對於這一部分稍微作推考。

首先應注意的是，以「古典」之語表示五經「經書」的基本認識。這可說是繼承上面介紹的本田成之的經書觀而展開的論說。據吉川所說，「古典」是「生活規範應得之書物」。吉川對於說明尊重五經作為規範的中國人的生活態度，從中國人的精神特質——對感覺的信賴——出發。然後，指摘尋求生活法則先例的——根據過去的人們所感覺的——中國人的傾向，判斷其傾向凝結成一個主張的是，從多樣的先例中，先例之先例（亦即五經）尋求生活規範的態度。如此可從尊重五經的中國人精神的特質尋求根據，這種原論風格的說明方法，就是支撐吉川主張以「古典」來把握五經的理由。不過必須指摘的是更將其視為完全的，也就是作為道理的本身，「完善者在地上」的想法，是中國人的一般精神。「聖人」是「完善者在地上」之具體想法之一，是五經之絕對化的必須前提。先前所提的「先例之先例」也是據聖人所定的（聖人所選擇的聖人之完善生活），而成為完全的、絕對的。

以上只介紹一、二章的要點，對於其細小部分的全體的構成是，先指摘中國人的心理與想法的事實，其次闡明以此為基礎尊重「古典」的生活態度。這可說是吉川從置身於京都支那學之處所產生的論述法。

但是這個原理論，到了就歷史事態具體說明的三、四章時，就產生了一些問題。其問題總而言之，就是「古典」的這個概念，可以從上古一直通用到民國革命的時候嗎？「古典」與經典（經書）沒有區別的必要嗎？如上所述，「古典」事實上僅指五經。但是吉

川氏認為其受到尊重之歷史始於周，亦即從孔子以前（從聖人的選擇之前）詩書占有「古典」之位置。並且認為孔子將民族生活感情流傳下來的「以古典為規範的生活」，作為「人們應以古典作為規範生活」，並將其總結成一個主張，這也可說是具有鹵水作用，不管「古典」本身的內容，一意地尊重並選擇它們。亦即不能從古典中看出孔子的思想，但是可以尋出以「古典」作為規範生活之主張。前者（「古典」在孔子以前就有）與後者（孔子與「古典」之內容本身無關）為理論性之一脈，這就是認為此著作是受古文派經學觀之影響的理由。

可是吉川在五章明示出「《五經》在傳說上是孔子編纂的，但是這樣的傳說，其可信度如何？不僅是我，最近的學者對此並不怎麼相信。可是，在此我們必須留意的就是，支那人堅信這是孔子編纂的事」（頁 305），這與第二章的原理之闡明相呼應。可是，這種認識在第三章並沒有有效地發揮，毋寧說是對五經的編纂說成是孔子的歷史事跡「選擇應為規範之先例，將其整理為現在的《五經》，亦即選定人們永遠的教科書傳下去」（頁 292），並且繼續地根據近年的學問成果，重新敘述「孔子至少尊重《詩》、《書》，強烈地主張將其作為人們的教科書，又主張人們應必須確切實行周公之禮樂，似乎是事實」。總之，其關懷傾向於敘述事實。

本田從辨明妄說的消極構思出發，斷定孔子的編纂是出於漢代之觀念的事實。可是如吉川所述的「先不去探索（五經的）正確編纂的年代，在漢武帝的時代，《五經》大致上就與現今的形態一樣齊全」，也可明白傳統中國人所信念的孔子編纂五經之觀念的發

生，考察其意思、作用，對於其在歷史展開中的地位幾乎漠不關心。先前所指摘的問題點，其所發生的根本原因也在此可求得。

大致與《支那人の古典とその生活（支那人之古典與其生活）》同一時期，稍遲出現的是平岡武夫（1909－1995）的《經書の成立（經書的成立）》（1946）。**⓰**此書最後熱情洋溢地談到，從戰爭末期到戰後的困難時期企畫出版，越過數度的災難好不容易刊行的經緯。

此書是基於尋求作為中國文化之基礎的本質，在於闡明經書之源頭為何之意圖而執筆的。然後，為此首先試著規定經書的概念（以王者之道作為內容、萬世普遍妥當之原理），按其基準選出作為最像經書的經書《尚書》，明示以下兩點作為經的《尚書》之得以成立之條件：(1)書（寫的東西）之本質為王者的記錄，《尚書》是繼承其傳統（龜甲文、銅器銘文、竹冊），(2)有作為天下世界觀之經典的理念。這以具體的形成過程來說，是經由敬仰周公的人們（史官）之手，在周之衰微時，重新考慮周初的五誥，由「冊命之冊」復蘇為「經典之冊」。於是有了經典誕生之事。

將此書介紹如下。此書在考慮《尚書》所含之思想或其形成的過程時，確實能給予很多的啟發和暗示。可是平岡畢竟是想透過《尚書》，考察經書之一般性。如果這樣，其意圖果真實現了嗎？我認為並不如此。因為比提出天下世界觀的《尚書》特有的具體之

⓰ 平岡武夫著：《經書の成立》（大阪：全國書房，1946 年；東京：創文社，1983 年）。《經書の傳統》（東京：岩波書店，1951 年）可說是這本書的姊妹編。

理念，更重要的是應該提出經書一般的，經書全體的共通理念才是。有天下世界觀這一件事，並不能說是所有經書共通之必要條件。也就說有最初所試的規定經書之概念有更嚴密地研討之必要。更進一步地說，經書之所以能為經書的根據是只在經書內部、經書本身之思想或形式上尋求就可以嗎？

懷著此種疑問，考慮到平岡為何會立下這樣的理論時，不得不指摘他作為形成其基礎的想法，也還是受古文派經學觀之影響。對於孔子的任務，只說尊重《詩》、《書》而用做教科書實習禮而已，否定他對經書概念成立之決定性的參與。而且古典與經典（經書）沒有區別（第一篇第二章〈經書の始め（經書之始）〉），雖然大體上就傳統中國人之意識，進行規定經書之概念，但是沒有任何的說明使古典的概念重疊，敘述道：「在詩書之古典裡看出經典的根本義」。這只能認為是古文派思考的延長。

以下對於第三節所列舉的三書，從我個人的角度試著總結評論。這三書均循著近年學問之成果，否認孔子編定的事實。並且對於作為觀念事實的孔子編定不關心。可是承認經書的價值，承認其對中國人或對一般人們的價值。於是產生了以古典掌握經書之傾向。在此就出現了一個問題。亦即《史記》、《漢書》、《文選》等可稱為古典的其他的書，與作為道理之標準的經書有何不同之處？為了要回答這個問題，雖然各個提出了孔子（本田），完善者在地上的想法，作為其實現的聖人（吉川），經書本身的內容、特質（平岡）。但是這很明顯的各有其牽強處。

四、站在馬克斯主義觀之著作

　　經學以馬克斯主義的立場來考察的始於中江丑吉（1889－1942），但是試著透過經學史全體敘述概說的是范文瀾（1893－1969）的〈中國經學史的演變〉❼（1940）。

　　此論文是從規定經為封建社會的產物，統治階級壓抑人民思想方面的重要工具開始論述。進而將經或經學與封建社會的盛衰結合，提供了以往所沒有的新觀點。然後認為因經原來是古代的文化史料，由於儒者作解，經學才開始成立，又由於有這樣的經學，決定了新的經。亦即經、儒者、經學是不可分的三位一體。從歷史來看的場合，認為這經學的歷史可分為，漢學系（從孔子到唐人之九經正義為止）、宋學系（從韓愈到清代理學為止）、新漢學系（從清初到五四運動為止）之三階段，就其各個階段進行敘述主要事項和論點，最後特別把重點置於批判同時代經學史流派的學者和思想

---

❼　〈中國經學史的演變〉是 1940 年在延安演講的摘要，刊登在《中國文化》第 2 卷第 2、3 期（1940 年 10 月、11 月）。收入《范文瀾歷史論文選集》（北京：中國社會科學出版社，1979 年）。引用處之指摘依據此頁數。其他，也收入《中國哲學》第 1 輯（香港：生活讀書新知三聯書店，1979 年）。有關演講的時期，採用 1940 年說，但也流傳有 1941 年說（上述《范文瀾歷史論文選集》等）。
　　並且與此論文另外的〈經學講演錄〉之遺稿刊載於上述《范文瀾歷史論文選集》與《歷史學（季刊）》1979 年第 1 期（創刊號）。這是 1963 年對《紅旗》編輯部的人們等舉行的演講筆錄。這與舊作的基本構想大致相同，其敘述總的說來，大致上穩帖，內容上也可見到有部分的更改。其顯著之處是，對佛教的批判更加嚴格的展開，相對的對經學有很多正面的評價（例如，對宗教做了相反的作用）。

家。

當然要考慮到經學與政治的推移和社會的變動有關，也就是可說，將其置於歷史總體的位置上考察是重要的、必須的工作。如此，這篇論文有很大的意義。但在內容上我並不拱手禮讚。暫且不論范文瀾對時代之區分的當否，先以此為前提談及其問題點，首先指摘經學與封建社會結合，其結合方法是機械性的，缺乏內在的關聯性。經學對社會的形成、成熟、崩潰之過程，各有何種作用？經學僅是壓抑的道具嗎？

這些在本論文題目之範圍內，試著具體地去斟酌考慮。例如，范文瀾有封建本來是從西周才開始的見解，那可認為是與經學的開始無關的。對照其見解思考經學之始，如果規定經為封建社會的產物，那不就很牽強的嗎？因經學本來是很難把握的，如疏於用方法重新把握的話，到哪兒都很容易溶入到歷史的現象裡。范文瀾的經書觀，是繼承章學誠的「六經皆史」的構思和劉師培的經書觀，可以說是停留在舊有既成的經書觀。然後就以此用馬克斯主義的歷史理論（據范文瀾這是具體適用之理論）來處理，這就發生問題。

因此，在殷代也有古代文化史料，為何殷的文化史料就不稱為經？那與封建社會有何不同？不能以理論來說明，只能指摘其經之神聖性的根據含糊不清。談到「封建統治階級的『祖傳古典』」（頁 270），說是託孔子及其弟子之福「古史變成聖經」（頁273）。就連孔子「刪」、「訂」、「修」、「傳」（總括地說是「編定」）經書，都毫無批判地認為是歷史的事實。

總之，對經學有必要更加詳細地分析，且從方法論的角度去研究，同時將其與社會基礎之對應的層面考察，更清楚地明示在歷史

總體上兩者之相互作用才是。同樣地也引馬克斯主義的侯外廬
（1903－1987）的場合是將封建社會之始，置於前漢武帝時期（戰
國中期到漢初為其過渡期），重視武帝的五經博士之設置，認為經
學也是從這時開始。⑱或許可說侯外廬比較接近史實吧？

　　如前所述，中江丑吉在更早的時期就以馬克斯主義的觀點來看
經學。⑲其所洞察之處，不在經書或經學本身之總體的論述形態，
而只不過是在有關《尚書》或《公羊傳》等各經書研究論文裡，作
為支撐研究的理論基礎，片斷地部分地論述，但是全都頗富有暗示
性，非常的中肯。照當時的學問水準來說當然是很高的，即便不是
如此也很清楚，這才是知識人的「知」。⑳

　　這些片斷是 1929 年以後的論文，特別是 31、32 年左右的較
多。現在將其整理總結如下：⑴經學在漢代就已集大成（頁 244、
410）。⑵經學是亞細亞經濟社會、政治形態的大國家體（秦所確
立的一直持續到清的政治體制）之支配性思想體系（頁 330、

---

⑱　侯外廬等撰：《中國思想通史》（香港：生活讀書新知三聯書店，1950 年；
　　北京：人民出版社，1957 年）第 2 卷，第 9 章〈兩漢經今古文學之爭論〉。
　　侯外廬等有將經學以「學術」來把握的傾向，以經學為對象總的敘述之處不
　　多，但是以下的指摘可以首肯。
　　經的起源雖在戰國之季，但經被尊崇，則在漢武帝置五經以後。所以同謂之
　　經，其實際的意義是彼此不同的。換句話說，經學形的固定是從漢代開始
　　的，它一直成了中國封建社會學術的支配形式。（人民出版社版，頁 317）
⑲　中江丑吉的諸論考，部數本來很少（30～300），只發給前輩和好友。這些論
　　考在戰後由遺稿出版委員會編纂，將其以《中國古代政治思想》之書題由東
　　京岩波書店出版，1950 年。
⑳　例如頁 237 的「非馬克斯主義者的我沒有必要順從如此的態度……」這當然
　　對時局的思慮沒有關聯，是排斥教條或主義的「知」的態度。

410、411、443）。(3)經學有一種可與古代哲學匹敵的體系性（頁
298、410、452、646）。(4)有經學的歷史觀（頁 637、638、
641）……經學的世界觀（頁 657）等。(5)孔子纂定之說是漢代經
學者所提倡的，將經書視為經典與否與此有關（頁 661）。(6)孔子
因經學者而被神聖化了（頁 656）。(7)民族的古典與儒家的經典必
須區別（頁 299、329、336、337）。(8)儒學與經學也有區別的必
要（頁 329、337）。

因是整理其言及的片斷，所以只是簡單的概括，但僅看以上所
述，可看出都回答了以往所指摘的問題點。

五、重澤俊郎（1906－1990）《原始儒家思想 と經學（原始儒家思想與經學）》❷

這從經學研究史的趨勢來看，有將以往的研究在最後總結完成
的作用。不知何故，此書在最後有每個經書之研究，卻看不到對經
書或經學全體有顯著的敏銳論考。

由此書之題《原始儒家思想と經學（原始儒家思想與經學）》
亦可明白，第一部為〈原始儒家思想〉，第二部為〈經學的本
質〉。原始儒家思想，是將經學以前之儒家思想分為孔子、孟子、
七十子後學、荀子、賈誼之五階段，其中除了荀子以外，論述了四
階段。在經學的本質裡，其目的不在於經學史的事實，而是以其為

---

❷　重澤俊郎：《原始儒家思想と經學》（東京：岩波書店，1949 年）。其中
　　〈經學の本質〉，原來是在京都哲學會所準備的發表草稿，其主要部分刊載
　　於 1947 年《哲學研究》第 31 卷第 1 號。

基礎，闡明經學本身之基本性格。繼承了中江既有的區別先秦儒家
和經學的構思。

　　第二部分為三章，第一章為〈經の成立及び其の意義（經之成
立及其意義）〉。在此明示經學的定義，將經學視為「創造的解釋
學」。這解釋學之語，在吉川之書裡，已出現過（頁 314），這是
欲使其負有重要的意思，將經學附上特徵的方法論之術語。除此之
外，沒有值得注目之論述。其經書觀也完全忽視孔子編定之說，而
經之根據，與只在古典意識之成熟中尋求的本田、吉川、平岡是同
一系列的。

　　第二章為〈經學の成立及び支那社會との關係（經學之成立及
與支那社會之關係）〉，在此，重澤對經書成立之條件，不單是尋
求經書確立之條件，也認為有必要探求社會階級之發生。因此，第
一章的經學之定義也有必要稍微修正。也就是說，在「對儒家所稱
之經的一定範圍之古典所創造的解釋學」（頁 195），必須附加
「有作為士人階級之精神支柱的作用」。這種著眼於士人階級，中
江的「亞細亞經濟社會之思想體系」論，可說是有更具體的進展。
將其繼續地考察經學與士人結合的理由，舉出三點漢初士人之所以
歡迎經學的理由，更而舉出下列歷時代性的諸點。(1)經學有權力隨
從之性格，經學對士人有利。(2)經學提供限制、限定君主權之理
論，規定君主為士人階級之代表。(3)士人階級之資格在於經學教養
的有無，因此士人階級之構成帶有開放性，與被支配者階級融合。
(4)依據確定標準的解釋，透過官吏任用等，在階級內將異質者同
化，成功地統一了知識階級。

　　第三章為〈經學の性格（經學之性格）〉。在此列舉了下列幾點

性格。⑴有決定經學性格的兩個重要因素的今文派與古文派之特質。⑵富有策劃解決經書間矛盾之技術性理論。⑶超歷史的性格，亦即有否定歷史的性格(另外，為說明尚古思想在此使用「經學的歷史觀」)。⑷為保持學問的全一性，異質的思想、學問也根據創造的解釋，被主體所包涵，所以有自己擴大的性格(有這種可能是因為支撐士人階級支配的經濟構造不動搖的緣故)。⑸缺乏繼承原始儒家的宗教性(政治性格占優勢，沒有祭祀之專門職──僧侶、神官)。這些第二、三章是著者最用心之處。請看有關詳細的論述。

在此透過全體來試著推考。將經學也從其完成的社會機能的層面，詳細的論述的是其他所沒有的論說。這也可說此書之所以到今日還保有其價值的緣故。其之所以保有高度價值的是，其一，把握經學與士人階級之關聯的眼光是新穎且確實的。其二，就社會的機能闡明經學之學問構造，解釋學一語含有重要意思之洞察力。重澤之「解釋學」的意思是應當時社會之求，將自己的主張，與原義無關地自由解釋，由此創造新義，以此形態包含在經內，借經書的權威來主張。

應該批判之點是到目前所提及之外的大問題，經學為學問的同時也是教育的，也就是不太注意作為教學複和體的事實之處。於是敘述就缺乏說服力。例如、第二章士人階級與經學結合的理由，歷時代性地舉出四項，其中⑶、⑷項，與其說是作為解釋學的經學，不如說是作為教育體系的經學才妥當。對於這一點吉川幸次郎，將經學理解為「讀五經」、「解釋五經」，所以沒有多大的問題。

一般的想法是，經學有窮經的層面（吉川、重澤之「解釋」）和學經的層面（學習既成之解釋──教育之體系，吉川之「讀」）

的兩面。普通構成經學史的是前者，如重澤所說的，經學以活學作為新生，更新其生命的也是前者。可是維持經學的生命，將其機能現實化，完成其在社會上的作用的應是後者。這兩者本來是截然不可分，畢竟是學習聖人的教誨之「學」的統一，但考慮兩者之關係時，可說前者擴展到社會的話，就成了後者；如不能轉為後者，那就成了一時之學而消失，又將其由後者更新，就成為前者。經學有這兩個層面，然後思想（在某種意思上宗教也）封鎖在其學術形態中，這才有了生命力之根源，並且對支配者來說不是也有利用價值的嗎？

重澤師事小島祐馬（1881－1966），中江丑吉是小島之友人。是否有學術上的直接授受關係不得而知，但是重澤的《原始儒家思想と經學（原始儒家思想與經學）》也可看做繼承中江之流派。那是指對經學之成立與士人階級（士大夫、讀書人階級）的支配結合的理解之點。這可說是繼承如上所述的，以經學為亞細亞經濟社會之思想體系來理解的中江之看法，進而將其結合中國的歷史作更具體的展開。只是重澤的場合，避開漢代到清代的兩千年之間對中國如何的規定（侯外廬認為是封建社會、中江則為亞細亞經濟社會）的，不明確論述。然後，是否這一理由，不管士人階級存立之基礎，已經很明白的是置於中國停滯的經濟之特殊性的這一件事，重澤所謂的士人階級，到底是經濟的概念，或者是政治的概念、抑或文化的概念，並不明確。

一方面，重澤的經書觀出乎意料，與其說是接近中江，不如說是接近京都支那學的研究。這樣看來，重澤的此書（第二部）可以說是以如此的經書觀和經學史之認識為前提，在這上面從社會的意

義、作用之角度來做研究工作。第二章所論述的「漢初士人階級歡迎經學的三個理由」，總覺得其說服力很薄弱，或許其原因也在此。總之，此書可評的是在於本論文的第三節所舉的京都支那學之流派，與第四節的中江丑吉之流派的匯合點。

六、結　語

以上，本論文執筆的意圖是從限定的角度，回顧思考以往的主要研究。其所提出的經書或經學的概念，孔子刪定，古典與經典之區別等問題，打算在本論論述。在序說之結語，將以往被忽視的兩個解釋學，吉川幸次郎的「解釋學」與重澤俊郎的「解釋學」之問題再度提起，完成導入本論的任務。

這兩個「解釋學」是把透過經學史可見的顯著的特質，各個有系統地明示出來。首先，將其特質作一簡單的對照。

吉川……解釋說明。訓詁重點：客觀的、學術的、古典學的……
重澤……新義之創造。義理重點：主觀的、思想的、經典學的……

如此將匯集的兩者之特質並列來看，也可認為今文派與古文派的不同，或許可說反映在這兩個「解釋學」上。重澤也在第三章的冒頭，提出決定經學性格的兩個要素的今古兩派，敘述「這兩個相反的性格，形成了今古文學的本質，爾後貫穿全經時代支配兩者之故，兩者勢力之比例情形，決定各時代的經學之性格」。可是在注❸也指摘過的，我不贊成「今文」、「古文」之用語，毫無檢討地適用於經學史之分析上。黨派的思想體系用語，原封不動地作為術語使用，是有危險性的。我認為必須更進一步地，將眼光放在形成

其根源的直接特質。

　　但是一方面，也許上述兩個「解釋學」，與今文、古文的不同也並非完全無關。又，在第五節所論述的經學的兩個層面的問題，或許有些部分與此重疊。並且兩者之間沒有決定性的差別，兩者之不同可看成是程度的問題、量的問題。如此，考慮經學時，可預想不容忽視的這兩個「解釋學」之間，橫亙著根深的歷史情況。

　　——譯自《山下龍二教授退官紀念中國學論集》（東京：研文社，1990 年），頁 446－473。

中國思想的訓詁疏註

根本　誠[*]著・王　迪[**]譯

一、批判作爲學問研究的訓詁疏註

　　我在本章欲批判中國最初的學問研究方法，從漢代到唐代的一千年，不，即使到了後來也並未消失的訓詁疏註學，做為其學問研究的方法論來說是如何呢？由於有必要而成立，因其具有效果而延續下來，這是毫無疑問的，但也因這樣的特殊性而造成莫大的弊害。

　　古典時代的諸學派因論爭而有了發展，如道家由於新理論的驅使，出現了深奧的思想，於是也應有應付此種思想的學問研究之方法論。但是隨著這種依據道家成立的訓詁疏註的施行，道家思想一方面被傳承下去，另一方面也產生了被埋沒的不可思議的現象，但中國人對此似乎沒有反省。王弼的註之所以被認為是優秀的也是基於此。以註來說，毫無疑問的這書是非常卓越的，但是對於道家思想的發展這點來說，太過於消極了。因為對於訓詁本身來說，在學

---

[*]　　根本誠（1906－1976），著有《中國古典思想の研究》。

[**]　王迪，日本御茶之水女子大學博士，開南大學應用日語學系助理教授。

問研究上不能離開祖述之域太遠的緣故。因此我想以此點作理論性地論述。

二、訓詁疏註的歷史成立之理由

中國的文獻裡有正當解釋的「正義」，或解釋本質的「本義」之外，也有帶有「義證」或「義解」之名的。其義是意義的義，又其意義也已有正確之意。可是又有附上註疏、疏證、補註、析解、補釋、考釋、解詁、纂詁、評註、評說、校正、訂正、新修等各式各樣的名稱。當然這些異名應有其特殊性。例如註疏是只有原典難以解釋，或是考慮到其表現不足之點而有必要補足的，或者是使其解釋容易懂的。又如評註是對原典作批評性的註釋，如新修是對校正作進一步，以原典為基礎加上新的資料，將其增修或者再構成等。但是其中大多數可認為幾乎都是同意原典的解釋。而且其解釋雖然也是尋求理解，但並非所謂的近代哲學性的解釋學Hermeneutik，而是止於常識性的。

因此現在試著將這些本質上共通常識性之解釋，另外總括起來以訓詁疏註之語表現。也就是說中國有非常多的訓詁疏註的文獻。而且在此先說明訓詁是，如《世說新語》對其文學所說的「無不能訓」一樣的，不只是讀而已，而是求字義上的解釋，註是所謂在同一處「為註」，認為原典的意思難懂的、或不足的場合，為了使其明確，辨其異同，加入注釋。只不過在此要注意的是，這對他們來說是研究學問的方法之一。至少這樣的思考成為普遍化。這種訓詁疏註的文獻非常的多，中國的學問很顯然地以此種方法來做研究，其思想狀態的特徵也可以此說明。

　　當然哪一個國家都有訓詁疏註。如果我們看看歐洲的中世紀也可以明白。這與其學問的性格也有關係，如其法學，在與文化繼承的問題有密切關係的實務性之點，就有所謂注釋學派 Glossatores 時代的出現。確實是不論地理上的，時間上的，對於不同文化的民族，欲填補其文化斷層，首先出現最多的可說是訓詁疏註，因為這是基礎。

　　可是中國訓詁疏註的狀況，與其他民族的相較之下，甚為顯著。一看之下，如基礎研究的普遍化、持久性、具有支配力。即使古典能再貫穿任何時代持續下去，訓詁疏註屬於新時代本身的東西，被虐性的加深下去，不視其研究方法的新穎與否，也是不能免於被批評為封鎖的態度。舊中國的訓詁疏註的態度，可說就是這樣。到了近代，受到胡適等的批評，也必定是因為有這樣強烈態度，或許是有桀實的實務緣故。以實學的法家之「無書簡之文，以法為教；無先王之語，以吏為師。」（《韓非子·五蠹》）的表現來看，好像是不把訓詁疏註當成一個問題。而且《韓非子》有喻老、解老，這兩篇都寫得很好，可是其後的詞句不甚妥當，可說不是自由研究，反而是陷於胥吏的論調。是「手藝人」的學問。這才是訓詁疏註的弊害。而且可看到的是，他們在很早就難脫離此種態度。此種弊害不是已經在《顏氏家訓·勉學》裡被批判了，而且還引當時的諺語「博士買驢，書卷三紙，未有驢字。」為戒嗎？因此在他們的學問研究裡，最特異之書誌學的學問也是，其形成的理由各種各樣，但在其訓詁疏註的趨勢，不過是再更進一步，將其改良，而組成其自身的體系。還有他們的考證學也與我們的社會學上的有不同的性質。這樣看來，對於中國的學問研究，訓詁疏註雖然

絕非唯一之途，但其為支配性、代表性之事，終究是不可忽視的。反躬自問亦可明白，我們接觸古典的時候，有訓詁疏註是何等的方便，如果不依藉訓詁疏註甚至不能解釋。又出色的疏註不僅止於疏註而已，在多數的疏註裡有定評的，有其優越之處。如《老子》的王弼，《周禮》的鄭玄，及《文選》的李善之註是精湛的。雖說如此，限於其為古典之注釋，所以亦是有限的。由於曾註六經，不願對疏註放手。因此，小論對於其為學問研究之形態的訓詁疏註，認為應就其有限的範圍，追究其文化史上的，思想史上的功過，並欲指摘出其具有支配性之諸條件的一端與其弊害。

三、對於思想發展之訓詁疏註

確實說到訓詁疏註的古典或原典的成立問題，這是因其為創造性的自由產物，但不能說中國民族思想沒有發展，也不能說是他們不歡迎這種產物。例如春秋、戰國時代，那是中國最初的，最盛的古典成立的時代，可說是思想上的疾風怒濤的時代。以學派之爭議來說，諸子百家，經過爭議，其代表思想更加深化，甚至非常顯著地支配時代。對於前朝皇帝則有後代皇帝來提倡；對於王道，亦有霸道的提倡等等，這不是存在著訓詁不能解釋的歷史性的重大問題嗎？

不，在這之後，以時代為開端而成立的學問之新領域的古典，因其為新學問，所以其研究方法也不同，可以說是具有符合古典的創造性的東西。如《爾雅》、《論衡》、《鹽鐵論》、《說文》、《抱朴子》、《齊民要術》、《水經注》、《洛陽伽藍記》、《顏氏家訓》、《風俗通義》、《文心雕龍》、《四聲韻符》、《南方

草木狀》、《元和郡縣志》、《東京夢華錄》、《天工開物》等，
著名的文獻在各個時代的成立就是明證。這不只是集大成，因有獨
自的見識，有不同的學問領域，所以從新的方法與新的體系這點來
看是有創造性，對時代來說可說是正面的，向前邁進了一步。

　　實際上以時代之長單位來看，其大部分都經常被埋沒，這不應
該只責備中國，如果時代短，求其各個的個性的話，在學問的同一
領域，可看出其變化。例如雖說是教學上之思想潮流，漢代的古、
今文之爭議，佛教傳入後的儒、釋、道三教之交流，唐代的古文運
動，宋代的理氣學之刷新，明代的陽明學之成立，然後清代的考證
學之成立等等都是。又以文學思想的潮流來看，《詩經》、《楚
辭》的時代，賦的時代，民歌的時代，駢文的時代，律詩的黃金時
代，變文的成立時代，詞的時代，散曲的時代，小說的時代等等，
可以說是理所當然地達到了高度的發展。因此，在此重述，認為中
國思想沒有發展，或沒有創造性的看法都是不正確。問題是，其發
展創造，與其說是如百花爭鳴似的積極，不如說是過於質樸。

　　第一，雖說上述所謂的各個時代創造的各個領域上的古典，一
旦成立了之後，不知不覺地被罩上訓詁疏註的鎧甲，自然地被捧上
古典的高臺，在繼承上淪落為像貧困的祈禱師的不是很普遍的嗎？
那是因為在中國很多場合都欠缺純粹的宗教上的教祖。反倒是有才
無才的大小教祖亂立，讓有機的發展活動枯竭，時代與社會脫離，
與其說是古典，不如說是很多有古董化的傾向，這也是因為這個緣
故。莊子引盜跖來揶揄孔子的潑剌的事非常多。並且其原因之一，
說是古典被用訓詁疏註來處理也不為過。這種傳承的方法，縮小而
且封鎖學問研究的態度，乖僻得讓其硬化。因為大凡訓詁疏註本

身,是基礎的,雖說是對著古典,但其為基礎的緣故,所以沒有革命性。只不過從卓越的注釋本裡,多少可看到作者與時代之個性的發展與發揮吧?

四、訓詁疏註流傳的思想條件

然而中國的訓詁疏註的學問研究之成立與其持續,具備了不少他國所看不到的種種中國條件。這可分為社會上的條件與思想上的條件兩種。只就前者來說,必須舉出兩大支柱,那就是為了強烈的傳統、保守和地方性而且自然的身分制度,及採取了影響力最強的,做為大人教育的家庭制度,且將其作為社會的構成單位,而也以類似此之自己的支配組織,讓專制國家成立,並讓它永遠持續。於是產生了與此關聯的許多的派生條件。特別是肩負國家任務的官僚,以他們為社會最高的知識者,站在思想文化頂端的事是不容忽視的。並且在此必須附加說明的一點是,無論政治的優先與否,以他們的力量過分地支配廣大的地域之緣故,與其說是對其地域有向心力,不如說是顯示出其離心力,讓文化發展之積極性、統一性的協力遲緩。實際上這些也應有重大的問題存在,也就是再派生出許多分支。因此,這些都有中國的生活特徵,同時其思想直接的或間接的成為其學問研究的特徵,讓訓詁疏註形成並持續下去。

只是與此相對的是,因為有了現實才有思想的成立,社會條件與思想條件這兩者是不能分開的。小論以形成之思想的各種條件為中心來考察,關於社會條件,取其有關的作說明。不僅如此,其形成後若有支配性,則表示其思想有限制現實社會之反作用,所以一方面考慮這些有關的,一方面主要的是要提出其思想之條件。

在此，首先要提出的是漢字。那是與單音節的意義文字有關。本來漢字不像表音文字那麼單純。不僅其本身有個性且獨立的一音一義，也有數音多義的場合。我們可說成語化是為了彌補其不便而成立的，但隨著其發展的而引起的混亂是不可避免的。即使構成文章，其漢字的獨立性不僅像疙瘩似的殘留下來，並且又因特殊文法構造之非連續性而復雜化。在此不僅是中國的學問，在有學問之前，就有文字文章之學習上的困難性，同時因學習而有智慧型貴族的成立。這貴族性是已擁有漢字，而又與社會的貴族性一致而非常根深蒂固。故才在此提出中國的文章必須以漢字之原字的解釋為出發點。因此第二是其文章的特異性。

當然他們的文章也有文法。那是我們應該以社會言語學的觀點來認為其為素樸的，或高次元的呢？或是應看成單純的，或複雜的呢？還是應看成像歐洲語言中的英語那樣，精練而被省略之高次元的呢？總而言之它是有特徵的，而其特徵也是由漢字而來的。這不是欠缺明瞭的性別記號，或時態不明確的意思，更不是省略主詞等等。這些都得以改善，也可以明確化，這些理由都不是，而是有更根本的理由，其中最明顯的是文字位置的重要性。雖然他們有文法，但也因其位置非常複雜，看起來是既定而成為固定的，可是比起其他民族的語言還要自由些。這應說是固定或是不固定呢？依據文章來看，也產生很多的修辭，於是這在表現理論上造成斷層，所以很難解釋，相反地其有以言語以外的心情來作溝通，因將重點置於位置上，不太有其他文法上的約束，造成理解上的困難，於是必須有解釋。這理解上的困難性在一般是看其益處來作批評，中國的文章與其說是理論性的，不如說是富有詩意的；與其說是科學性

的，不如說是富有藝術性的，意思不易理解的非常多。這樣地展開哲學之理論，或數學之計算等，常混亂不情。舉最簡單之例，大部分民族的語言都是名詞和動詞分開的，但漢字不能分開，一語可兼名詞和動詞。其區別根據其位置來決定。因此，簡單的、明白的場合是很好，但置於文章中不能理解的是其難處，這是所以尋求解釋的緣故。某學生將「韓退之」讀成「韓，擊退之」。

另外，使用很多的助詞和虛詞，其目的是為了讓人理解，卻造成解釋上的困難弊害。也許因為其他的文法約束被省略的緣故，所以在這層面特別發達，但就其弊害來說是不變的。關於這些如翻閱馬氏文通或高本漢（Bernhard Karlgren）的言語研究，就很容易地可指摘出來，在此不再作深入地探討。但還有為人所知的常識性的二、三點有必要提出來。其一是文章過於簡潔。

簡潔雖然有口齒清晰，雄壯的反響，男性的，貴族的印象，但不理解文章不行。很簡潔的一句，容易理解，多義的解釋反而很難下定義。像《老子》的文章一樣，可以有好幾種讀法。例如難以解釋的第五十章「生之徒十有三」的讀法和解釋的方法也是如此。又簡潔之句與簡潔之句的連接，其句與句之間，出現了思想上的隔閡。解釋上要填補這個隔閡，在思想上就必須以跳躍式地來連接。中國的文章要求思想上的跳躍，引人深入的聯想。由此也可看出，與其說是科學的，不如說是富有詩意的。不僅解釋上有必要，其解釋可自由地擴展，有各種成立的幅度。然後此種幅度或擴展，說是思想的發展，不如說是愈加深陷，增加解釋的複雜性，可以說反而增加其困難性。

其次是句讀法的困難。這也是從漢字的字面上來的，但連從文

章中要選出固有名詞也非易事。例如，《顏氏家訓》的「裴之禮，不死也。」（〈風操〉）的裴之禮是人名。最近有以符號來區別的趨勢，但對於漢字沒有更好的方法吧？句讀法到後來也施加訓點。但是，沒有施加訓點的時代，解釋之前的連讀法很多都非常混亂。那時西歐到中世紀也是一樣，但沒有比此更甚的。中國的文章對句使用非常發達，還有四六文體的流行，這不單是因修辭學上欲作出美文的緣故，其目的是為了緩和句讀法的困難性。對我們可說是繁詳的裝飾，像漢賦不僅是於耳，於眼也都訴諸其美。

可是其對句的頻繁使用又太過了，犯了思想的虛偽性之弊害。這與其說對句法是純粹依文法，不如說是因依文章的解說上，或節奏上的方便，趣味上的，裝飾上的緣故。不僅如此，在此不應忘的是，這對句的形成是最強的聯想作用的運作。而且其繁用過度，陷於恣意的事也是常有的，甚至暴露出文章上的低級趣味。可是說到聯想作用的活躍化和對句法的泛濫，又可想到別的問題。例如，那可說是由於他們思考上的特徵。也就是頭腦問題的緣故。而且這如果是相對的問題，那麼可以認同。但是使其如此傾斜的理由其實是，頭腦之外的文字，表現他們思想之道具的漢字早已存在，這件事是不可忽視的，因此這是內外相對之關聯性的看法較為妥當。

那是為什麼？現在如果將因聯想作用而構成對句的繁用認為是大型的發展，那麼小型的則是，既已作為他們繁用的成語之構成。但看這種關係，應可理出問題的關鍵。亦即成語的構成有幾個法則，例如：類似概念的結合、反對概念的結合、對照概念的結合、其他還有可以列舉的。其中最普遍的方法是，這裡舉出的這三個，這又可認為是依聯想作用的緣故。並且這是句讀法之整理的理由，

同時又是文法上的理由。正因為這是本質性的,所以有問題。這也可說還是漢字的特徵是其根本理由。也就是說,漢字將思惟的對象直截了當地表現。至少在名詞是這樣的。在此所說的對象直截了當的表現是,作為對象本身有具體的意思,換言之,將比其對象的成立還早成立之客體,以客體本身來表現的事,當然不只是漢字之構造為其本質,也包括其成立或原因。因其有觀察也有實驗,所以其思考也可說是真實的。這是極為巧妙的,也許是很深的經驗或實證的結果,因此其成立和原因並不是沒有經過思考的。可是由於其為巧妙的,人們對此無條件地信賴,其成立或原因反而也就不成問題。如此漸漸地專從把握具體性、客觀性對象的本身著手,漢字的使用讓他們把思考趨於此而特徵化了。客觀性的給予條件掌握,亦即對象以「何」來掌握。相反地說,不就其成立或原因來思考,也就是不掌握「何故」。一個單詞將名詞優勢化了。名詞與名詞直接聯結,與其考慮所以聯結的原因,不如說是其為聯結而聯結的不經意的聯結。而且他們習慣於此種思考,也常用此種方法,於是在此反而可看到他們超越現實之浪漫的形成。

如有些人經常批判中國思惟的特徵,與其說是尋求「何故」,不如說是尋求「何」,談到思想史或論理以前,其實可以說在有關問題的開始點已經存有因素了。小型之成語的構成就是這樣。大型對句的繁用,只能說是將其特徵擴大,因此對句使用的活潑化可認為是浪漫,而且是追求超現實的浪漫之意。

可是由此也許可明白,成語的構成或對句的使用,顯示出他們知識往橫的擴展,並不是往縱的深植。比成立或原因重要的是,事物其以事物之個體的事。知識增大其個體的數,那就是量,就是

質。因此其知識不是並立的，有機的，立體的結合。而且他們有樂
於選擇以此為知識的傾向，其繁用就是證明。還依此使對句活潑化
而成為浪漫。當以理論來展開之時，即使讓人感到詩意之美，但理
論上的正確性也令人感到非常貧乏。到此中國的文章之詩意的傾向
越發明瞭。

　　這是特徵也是缺點，因為過度就是弊害。不以「何故」，以
「何」將文章擴展開來，是不明示方法，而明示對象。只一味地依
賴著第一對象，不是歸納而是演繹；是理論科學，而非實驗科學，
縱使科學是超現實的，也免不了多傾向於浪漫，是超現實浪漫，這
可以說是他們的思想性格。與其說是有創造性的構成，不如說是對
所與的信賴和主觀的普遍化。其思惟的特徵與其說是分析的，不如
說是綜合的；深遠的不如說是寬廣的；有機的不如說是非有機的；
發展的不如說是延長的；亦即說是革命的，不如說是傳承的。而且
不可忘的是這些特徵又與訓詁疏註的性格一致。第一、對於不以
「何故」，而以「何」來擴展非連續性的文章，必須求其擴展理
由，於是有必要注釋。但是其實注釋也因是否與本文異質而感到困
擾。這是因為不是表示出其方法，而是表示出其對象。因此連其注
釋還需要注釋；這暴露了再怎麼解釋也注釋不完的弊害，而且中國
人長時期一直都依此而行。

　　當然那也非無藥可救，但其救法也不同，與其說是理論性的，
不如說是實踐性的。

　　我們應該知道的。那就是已經在《論語》的問答體裡明示的問
題。其問答的一般性格與其說是「何故」不如說是「何」。也許其
問法是追求「何故」，但其回答並不管這些，反而硬是回答以下一

個該做的是什麼。舉一例，即可明白。

> 樊遲問知。子曰：「務民之義，敬鬼神而遠之，可謂知
> 矣。」（〈雍也〉篇）

孔子被認為是教育性地對人說教，這是一般中國式的問答。即使問
這是知的什麼，也完全是禪問答的形式，並非連續性的，而將其連
續，使得非常難懂。為求理解就必須要有註解，即使註了解，也有
不能理解的，使其可能的就是實踐。這也許是因為將學問當做道德
的緣故，是超越修辭論，文法或理論的救濟方法。這無論如何都不
能延伸到科學性的方法論，而在此空隙裡，訓詁疏註無論到什麼時
候都能安穩地鎮坐著。

五、經典崇拜與訓詁疏註

然而中國訓詁疏註的主要道路，畢竟是教學的世界。因教學必
須要說服，所以不可欠缺理論，但是為了以「何」而不以「何故」
作演繹性的展開，所以其理論中留有許多斷層和不明之處。因此為
挽救這樣的缺陷，最低限度也必須要有訓詁疏註。

確實中國的古典在很早就成立了，這是非常卓越的事，特別是
以此為教學代表也是一件非常壯觀的事。這些事由於有祖述的意
義，訓詁疏註的喚起也是理所當然。可是條件並不止於此，漢字為
禍根已經在前面指摘過了。只是過了時代還是不變，古典可原封不
動地傳到現在，這可說是在傳承上最適當的緣故，研究人員理應透
過原典資料來達到他們各自的解釋。當然如文體會因時代而改變，

但本質是不變的。這點與表音文字不同，特別是貫穿時代而不會變的不變性，也符合中國人的心情，是使其有權威，使其崇拜的要素之因。因為漢字的音符太多，其讀法也很難，但一旦記住了幾乎不會改變，所以也為了最初的努力，尊重其讀法。這些都與表音文字不同，這也是被認為沒有訓詁疏註不行的緣故。

不只這些，教學的代表性思想，例如儒教，與國家的權利相結合，甚至支配其社會，這也是作為古典，使其歷經各代，讓其廣泛地普及，形成崇拜經典的力量，是使訓詁疏註愈發不可欠缺的理由。如果說這是外部的力量，也還有其他的力量，也就是古典的存在與社會一致。更何況古典的內容與社會一致，外在有甚大的支持力量，這件事是不容忽視的。至少古典的崇拜與權威崇拜結合，並且其祖述與繼承始祖的傳統主義、尚古主義相結合。

那麼我將這些總括起來，如命題稱之以經典崇拜，那不只是不能捨棄訓詁疏註的理由，而且也可看做學問的主流，並使其一般化的顯著理由。這樣的事實有何種意義呢？我想對此仔細斟酌考慮。

確實中國的經典崇拜被各種各樣的條件支撐而進行著，因此訓詁疏註可以永遠地持續，並普及化。這兩種關係，亦即經典與其注釋的關係，就如某宗教對原典的信仰與其神學的關係似的。在此所說的是並不是別的，而是關係。這就是神學雖不是信仰的本身，但將宗教的教理作理論性之體系化，作為信仰之知性的啟蒙引導；相對的因為中國的訓詁疏註雖同樣是置於原典崇拜的位置上，但其沒有理論性體系化的特殊東西，也就是說其應有的狀態或位置，雖然與神學的立場相似，但不同的是無體系之點，還是可看做中國獨特的東西。但為何不能成為神學性的呢？因為古典時代之學說的發生

異常顯著，時代一過，進入古典訓詁的繼承時代，其訓詁疏註是對古典最忠實之研究方法的緣故。於是學問就是學好作為教學的古典。訓詁疏註被認為是達到學問最忠實的，最普遍的方法。對於古典的新學說才應是神學性的，但他們不論這些，卻把這新學說視為特殊、異端，反而將訓詁疏註置於神學的位置上，認為是最重要的。

確實因新學說有高次元的方法論，對於古典的教學，是不能等同一視，而可以占神學之地位。這樣的新學說，在中國的各個時代裡，並非沒有成立。例如就儒教來說，像漢代董仲舒的《春秋繁露》、後漢王充的《論衡》、唐代韓愈的〈原道論〉等。而且這些新學說在教學上也應是直接的。不僅如此，在其時代也具有聳人耳目，風靡一世的力量。然而中國人對於這些即使給予與古典同等的地位，也吝於給予學問研究方法上的地位。有時視其為一家之言而認為是特殊的。反而將學問研究方法之位置給予訓詁疏註，將其置於神學性地位重視之。故以此來看，就成為排斥含有高層次的方法論，選擇低層次的方法論。以符合古典、忠實於文字義解、同時又是最普遍的，也許忘了其方法是低次元的。不過訓詁疏註是如此的根深蒂固地被信奉著的緣故，也因此可知其有界限。特別是其教學不單是思想、學問，也被要求實踐，這是被廣泛認同的理由。因為實踐就是道德的學習，這已經不能止於解釋或理論，而是超乎訓詁疏註的。

確實訓詁疏註是對古典本身優遇的報酬，尊之為金科玉律，忠實地效勞。故古典為先王之法，同時也為先賢之道，並含他們的言行事項，其事項即使已經成為原理，訓詁疏註也欲忠實地注釋。可

是古典教學之實踐性,並不止於事項。也表現出先王或先賢的人格,並儘量提及這些。所以訓詁疏註也應符合這些而努力為之。許多學者繼續個別寫出注釋也是為了這些。可是必須知道其提及人格的問題,已經不屬於注釋的世界,是實踐的世界。即使有很卓越的注釋,據此學好所學,也不是根據注釋,而應解釋為根據實踐的。上述歷代新學說之成立也非由訓詁疏註開始,也許可說由訓詁疏註開始,但已超出訓詁疏註,並非無好言的警戒、六經之註的批判,此點一般並不很明確,所以訓詁疏註能持續。但是不能否定訓詁疏註是有限的,在訓詁疏註裡欠缺讓人超越而實踐的方法,又沒有讓人在學問上作科學性的研究,或組織體系的力量,而這些都是應該提高的。古典本身如果沒有必要淪落為神學的話,訓詁疏註會占據其地位,而成為真正的神學。事實上到最後卻不能如此。當然卓越的訓詁疏註與其作者,就是時代進步的表現。但是其時代的表現方法,進步的方式,與根據學問的領域和其不同的方法所表現的方法,進步的方式比較之下是消極的,不足成為問題的。這是因為訓詁疏註的本質,仍然只是止於注釋而已的緣故。訓詁疏註只固執於自己的本質之範圍內,換言之,如不從自己的本質脫皮,不改變的話,是不能免於這樣的批判。訓詁疏註只止於此,如果有其他的學問研究,或特殊卓越的思想,那訓詁疏註就必須面臨被克服的命運。

於是這樣的思想史上訓詁疏註的時代,被認為是漢、唐時代,但到了唐代,佛教已經中國化了,有了像六祖慧能那樣的禪宗,頓悟妙心的說法,同時其經典觀以公案的祖師之言行的人格觀來替代,成為所謂的祖師禪的語錄時代,開始展開與訓詁疏註對立的潮

流。這是一種新風氣，是嘲笑訓詁疏註，而且以中國傳統思想，將教學的實踐與人格主義一致了。

可是訓詁疏註在其後並非完全消失，傳統教學即使受佛教或外來思想的影響換了新裝，但也依然同樣。訓詁疏註處於被排斥的困境，一邊走向衰弱的狀態，一邊融和這些新的東西成為自己的秉性，繼續不斷地持續下去，這種執拗性真是令人吃驚。不過這是因為中國的文章經常不停地要求解釋的緣故。而且因為是字義上的，基礎上的解釋，所以其根源是在他們的漢字，因此漢字也與訓詁疏註同罪。

確實中國的文章有文語和口語，大約到了六朝，口語開始有了顯著地發展。並且就口語來說，在當時視為當然的，後世與學者均認為有通俗性且很簡單。但確實是如此的嗎？實際上雖說是口語，在使用漢字的範圍裡，時代一過，口語的變遷，也可說是與文語同樣地困難。其實小說比文語更困難，並且這些也需要訓詁疏註。如此，像這樣對口語的訓詁疏註也有權利繼續的。

只是，研究領域的不同，隨著其方法的不同而漸漸地被掌握，訓詁疏註的壓迫感逐漸減輕了。但是也因此可真正了解崇拜經典的時候，其所受的壓迫是如何地強烈。

如清代流行的考證學，被稱是為有科學的研究方法。但這是實證主義，仍然沒有丟掉訓詁疏註性的包袱，有時也讓人認為是站在訓詁疏註上的另一種學問。雖說是其為實證主義的科學，但不能直接說是跟現代的社會學的是同樣的東西，應說是漸漸開始萌芽吧？不過確實可認為比訓詁疏註要好。

大凡學問的進步，是因其方法論的自由、宏大、嚴密、敏銳而

且是體系化的。中國思想為祖述的、傳統的、尚古的，所以可以了解。從全體來看可說是滿足於消極的進步。我認為那是很可惜的，因為讓古典的活潑性遲鈍了。中共對文字改革是一件偉大的事業，因為這是讓學問自由化，民主化的意思，就是與社會改革有同樣的分量。

在古典《詩經》裡常可見到類似與「周道如砥，其直如矢。」（《小雅・大東》）的表現。道並不只適用於周，也不只適用於政治或道德。也應適用於學問研究的方法。不然難免遭受「道阻且長，溯游從之，宛在水中央。」（《國風・蒹葭》）之嘆，喪失目的之嘆的非難吧？

　　——譯自《中國古典思想の研究》（東京：現代アジア出版
　　會，1971 年 1 月），頁 51－71。

夏含夷《孔子之前：中國經典形成研究》一書的五篇書評

戴思客等著・胡元玲[*]譯

譯者案：夏含夷（Edward Shaughnessy），美國人，生於 1952年。史丹福大學博士。現任芝加哥大學東亞語言與文明系教授。著有《西周史料：青銅銘文》、《易經》，與人合著《禮儀與崇拜：中國藝術》，編有《古代中國新史料：銘文及出土文獻導讀》，與人合編《劍橋古代中國史》。所撰《孔子之前：中國經典形成研究》，為紐約州立大學中國哲學與文化系列出版著作之一。阿爾巴尼：紐約州立大學出版社，1997 年。IX，262 頁。附有引得、附注、參考文獻。平裝，美金 19.95 元。ISBN 0－7914－3378－1。

---

[*]　胡元玲，北京大學中文系古文獻專業博士，新加坡南洋理工大學中華語言文化中心博士候選人。

第一篇
戴思客（Scott Davis）[*]著

夏含夷在其大作《西周史料：青銅銘文》一書的序言中，描述他進入此一研究領域的歷程。他在完成有關《易經》的博士論文時，說道：「在進一步研究經書以何種原因形成，以及當時人們對經書的瞭解之前，我決定首先應該對當時歷史性、文學性義涵的整體，多加熟悉。」（頁 XV）《孔子之前》一書的出版，正是夏含夷在長期學術探索中，在史學及語言學方面所取得淵博知識的體現。

這本印刷精美的書，共收錄有八篇論文，在其中夏含夷處理了某些重要問題，這些問題阻礙我們欣賞那榮耀的，但卻未被充分認識的西周一朝。對該一時期古代中國文學的發展，他提出有力的見解。每一項分析調查，都給予我們一些重要信息，藉以建立對古代中國文化與文學的綜合性圖像，以及繼之其後千年以來的發展。

《孔子之前》一書中，編排在簡短概述之後的，是一篇有關《易經》的論文，此文處理的是《易經》中有關商王之女婚姻的爻辭的歷史背景。之後，夏含夷著手探討關於周王克商歷史事件的文獻證明。首先，他論證《逸周書》的〈世俘〉一篇為當時事件的可靠證明。其次，他進一步論證《竹書紀年》的真實性，並解決此文本在解讀上的難題，由此我們得以瞭解，周武王乃死於克商之後的兩年。其後的兩篇論文中，夏含夷試圖發現在西周早期之時，周公

---

[*] 戴思客（Scott Davis），美國哈佛大學社會人類學博士，日本宮崎國際大學人類學副教授。

與大保甗之間的複雜關係。在描繪此時期的人物與年代之後，作者將注意力轉向《詩經》，和其他許多採納奧斯丁（John Austin）「述行表達」（performative utterance）概念的學者一樣，夏含夷也努力去發現，與這些儀式表演相關的模糊目的。無論如何，此篇論文可能是這方面嘗試中，最為重要的文章之一，彰顯出儀式與早期詩歌間的密切關係，廣泛地論證在周代早期的時間推移中，頌文逐漸成為專門人士的工作，而表演者也不再成為詩歌所描繪的主角。接著，夏含夷回到《易經》，於開啟此經典的龍的象徵中，發現隱藏其中的天文星象。在這一模式下，他接續此一探索，並發現隱匿於《詩經》情詩中性的象徵。

　　大體而言，夏含夷著作的重要性，在於他認真看待這些著作的文本性及相互文本性（intertextuality）的問題。他採取的，是傳統經注與現代史學批評相結合辯證的一種進路。由於夏含夷一方面想保留這些文本作為古代文獻的價值，另方面又想保有疑古論者所達到的批判性史學焦點，使得其所作的分析，在利用具體而又獨特的例證以得出強有力見解方面，極具特色，但在各經典文本之間，以及文本與社會背景之間，卻是較寬泛的結論。其餘的，則是針對特定歷史證據的評估，以及檢視其年代、詳情與意義。如此，他得以提供我們有關西周歷史與社會極具激勵性的觀點，對此領域的學術研究，具有極大價值。

　　由於夏含夷在工作上令人讚佩的精確性，使得這些論文就如同鈴聲般的清徹。然而，此書作為收錄過去所寫論文的一部集子，及其證據與論證的密集性，這兩方面，使我們有時會因各篇份量的簡短，而左右為難於感激與沮喪之間。似乎夏含夷有意對某些問題提

出解釋，但顯然地並未以分析的方式提出解釋。「考量經書以何種原因形成及當時人們對經書的瞭解」這一任務，《孔子之前》的作者在其書中，僅部分地達成這一目標。

此處，無須開啟有關史學與人類學等令人倦怠的問題。然而，應注意的是，質疑核心問題的方式有各種形式，每一學科領域都以其各自方式來進行。我們可以見到，在《孔子之前》一書中，歷史學家的核心關切，確實地是在布置一個矩陣之點，如李維史陀在《野蠻的心》（芝加哥：芝加哥大學出版社，1966 年，頁 260）一書所描繪的。每一個組成矩陣行列的點，代表著各種系列中的日期。歷史學家費力地撐著不服從的材料，迫使它們排列整齊，並揭露時間的安排，以提供歷史學家工作之需。在艱難地篩檢過所有這些困難的材料之後，就如同天文學家測量哈伯系數一樣，一個數值接著一個數值的測試，以檢驗這一和唱能否揭露出隱藏於內的規律。最後，歷史學家必定十分滿意地，欣賞著他從史料中所推衍出來的發現，並宣稱某個里程碑確實發生於西元前 1046 年的十一月十六日。對於我們這些對歷史準則的矩陣不具備這般熱誠的人來說，只能對如此堅持、如此豐富、如此熟練的學術儀器，投以完全敬畏的目光。

此書所得出的信息，必然地是相當寶貴而不容小覷的。但此一對古代中國文本的人類學進路，亦以某些其它種類的問題為特性。此乃源於對跨文化的比較與分析，而假若我們想要瞭解資料，這些也是相當有用的問題。在歷史與結構這兩個概念之間，確實是有所差異。舉例而言，人類學家可能會問一些較廣泛的問題，以作為一般問題的特點例證，好比現象是如何發生，或是怎樣的原則足以解

釋我們所見系統的運作。此點針對周公與大保之間的關係而言，夏含夷深陷於對文獻的校合與翻譯，以至最後令人遺憾地，未能如他在概論中所說，對此一處境的特殊安排提出說明。所以，儘管此書對這一問題，在兩篇論文中經兩度檢視，但我們仍未獲得對政治體系及其後果，較以往所知有更佳的一個解釋。是故，整體來看這部著作，我們雖感激地接納此書對歷史特性的超凡演示，且吸取其研究結果所傳達的教導，但我們還是可能不同意將此書稱為是「義涵批評」（context critic）的一個成果。

接下來，我將把評論主要放在夏含夷對《易經》的分析上。整體上，我們同意「《易經》……相當地反映出它不僅是一部各別占卜記錄的隨意集成」（頁 23）。這一點，應能為對這部經典的結構、系統的架構性研究，提供一主要方向。為了做到，我們必須使用適當的方法；而簡單地搜尋所謂「意圖對象物（intended referents）」，對此一目的來說，並非適合的研究程序。夏含夷促使「義涵批評」承擔起傳統象徵中，「去發現隱藏於其間的自然現象的責任」（頁 207），但無論如何，這並不是工作的終點。我們甚至可以說，在占卜系統的文本研究當中，「隱藏的意圖」這一範式是特別不恰當的；相反的，在那樣的系統中，參考和意圖是斷裂的、解散的。畢竟，對占卜計畫及文化分析的一般推定，認為某些現象揭示某個「規律的原則」，「即便未被合理地理解，依然能夠具有合理的價值」（李維史陀：《親族的基本架構》，波士頓：Beacon Press，1969，頁 101）。

我們可以想像，某位未來的考古學家，檢視著一具配置有十二個圓點的鐘面，框著兩個從中心伸出的可疑形狀或甚至是生殖器形

狀的指針。考古學家運用各種調查技術，艱難地調集證據，終於可以清楚地表明這十二個點乃「代表」著最初的十二個數字，可能是用來計算一天當中的小時。這位未來的考古學家對著指針左看右看，苦思到底這指針可以「真正代表」什麼，或許他感到對這鐘表機械已獲得解釋。

我們必須回想李維史陀在其神話研究中，所提出的對待天文對象物的警告。他在《生食與熟食》（紐約：Harper & Row，1969，頁 216）一書中寫道：「在認為神話具有天文學意義之下，無論如何我並不主張回復十九世紀以太陽神話學為特徵的錯誤觀念。在我看來，天文的義涵並沒有提供任何絕對的參考點，我們不能簡單地將神話與這義涵相連繫就宣稱已詮釋這些神話。神話的真相，並不在任何特別的義涵之中。它存在於缺乏內容的邏輯關係之中，或較精確地說，其不變動的資產消耗它們有效的價值，因為可類比的關係能在大量不同的內容要素中建立起來。」

這一明智的建議，恰能適時地運用在《易經》研究上，而且應該以接近於神話學分析中所運用的方法來對待。事實上，在對待《易經》本身，作為一種對其制作者在歷史的、天文的、社會的、宇宙的、以及其他人類現象等方面的原始架構分析上，可做成一清楚的論據，亦即在導致其他古代文化中神話及重要符號體系的運作與過程中，在其雙符號（binary notation）、圖像及動態元素方面，具有很強烈的可比較性。

在我們的例子中，這可能意味著如下所言。至目前為止，《易經》中提到的帝乙歸妹，不用說就是此書製作中歷史義涵的一個反映。現在，我們的問題必須超越作為「泰／否」這一對卦中模糊聯

繫的主調印象，進一步探討分析者欠缺答案的系統性問題。也就是，為何這一婚姻在《易經》中發生兩次？又為何與「眇能視，跛能履」（譯者按，〈履卦〉六三）聚合在一起？更確切地講，為何與這樣的主題聚合在一起？為何與「月幾望」（譯者案，〈小畜〉上九）這樣的主題聚在一起？為何在一方面是第九、第十與第十一卦，另方面是第五十四卦（相等於第十一卦）？僅只是簡單地指向外在的、歷史的材料，是不夠的。我們身為分析者，還需對於《易經》中如鐘錶儀器般的相互關聯性投以最大的關注。

同樣的事情，亦見於龍的問題上。我們感謝夏含夷在對龍這一形象的延伸意義上，又增添一項指涉物。將「乾」、「坤」兩卦視為星座的移動，這是多麼精彩的想法！但讓我們將「此一深度結構完全是曆法的」這一宣告，放鬆下來。讓我們也注意到，此文本仔細地安排這一形象，與整體象徵性的裝置接合一氣。比如，〈乾卦〉九四（譯者案，「或躍在淵，无咎」）處在上下兩個三段句子之間不穩定的一點上（卦的不穩定性與分歧，通常乃以「或」字來強調，因此，將此字譯成 and then，不如以別的字來指明其不確定性為佳），未提到龍，這並非文本歷史的一個偶然。類似地，未預見的在〈坤卦〉上六與〈乾卦〉九四一起組成相反的一對（應被提及但沒有／應不被提及但有）。這相反的情形，在《文言》中是以一條部分的龍或部分群體的龍，獲得解釋。此處重點是，我們不應該為文本中有可能的象徵裝置，而被牽著跑，以至於輕忽文本自身所傳達的意思。象徵性的指涉物是與架構合而為一，而不是簡單地將一綑指涉物釘在一起所成的架構。主要的難題，依然是將經典內複雜的分配性配備，整理出來的工作。在能夠確定材料的象徵場域

之時，當然我們就能獲益。然而，我們不應忘了去檢視，這些象徵場域內所傳達的意思。這是我們知曉此書如何被寫成及其意義為何的方法。

夏含夷此書以其精美的封面與排版，頗具吸引力。然而，此書應被賦予更多編輯上的關注，以消除某些令人遺憾的錯誤。這方面的錯誤，多到不及詳述，此處僅羅列部分如下：第 13 頁首篇論文中，很不吉利地就出現「履」卦在標示上的錯誤；再有，第 40 頁上有關「流」字似乎出現不正確的字；第 168 頁的「士」字；第 181 頁「既醉」二字；第 223 頁「宋」字；第 20 頁 beneficial 一字拼錯，第 228 頁 problematic 一字亦是拼錯；第 144 頁的 vasting 以及第 232 頁的 variora 都不是適當的字，因而無法被廣泛接受。

——譯自 *Monumenta Serica* 47 (1999): 515-593。

第二篇
胡司德（Roel Sterckx）[*]著

對有興趣於前帝國中國的學者與學生而言，兼具作者、編者二職的夏含夷，在古代中國研究領域內的先驅之作，及其在西周研究上的貢獻，幾乎已是無須介紹。《孔子之前》一書，收錄作者過去十五年間，所撰寫的八篇論文。除一篇外，所有論文皆曾發表過，但在收錄於此書時，業已經過修改及更新。此書除有一篇論文是關

---

* 　胡司德（Roel Sterckx），英國劍橋大學東亞研究所漢學系教授。

於《竹書紀年》的真實性之外，其他論文皆是探討前孔子時期的經典（《易經》、《尚書》及《詩經》）。這些年來，此書中的數篇論文，已成為西周研究的經典之作，而重新編輯這本論文集的目的，見於作者於書前所撰的序文。夏含夷指出，過去對經典的歷史性的懷疑，使得傳統學術低估了周朝社會在創作具有多樣類型文本上的能力，而「古代中國具有極高的文字文化……完全能夠創作經典所收錄的文字作品」（第3頁）。此書中的八篇論文，即是探究周朝文字創作在語言、風格、概念及史料編纂的各方面，以描繪潛在於前儒家經典創作之間，其文字的精緻及文本的組成是如此高程度。

在《結婚、離婚與革命》一文，夏含夷彰示出將《周易》各爻辭的史料解讀，與在一整個卦的文本上，尋求探知概念性、語幹性的一致性，這兩者（譯者按，即各爻辭與一整個卦）相結合，並揭露相通於各組卦之間的文字相關聯的詮釋，在詮釋這部文本上，能證明是極有所得的。即便允許部份爻辭在解讀上，具有某種程度的含混不清，夏含夷頗有說服力地論證，在特定意象（此處指的是「鴻鴈」的意象）的反覆出現中，所反映相當可觀的創造性意識，乃潛伏於《周易》一書的制作之中。這點，應能鼓勵讀者，將《周易》視為不僅是「一部隨意編纂的占卜記錄」。他這一論點，若與第二篇關於《周易》的論文相並讀，將更具效力。此文是以曆法所標記的天文星象為依據，來研究「乾」、「坤」二卦的構成。此二文對《周易》一書，在很大程度上是有意識的編纂這一觀點，提供強有力的例證。

〈從周頌到文學〉一文，探討《詩經》中一些時代最早而與禮

相關的詩歌，即周頌。藉由分析詩中的語言及歷史的證據，夏含夷追蹤西周禮儀「從儀式到祭司與觀眾二者的分離，這一轉變」，從聯合的禮儀到「詩人與觀眾的區分」。他將這一轉變訂於西元前第十世紀中葉，並顯示在文獻記錄中，這些風格上及概念上的轉變，與西元前九百年的「禮的改革」，是如何被潔西卡·羅森（Jessica Rawson）確認為青銅器文明。此書中僅有的一篇未發表的論文（〈女詩人如何使王室如燬〉）中，夏含夷在解讀〈汝墳〉一詩（毛 10）時，巧妙地將古今《詩經》注解與古代文獻的證據結合起來，引領他揭露了此詩中至今被忽略的性的隱喻。夏含夷彰顯出以資料為依據的想像推理，是如何能將《詩經》的詮釋，從傳統以教化解詩的緊身衣與過份追求文義及象徵的解釋中，解救出來。

　　其餘的論文，皆是有關史料編纂與年代的問題，其論點詳情，在此無須細談。其中一文，討論弗瑞爾美術館（Freer Gallery）所藏「大保」簋，及相關一系列由召公大保奭所鑄造或提及此公的青銅器，並重新評價此公在周成王（1042/1035－1006）與周康王（1005/1003－978）政權交替之時，所扮演的突出角色。〈周公居東〉一文，則試圖解說有別於後來聖者形象的周公，為何相對地在西周青銅銘文及當時文獻中，極少被提及。另一篇論文，其內容以哲學性為依據來斷代。此文以周武王之死的年代（克商之後的二或六年）為討論焦點，夏含夷對現今流傳的《竹書紀年》，其為古代中國一部珍貴史料的可靠性，做了強有力的確認。在另一篇類似的分析當中，夏含夷以文本流傳、語言特點及文本完整性為論據，重新確立《逸周書》的〈世俘〉一篇，為西周早期真實記載周朝出征的可靠文獻。

　　夏含夷嚴謹的語言學根柢，結合具挑戰性及想像性的探索，無疑使《孔子之前》一書成功地對周代精緻文化賦予生命。對於熟悉夏含夷著作的讀者來說，此書可能因為較少有新的分析提出，而令人失望。此書或許可以有所改進，像是從各單篇論文及大綱中提鍊出結論一章，並刪去一些重覆的注解及一些概述性的觀念，此觀念是關於文本性及周代社會裡文本的使用與傳遞等寬泛問題。但且將這少許的批評，置於一旁。像本書一般的著作，應是被歡迎的，不僅讓讀者發現在過去所發表的著作中所隱藏的新思維，亦提供了權威學者日趨進步的學術以及思想發展的信息記錄。

　　——譯自 *Bulletin of the School of Oriental and African Studies* 62 (1999): 175-176。

第三篇
韓大偉（David B. Honey）[*]著
楊百翰大學

　　在當代無論中國、日本還是西方，他們對傳統漢學的研究方法，是將史料劃分並專精於方法論：銘文學家、古文字學家、語言學家、歷史學家及其他社會科學家，在評估古代中國各異其趣的文獻材料並以獨特的方式來運用這一方面，皆有其各自所扮演的角色。正當各類數量頗大的文獻紛紛出土之際，專長於以史料為主的

---

[*]　　韓大偉（David B. Honey），美國楊百翰大學東亞語言中文系教授。

技術，當然成為一自然的結果。然而，以較寬廣視野來看待這些史料所述說的故事，不可避免地等待著對數量日形增多的甲古文、青銅銘文、竹簡等做綜合性的解釋。這部論文集，收錄過去所發表的論文（除一篇之外），在其中作者夏含夷展示他在縱覽儒家根本經典時，跨越學科界限，並超越史料間冗長壕溝的疆域線，對各種方法技術的專家般地掌握。「在所有這些研究中，我首先試著考慮文本最初是如何寫成，以何原因寫成，以及其本義為何」，這是作者的綱領性聲明（頁6）。

　　由於考古發現的暴發，新出土史料容易分散對流傳文本的注意。夏含夷的目的，是要彰顯並非所有古代文本皆被埋藏於地下而失傳：傳統的經注、對立詮釋學派之間的競爭、當代門派對研究進路的偏見等，皆共同遮蔽了古代文本的意義，或是否定其歷史性。夏含夷即使不是要重建過去以經典研究為核心的中國學術，至少也是在學術關注的分配上，注入一些平衡。他的作法，是藉由回復經典本身的歷史性，以及文字的義涵—與僅只是口頭的相對。作為文字文本，可由語言學方法研究；作為歷史文件，它們很值得這麼做。

　　這些研究的基礎，不令人意外地，是舊有方式的對文本的仔細檢讀。每一章專注於古代史料譬如《詩經》、《尚書》、《易經》、《逸周書》以及《竹書紀年》的一小段，一小節，一首詩，或一組詩。但夏含夷除受惠於傳統小學技能，他還試著超越漢學與宋學兩種解釋範例，以抗拒破除迷信者的正面攻擊，以及今文經學派較不明顯的側面攻擊，一切都要感謝他看似毫不費勁的對西方文本批評、歷史學及社會學相關問題的熟悉。然而，他並不排拒較早

的學術成果，並特別地充份利用如顧頡剛、王國維與聞一多等學者
的研究成果。舉例來說，第一篇〈結婚、離婚與革命：易經發
微〉，乃是建立在顧頡剛的見解上，表明著此經典中存在有卦與卦
之間的相互關係，並以如《詩經》一般的「興」提供解釋方法。另
外，聞一多對《詩經》的象徵性的解讀，促使夏含夷對多首詩歌採
取比較性方式，見於第八篇〈女詩人如何使王室如燬〉。

　　夏含夷對文本最新詮釋方式的這般敏銳性，提供每部古代史料
上的許多新見解，通常以對延伸段落（extended passages）或詩歌
的翻譯為形式來表達。但比起無論是技術性的方式還是詮釋性的範
例更為重要的，是夏含夷注解的相互文本性，像是《詩經》中的詩
歌與《尚書》中的段落相比較，或是《易經》中的文句與青銅銘文
中相同公式的對比，或是這些銘文藉由甲骨文而更為明晰。第二篇
在〈周武王克商的新證據〉一文中，將這互為文本性表現得更加淋
漓盡致：「藉由比較商代甲骨文與西周青銅銘文的語言，我已嘗試
去指出《逸周書》的〈世俘〉一篇，只能夠是成書於西周早期，並
且就是《尚書》中〈武成〉的原版，現今〈武成〉一章很諷刺地乃
是偽造。」（頁7）在陳述古代經典研究上義涵性（contextuality）
的重要性時，夏含夷特別提到「這證明它們在文本中的並排位置乃
是有意編排的結果」。（頁212）儘管特別談到相關各卦，對文本
的交叉閱讀，就如同對特定文本的上下文的閱讀，需要對廣泛史料
的嫻熟。夏含夷就擁有這般的嫻熟，並明智地運用。自從哈龍
（Gustav Haloun）❶之後，還沒有見到像他這樣對古代中國各樣史

---

❶　譯者案，1898－1951，英國著名漢學家。

料的技術性掌控，並喚起對過去考據學在文本上細密關注這一類型的回憶。而與舊有技術相搭配的，是令人驚奇的新潮理論，這是直到葛蘭言（Marcel Granet）❷的生涯才擁有如此之多對當代禮儀、表演及文化的義涵相當敏銳的新的詮釋。舉第六篇〈從周頌到文學：詩經中的禮儀情境〉為例，作者的分析傑出地支持其結論，亦即「將詩歌置於禮儀及的情境當中，使其比僅僅置於文學情境中更具意義。」（頁 174）

鞏固所有這些互為文本性的，是作者對青銅銘文卓越的掌握，似乎充滿在他實際上對所研究的每一文本的閱讀上。確實，他主要論點之一，就是青銅銘文對試圖了解西周文化的現代學者而言，無論是在經典的製作動機上，還是西周文學所使用的格式及公式上，都扮演著重要的角色。當然，只有歸因於作者在西周青銅器方面的專長，才使他得以在相關文本的解讀上，充滿如此有見解的說明。

這些研究，這些年來一系列地發表於一些相當具水準的漢學機構中。這樣，它們值得作者為其所提供的簡明概要，在概述中說明當初寫作各篇論文的動機，在需要之處有所更新，並將這些論文置於統一的架構中。但不僅是一篇再次說明，此篇概述提出新的見解──或至少在鮮為人注意的事實上，引起我們的關注──❸在銘文的製作過程方面。每一篇銘文皆以「冊命」為基礎，書於木簡或竹簡上，宣讀給朝廷上受命於天子的人來聆聽。這「冊命」的副本，

---

❷　譯者案，1884－1941，法國著名漢學家。

❸　弗根侯森（Lothar von Falkenhausen）也注意到青銅銘文在確實鑄造之前的製作及編輯的複雜過程，這也是日本與法國漢學家所長期關注的。見弗根侯森，《古代中國》（*Early China*）21 (1996):192。

便成為銘文的基礎，加上頌文、禱文及其他有關訊息。「冊命」的副本也被保存於朝廷，作為天子及其大臣日後的咨詢資料（頁 2－4）。這類文件的角色，連同周代早期其他類型的書寫文件，強調了夏含夷宣稱的周代經典乃源於文字而非口頭的義涵。我認為他這一論點，無論在觀念上，還是在銘文語言與經典語言之間所畫的平行線上，都是很令人信服的。

　　幾個排印錯誤很明顯。較顯著的，是第七篇《周易乾坤二卦的構成》一文中不合適的排版。儘管此文內容相當有趣且適當地闡述與其他文章一樣的清楚——夏含夷對這兩卦以天文星象及曆法來解說，是這本書中最有價值的結論——此文卻較其他各篇更不符合其原本出處（博士論文的一章）。必須要有一個或兩個較小的排版上的更動，以消除實際上此書中唯一的缺陷，確實來說是一個。譯文是逐字翻譯，偶爾顯得單調，但僅只是偶爾。畢竟，在與相關文本在翻譯上做比較時，逐字翻譯完全是受歡迎的美德，更不用說在對文本進行仔細檢讀之時。如果須要有所補充的話，夏含夷通常能夠為他的譯文供應一套精密論證的注解以及分析，但在他較正式的馬王堆《易經》譯文中卻是欠缺的。

　　此書無論在對古代中國史料處理上提出的許多正確的方法論進路方面，還是對特定文本的詮釋方面，我都無法對其意義再有所強調。想像性的重構與批判性的分析相結合，立基於令人印象深刻地對原始材料及二手研究透徹的嫻熟，建立起最富啟發性，讓我在過去幾年中欣賞的學術作品。實際上，每一篇論文為讀者的仔細閱讀，回報了關於周代禮儀政體、優雅氛圍及文字文化方面饒富趣味的見解。感謝這部論文集，夏含夷在西周史的銘文與經典史料方

面，坐上了領先詮釋者的位子。學習經學或古代中國史的學生都不應該沒有這部書，學習周史的學生也不能忽視點綴在每一頁上的譯文與文字研究，如同方法論的珠寶，具有教育上的價值。紐約州立大學出版社，必定為將此散落的珠寶匯為如此閃亮的論文集，而備受恭賀。我迫不及待期待夏含夷的下一部著作。

   ——譯自 *Chinese Literature: Essays, Articles, Reviews* 20 (1998):188-191。

第四篇
大衛・史嘉柏（David Schaberg）*著
加州大學洛杉磯分校

 《孔子之前》一書，收錄夏含夷過去二十年間所撰寫的單篇論文。其中的六篇，原本發表在不同的期刊上，未經大規模修改，僅某些譯文的注解已獲簡化、修短。概述部分，一如最末一篇論文，乃是新作，而倒數第二篇論文則節取自夏含夷 1983 年的博士論文。

 夏含夷將他這些研究成果匯為一冊，凸顯出整合其著作的方法論原理。這些論文，皆具簡單而又有效的理智構設。與近幾個世紀以來的懷疑主義相反，夏含夷堅信於西周文獻的廣泛運用，他經常

---

* 大衛・史嘉柏（David Schaberg），加州大學洛杉磯分校亞洲語言文明研究中心副教授兼共同主任。

試著從傳自漢代的文本中，去真確地發現其中或隱藏於其後的早期史料。透過仔細閱讀，他確認這些文本中的問題，運用他對中國、日本及西方學界二手研究、古文字學、天文學、詞彙學及早期中國文獻集成等各方面令人敬畏的知識，以解決問題，並展示文本的本義及其最初形成時的意義。他的解答總是極富才智，在許多案例方面頗具說服力；某些由於歷史記錄的稀少及可靠證據的不足，則較為微弱。

　　這些論文對後來成為儒家經典的文本，並沒有構成綜合性的評論，確切地說，它們是夏含夷方法及其在經典中運用所得的展現。在首篇論文〈結婚、離婚與革命：易經發微〉及第七篇論文〈周易乾坤二卦的構成〉當中，他發現有關內容顯示出各卦的爻辭與各對卦之間，是如何配合在一起。當第七篇論文以天文學為基礎，提出一直接的論證，首篇論文則較為冒險地主張「歸妹」（第 54）、「漸」（第 53）、「泰」（第 11）、「否」（第 12）這兩對卦合在一起，乃述說文王與商王帝乙之女失敗的第一次婚姻。若果有離婚（此概念在顧頡剛獨具慧解的「大明」〔毛 236〕一詩解讀中，具樞紐地位），應能發現比爻辭本身更為確切的證據。

　　在第二及第三篇論文當中，夏含夷論證此二部被認為是成於東周的文本，事實上，保存有西周早期的可靠資料。在〈周武王克商的新證據〉一文中，他提出《逸周書》的〈世俘〉一篇，實際上就是《尚書》中的〈武成〉（此篇於古文《尚書》中為偽造），乃是出於孟子對周朝出征的反戰觀點，而將此章從《尚書》中移走，並以年代學及語言學的證據，支持其論點。在〈竹書紀年的真實性〉一文，他十分具說服力地陳述，某一竹簡的移置，恰能解釋周代早

期斷代上的矛盾之處,而適當地將此段竹簡文字回復置於成王一朝,即能解決困難。

第四、第五篇論文,亦是關乎周代早期事件。在〈周公居東與中國政治哲學中攝政論爭之始〉及〈大保奭在鞏固周朝出征中的角色〉二文中,夏含夷運用《尚書》及青銅銘文,重構西周早期最重要的兩位大臣之間,不為人知的衝突。第六、第八篇論文〈從周頌到文學:詩經中的禮儀情境〉及〈女詩人如何使王室如燬〉,將《詩經》中的詩歌分別置於禮儀及性的情境當中,在夏含夷的觀點中,解釋頌在形式上的變化,並解決〈汝墳〉一詩的疑問。

認同夏含夷,意謂著接納其對早在公元前一千年的文獻之無所不在的信念。這部論文集,對贊同他或是想與他論辯的人來說,皆是有用及可為模範的。如同紐約大學所出版的大量漢學專著,這本書應更嚴謹地來校對。幸好,排版上的錯誤,不至於多到使人困擾,亦不妨礙論文的清晰性。

——譯自 *The Journal of Asian Studies* Vol. 59, No. 1 (June 1999): 1137-1138。

第五篇
肯尼斯·古德爾（Kenneth Goodall）[*]著

這部著作,大部分是收錄芝加哥大學東亞語言與文明系教授夏

---

* 作者是一獨立作家及編輯,對《易經》與古代中國有特別的興趣。

含夷，自其出色的博士論文《周易的構成》出版以來，所撰寫的單篇論文。此書包括《周易》（《易經》）、《尚書》及《詩經》方面各兩篇論文，以及《逸周書》和《竹書紀年》各一篇。

除這些論文外，夏含夷通過他所著，具有權威性亦是不可或缺的手冊《西周史料：青銅銘文》（加州大學出版社，1991 年）及《古代中國文本：目錄指南》（古代中國研究學社，1993 年）中關於《易經》與《尚書》的論文，為古代中國研究這一領域，做出極大的貢獻。他亦曾主編《古代中國》期刊、馬王堆《易經》（發表作《易經：變易之書》〔Ballantine books，1997 年〕）、《古代中國歷史的新史料：銘文及出土文獻導論》（古代中國研究學社，1997 年）。

因此，懷著惶恐之心，作為一名喜愛攪亂及學習《易經》的學生，感到有必要就夏含夷的歷史方法論，做一討論。雖然我對夏含夷關於《周易》的兩篇論文都有疑惑，在此短評中，我將針對其中的一篇──他對《易經》文本在最古老層面上，對卦爻辭歷史「意義」的論斷。令人不愉快地，夏含夷將他的主要詮釋計策，立基於1920 年由顧頡剛所建立的沙堡上。當他這麼做時，助成了一個二十世紀關於周代的不朽的迷思，此迷思對顧頡剛及其疑古同志而言，至少是如傳統迷思那般的邪惡，而要試著去打破的。

顧頡剛本身在提出他的意見時，是相當謹慎的，但夏含夷卻在中途攔截，並將之攜帶到一碼之外。如同夏含夷在此書首篇論文〈結婚、離婚與革命：易經發微〉中所指，顧頡剛形容他對《周易》與《詩經》的詮釋，「較猜測僅多一點」（頁 16）。即使我更傾向於形容那是一種狂想，但這是很確切的描述。然而，在夏含

夷的手中,這「猜測」首先成為「見解」(頁 21),再次則在概述中,成為歷史事實(頁6)。

這猜測－變為－見解－變為－事實,到底為何?這是顧頡剛將《周易》中的辭句,與《詩經》中的辭句相並列,所達成的結論。在夏含夷的解說下,周代的奠基者文王,娶商王帝乙之女(或是妹妹,或是表妹,翻譯及解釋各異),此婚姻後來失敗,文王另娶,後成為武王之母。

應注意的是,顧頡剛僅只是將《易經》卦爻辭所模糊提到的帝乙歸妹,與《詩經》中同樣模糊的文王之娶,二者相結合,以達到他天才的、新穎的結論。儘管這兩部文本本身,毫無可以顯示它們二者間有任何關係。

夏含夷將顧頡剛的猜測轉變成事實,他在概述中寫道,他此書的首篇論文是立基於「一件在《易經》爻辭中提到的歷史花絮,周文王之娶……商王帝乙之女」(頁 6)。對不留意的讀者而言,這將是一個驚奇,亦即在《易經》爻辭中並無有關文王要娶帝乙之女的資料。只有接受顧頡剛將卦爻辭與他對《詩經》奇幻式的解釋相連接,方能達到夏含夷的結論。

但為何討論這件事?我們不都常在建構精巧理論時,抓一些無用之物?難道評論者不應該允許作者出現缺失?

不是的。夏含夷本身提到(頁 7),他所利用顧頡剛的解釋及一些更為傳統的注解,「是我在所有這些研究中,試著去做的一個範例—在試著去符合傳統說法時,利用新證據去思考。」這是令人欽佩的目標,但如果這範例是建立在不可靠的「新證據」上,又能怎樣堅固呢?

　　對顧頡剛著作較具明智觀點的，見於吳國禎《中國的傳統》（Crown，1982年）這一悉心安排的古代中國史一書。吳國禎是本世紀前半葉著名的國民黨政治人物，與其長官蔣介石爭執，而後退隱美國從事史學研究。由於在核心之外，他的著作在美國學術圈似乎沒有獲得推崇，但在顧頡剛開始發表其理論時，吳國禎身處中國，並且還是傅斯年的朋友，而傅斯年是一位受敬重的學者且認同於顧頡剛的猜測。

　　吳國禎在一篇極好的附錄〈論古代中國典籍作為史料的可用性〉中，描述當時他自己以及其他知識份子所奉行的偶像破除：「當顧頡剛於 1920 年代中期發表他的《古史辨》第一冊，宣稱中國歷史上著名的治水專家禹並非真有其人，而是一種神話動物，我仍鮮明地記得當時我是如何抓著此書的最初一版，興味盎然地讀著。」（吳，頁 455）但之後，吳國禎對疑古運動有所反思。由於古代中國史學者很少留意吳國禎的書，因此很值得在此處節錄一些他對顧頡剛猜測的解說：

　　　　直到 1920 年代，沒有人想到《詩經》「大明」與《易經》「帝乙歸妹」之間可能存在某些關連。但不久顧頡剛宣佈，根據此詩，文王與殷商第二十九代君王帝乙的妹妹結為夫妻。說到證據，他指出詩中說她是「俔天之妹」，所以這位君王是她的兄長。但是文王的配偶歷來通稱太姒，姒是莘家族的姓，莘的姓和商家族的姓「子」是不相同的。所以顧氏竟冒然提出太姒是帝乙派來作為這位諸侯的一個所謂妾的宮廷女侍，而文王和她結婚是在帝乙的妹妹死了之後。但是詩

　　　　中說當時太姒是來自「在洽之陽，在渭之濱」的莘，這個國

　　　　家據知是在周的附近。但是，顧氏硬說太姒是來自與莘不同

　　　　的國家，這個國家位於當今山東西部，與殷都安陽很接近。

吳國禎的結論是：「顧頡剛可能在他富饒的想像上，備受恭維，但
那些不認為他的推測有足夠基礎的人，應該也要受到諒解。」最有
意義地，他補充道：「遺憾地，某些當代歷史學者已將這些材料當
作是可靠的史料，並認為足以宣告文王與殷商之間有著婚姻關
係。」

　　在西方，夏含夷並非是唯一受到顧頡剛或傅斯年誤導的歷史學
者。舉例來說，許倬雲和琳度夫（Katheryn Linduff）在《西周文
明》（耶魯大學出版社，1988 年）一書中，引用傅斯年所言「周
文王娶商朝公主，生武王……根據《易經》情節，此位公主是帝乙
之妹」。就在這般不穩的基礎上，他們建立起一套精巧理論，以說
明為何周王崇拜商朝祖先及他們自己的祖先。

　　然而，為何要從立基於有缺陷的「新證據」之上的錯誤陳述
中，建立論據？

　　首先，是對真相的尊崇，或至少為了區分事實與虛構。若夏含
夷和其他歷史學者希望去重覆顧頡剛的論證，至少他們應該弄清，
那並非建立在歷史證據之上，而正是如顧頡剛所言：一個猜測。無
論這些歷史學者重覆多少次「文王娶帝乙之女」這句真言，這一猜
測並不會由此而神奇地轉變成為歷史事實。即使這段歷史必須「發
微」以便了解，這些評論者，迷惑自己去相信《易》或《詩》能以
絕對可靠的歷史來看待，而賦予自己史料編纂上的自由。從《詩》

中挖掘歷史的礦場，雖可能被古代儒家學者接受，但如果《詩》和《易》在今日被視作為歷史事實來引用，那麼引用龐德（Ezra Pound）的 Cantos ❹詩作及凱思（Edgar Cayce）❺的通靈經驗作為事實，應該也能被接受。

其次，在夏含夷的論點中，他與其他評論者如顧頡剛，試著去獲取卦爻辭及其他中國經典的「本義」，在旁人看來，其中有所矛盾。夏含夷他們這麼做，是將作為《易經》原本意圖的占卜而非歷史紀錄，置於一旁。他們將此文本看作是表達完全可靠事實的歷史文件，傷害了此文本製作之時的精神。由於《易經》是一部占卜文本，其本義透過占卜的立場來決定，才是最好的。

如此，這些評論對《易經》精神的傷害，就如同他們所常不以為然的儒家道德主義者那樣，將卦爻辭解釋成普遍真理（雖則夏含夷本身對程頤的觀點是推崇的）。作為評論者的第一要務，當然是保存文本的精神。所有注解《易經》的人，必須將十二世紀儒家教育家朱熹與道德主義者在爭論時，所反覆宣稱：「《易》本卜筮之書。」（見愛德勒（Joseph Adler）〈朱熹與卜筮〉，收錄於《宋代對易經的運用》〔普林斯頓大學出版社，1990 年〕，頁 178）這一真言，放在心上。

這篇書評如果在此打住，我會感到相當怠慢，因此必須提到我所真心認同的觀點，即夏含夷在其《易經》研究中的主要結論：

---

❹　譯者案，1885－1972，美國詩人，有「詩人的詩人」之譽，其主要作品為 Cantos。

❺　譯者案，1877－1945，美國著名靈媒及預言家。

《易經》絕非是一堆不相關陳述的混合，而是表現出「在文本構成中……可觀的創造性意識」。我們應該將他的結論放在心中，也就是「古代中國是一高度文化，至少貴族和社會精英是如此，並且完全有能力制作現存經典這樣的文學作品」。

　　雖然我對夏含夷太過於接受顧頡剛的猜測這一方面，有不同的意見，但並不妨礙我認為在美國學界對原始《易經》的探討上，夏含夷無論是思索時間之長，或所下功力之深，或研究成果之多，皆無人能出其右。但除非更新、更可靠的證據出現，夏含夷這一見解，仍然尚未得到證明。

　　——譯自 *China Review International*: Vol. 6, No. 1, Spring
　　1999:261-265。

孔子教導弟子攻乎異端？——
《論語》2.16 各家解讀之摘記

傅　熊[*]著・胡元玲[**]譯

從看似微不足道場景所遺漏的，由對話所生的間隙，這些刺激了讀者以預測去填補空缺。讀者不由自主參與其中，以未曾言說之意去填補空白。❶

序　曲

經書作為最重要的思想泉源，從其而來有大量的回響，而中國思想史正是此一情況的生動寫照。確實，中國經典與歷代注疏是中國性（Chineseness）建構的基礎，是中國傳統及前現代時期的主

---

[*]　傅熊（Bernhard Fuehrer），英國倫敦大學亞非學院中國與中亞語言文化系教授。

[**]　胡元玲，北京大學中文系古文獻專業博士，新加坡南洋理工大學中華語言文化中心博士候選人。

❶　伊哲（Wolfgang Iser）：《閱讀之行為：美學反應理論》（巴爾地摩：約翰霍普金斯大學出版社，1978 年），頁 168。雖則伊哲此言乃是對珍・奧斯丁（Jane Austen）小說所作評論，並不涉及其他不同文類，但他「作為文本與讀者之間關係發展之主軸」（頁 169）的間隙概念，卻可解釋與本文主題相關的某些現象。

體。❷儘管其起源與性質相當龐雜，大部份學者仍堅持經典的綜合性（comprehensiveness）。文學批評家劉勰（約 465－約 520）宣稱，經者乃「群言之祖」❸，並對經典其多相性（heterogeneity）與綜合性之間，提出一簡明聯繫。

由於學界的眾多努力，經注傳統為有閒暇的愛好者提供了研習經學極為豐富的資料。眾所熟知，經學家因各有其經學立場與經注方式，即使同一部經書，所達成的結論可能差異極大。經注的目的，主要是在「改進」和「修正」讀者的評論。對經書的注解，有內在的、外在的、思想上矛盾的，以及語文上的不協調、不連貫，與文本差異等等，由此引領我們去徹底了解經學傳統在中國思想史上的角色與地位。❹

---

❷ 經學作為中國傳統社會的主體，此一見解為許多學者所持有，如周予同〈「經」、「經學」、經學史〉，收入朱維錚主編：《周予同經學史論著選集》（增訂本）（上海：人民出版社，1996 年），頁 660。

❸ 劉勰撰，范文瀾注：《文心雕龍注》（臺北：開明書店，1985 年），卷 1，頁 14a。

❹ 有關概述性調查，見葛納（Daniel K. Gardner）：〈儒家經說與中國思想史〉，《亞洲研究期刊》第 57 卷第 2 期（1998 年），頁 397－422。有關比較性論述，見安德森（John B. Henderson）：《經典、正典、注解：儒學與西方經注比較》（普林斯頓：普林斯頓大學出版社，1991 年）。相關中肯討論，見梅約翰（John Makeham）：〈經注與經注技巧〉，《中國中古研究》第 6 期（2000 年），頁 104－23。一些西方學者對部分經書的經注傳統已作有透徹研究。有關《論語》的早期經注，見梅約翰著作。有關對《論語》特定章節的解讀，近來的研究有波茲（William G. Boltz）：〈論語中的文詞與文詞史：論語 9.1 注解〉，《通報》69（4/5）（1983 年），頁 261－271；克斯尼（John Kieschnick）：〈論語 12.1 與經注傳統〉，《美國東方學會期刊》第 112 卷第 4 期（1992 年），頁 567－6；鄭安玲（Anne Cheng）：〈孔子所未言的翻譯難處〉，收入愛樂桐（Viviane Alleton）與朗宓榭（Michael

　　相關現象所引發的諸多問題中，在此或能簡要提到其中兩個問題。每一位瞭解經注傳統的人，都認識到當代對經典的解讀，無論是注解、白話翻譯、學術論文及政治運動等，都與現代化乃至近來全球化情境下討論的文化議題，在相當程度上是息息相關的。在某種政治預設下對傳統價值觀進行重估，此一嘗試儘管有傷嚴肅的學術研究，卻也是這些典籍在古代被尊奉為經的地位後，其影響力之長久的驚人例證。❺

　　中國經學傳統另一層次的回響，可從經典在域外的流傳得見一般。各種的東亞、滿州、西方譯本，揭露了對經與經學在歷史與思想層面上的理解。此處，將針對記載孔子（西元前 551－479）言行的《論語》一書，對其回響作若干粗略摘記。❻儘管此書是由作者兼編纂者從夫子弟子及再傳弟子的記憶中結集而成，此書在經與經學傳統中的地位卻異常尊榮，被某些人視作是此傳統中最著名大師之言論的代表。❼

Lackner）主編：《一與多：從漢語譯為歐語》（巴黎：社會科學院出版社，1999 年）。

❺　試比較如中華人民共和國早期對孔子的看法，以及海外華人社會對儒家倫理在經濟上的影響的觀點。有關對前者的概要，見雷金慶（Kam Louie）：《當代中國的孔子評論》（香港：中文大學出版社，1980 年）及《傳統繼承：共產中國的古典哲學家詮釋 1949－1966》（香港：牛津大學出版社，1986 年）。

❻　有關對《論語》歐洲語言譯本簡明且具洞察力的概覽，見鄭安玲（Anne Cheng）：〈孔子之言：二十世紀歐語翻譯回顧〉，《漢學書目評論》（NS）17（1999 年），頁 471－479。

❼　關於《論語》早期文獻史，見梅約翰（John Makeham）：〈論語一書之形成〉，《華裔學志》第 44 期（1996 年），頁 1－14。相關概述，見鄭安玲

　　《論語》西文譯本中，第一部廣為人知且具影響力的，是收錄
在著名的《中國哲學家孔子：用拉丁文解釋中國人的智慧》❽一書
中，此書是耶穌會教士對《四書》所進行的翻譯，由柏應理
（Philippe Couplet）（1623－1693）等人主編，呈獻給法國國王路
易十四（在位 1643－1715）。這些譯者所延續的耶穌會翻譯計
畫，上溯直至利瑪竇（Matteo Ricci）（1552－1610），其翻譯主
要依循 1190 年出版的《四書集注》或《四書章句集注》。除了著
名的朱熹（1130－1200）集注，耶穌會教士亦依賴張居正（1525－
1582）的《四書直解》，此書出版於 1573 年。張是明萬曆皇帝
（在位 1573－1620）朱翊均（1563－1620）的首輔。❾這本簡化
自《四書集注》的本子，後來逐漸為人們所遺忘，《中國哲學家孔
子》一書的讀者甚至不知道張居正為何人，而只知譯文中的 Cham
Colao（張閣老）及 Cham Kiu Chim（張居正）。❿無論如何，傳

　　（Anne Cheng）：〈論語〉，收入魯惟一（Michael Loewe）主編：《中國古
　　代典籍導讀》（柏克萊：古代中國研究學社與東亞研究所，加州大學，1993
　　年）。有關對《論語》文獻形成年代的突破性嘗試，並為孔子死後 230 年間
　　建立斷代，見白牧之、白妙子（Bruce Brooks and A. Taeko Brooks）：《論語
　　辨：孔子及其門人之言》（紐約：哥倫比亞大學出版社，1998 年）。

❽　柏應理（Philippe Couplet）等譯，巴黎，1687 年。

❾　有關張居正的思想背景，見克勞福（Robert Crawford）：〈張居正儒家式的
　　法家〉，收入狄百瑞（Wm. Theodore de Bary）主編：《明代思想中的個人與
　　社會》（紐約：哥倫比亞大學出版社，1970 年）。有關張居正生平，見朱東
　　潤《張居正大傳》（湖北：人民出版社，〔1957〕1981 年）。張居正本亦名
　　為《四書張閣老直解》。

❿　試比較倫德巴克（Knud Lundbaek）：〈內閣大學士張居正與中國早期耶穌會
　　教士〉，《中國傳教研究（1500－1800）學報》第 3 期（1981 年），頁 2－

教士的選擇是很有意義的。⓫《四書直解》由作為帝王首輔、重要大臣的張居正所編纂，為統領天下的少年天子所作，此本在當時極具權威。此外，由於此本清晰的語言特色，即暢達的注解，以及特定的教學目標，也就是為天子而設的道德與政治方面的教育，使耶穌會教士在將中華倫理價值傳遞至歐洲的過程中，得以從張居正此書得到一近乎量身定做的本子。儘管《中國哲學家孔子》的流通因其版式受到局限，但除了滿州本之外，此書對《論語》、《中庸》、《大學》的翻譯，幾乎是所有早期將孔子智慧之言譯為歐語各本中，被其所依據最有影響力的藍本。⓬

儘管早期傳教士不斷努力將《論語》的標準讀本傳入歐洲，後期的《論語》回響則反映了與文獻傳遞及其經學傳統相關的複雜性。在本文中，無法對較不常使用的譯本作討論，如馬士曼（Joshua Marshman）（1768－1837）的《孔子著作》（1809）、柯大衛（David Collie）（卒於 1828）的《通稱為四書的中國經典

11。又，當時「張居正」羅馬拼音即為 Cham Kiu Chim，「張閣老」為 Cham Colao。

⓫　注意馬若瑟（Joseph Henri Marie de Prémare）（1666－1736）曾以張居正此書風格之簡易，而向歐洲學生推薦，見馬若瑟《漢語札記》（馬六甲：Cura Academi Anglo－Sinensis，1831 年；香港：Société des Missions－Etrangères，1893 年）。

⓬　第一部完整的《四書》（包括《孟子》）譯本，是由羅明堅（Michele Ruggieri）（1543－1607）所完成。見倫德巴克（Knud Lundbaek）：〈儒家經典在歐洲的首次翻譯〉，《中國傳教研究（1500－1800）學報》第 1 期（1979 年），頁 2－11。

名著》（1828）⓭、晁德蒞（Angelo Zottoli）（1826－1902）在其著名《中國文獻課程》（1879－1882）⓮一書中的譯本或辜鴻銘（1856－1928）《孔子的論述與格言》（1898）。但在以上這些譯本中，從馬士曼（Marshman）譯本的「相當拙劣處理的偏袒嘗試」⓯，經過柯大衛（Collie）譯本「其注腳表現出對中國思想頗為憎惡的鄙視」⓰，到晁德蒞（Zottoli）符合文意的翻譯，以及傳統主義者辜鴻銘以引用歌德（Goethe）、華茲華斯（Wordsworth）等作家來迂迴表達的譯本，顯示了大量不同的研究路數。

　　就現今仍在使用的某些較早譯本而言，筆者要指出，經常參閱《中國哲學家孔子》一書的蘇格蘭新教傳教士理雅各（James Legge）（1815－1897），以及蘇慧廉（William Edward Soothill）（1861－1935），此二人在翻譯時並不局限於某個特定經注傳統，而是傾向於較為折衷方式，採取各經注中認為是合適的。另方面，如果我們搜尋《論語》朱熹注的最佳翻譯，古夫瑞（Séraphin Couvreur）（1835－1919）的法語及拉丁語譯本（首版於 1895）應不作二想。

　　雖然《集注》所導致的朱熹經學氛圍是如此，但具批判性的讀

⓭　柯大衛（David Collie）：《通稱為四書的中國經典名著》（馬六甲：Mission Press；Gainsville：Scholars' Facsimiles and Reprints，〔1828〕1978 年）。

⓮　晁德蒞（Angelo Zottoli）：《中國文獻課程》（5 冊；上海：Typographia Missionis Catholicae，1879－1882 年）。

⓯　巴瑞特（Timothy H. Barrett）：《漢籍與英國學者簡史》（倫敦：Wellsweep，1989 年），頁 63。

⓰　同上，頁 65。

者仍認定，與其說朱熹是探究所引各家之言為何義的「思想考古家」，不如說他是將某特定學派的哲學思想加以普及化的「福音家」。**⑰**韋利（Arthur Waley）（1889－1966）在其譯本中，將中國數百年經學傳統擱置一旁，排除所謂新儒學的道德系統，試圖以宋代以前經說為其依據，他所達成對《論語》的獨特解說，為西方讀者開創了新的視野。

背　景

經與經學的建立以及經注的去取原則，這些實際工作，是由精英中的精英即博學的行家所獨占。雖然注經工作是屬於士大夫的領域，但其成果必須由皇帝所頒定，在皇帝的恩賜下印行。**⑱**某些皇帝試圖參與經學傳統的創造。如梁武帝（在位 502－549）蕭衍（464－549）為《論語》撰有注解，並為《孝經》作疏，此二者皆有殘本傳世。但其中最為人知的，是唐玄宗（在位 712－756）李隆基（685－762），出於對《孝經》古注中矛盾之處的不滿，特撰作序文及注解。不用說，他的權威地位，加上皇家詔令，使其本子不僅流通廣泛，亦且刻於唐石經上而流傳後世。

筆者此處所要討論的，主要放在一位未曾受過儲君教育的帝王

---

⑰　見韋利（Arthur Waley）：《孔子論語》（倫敦：George Allen & Unwin，1938 年），頁 73－76。

⑱　值得注意的是，在態度上，對建立與標準化經說相違背的新詮釋，各時代是決不相同的。有關建立明確經注的嘗試，見參麥倫（David McMullen）：《唐代政府與士人》（劍橋：劍橋大學出版社，1988 年），頁 67－112，及頁 77 有關「容忍單一經說之意願」。

身上，即朱元璋（1328－1398）。與其他帝王相比，如年少的宋哲宗（在位 1086－1101）在 1085 至 1095 年間受思想家程頤（1033－1107）教導，以及前述所提習學《四書》的萬曆皇帝，乃至清朝康熙皇帝（在位 1661－1722）少時研讀著名的《日講四書解義》，朱元璋未曾享受過任何正式教育。❶出身寒微的朱元璋，讓我們想起像是劉邦（西元前 256－195）拿儒冠當溺具以示對儒者的輕蔑，以及毛澤東（1893－1976）等人。

由於不曾受過教育，朱元璋對士大夫極盡挖苦與嘲諷之事。儘管有賴文人階層以治國，但朱元璋對他們的不信任，可從一長串交付劊子手的士大夫名單中得見一般。❷據記載，雖然他推薦經書為

---

❶ 關於朱元璋，見鄧嗣禹：〈朱元璋〉，收入富路特（L. Carrington Goodrich）與房兆楹主編：《明代名人錄 1368－1644》（2 冊，紐約、倫敦：哥倫比亞大學出版社，1976 年），第 1 冊；吳晗：《朱元璋傳》（北京：人民出版社，〔1965/1985〕1996 年）；孫正容：《朱元璋繫年要錄》（杭州：浙江人民出版社，1983 年）。有關這位明代開國君王的傳奇故事，見傅熊（Bernhard Führer）：〈鑑往知來談預言：燒餅歌試探〉，收入漢姆爾（Christiane Hammer）、傅熊主編：《傳統與現代：中國宗教、哲學與文獻》（多蒙特：projekt verlag，1997 年）。

❷ 有關朱元璋在位期間的文字獄及其受難者，見趙翼：《廿二史劄記〔附補遺〕》（北京：商務印書館，〔1937〕1958 年），卷 32，頁 676f；顧頡剛：〈明代文字獄禍考略〉，《東方雜誌》第 32 卷第 14 期（1935 年），頁 21－34，及富路特（L. Carrington Goodrich）：〈明代文字獄研究〉，《哈佛亞洲研究期刊》第 3 期（1938 年），頁 254－311。有關某個趙翼或顧頡剛所未曾提到的案件，見傅熊（Bernhard Führer）：〈不祥之言抑或不敬之事？明代開國皇帝之下的張先生與文字獄〉，收入雷丹（Christina Neder）、羅哲海（Heiner Roetz）、史玲（Ines-Susanne Schilling）主編：《傳記層面的中國：馬漢茂（Helmut Martin）教授紀念論文集》（威斯巴登：Harrassowitz，2001 年）。

家家戶戶所不可或缺的必讀之書，他本人卻並無多少學問。無論如何，他致力於瞭解經學，並參與對經注的討論。就在他稱帝之時，他崇尚經學的「說服力」有了實質上的轉變。他盡力將經典中認為是「不健康」的部份清除，這可從他熱切刪改《孟子》一書得見。㉑各種資料顯示，儘管博學之士對朱元璋夾帶無上政治權威的詮釋不以為然，這位皇帝對經書部分章節的見解不容公開討論。

　　雖然單件例證不足以說明全面範圍，本文的任務是以逐步方式建立一個馬賽克圖案。唯有當某些部分被拼湊起來，整個圖案才為之顯露。筆者選取朱元璋對《論語》某段的解釋作為起始點，以筆記為主要參考文獻。筆記是一種非正式的史料，主要依據私家筆記、傳說、回憶，部分來自不曾流傳後世的地方資料，它豐富了傳統中國文獻寶庫及我們對傳統中國社會的認識。既然這類文體的目的之一，是作為正史文獻的補充，其中內容為我們理解某些事件以及士人日常生活，提供了寶貴的資料。㉒

插　曲

　　歷經官場起伏的李賢（1408－1467），在其有關明代初期歷史

㉑　作為《孟子》節本的劉三吾（1312－1399）：《孟子節文》（1394），是奉朱元璋指示所作新的標準本，在朱元璋死後近二十年才被廢棄，恢復原本《孟子》。有關朱元璋對《孟子》的態度，亦見全祖望（1705－1755）：〈辨錢尚書爭孟子事〉，《鮚埼亭集》（《四部叢刊》本，第 85 冊）。

㉒　試比較傅吾康（Wolfgang Franke）：〈明代歷史文獻〉，收入牟復禮（Frederick W. Mote）、杜希德（Denis Twitchett）主編：《劍橋中國史》第 7 冊《明史，1368－1644（第一部）》（劍橋：劍橋大學出版社，1988 年）。

《古穰雜錄》❷一書中，記載朱元璋對《論語》三小段解說。這一
插曲，首先是將朱元璋置於儒學傳統之中：

> 高廟看書，議論英發，且排朱文公集註。每儒臣進講《論
> 語》等書，必有辯說，呼朱熹曰「宋家迂闊老儒」。❷

在建立此一背景之後，李賢進而敘述朱元璋對「迂闊老儒」在《論
語》三小段❷上的不同意見。

個案研究

為求簡便，筆者將針對其中一例，試圖討論朱元璋對《論語》
2.16「攻乎異端，斯害也已（矣）」的意見。此段的年代大約在西
元前 317 年❷，相當於孔子去世（據傳統說法）後 160 年。

對《論語》2.16，古今有各種不同注解。有關朱元璋挑戰《論
語》此段宋代經說，李賢的描述如下：

> 攻，是攻城之攻。已，止也。孔子之意，蓋謂攻去異端，則

---

❷ 李賢：《古穰雜錄》（1460；《叢書集成》本，第 3962 冊，翻印自《紀錄彙
編》，卷 23，頁 1－42）。

❷ 《古穰雜錄》（《紀錄彙編》本），頁 5b，及《古穰雜錄》（《叢書集成》
本），頁 10。

❷ 見《論語引得》（《十三經引得》本）4/3/5、3/2/16 及 23/12/13。

❷ 白牧之、白妙子（Bruce Brooks and A. Taeko Brooks）：《論語辨》，頁
109。

邪說之害止，而正道可行也。宋儒乃以攻為專治而欲精之，
為害也甚。豈不謬哉？㉗

　　以上引文為我們理解《論語》2.16，提出至為重要的問題。㉘
現將《論語》一書中的「攻」字作個比較，或能對朱元璋之理解作
為動詞的「攻」有所掌握。《論語》出現「攻」字的，有「小子鳴
鼓而攻之」（《論語引得》21/11/17）及「攻其惡，無攻人之惡」
（《論語引得》24/12/21）。㉙

　　漢代著名經學家鄭玄（127－200）在其《論語》11.17 注解
中，將「攻」解作「責」，將他認為與孔子形象似乎有所牴觸的字
眼，在意義上有所緩和。㉚雖然後代某些學者以鄭玄注用於《論
語》12.21，但其他經學家在上述兩小段孔子之言處，仍將「攻」
視作「攻擊」之義。㉛有些學者也引用鄭玄將「攻」解為「習」的

㉗　《古穰雜錄》（《記錄彙編》本），頁 5b，及《古穰雜錄》（《叢書集
　　成》）頁 10。注意「為害也甚」四字，既非引自宋代經注，亦非出自《論
　　語》。

㉘　此段的各本異文，見阮元（1764－1869）：《十三經注疏》校勘記，第 8
　　冊，頁 22，及陳舜政：《論語異文集釋》，國立台灣大學博士論文，1968
　　年，頁 28f。

㉙　有關孟子對《論語》11.17 的理解，見《孟子引得》28/4A/15。

㉚　見鄭玄：《論語鄭氏注》，收入馬國翰《玉函山房輯佚書》之《論語古
　　注》，1883；亦收入嚴靈峰：《無求備齋論語集成》（30 函；臺北：藝文印
　　書館，1966 年）。

㉛　高樹藩：《形音義綜合大字典》（臺北：正中書局，〔1971〕1984 年），頁
　　623，反應的是鄭玄注，並將「攻」字條目下列有「詰責」之義。亦見王鳳陽
　　《古辭辨》（長春：吉林文史出版社，1993 年），頁 783。朱駿聲（1788－

另一個注。㉜許多現代經注者,特別重視文本及內在語義的一致性,對「攻」作「攻擊」之解加以辯護。㉝但像《論語》這樣成於眾手的書,考慮到其文本歷史的複雜性,則看似頗具說明力的內證很可能僅是一未經檢驗的假設。

　　為求增加例證,筆者以語言上與《論語》很類似的《左傳》為考察對象,搜索其中出現的「攻」字以作為外部證據,其結果相當有啟發性。在「宋督攻孔氏」此句中,「攻」明顯的是指「攻擊」之義。㉞在「攻之不可」一句中,乍看之下其義為「不允許攻

1858)在其《說文通訓定聲》(武漢:古籍出版社,〔1833〕1983 年),頁 42〔卷 1,頁 26b〕,指出「攻」字此義乃源自假借。

㉜　試比較月洞讓:〈關於論語鄭氏注〉,收入王素主編:《唐寫本論語鄭氏注及其研究》(北京:文物出版社,1991 年),頁 186。

㉝　見程樹德:《論語集釋》(3 冊,北平:國立華北編譯館,1943 年;4 冊,北京:中華書局,1996 年),第 1 冊,頁 108;楊伯峻:《論語譯注》(北京:古籍出版社,1958 年;北京:中華書局,〔1980〕1988 年),頁 18;及嚴靈峰:《論語講義》(香港:無求備齋,1963 年),頁 4f。儘管他們都主張文本內部的一致性,楊和嚴將「攻」解作「攻擊」之義,但並不同意將「已」視作動詞或虛詞。

㉞　見《春秋經傳引得》(25/桓 2/5),《十三經引得》;理雅各(James Legge):《中國經典翻譯、評注、緒論及索引》(7 冊,香港:At the Author's,倫敦:Truebner & Co;修訂本,5 冊,牛津:At the Clarendon Press,1861－1872;臺北:Southern Materials Center,1983 年),1983 年本第五冊,頁 39;古夫瑞(Séraphin Couvreur):《春秋與左傳:中國典籍和法文翻譯》(3 冊,河間府:天主教會印刷所,1914 年),第 1 冊,頁 67。有關以下摘自《左傳》的三個例子,見楊伯峻與徐提:《春秋左傳辭典》(北京:中華書局,1985 年;臺北:漢京文化事業公司,1987 年),1987 年本,頁 321。

擊」，其實此處的「攻」是指「（以藥物）來攻治疾病」，因而整句的意思是「不能攻治」或「並非可攻治的」。**㉟**又，杜預（222－284）注**㊱**「使玉人為之攻之」一句中，指的是巧匠對石材的磨治。**㊲**

杜預對「攻」的解釋，導引我們到朱熹《四書集注》。《集注》對《論語》2.16 的注解，並未有朱熹本人的注，而是引用范祖禹（1041－1098）及程顥（1032－1085）之言。**㊳**朱熹引范祖禹之言，其首段曰：

攻，專治也。故治木石金玉之工曰攻。**㊴**

㉟ 有關類似句子，見《春秋經傳引得》（230/成 10/5）；《中國經典翻譯、評注、緒論及索引》，第 5 冊，頁 374；《春秋與左傳：中國典籍和法文翻譯》第 2 冊，頁 85；及《墨子引得》（21/14/2），《哈佛燕京學社漢學引得系列》（上海：上海古籍出版社，〔1986〕1988 年）。

㊱ 杜預：《春秋經傳集解》（《四部叢刊正編》本，第 2 冊），頁 136〔卷 16，頁 18b〕。

㊲ 有關類似句子，《春秋經傳引得》（283/襄 15/3）；《中國經典翻譯、評注、緒論及索引》，第 5 冊，頁 470；《春秋與左傳：中國典籍和法文翻譯》第 2 冊，頁 320；及《毛詩引得》（41/184/2），《十三經引得》。對相關文獻例證的選擇性綜覽，見修斯勒（Axel Schuessler）《西周古文字典》（檀香山：夏威夷大學出版社，1987 年），頁 197。

㊳ 有關范祖禹生平與著作，見弗瑞門（Michael Freeman）：〈范祖禹〉，收入法蘭克（Herbert Franke）主編《宋人傳記》（2 冊，威斯巴登：Franz Steiner，1976 年），第 1 冊，及常志靜（Florian Reiter）：〈范祖禹（1041－1098）講唐代帝王及其道教傾向〉，《東方研究國際學社期刊》第 31 期（1988 年），頁 290－313。

㊴ 朱熹：《四書集注》（又稱《四書章句集注》）（《四部備要》本，第 2 冊），頁 29。

段玉裁（1735－1815）在其《說文解字注》❹一書中，對原先許慎（約 55－約 149）解「攻」作「擊」之義有所補充，引鄭玄《周禮》注作為「攻」字的「引申之義」。段玉裁引《考工記》❹中「攻木」、「攻皮」、「攻金」之語，並說明「攻」乃「治」之義。❹

　　由於許慎字書及周代晚期文獻中「攻擊」、「攻伐」詞彙的證據，乃至年代上追周代早期考古發現中「攻」乃「攻擊」之義，使得絕大多數的字典都依循《說文解字》的觀點，將「攻擊」作為「攻」字的本義。❹許慎將「攻」歸類為形聲字，由表義偏旁

❹　許慎著、段玉裁注：《說文解字注》（1815 年；臺北：廣文書局，1969 年）。

❹　見賈公彥：《周禮注疏》，《十三經注疏》第 3 冊，頁 596〔39：7a－7b〕，及劉寶楠：《論語正義》（《諸子集成》本，第 1 冊），頁 32。

❹　見《說文解字注》，頁 126〔第 3 篇 B，頁 38b〕。注意德文中的 angreifen（攻擊、影響、觸碰）或 etwas in Angriff nehmen（〔即將去〕對治、處理）二詞，顯示出相似卻不相關而較廣泛的語義範圍。

❹　有關「攻擊」與「攻伐」二同義詞的例證，見周鍾靈等主編：《韓非子索引》（北京：中華書局，1982 年），（21/1/8、2/3/36 及 15/1/124），及《墨子引得》，頁 788。亦見諸橋轍次：《大漢和辭典》（13 冊，東京：大修館書店，1955－1960），第 13120，或張其昀等主編：《中文大辭典》（1962－1968；修訂本，1973 年；臺北：中國文化大學，1985 年），第 13425，這兩部辭典皆將許慎的解說放在首位。達世平及沈光海：《古漢語常用字字源字典》（上海：上海書店，1989 年），頁 231，將「攻擊」作為本義。高樹藩：《形音義綜合大字典》，頁 623，對「攻」字列有九個意義，而《漢語大字典》（8 冊，武漢：湖北辭書出版社及四川辭書出版社，1986 年），第 2 冊，頁 1449，則列有十四個不同意義。由於《漢語大字典》在字義的排列上似乎反應語義的發展，且編者將「攻擊」列於首位，因此我們假定他們乃是遵循許慎之說，以「攻擊」作為「攻」字的本義。

「攴」（許慎解作「小擊」）及表音偏旁「工」兩字組成。㊽雖然
段玉裁及其他學者以「治」為「攻」字的引申義，《詩經》中
「攻」字意涵亦有此義，顯示在語言的發展過程中，此引申義在相
當早的時候就已產生。㊺此外，假若形聲字的形聲偏旁在某種程度
上亦表示同源字，則「攻」字可說是「攴」與「工」兩個表義偏旁
的組合，而後者還扮演著表音的作用。㊻「工」與「攻」兩個同音
字之間的語義關係，使得「治」作為「攻」字早期發展出的意義頗
具合理性。在這觀點下，字的語義範圍似乎因不同的上下文而有所
調整。因而「攻」有建造、攻治、攻擊等義。㊼

　　除了「攻」與「工」二字，「功」是第三個同音字，此三字常
有混用情形。㊽雖然所有過去已知的《論語》版本皆作「攻」字，

㊹　見《說文解字注》，頁126〔第3篇B，頁38b〕。

㊺　見《毛詩引得》（61/242/1）。

㊻　見沈錫蓉：《古漢語常用詞類釋》（上海：學林出版社，1992年），頁
　　119f。有關《說文解字》中的「攴」與「工」字，見司禮義（Paul L.─M.
　　Serruys）：〈說文解字中的部首系統〉，《中央研究院歷史語言研究所集
　　刊》第55卷第4期（1984年），頁651─754，特別是頁676、688；及溫特
　　（Marc Winter）：《倉頡如是造字：說文解字使用手冊》（波恩：Peter
　　Lang，1998年），頁296f、331f。

㊼　「擊」的概念，只適用於「攻」被解釋作「治」的語境中。若是指以精縱方
　　式表演一門活動，則用「工」字，或解作「巧」，見王鳳陽：《古辭辨》，
　　頁652、944f。

㊽　參見胡楚生：《訓詁學大綱》（臺北：蘭台書局，1972年），頁174；丁福
　　保：《說文解字詁林》（1928─1932，20冊；北京：中華書局，1988年），
　　第4冊，頁3700〔1353b〕；多布森（W.A.C.H. Dobson）：《古代漢語》
　　（多倫多：多倫多大學出版社，1962年），頁255。

但 1973 年河北定州漢墓（約西元前 55 年）出土的竹簡殘片卻有所不同，作「功乎異端」。❹在這個例子中，除了是對這些字不加揀擇使用外——這種情形在現有文獻中履見不鮮——我們或許也可接受「功」字才是正確的而讀「攻」作異文。既如此，竹簡上的「功」字，在理論上或可解決這一謎團❺，使經注成為無效，並確定文本的「原始」意義。儘管如此，定州本的整理者仍採取與傳統解讀密切相關的策略，在其釋文中將「功」讀作「攻擊」或「治」之義。❺整理者不僅未曾建議「功」似可代替「攻」字，還認為應將「功」讀為「治」之義。這種解讀方式亦見於對敦煌寫本中出現的「功書學劍」一句的解讀，將「功」直接理解為「治」，一如傳統的讀「攻」作「治」與「學」。在這種情況下，「功」－「攻」－「治」的解釋鍊鎖被認為是不必要的。但這一解釋方式確切能觸及問題的核心？如果在時間上稍微往前移，我們發現周代以前的甲骨文顯示的是對「工」字的使用偏好，是三個同音字中筆劃最為簡單的。因而，「工」被視為其同音字的初字，即在往後發展階段中在形體上產生變化（攻、工、功等字）各字的初字。❺由此，漢墓竹簡的「功乎異端」並未給我們帶來解答。「攻」與「功」二字，

---

❹　河北省文物研究所定州漢墓整理小組：《定州漢墓竹簡論語》（北京：文物出版社，1997 年），頁 12。

❺　見安樂哲（Roger T. Ames）、羅斯文（Henry Rosemont Jr.）：《論語：以定州殘本及其他近期考古發現為依據的新譯本》（紐約：Ballantine，1998 年），頁 233。

❺　《定州漢墓竹簡論語》，頁 14。

❺　參見松丸道雄、高嶋謙一：《甲骨文字字釋總覽》（東京：東京大學出版社，1994 年），頁 141。

雖則其核心義意（攻擊與成果）可與初字「工」相連接，此二字在定州本的時代仍常被混用。㊼換言之，「功乎異端」的「功」字，可被視為是「攻」字的異文，而「攻乎異端」的「攻」字可被視為是「功」字的代表。無論如何，「攻」與「治」之間的連繫，可能與以「工」這一初字來代表ㄍㄨㄥ是相關的，「工」字的意思到後來才窄化為「工作、工人」等。通過這一連繫，我們或許可以發現「ㄍㄨㄥ」（不論是攻、工、功等）與「治」這一同義詞之間長久而密切的關係。

經學傳統中，儘管對「治」一字的理解不一，但解「攻」作「治」是常見的。何晏（約 190－249）及皇侃（485－545）對《論語》2.16 的注解，皆將「攻」解作「治」。㊽雖則何晏對其注解並未有進一步說明，但下開宋代經注的皇侃義疏，其根源可追溯到鄭玄以「學」的同義字「習」，來解釋「攻」。皇侃此段義疏曰：

> 攻，治也。古人謂學為治，故書史載人專經學問者，皆云治其書，治其經也。

此處皇侃清楚地將「攻」定義為「學」，為「治」。李賢（655－721）在其所注范曄（398－445）《後漢書》當中，依循鄭

㊼　此外，兩個版本的不同，有相當可能性是出於錯簡。

㊽　《論語集解》（《四部備要》本，第 2 冊），頁 12；及《論語義疏》（懷德堂本，1924 年；嚴靈峰：《無求備齋論語集成》，1966 年），卷 1，頁 24b －25a。

玄注，將「攻」解作「習」。❺韓愈（768－824）在他頗具影響力的〈師說〉（寫於 802）一文中，以「專攻」來表達，一如其同義詞「攻讀」，在現代漢語中仍時有所見。❺❻

然而，與皇侃同一時期，出現了不一樣的解讀，在此或許值得簡單列舉其中二例。任昉（460－508）在其所輯王儉（452－489）著作的序言中，融入《論語》2.16 首句以說明：「攻乎異端，歸之正義。」❺❼相似的，劉勰對此句的理解是將「攻」作「惡」，與「攻擊」之義相近，他說：「尼父陳訓，惡乎異端。」❺❽

其他的例子，還包括宋代學者孫奕（死於 1205 之後）將「攻」的解釋與《論語》12.21「攻人之惡」類比起來❺❾，以及清代學者王闓運（1833－1916）在《論語》2.16 中解釋為「伐」。❻⓪

這一時期最重要的回響，是皇侃在「攻」與古代學術傳統之間建立了一個聯結紐帶。他經由訴諸於古代權威，建立起「攻」－「治」－「學」的解釋鍊鎖，使後來的傳統讀者將文本的內證置於一旁，「攻」的語義發展及其字源等相關問題因而被棄置多時，其

---

❺❺　范曄撰、李賢等注：《後漢書》（12 冊，北京：中華書局，〔1965〕1987年），卷 36，頁 1229。

❺❻　韓愈：《昌黎先生集》（《四部備要》本，第 70 冊），頁 140。

❺❼　任昉：〈王文憲集序〉，《六臣注文選》（《四部叢刊正編》本，第 92冊），頁 880〔卷 46，頁 40b〕。

❺❽　《文心雕龍注》，10：21。

❺❾　孫奕：《示兒編》（《履齋示兒編》）（《四庫全書》本，第 864 冊），頁442〔卷 5，頁 15a〕。

❻⓪　王闓運：《論語訓》（嚴靈峰《無求備齋論語集成》本，1966 年），頁14a。

連鎖推論將對「異端」一詞的理解置於特定軌道，並對「異端」建立一假設性的評價。

　　就筆者所知，早期的經學家並未對《論語》2.16「異端」一詞的重要性進行闡述。❻至於《論語》中「異端」一詞的出現，何晏似乎是首位感到有必要對此發表高見的學者，其注解說：

　　善道有統，故殊塗而同歸，異端不同歸也。❻

　　何晏所指道的綜合性（comprehensiveness），並未明文指涉任何特定概念。儘管如此，後代經學家將孔門價值包括在「善道」一詞之下，皇侃將其等同於「五經正典」，並宣稱由於《詩》、《書》、《禮》、《樂》皆立基於相同的「本源」（他將「本」解釋為「統」），儘管殊塗，卻皆同歸。❻邢昺（931－1010）是將「善道」理解為以忠孝仁義為本的「正經」❻，後來的劉寶楠（1791－1855）則解釋為「正道」。❻

　　回到何晏的解釋，我們發現他明確提到孔子在《周易‧繫辭》

---

❻　有關在較寬廣背景下對「端」、「異端」、「兩端」的透徹性研究（儘管其意識形態是一缺點），見趙紀彬：《論語新探》（北京：人民出版社，〔1959〕1962年）。有關鄭玄在《禮記》注中將「異端」理解為「奇技」，見月洞讓：〈關於論語鄭氏注〉，收入王素主編：《唐寫本論語鄭氏注及其研究》，頁185，這一解讀乃依循李賢《後漢書》注解，卷36，頁1229。

❻　《論語集解》，頁12。

❻　《論語義疏》，卷1，頁25a。

❻　《論語注疏》，頁18〔卷2，頁5b〕。

❻　《論語正義》，頁32。

中的一段話：「天下同歸而殊塗。」❻❻此一強調思想的最終和諧，後為皇侃所進一步發揮。

　　邢昺疏也是採取類似策略，以間接方式引用其他概念。他借用《莊子·逍遙遊》❻❼及《孟子》對人性的著名闡釋❻❽：

　　　　異端之書，則或粃糠堯舜，戕毀仁義，是不同歸也。❻❾

皇侃受清談、玄學以及當時學者偏好《周易》、《莊子》、《老子》三書的影響，他在《論語》2.16 大意的講述中，對「異端」作有如下描述：

　　　　此章禁人雜學諸子百家之書也。……異端謂雜書也。言人若不學六籍正典，而雜學於諸子百家，此則為害之深。❼⓿

　　皇侃義疏稱得上是綜合各家經說的絕佳例子。鄭玄在其《論語》19.4 注解中，將「小道」一詞與「今諸子書」作有比較❼❶，而何晏在其《論語》19.4 注解中將「小道」理解為「異端」❼❷，皇侃

────────────────

❻❻　《周易引得》，《十三經引得》，46/繫辭/3。
❻❼　《莊子引得》，《哈佛燕京學社漢學引得系列》（臺北：成文出版社，1966年），2/1/33f。
❻❽　《孟子引得》，《十三經引得》42/6A/1。
❻❾　《論語注疏》，頁 18〔卷 2，頁 5b〕。
❼⓿　《論語義疏》，卷 1，頁 24b－25a。
❼❶　《論語鄭氏注》，卷 10，頁 1b。
❼❷　《論語集解》，頁 85。

則將以上兩個注解結合起來，在其《論語》2.16 注解中，將「異端」作「諸子書」解，並對「諸子書」作有以下評論：**❼❸**

> 諸子百家，竝是虛妄，其理不善，無益教化，故是不同歸也。**❼❹**

　　早期經注對「異端」的界定範圍，較多為概念性而較少在明確層次上界定。在後期經學傳統中，則逐漸傾向以具體名稱乃至以例證去把握其意義。在皇侃的注解中，儒家之外的所有學派皆是「異端」。戴震（1723－1777）以「凡事有兩頭謂之異端」作為早期清代學者對「異端」的定義，到後來轉變為東漢學者所謂「邪說」的同義詞。**❼❺**可以見到，一個曾經被泛指一切的「兩端」一詞，後來

---

❼❸ 皇侃對《論語》2.16 及 19.4 的解釋，顯示出他亦將「小道」與「異端」理解為同義詞，見《論語義疏》，卷 10，頁 2b。儘管君子不求小道，但既然《論語》19.4 稱「雖小道，必有可觀者」，則「小道」與「異端」作為同義詞這一詮釋，似與《論語》2.16 中所提到的態度有所矛盾。

❼❹ 注意「虛妄」一詞，乃反應皇侃所處的時代精神及哲學詞彙。

❼❺ 見趙紀彬：《論語新探》，頁 120－122。有關「邪說」一詞其及語義範圍背景，見史台登（Heinrich Von Staden）：〈邪說：haireseis iatrikai 的個案〉，收入米爾（Ben F. Meyer）及宋達時（E. P. Sanders）主編：《猶太教與基督教的自我定義，第三冊：希臘羅馬世界的自我定義》（倫敦：SMC Press，1982 年）。有關韓國思想史上對異端邪說的態度，見杜奇勒（Martina Deuchler）：〈反對謬說支持正說：韓國朝鮮王朝初期對待異說的態度〉，收入狄百瑞（Wm. Theodore de Bary）及哈伯希（JaHyun Kim Haboush）主編：《韓國新儒學的興起》（紐約：哥倫比亞大學出版社，1985 年）。有關比較性論述，見安德森（John B. Henderson）：《正統與邪說的的建立：新

成為敵對學派理論之間相互爭鬥的銳利武器。

朱熹在其引文中，顯示出他乃依循源自東漢，且進一步由何晏與皇侃所發展的經學傳統。范祖禹對《論語》的注解，被《四書集注》所引用而流傳下來，其言曰：

> 異端，非聖人之道，而別為一端，如楊墨是也，其率天下至於無父無君。專治而欲精之，為害甚矣。**[76]**

范祖禹對「異端」的界定，從較廣泛的「諸子百家」及「經史子」，轉向具體名稱。他將楊朱（西元前約 440－約 360）與墨翟（西元前約 468－376）及墨子作為異端邪說的最佳範例，這一點當然稱不上新穎。范祖禹之說及其文句，溯其根源，乃是出自《孟子》名句，將天下混亂情勢歸咎於兩位思想家：

> 楊氏為我，是無君也；墨氏兼愛，是無父也。無父無君，是禽獸也。……能言距楊墨者，聖人之徒也。**[77]**

雖然《孟子》文本中並未出現「異端」一詞，但「攻乎異端」與《孟子》3B.9 之間的聯繫是易於理解的。《孟子》試圖讓讀者相信，孔子作《春秋》之意，乃為端正天下秩序，使正道流行。范

儒學、回教、猶太教、早期基督教模式》（阿爾巴尼：紐約州立大學，1998年）。有關東漢學者對孔子本意的理解，見《後漢書》，卷 36，頁 1228。

[76] 《四書集注》，頁 29。

[77] 《孟子引得》，25/3B/9。

祖禹在對「攻」字的解釋上依循前說，作「治」之義，即「學」（其言曰：「攻，專治也。」）。⑱但既然孟子之意是為維護先賢正道，以拒異說，則引用《孟子》之言應該解讀為「攻擊」之意而非「專治」。因此，儘管孟子之言極具修辭性，但應注意到此段文句所表達的，與上述所引劉勰《文心雕龍》序言的意思是相近的。

　　范祖禹引用《孟子》之意解釋「異端」一詞，但對「攻」字的意義並未多加考慮，經學家對此提出各種說詞。至於後來「異端」的定義，在此要提到程顥將「異端」與佛教相連繫⑲，及李塨（1659－1733）將「異端」與佛教、道教相連繫。李塨在其《論語傳注》一書中，參引朱元璋的說法，其文曰：⑳

　　　異端非人道之常而別為一端，如今佛老是也。㉑

　　以上「如今佛老是也」一句，是就當時情況所給予的例子，可證明李塨並未意謂此即孔子所指。然而，有些經學家暗示《論語》中確曾提到其他學派。從唐宋時期「正統儒家」的觀點看來，佛道

---

⑱　注意經由「耑」，「端」可被解作「專」。

⑲　《四書集注》，頁29。

⑳　有關楊朱、墨翟、道教及佛教被認為是「異端」，亦見《四書合講·論語》，1：12b，此書乃根據朱熹注本附加口語意譯，由翁復（字克夫）於1730 年印行，後成為蘇慧廉（William Edward Soothill）《論語》英譯本（Yokohama：Fukuin Printing Co.，愛丁堡：Oliphant，Anderson & Ferrier，1910 年）的主要依據。

㉑　《論語傳注》，9a。

二教被認為是威脅到士大夫在官僚階層地位的「邪說」。㉒「異端」這一概念，一旦被認定是破壞社會結構，就沒有容忍其存在的空間。㉓

　　與這些假設無關的，是在孔子及《論語》編纂成書的時代，顯然佛教尚未傳入中國。此外，相互競爭對立的學派，與其說是孔子時代的特色，毋寧說是在孔子之後的時代特徵。考慮所有傳記上的不可靠之處，我們認為楊朱和墨翟大約是在孔子之後的一代，但卻比《論語》2.16 寫成的預估年代要早一個世紀。因此，一如孔廣森（1752－1786）所指，事實證明，孔子不可能以「異端」一詞來指稱這些思想家（及其門人）。㉔既然我們難以掌握此節到底有幾分代表夫子之言，很可能《論語》2.16 是在稍後的階段才加入《論語》一書的。儘管此文本的早期流傳中充滿不確定，後來對「異端」的定義有楊朱或墨翟，乃至道教或佛教，卻使我們想到維根斯坦（Wittgenstein）的權威斷語，即「哲學家的工作就在於為某項特定目的而調集紀念品（reminder）。」㉕在這一點上，傳統的士

㉒　有關滿語翻譯者喇沙里（死於 1679 年）所編纂的《四書》日講，以及其他宮廷進講學官對「邪說」之害的講述，見《日講四書解義・論語》（1677 年；修道館本），卷 1，頁 15a。

㉓　如康熙皇帝在其著名敕令中的第七個格言「黜異端以崇正學」。

㉔　孔廣森：《經學卮言》，《皇清經解》，卷 714，頁 1b。

㉕　見維根斯坦（Ludwig Wittgenstein）：《哲學研究》（牛津：Basil Blackwell，〔1953〕1958 年），頁 50。又，考慮到新儒學世界觀中研讀經典的終極目的，可將維根斯坦此言與程頤所稱獲先聖不傳之道相比較，見〈上太皇太后書〉，《伊川文集》，收入《二程全書》（《四部備要》本，第 56 冊），頁 244。

大夫乃至後現代主義者，身處於「觀念的超級市場」中，大可將注意力放在「溫故而知新」**❽**這一格言上，作為擁護「靈感式」的解讀。但從嚴格的史學觀點看來，這些預設明顯造成現在主義（presentism）的錯謬，即時代錯誤（anachronism）的某種複雜形式：

> 這個錯誤的觀念，有時稱作「時代錯誤」（nunc pro tunc）之錯謬……將過去已死的樹幹修剪掉，以保存逐漸長成我們當代世界的黑森林中的綠芽及樹枝。**❽**

換言之，史學的錯誤預設證實了經學家的主要用心，即運用經注方式為其所處時代情況下的倫理修養問題作闡發，同時也有意無意地見證其短缺的史學視角。

一旦「異端」一詞被假設為指的是有損社會秩序的邪說，隨之而來的就是被視為是與國家敵對。這麼一來，發出「攻乎異端」一言的孔子，成為中國及西方眼中思想迫害與宗教迫害的擁護者。**❽**

---

❽ 《論語引得》，《十三經引得》，3/2/11。

❽ 費雪爾（David Hackett Fischer）：《史學家的錯謬：史學思想的邏輯》（倫敦：Routledge and Kegan Paul，1971年），頁135。

❽ 有關《論語》2.16被視為是支持宗教迫害，見高羅特（J.J.M De Groot）：《中國的門戶主義與宗教迫害：宗教史的一頁》（臺北：成文出版社，〔1903〕1976年），頁11，說道：「〔孔子〕親口譴責那些與正道不相一致的學說，其言在今日看來，是帝國政府獵殺邪說的絕佳工具：攻乎異端，斯害也已。」至於此言在西方所引發的作用，注意柏應理（Philippe Couplet）在其獻給法王路易十四的《中國哲學家孔子》一書中，將「攻乎異端」強調

朱元璋則顯然認為沒有必要對「異端」一詞加以闡述。考慮到他的專制統治以及他對「攻」字的生動解釋，我們很有把握猜想他是將「異端」理解為「邪說」。在專制君主的眼中，《論語》2.16從而為打擊異己以及所有違反正道之人提供合法化依據。

在對「攻」字及其賓語「異端」作出探討之後，仍有一問題：攻乎異端的目的或結果究竟為何？對我們理解「斯害也已」這一句，何晏並未提供任何幫助，皇侃在其義疏中重覆其意，即「此則為害之深」。在《論語》及《禮記·檀弓》中所適當使用的「斯」字，其純粹指稱功用，在皇侃則有不同看法。❽「斯害也已」一句中的「斯」字，在皇侃義疏中以同義詞「此」字聯接「則」字，表達一肯定句。❾換言之，皇侃的注解更傾向於漢代及其以後的古漢語，可說是「斯」字的直接表述。❾不論范祖禹是否曾經讀過《論

出來，被後者認為是其打擊「異端」的另一正當理由。相關資料見哈斯（Hans Haas）〈論語 2.16〉，收入沈德勒（Bruno Schindler）主編：《Hirth 紀念周年專刊〔即亞洲專業：概論專輯〕》（倫敦：Probsthain & Co.，1923 年）。

❽　見蒲立本（Edwin G. Pulleyblank）：《古代漢語文法大綱》（溫哥華：英屬哥倫比亞大學出版社，1995 年），頁 88，及顧炎武著，黃汝成注：《日知錄集釋》（2 冊；臺北：世界書局，1991 年），第 1 冊，頁 135。

❾　參見多布森（W.A.C.H. Dobson）《漢語虛詞字典附相關疑難概述》（多倫多：多倫多大學出版社，1974 年），頁 691f，及《東漢古文》（多倫多：多倫多大學出版社，1964 年），頁 7、81。

❾　參見多布森（W.A.C.H. Dobson）：《漢語虛詞字典附相關疑難概述》，頁 692，及蒲立本（Edwin G. Pulleyblank）：《古代漢語文法大綱》，頁 88。高本漢（Bernhard Karlgren）：〈左傳的可靠性及性質〉，《哥德堡大學期刊》第 39 卷第 2 期（1968 年），頁 38f，表示雖然「則」字是此一功能的常用虛

語義疏》，其「為害甚矣」一句則與皇侃義疏「為害之深也」❾②相近，並沒有條件子句的歸結句，但以「矣」字作為語氣的強調。

由於沒有任何經學家將「已」字讀為「止」之義，朱元璋以「止」為「已」之義，為《論語》「也已」❾③一詞及其另一說法「也已矣」❾④提出了另一問題。雖然這兩個用語在《論語》中屢見不鮮，且似乎是可以互為代替的，但某些地方則明顯有其偏好。好比《論語》1.14 及 19.5，二者是完全相同的架構，「可謂好學也已」及「可謂好學也已矣」，僅語尾用詞一字之差，因此可說「也已」與「也已矣」二者的意思是相同的。既然我們探知到「發言者的新覺悟」❾⑤及「對先前句子的前調」❾⑥，我們將「斯害也已〔矣〕」解讀為「這確實是有害的」這一意思。

儘管大多數同時期經學家皆將「攻」解釋為「治」之義，但孫奕的解讀卻與朱熹相反，將「攻」與《論語》12.21 相類比而解作「攻擊」，將「已」作「止」之義，其闡釋《論語》2.16，說：

> 謂攻其異端，使吾道明，則異端之害人者自止。如孟子距楊

字，且「斯」常被用以表達「此」的意思，但也可以作為引導歸結子句之用。與高本漢主張「斯作為此之義不見於左傳方言裏」相左的，是楊伯峻與徐提《春秋左傳辭典》，頁 687f，列舉「斯」作為「此」之義。

❾② 《論語義疏》，卷 1，頁 25a。

❾③ 《論語引得》2/1/14、15/8/11、16/9/11、17/9/23、35/17/4、37/17/24。

❾④ 《論語引得》14/8/1、15/8/20、17/9/24、22/11/24、23/12/6、31/15/16。

❾⑤ 見蒲立本（Edwin G. Pulleyblank）：《古代漢語文法大綱》，頁 19、118。

❾⑥ 見理雅各（James Legge）：《中國經典翻譯、評注、緒論及索引》，第 1 冊，頁 144。

　　墨則欲楊墨之害止，韓子闢佛老則欲佛老之害止也。❾

　　稍在其後的另一位宋代學者蔡節，則採傳統的讀「攻」作「攻擊」之義，將「異端」解釋為「溺於偏識，暗於正理」❾，並對《論語》此段注解道：

> 君子在明吾道而已矣。吾道既明，則異端自熄，不此之務而
> 徒與之角，斯為吾害也已。❾

此處所採乃比較的方式。此一注解，指的是將自己提升為君子，而學在其中扮演重要角色。但他將「已」一字注解為「自熄」，在對「也已矣」的注解上，卻是與「也已」在文法上是不一致的。有鑑於孫奕的注解與朱元璋的解釋相同，而這一解釋由於後者的不學無術而名聲受到敗壞，蔡節在「攻」字的解釋上採傳統的「攻擊」之義，但卻不依循朱元璋的解說，而將「學」作為遣除「異端」的方法。

　　回顧《古穰雜錄》的簡短記述，如今我們得以在經學傳統所展現各種解釋方式的豐富背景下，來欣賞朱元璋的高見。他對當時某權威學派被提升為正統的標準說法所作的批評，很可能是受其直

---

❾　《示兒編》，頁 442〔卷 5，頁 15a〕。有關韓愈對佛道的著名批評，見其
　　〈原道〉一文，收入《昌黎先生集》，卷 11，頁 129－131。
❾　蔡節：《論語集說》（1425；嚴靈峰《無求備齋論語集成》本，1966 年），
　　1：18b。
❾　蔡節：《論語集說》，卷 1，頁 18b－19a。

覺、個人因素及興趣所啟發。不論圍繞在這位明代開國君主身邊的士大夫作何反應，甚至於「斯害也已〔矣〕」一句仍舊爭論頗多，但他之後的一些經注，對此段正統經說的質疑，並同朱元璋一樣將「攻」讀作「攻擊」之義，乃是不爭的事實。此外，某些清代經注與當代最廣為使用的經注之一，甚至將「已」作動詞解，如楊伯峻（1909－92）提議的「消滅」的解釋：「批判那些不正確的議論，禍害就可以消滅了。」⑩

「歷時性」視角

並無所謂標準的《易經》，而是有多少不同的經注，就有多少不同的本子。⑩

　　本個案研究的目的，是為強調對經學及其語言的歷史發展作精深研究之必要。雖然將某個文獻本體不斷地作翻譯似乎成為某些同行的愛好，筆者要呼籲，為建立綜合的「歷時性」視角，應加強中國語言的歷史性處理，以落實對各種經注的研究。

　　《論語》在西方的流通，超過三個世紀之多，各譯本除了極少數可稱道的，盡力反映包括漢代之前、漢代、漢代以後至唐代、宋代（朱熹及他人）及後來經注的譯本，仍有待努力。⑩

---

⑩　楊伯峻：《論語譯注》，頁 18。

⑩　林理彰（Richard John Lynn）：《易經：王弼周易注新譯》（紐約：哥倫比亞大學出版社，1994 年），頁 8。

⑩　然而，《老子》的研讀者，對注解傳統的複雜性、歷時解讀的必要、特定注家與學派的研究方面，卻是有較高的認識。

像這樣對經注作「歷時性」的縱向探討，當然必須伴隨「同時性」的橫向視角，對特定經書文句所作較不為人所知的注解亦應有所研究。這些經注，藉由挑戰當時的權威經說，反映出令人振奮的思想多樣性，並驅散人們對經學傳統及學派的過度簡化與普遍誤解。

為了對整片馬賽克圖案作一點小貢獻，筆者在本文結語之處，特為以上所討論的文句提供一「歷時性」視角。由於此文的探討乃是以朱元璋經說為起點，筆者將把以下範圍局限於明朝之前的經注。筆者以委婉的方式表達經注中的某些暗示。❿

《論語》2.16（約西元前 317），有三種解讀：

1.專治一（錯誤的）端，這是有害的。

2.攻擊一端，這是有害的。

3.專精於一端（技藝），這是有害的。

注意其他解讀可將「攻」與「異端」的各種解讀相互搭配而有不同結果。

鄭玄（127－200）（李賢〔655－721〕引）：

習乎奇技〔非《詩》、《書》、《禮》、《樂》〕，斯害也

---

❿ 譯者按，即「以詮釋者的解釋語（explaining passage），代替原文中的被解釋語（explained passage），以顯示此章的閱讀動力（dynamic of readings）」。參見作者另一文〈由多義現象至思想迫害——閱讀《論語》札記〉，頁405，收入陳榮照主編：《儒學與新世紀的人類社會國際學術會議論文選集》（新加坡：新加坡儒學會，2004 年），頁 397－406。

·590·

已。❿

何晏（約 190－249）《論語集解》（序文作於 242）：

> 治乎不同歸者，斯害也已。⑩

皇侃（484－545）《論語義疏》：

> 〔人若不治／學六籍正典，而〕攻治雜學虛妄、其理不善、無益教化、同歸之諸子百家之書、雜學於書史百家，此則為害之深。⑩

邢昺（931－1010）《論語注疏》（999）：

> 〔不學正經善道，而〕治乎粃糠堯舜、戕毀仁義、不同歸之書，斯則為害之深也。⑩

---

❿ 譯者按，此處引文乃參見作者：〈由多義現象至思想迫害——閱讀《論語》札記〉，頁 405－406。下同。又，此處原文作「攻，猶習也。異端，謂奇技也」。

⑩ 譯者按，原文作「攻，治也。善道有統，故殊塗而同歸，異端不同歸也」。

⑩ 譯者按，原文作「人若不學六籍正典，而雜學於諸子百家，此則為害之深」。

⑩ 譯者按，原文作「異端之書，則或粃糠堯舜，戕毀仁義，是不同歸也」。

程顥（1031－1085）（朱熹《四書集注》（1190）引）：

> 專治而欲精非聖人之道，如佛氏之言，其害為尤甚。**⑩**

范祖禹（1041－1098）（朱熹《四書集注》（1190）引）：

> 專治而欲精非聖人之道，而別為一端、如楊墨之率天下至於
> 無父無君，為害甚矣。**⑩**

孫奕（？－1205之後）《示兒編》：

> 攻／伐其異端，如孟子距楊墨〔或〕韓子闢佛老，使吾道
> 明，則異端之害人者自止，〔如〕楊墨之害止、佛老之害止
> 者。**⑩**

蔡節《論語集說》（1245）：

---

⑩ 譯者按，原文作「佛氏之言，比之楊墨，尤為近理，所以其害為尤甚。學者
當如淫聲美色以遠之，不爾則駸駸然入於其中矣」。
⑩ 譯者按，原文作「攻，專治也。故治木石金玉之工曰攻。異端，非聖人之
道，而別為一端，如楊墨是也，其率天下至於無父無君。專治而欲精之，為
害甚矣」。
⑩ 譯者按，原文作「謂攻其異端，使吾道明，則異端之害人者自止。如孟子距
楊墨則欲楊墨之害止，韓子闢佛老則欲佛老之害止也」。

攻擊偏識，暗於正理，吾道既明，則異端自熄。⑪⑪

朱元璋（1328－1398）（李賢《古穰雜錄》（1460年代）引）：

攻去異端，則邪說之害止，而正道可行也。⑪⑫

——譯自Michel Hockx和Ivo Smith編"Reading East Asian Writing: The Limits of Literary Theory" (London & New York: Routledge Curzon, 2003)，頁117－158。

---

⑪⑪ 譯者案，原文作「溺於偏識，暗於正理，皆所謂異端。……君子在明吾道而已矣。吾道既明，則異端自熄，不此之務而徒與之角，斯為吾害也已」。
⑪⑫ 譯者案，原文作「蓋謂攻去異端，則邪說之害止，而正道可行也」。

「其經文與今本亦多有異同」
——皇侃《論語義疏》
四庫全書本*之個案研究

傅　熊著**・胡元玲***譯

　　本文討論皇侃《論語義疏》某小段在不同版本中的文句差異。首先對《論語義疏》的文獻源流大要做一概述，而後對此一小段的各種版本加以討論，並著力於探究此一文字更動，乃是在與《四庫全書》纂修相關的文字獄處境下發生的。

---

* 　此文所引叢書版本如下：《叢書集成》（上海：上海古籍出版社，1935－1937年）；阮元等編纂：《皇清經解》（廣州：學海堂，1829年）；嚴靈峰編輯：《無求備齋論語集成》（30函；臺北：藝文印書館，1966年）；《景印文淵閣四庫全書》（1500冊；臺北：國立故宮博物院，1986年）；《文淵閣四庫全書》（上海：上海古籍出版社，1987年）；阮元校勘：《十三經注疏〔附校勘記〕》（〔1815/16〕，8冊；臺北：藝文印書館，〔1955〕1984年）。

** 　傅熊（Bernhard Fuehrer），英國倫敦大學亞非學院中國與中亞語言文化系教授。

*** 胡元玲，北京大學中文系古文獻專業博士，新加坡南洋理工大學中華語言文化中心博士候選人。

引 言

乾隆皇帝（在位 1735－1796）時期，令人嘆為觀止的《四庫全書》於 1781 年首度上呈御覽。毫無疑問，《四庫全書》是中華帝國晚期最出色的文獻巨作之一。❶儘管當今讀者依然從《四庫全書總目》中獲取寶貴觀點，但當時清廷對採進書籍所進行的審查制度，其確切衝擊仍亟待進一步討論。❷

皇侃治《論語》及其反響

皇侃（488－545）治《論語》，以博極群言著稱，涉及儒家之外的書籍。❸他疏解《論語》，融通道教、佛教、玄學、陰陽、五行等思想觀念於其中，為後學所稱道。❹但亦是此一特點，導致某

---

❶ 見永瑢等撰：《四庫全書總目》（2 冊；北京：中華書局，〔1965〕1987年）及洪業〈四庫全書總目及未收書目引得序〉一文對此書目的深刻評論，發表於《哈佛亞洲研究期刊》第 4 期（1939 年），頁 47－58。

❷ 參見如富路特（L.Carrington Goodrich）：《乾隆時期文字獄》（〔巴爾地摩：Waverly Press，1935〕紐約：Paragon，1966 年）、蓋依（R. Kent Guy）：《帝王四庫：乾隆晚期士人與政府》（劍橋，麻州：哈佛大學出版社〔哈佛東亞專著，129〕）。

❸ 有關皇侃學術的綜述性專著，參見陳金木：《皇侃之經學》（臺北：國立編譯館，1995 年）。武內義雄：《論語之研究》（東京：岩波書店，1939年），收入《武內義雄全集》（10 冊；東京：角川書店，〔1965－1966〕1978－1979 年）第 1 冊，則提供對皇侃《論語》注解的透澈性見解。至於《論語〔集解〕義疏》相關問題的簡明概述，見梁啟雄：〈論語注疏彙考〉，《燕京學報》第 34 期（1948 年），頁 202－225，特別是頁 216－219。

❹ 有關皇侃融通各概念於其疏解中的個別例證，見戴君仁：〈皇侃論語義疏的內涵思想〉，《孔孟學報》第 21 期（1971 年），頁 15－30〔亦收入於錢穆

些人因而擯棄其《論語集解義疏》或《論語義疏》。有鑒於公元
五、六世紀的思潮,在當時跨越思想學派的界線乃是知性活動所必
不可少的,因此要想劃清各學派之間的分界,是件非常棘手的工
作。然而,某些後代經學家,甚至於現代的《論語》讀者,皆對某
些出自王弼(226－249)、孫綽(約 314－約 371)及其他難被歸
類為儒家的注解,感到相當困惑。重構當時思潮,其廣為人知的印
象便是不重學派間的區分,此一傾向加之本文所討論的問題,使我
們得以從思想史的觀點,歸結出一結論,即皇侃此書之融通各家資
料,做為孔門學說的反響,堪稱是一極為豐富而卓越的原始材料。

　　梁(502－557)武帝(在位 502－549)蕭衍(464－549)當
政時期,皇侃以精通《三禮》、《孝經》及《論語》著稱❺,官職
國子助教,以御前講說《禮記》大義,獲武帝嘉善。❻雖然他的
《禮記義》已佚,但衍生自其講述何晏(190－249)等所輯《論語
集解》而來的工作成果,則留存後世。❼史書中的皇侃傳,皆記載

　　所編:《論孟研究論集》(臺北:黎明文化事業公司,1981 年)〕;董季
　　棠:〈評論語皇侃義疏之得失──上──兼評邢疏之得失〉,《孔孟學報》
　　第 28 期(1974 年),頁 143－168;董季棠:〈評論語皇侃義疏之得失──
　　下──兼評邢疏之得失〉,《孔孟學報》第 29 期(1975 年),頁 183－
　　200;陳金木:《皇侃之經學》,頁 245－263。

❺　已佚之皇侃所撰:《孝經義疏》(3 卷),見陳金木:《皇侃之經學》,頁
　　39f,及馬國翰(1794－1857):《玉函山房輯佚書》(皇華館本,1883 年)
　　所收殘本。

❻　有關皇侃傳,見姚察、姚思廉《梁書》(3 冊;北京:中華書局,〔1973〕
　　1987 年),卷 48,頁 680f 及李延壽《南史》(6 冊;北京:中華書局,
　　〔1975〕1987 年),卷 71,頁 1744。

❼　注意皇侃《禮記義》或《禮記義疏》(50 卷)一書,是日後孔穎達(574－

其《論語義》十卷評價甚高。❽後代史書如《隋書》、《舊唐書》、《新唐書》、《宋史》等，其藝文志所記書名則稍有不同，除另一名稱《論語集解義疏》（10 卷）之外，還包括沿用至今的《論語義疏》（十卷）一名。❾

648）等所纂《禮記正義》最重要的資料來源。關於《禮記義〔疏〕》，及皇侃另一部失傳的《禮記講疏》（100 卷），見陳金木：《皇侃之經學》，頁 37－39。關於《禮記義〔疏〕》的輯佚，見武內義雄：《論語之研究》，頁 424f，及馬國翰：《玉函山房輯佚書》。有關對《論語集解》頗具價值的評論，參見梅約翰（John Makeham）：〈何晏、玄學與論語集解的編纂〉，《中國中古研究》第 5 期（1999 年），頁 1－35。關於《論語〔集解〕義疏》本為講義一事，見《論語義疏》（《無求備齋論語集成》影印懷德堂本），頁 4b、5b，皇侃序中所言「今日所講」及「侃今之講」。注意在其《論語》5.4 的疏解中，亦參考了其他講者的意見，見《論語義疏》3:3a。「義疏」二字，通常指的是誦經講經（本指佛經）時所作的述解；見牟潤孫：〈論儒釋兩家之講經與義疏〉，收入於藍吉富主編：《現代佛學大系》（60 冊；臺北：彌勒出版社，1984 年），第 26 冊，頁 1－66〔翻印自《新亞學報》〕。有關自漢代「章句」到魏晉時期「義說」或「義」，乃至六朝「隱義」及「義疏」等經注方面的演變，見曾秀景：《論語古注輯考》（臺北：學海出版社，1991 年），頁 515－520。雖則僅有一部史料記載是用「論語義疏」之名（見本文注 9），然皇侃對他所講述《論語》和《禮記》，指出其實用性，並日誦《孝經》二十遍以擬觀世音經（見《南史》，卷 71，頁 1744），或皆使後人對其所治《論語》注解，冠以《論語〔集解〕義疏》一名。

❽ 見《梁書》，卷 48，頁 681 及《南史》，卷 71，頁 1744。亦參見簡博賢：《今存南北朝經學遺籍考》（臺北：黎明文化事業，1975 年），頁 239－246，尤其是頁 240。

❾ 魏徵：《隋書》（6 冊；北京：中華書局，〔1973〕1987 年），卷 32，頁 937，記《論語義疏》十卷；劉昫：《舊唐書》（16 冊；北京：中華書局，〔1975〕1995 年），卷 46，頁 1982，記《論語疏》十卷；歐陽修：《新唐

邢昺（931－1010）奉敕改定《論語》舊疏，以《論語集解》
為主要藍本，然其中頗多例證乃依循皇侃（等）《論語〔集解〕義
疏》。當邢昺《論語注疏》（999）奉為官方經學之時，亦使《論
語注疏》中作為第一層注解的《論語集解》其權威地位大為提升。
至於皇侃《論語〔集解〕義疏》，雖本為《論語注疏》的另一著名
參考來源，但卻由於其中部分義疏與近時經注趨勢不合，而逐漸黯
淡。換言之，皇侃融通各家的學術路向，與當時新的思想環境是較
為不相契的。這一新的思想風氣，與從前一些朝代相比，其特徵是
「容忍各家經說之意願」❿的減低。詮釋重點的轉變，以及儒釋道
三家的持續對立，使得皇侃路數必然成為政治上的不合時宜。

關於經文方面，邢昺疏以《論語集解》為依據而非《論語〔集
解〕義疏》，這一點與唐石經極其相似。其後的權威本子，如
1313 年起至清末之前作為科考依據的朱熹（1130－1200）《論語
集注》（1177），以及劉寶楠（1791－1855）與其子劉恭冕（1824
－1883）編纂的《論語正義》，在某種程度上皆追隨邢昺本。邢昺
本後來收入於著名的阮元（1764－1849）校勘《十三經注疏》，其
地位可見一般。這一發展，使得《論語集解》繼續保有其崇高地
位，而皇侃本雖一度著名，但後來逐漸退居主流之外。眾所公認，
早在皇侃義疏散佚之前，其與當時思想趨勢的關聯性已消失。皇侃

書》（20 冊；北京：中華書局，1975 年），卷 57，頁 1444，記《〔論語〕
皇侃疏》十卷；脫脫：《宋史》（40 冊；北京：中華書局，1985 年），卷
202，頁 5067，記《皇侃論語疏》十卷。

❿ 引自麥慕倫（David McMullen）：《唐代政府與士人》（劍橋：劍橋大學出
版社，1988 年），頁 77。

《論語〔集解〕義疏》一書由此逐步失去讀者群，終至失傳。⓫

失傳源流之跡

想考察陳騤（1128－1203）《中興館閣書目》（1178）⓬所記皇侃本的命運，除歷代史書藝文志外，各藏書樓書目亦提供寶貴線索。既然晁公武（？－1171？）及尤袤（1127－1193）書目皆著錄《論語〔集解〕義疏》，可知南宋（1127－1279）初期此書尚存。⓭尤袤與程朱學派的關係乃至與朱熹的密切交情，是否可解釋南宋時皇侃一書尚存且為學者所研究，仍有待進一步討論。⓮從稍後的陳振孫（約 1190－1249 之後）《直齋書錄解題》（1773）並無著

⓫ 關於中國佚書情況的重要評論，見杜德橋（Glen Dudbridge）、趙超：《三國典略輯佚》（臺北：東大圖書公司，1998 年），及杜德橋：《中國中古時代佚書》（倫敦：大英圖書館，2000 年）。

⓬ 見陳騤：《中興館閣書目》（江蘇書局，1829 年）。關於宋代主要目錄及藏書樓書目的概述，見 Yamauchi Masahiro 一文，收入吳德明（Yves Hervouet）主編：《宋代書錄》（香港：中文大學出版社，1978 年），頁195－198，及龍彼得（Piet van der Loon）：《宋代藏書樓道教文獻》（倫敦：Ithaca Press，1984 年〔牛津東方研究所專著，7〕），頁 17－28。

⓭ 見晁公武：《郡齋讀書志》（4 冊；臺北：臺灣商務印書館，1978 年〔人文文庫〕），第 1 冊，頁 79〔1B：論語類〕，及尤袤：《遂初堂書目》（《四庫全書》本，上海：上海古籍出版社：第 674 冊），頁 435－491，特別是頁442。

⓮ 朱熹不曾直接提到《論語〔集解〕義疏》這一事實，並不證明他未曾讀過皇侃義疏。然而，值得注意的是，朱熹似乎偶爾汲取皇侃疏的說法，但被後代經學家排除在外。關於朱熹曾研讀皇侃疏並將其中某些經注融入其所著《論語集注》，見陳澧（1810－1882）《東塾讀書記》及鄒伯奇（1819－1869）《皇侃論語義疏跋》。

錄《論語〔集解〕義疏》這一事實，可推知此書不是在北宋（960
－1127）末年佚失，就是在南北宋之際。❺要準確指出《論語〔集
解〕義疏》何時在中國失傳，雖然看似不可能，但事實是朱熹之後
就不再有其他經學家引用皇侃此書。故謹慎的說法是，約 1200 年
前後此書在中國確然已是散佚。❻因此，許多經學家，包括頗富聲
譽的朱彝尊（1629－1709），稱《論語〔集解〕義疏》皆曰未見。❼

　　鑒於日本對中國文化的高度興趣，及隋（581－618）唐（618
－907）時期中日之間密集的文化交流，當時最重要的《論語》本
子被輸往日本，絕非意料之外。再次，要點明《論語〔集解〕義
疏》何時傳入日本，仍是件不容易的事，但一般咸以為是唐朝初
期。日本最早著錄《論語〔集解〕義疏》（10 卷）是在 875 年宮
內廳書陵部遭火患之後，藤原佐世（？－898）調查尚存漢籍並編
纂於目錄中，後由黎庶昌（1837－1897）在東京將此書目翻刻，收
入其《古逸叢書》（1882－1884）。❽

---

❺　見《直齋書錄解題》（江蘇書局，1884 年），卷 3，頁 17a－22a。《四庫全
　　書總目》，第 1 冊，頁 290〔卷 35，經部，四書類一〕稱此書「佚在南宋時
　　矣」。昌彼得：〈論語版本源流考析〉，《故宮學術季刊》第 12 卷第 1 期
　　（1994 年），頁 141－152，特別是頁 145，則認為此書可能佚於北宋入南宋
　　之際。

❻　亦見陳金木：《皇侃之經學》，頁 151。

❼　見朱彝尊：《經義考》（〔四部備要本〕北京：中華書局，1998 年），頁
　　1091〔卷 212，頁 6〕。

❽　藤原佐世：《日本國現在書目錄》，收入於黎庶昌：《古逸叢書》（東京：
　　編者自印，1882－1884 年），卷 35，頁 8a，記有皇侃《論語〔集解〕義
　　疏》（10 卷）。關於《古逸叢書》，見伯希和（Paul Pelliot）：〈中國文獻
　　評述 I：古逸叢書〉，《法國遠東學院院刊》第 2 期（1902 年），頁 315－

　　早在藤原佐世目錄翻刻之前，山井鼎（1681－1728）就已經對
《論語〔集解〕義疏》與《論語》其他本子進行校讀，作為校勘
《七經》及《孟子》的部分工作，刊行於 1731 年。❶ 1761 年，翟
灝（1736－1788）通過杭世駿（1696－1773）借取山井鼎《七經孟
子考文》一書，杭氏曾任翰林院編修及武英殿《十三經》校勘。❷
山井鼎對《論語〔集解〕義疏》特點的描述，使翟灝深為所惑，並
由此成為中國第一位藉由二手資料將此日本文獻收入其著作的學
者。翟灝《四書考異》（1781/82）一書，就此突顯了翻印皇侃
《論語〔集解〕義疏》的必要性。由此而出現的建立可靠文獻源流
的呼聲，導致余蕭客（1729－1777）、王謨（1731－1817）等學者
投入大量精力於《論語〔集解〕義疏》的文獻重建❸，其工作成
果，見於《古經解鉤沉》（約 1762 年完成）及《漢魏遺書鈔》
（1789）。❹阮元在為中國翻刻山井鼎一書所寫序言（1797）中指

340，對此叢書有所概述。有關藤原佐世目錄的相關問題，見孔尼奇（Peter
　　Kornicki）：《日本典籍：十九世紀之前的文化史》（萊頓：Brill，1998 年
　　〔東方手冊。第五部（Fünfte Abteilung）：日本〕），頁 422f。

❶　有關山井鼎《論語》校勘記，見《七經孟子考文〔補遺〕》（〔《叢書集
　　成》本〕10 冊：上海：商務印書館，1936 年），第 9－10 冊，頁 1285－
　　1343。

❷　見翟灝：《四書考異》（皇清經解本，卷 449－484，特別是頁 451－470）中
　　《論語》部分的標注及武內義雄：《論語之研究》，頁 427。

❸　關於當時輯佚情況的概述性調查，見瓦格那（Rudolf G. Wagner）：〈兩度失
　　真：18、19 世紀中國的輯佚〉，發表於摩思特（Glenn W. Most）主編：《輯
　　佚》（哥廷根：Vandenhoeck & Ruprecht，1997 年〔Aporemata：哲學史批判
　　研究，1〕），頁 34－52。

❹　這些《論語義疏》的輯佚工作，今皆收入《論語集成》。

出,「論語異同,多出皇侃義疏,洵為六朝真本」。㉓

　　佚書的重現,不論何時何地,往往伴隨許多新奇故事。至於《論語〔集解〕義疏》,1788 年文獻學家盧文弨(1717－1796)記述,有商人名汪鵬(字翼滄)買賣途經日本,在櫪木縣的足利學校取得皇侃《論語義疏》抄本,此事大約在 1761 至 1764 年之間。㉔汪鵬將此書帶回中國,但他本人是否了解其中重要性,或是否為他人所托,仍為一疑雲。某些資料顯示,他是為鮑廷博(1728－1814)所托,而後者是著名文獻學家且在杭州收藏有大量珍本、殘本。實際上,汪鵬所購買的 1750 年(日本寬延 3 年)《論語義疏》,乃是根本遜志(1699－1764)校本,他是山井鼎在足利學校的同事,曾以足利學校所藏稀見抄本作為校勘底本。㉕

　　在全國上下為《四庫全書》纂修大業廣求珍本、善本之時,據傳此書傳入中土後由汪鵬交予浙江布政使王亶望(?－1781),王亶望後來將此「原刻本」呈入四庫全書館。㉖此外,據傳早在

㉓　阮元序,見山井鼎:《七經孟子考文〔補遺〕》,第 1 冊,頁 2。

㉔　見盧文弨為《論語集解義疏》(《叢書集成》本)所寫序言,頁 1a－1b。由於汪鵬稱其日本之行是在 1764 年,可作為推斷他何時取得此一抄本的依據。

㉕　有關此本的翻刻,見 1864 年元治刻本,上有日本訓讀符號,現藏日本,《論語集成》翻印。關於此書在日本的流傳、根本遜志治《論語義疏》的情況及此書在中國的流布,楊守敬有相當批判性的意見,見其《日本訪書志補》(《中國圖書館協會叢書》本,第 3 冊;1930 年孫楷第序),頁 10a－11b。值得注意的是,楊守敬曾從日本取得《論語集解義疏》,後藏於觀海堂,今藏臺北故宮博物院;見陳金木:《皇侃之經學》,頁 169。有關足利學校及其他知名足利本,見嚴紹璗:《漢籍在日本的流布研究》(南京:江蘇古籍出版社,1992 年),頁 252－262。

㉖　注意吳慰祖:《四庫採進書目》(北京:商務印書館,1960 年)並無記載王

1781 年《論語集解義疏》文淵閣《四庫全書》本完成之前數年，王亶望就將《論語集解義疏》（1775）以巾箱本形式刊行。❷

　　雖然各版《四庫全書》中的《論語義疏》皆從根本遜志校本而來，但皇侃《論語》3.5 義疏在各版《四庫全書》中的文句，卻明顯與其他現存本子有所差異——唯獨武英殿本除外，此本乃確切翻刻自根本遜志本（版本甲）。雖則《四庫全書》本（版本乙）不夠可靠，但要證明是否乃王亶望將書中某些冒犯性詞句徹除，實相當不易。然而，既然吳騫（1733－1813）對《論語義疏》進行校讀是以某個與王亶望有密切關係的本子為底本，並顯示其中義疏遭到修改，因此似能合理推斷，王亶望乃顧及滿人忌諱，故預先進行「調整」。❷假若王亶望確曾對交予四庫館及鮑廷博的《論語義疏》進行改易，則武英殿本顯示可能至少有一個本子是未經改動的。另一種可能，是由不具名的《四庫全書》纂修官對《論語〔集解〕義疏》進行改動。《四庫全書》率自改異文字的例證，見於具有冒犯

　　亶望將《論語〔集解〕義疏》交予四庫館。根據翟灝《四書考異》（總考32），《論語集解義疏》乃由汪鵬在日本取得約十年後交予遺書局，即約1771 年；見武內義雄《論語之研究》，頁 427。《四庫全書總目》，第 1冊，頁 290，稱《論語義疏》乃由浙江巡撫採進，此即王亶望於 1777 至 1780年間所任職。

❷　有關王亶望為中國首位刊行《論語〔集解〕義疏》，見《續修四庫全書總目提要·經部》（2 冊；北京：中華書局，1993 年），第 2 冊，頁 860。注意提要所稱，王亶望在其刊本中，率自對其所據根本遜志校本多有臆改。

❷　吳騫《皇疏參訂》或《皇侃論語義疏參訂》（10 卷）一直未完成，但即使從未正式刊行，其附有眾多學者標注的稿本卻流通後世。日本至少有兩個圖書館藏有此書，可惜筆者不曾見過。據《續修四庫全書總目提要·經部》第 2冊，頁 860，吳騫乃據山井鼎一書以校勘皇侃義疏之異同。

性字眼的《春秋》及其經注。❷《四庫全書》中各種書籍，涉及
「夷狄」等字眼皆被修改。這一點上，顧炎武（1613－1682）《日
知錄》原抄本與修訂本二者的文字差異，或可作為補充。❸

　　在王亶望以貪污獲罪而自裁（1781）後，鮑廷博終於得到一部
《論語義疏》修訂本。鮑氏響應朝廷 1772 年 2 月 7 日所發詔令，
一共進獻 626 部書籍予四庫館，並為建於 1773 至 1782 年間的四庫
館做出實質性貢獻。❹

　　皇侃《論語義疏》各輯本及王亶望本雖已重刻，但首部在中國
廣泛流通的本子乃是鮑廷博所刻印。鮑廷博及其長子在 1769 至
1814 年之間，選取家中藏書樓所藏最為珍稀的本子，以活字排印
進行翻刻，於 1776 至 1823 年間以《知不足齋叢書》之名刊行。❺
此叢書所收皇侃一書不具年代，題名作《論語集解義疏》（10
卷），置於此叢書集七，添有盧文弨序。最重要的，此本混合有版
本乙《論語》3.5 被修改過的義疏。❻

---

❷　在此感謝德國慕尼黑大學葉翰（Hans van Ess）教授，與筆者討論《春秋》經
　　注的相關問題。

❸　相關細節見徐文珊所編：《原抄本日知錄》（臺北：明倫書局，1979 年），
　　導言及校記。

❹　有關這一詔令，參見蓋依：《帝王四庫》，頁 34－37；對此詔令的注解翻譯
　　及短評，見卡德拉（Christoph Kaderas）：〈乾隆的四庫全書纂修詔〉，《德
　　國東方學會期刊》148.2（1998 年），頁 343－360。鮑氏進書，乃以其長子
　　鮑士恭的名義；關於鮑家所進極為可觀的書籍清單，見吳慰祖：《四庫採進
　　書目》，頁 88－96。

❺　有關《知不足齋叢書》的情況，見威斯特（Andrew C. West）：《莫里森所
　　藏漢籍目錄》（倫敦：亞非學院研究，1998 年），頁 289。

❻　見《論語集解義疏》（《知不足齋叢書》本，1776－1823 年），卷 2，頁 4b－5a。

　　鮑廷博排印《論語集解義疏》，使皇侃此書為許多學者所用，包括翟灝、吳騫、盧文弨及陳鱣（1753－1817）。❸其後，當著名學者陳澧（1810－1882）在其所輯經書及宋以前經注叢書中再度流布《論語集解義疏》時，他做的僅是將鮑廷博《知不足齋叢書》所收錄經修訂的本子（版本乙）重刻。❸

　　然令人疑惑的是，嚴靈峰《論語集成》（1996）影印《知不足齋叢書》本顯示的卻是根本遜志本（版本甲）的文句。❸由此，我們現有兩部內容不盡相同的《論語集解義疏》，但皆來自同一版本源流。這兩部同是《知不足齋叢書》的版本，雖則其頁碼及版式相同（義疏部分每行 2x19），但我們認定其間尚有某些差異。❸《論語集成》影印《知不足齋叢書》本有寬延序，此序亦見於元治本（1750）（譯者案，即根本遜志校本），但不見於《知不足齋叢

❸　盧文弨在撰寫《經典釋文》時用到此書。陳鱣（1753－1817）曾是阮元編纂《經籍纂詁》的助手，將《論語集解義疏》融入其所著《論語古訓》一書中，《論語集成》重印。來自海寧的文獻學家吳騫，編纂過《拜經樓叢書》，他是否使用過《論語〔集解〕義疏》王亶望本或鮑廷博本，不得而知。

❸　見陳澧纂：《古經解彙函》（12 函；廣州：粵東書局，1873 年），《論語集解義疏》，卷 2，頁 4a。

❸　見《論語集解義疏》（《論語集成》所收《知不足齋叢書》本），卷 2，頁 4b－5a。

❸　注意版本甲與版本乙的版頁為完全相同。這是說，除了文獻差異外，《論語集解義疏》版本甲（《論語集成》所收《知不足齋叢書》本），卷 2，頁 4b－5a，及《論語集解義疏》版本乙（《知不足齋叢書》本，1776－1823年），卷 2，頁 4b－5a，二者具有完全相同的版面，即相同的行數與相同的版數。

書》本（1776－1823）。❸《論語集成》的編輯說明，除指出《集解》為何晏所成而《義疏》為皇侃所撰之外，還指出此版本乃王亶望所重刊。王氏巾箱本，每卷之首有王亶望重字樣，其所在位置即元治本所題根本遜志校正之處。❹又，嚴靈峰影印本亦在每卷末尾記有校字者之名。❹《知不足齋叢書》本則不曾提及王亶望或根本遜志，僅題有何晏、皇侃之名，第三行疑似應有王亶望或根本遜志之名，很可能是在排版完成之後所移除的。由於缺乏進一步資料確定嚴靈峰影印本的底本為何，故此處我們必須處理來自同一叢書的兩個不同版本。❹

　　《四庫全書總目》所指本子，無疑是翻刻自 1750 年日本抄本。❹總目作者認為《論語義疏》與鮑氏密切相關，並稱《知不足齋叢書》本可「信以為真」。❹《論語義疏》各版本間的文字差

---

❸　見《論語集解義疏》（《論語集成》所收《知不足齋叢書》本），卷 1（何晏序之後）附，兩頁。

❹　見《論語集解義疏》（《論語集成》所收《知不足齋叢書》），卷 1，頁 1a，卷 2，頁 1a 等。但即使有此相似之處，王氏重刊本顯示的是版本乙，而《論語集成》影印本的義疏部分則顯示的是版本甲。

❹　見《論語集解義疏》（《論語集解》所收《知不足齋叢書》本），卷 1，頁 33b，其卷一校字者為汪鵬（翼滄），卷二校字者臨汾樊士鑑，等等。

❹　嚴靈峰對其所影書籍的來源僅約略交待；筆者曾去函《論語集成》出版商，詢問有關作為底本的《知不足齋叢書》其詳情為何，並未得到答覆。

❹　見《四庫全書總目》，第 1 冊，頁 290。

❹　見《四庫全書總目》，第 1 冊，頁 290。筆者相信，此處所指《知不足齋叢書》本（1776－1823 年）乃是修訂後的版本。至於《四庫全書》所印本子，是否可能為鮑廷博（或／與）其子以 1750 年刻本進獻此一假設，我們注意在吳慰祖：《四庫採進書目》，頁 88－96，鮑氏所進書單中，並無《論語〔集解〕義疏》一書。

異，甚至於因《四庫全書》的纂修所刊印的本子其間亦有不同（譯者案，即武英殿本與各《四庫》本之異），這一混亂說明總目作者的草率及四庫館的效率低下。

當曾經失傳的皇侃義疏再度在中國流通之時，這保存於彼邦的本子其可靠性如何，成為關注的話題。學者如江藩（1761－1813）或丁晏（1794－1875），對這些本子的精確性頗為質疑，並認為不可做為依據。❹即使如此，其他學者如桂文燦（1823－1884）依然對此書展開校讀並纂有校勘記。❺

至於進一步的線索資料，由伯希和（Paul Pelliot, 1878－1945）所發現，保存於法國巴黎國家圖書館的敦煌寫本，其中的《論語義疏》殘本，年代上溯至唐代。❻此殘本對我們的考察極為重要，可作為檢證日本抄本（版本甲）文句異同的依據，從而確定

---

❹ 見江藩：《隸經文》，收入於徐世昌：《清儒學案》（100 卷：1939 年），卷 118，頁 7a－15a，特別是卷 118，頁 12a，及丁晏：《讀經說》，《清儒學案》，卷 160，頁 31a－33a，特別是卷 160，頁 32b。有關《論語〔集解〕義疏》精確性的相關討論，亦見桂坫：《晉磚宋瓦室類稿》、祁永膺：《勉勉鉏室類稿》、傅維森：《缺齋遺稿》。

❺ 桂文燦的校記，題以《論語皇疏考證》（10 卷）之名，上有 1845 年序，收入其《庚辰叢編》（亦收入其《桂氏經學叢書》或《桂氏遺書》），今有《論語集成》影印本。

❻ 此一寫本的照片，見於神田喜一郎：《敦煌秘籍留真新編》（2 冊；無出版年月，1947 年陸志鴻序），第 1 冊，頁 69－96。《論語集成》有翻印，題名《唐寫本論語義疏》。關於此殘本，見《敦煌寫本目錄：國家圖書館所藏伯希和漢籍》，第 4 冊，編號 3501－4000（巴黎：法國遠東學院，1991 年），頁 66－68。有關敦煌《論語》殘本的文獻問題，見陳鐵凡：〈敦煌論語異文彙考〉，《孔孟學報》第 1 期（1961 年），頁 87－247。

版本乙遠非可靠本子。日本方面，島田翰（1879－1915）在其文獻著作中提到《論語義疏》曆應時期（1338－1342）抄本。❹除根本遜志校本外，武內義雄（1886－1966）曾描述藏於日本的《論語義疏》十個本子，其中年代最為久遠的有 1451 年（寶德 3 年）、1477 年（文明 9 年）及 1490 年（延德 2 年）。❹武內義雄還以 1477 年抄本為底本，以日本所藏其他某些古本為參校，進行校勘，其成果即為流通甚廣的懷德堂本（1923；大正 12 年）。❹

《論語》3.5──問題所在

以上對文獻源流略為瀏覽之後，此處將把焦點置於《論語》3.5 這段引發相當爭議的文字。❺乍見「夷狄之有君不如諸夏之亡

---

❹ 見島田翰：《古文舊書考》（東京：民友社，1905 年），卷 1，頁 64a－67b。

❹ 有關此處提到的本子及其他古抄本的背景情況及其書影，見林泰輔《論語年譜》（東京：大藏書店，1916 年），第 32－36 號，及陳金木：《皇侃之經學》，頁 475－544。有關這些抄本及其他版本的詳情，見武內義雄《論語之研究》，頁 429－435 及陳金木：《皇侃之經學》，頁 158－174。

❹ 皇侃《論語義疏》懷德堂本（1923 年），在日本及中國幾度再版，亦附錄於武內義雄《論語之研究》。武內義雄所作校記題為《論語義疏校勘記》（懷德堂本），《論語集成》予以翻印。有關《論語〔集解〕義疏》與其他《論語》版本的比勘，較早有阮元《十三經注疏校勘記》（1806 年），收入於《十三經注疏》，晚近則有董季棠：〈論語皇本異文舉要〉，發表於《孔孟學報》第 23 期（1972 年），頁 99－122。

❺ 白牧之、白妙子（E. Bruce Brooks & A. Taeko Brooks）：《論語辨：孔子及其門人之言》（紐約：哥倫比亞大學出版社，1998 年）一書中，作者欲建立此文本年代的嘗試，雖值得贊揚但未必全然令人信服，其考訂《論語》此段年代，約為西元前 310 年，見此書頁 127。

也」此段，問題癥結在「不如」二字。對此二字的解讀，可以有「甲沒有乙好」、「甲異於乙」、「甲不像乙」、「甲不等於乙」、「甲劣於乙」、「乙優於甲」、「甲與乙無相似」等等。而考慮《論語》上下文及用語，這其中哪一個理解較為適當？傳統經注提供有兩種解讀。❺

第一種解釋，是將「不如」解讀為「不及」，好比「無友不如己者」（《論語》1.8）此段。❺由此，早期經注便將「夷狄」定義為次等民族而不論其實際情況為何。至於整部《論語》內的其他文句，並無顯示有一貫的對待周邊異族的態度。但若考慮不同的文句層次，則或有可能發現對異族的敵意愈趨增加。從早期友好而正面的態度（見《論語》5.7 及 12.5），逐漸轉變為中庸態度（見《論語》9.14 及 13.19），而到後期則表現出相當敵意的傾向（見《論語》14.17 及 3.5）。❺這一態度的發展，或許反映出漢人與異族之間關係的變化，除此之外，此模式亦與早期經注中對《論語》

---

❺ 有關這些解讀的含意，見羅哲海（Heiner Roetz）：《軸心時期的中國倫理》（法蘭克富：Suhrkamp，1992 年），頁 148－150 及雷斯（Simon Leys）：《論語》（紐約：W.W. Norton，1997 年），頁 121－123。

❺ 有關此段文句，參見蒲立本（Edwin G. Pulleyblank）：《古典漢語文法大綱》（溫哥華：英屬哥倫比亞大學出版社，1995 年），頁 83。有關將「不如」解讀為「不及」，見王書林：《論語譯註及校勘》（2 冊；臺北：臺灣商務印書館，1982 年），第 1 冊，頁 40，及康義勇：《論語釋義》（2 冊；臺北：麗文文化事業公司，1993 年），第 1 冊，頁 144 等。

❺ 見白牧之、白妙子（E. Bruce Brooks & A. Taeko Brooks）：《論語辨》，頁127；依照此書中的理解，《論語》3.5 似乎反映一種敵意，因此段乃歸類為上述所舉三種模式中的第三種。

3.5 的解釋若合符節。❺第二種解釋,則是將「不如」解讀為「不像」,此對《論語》3.5 的詮釋,在日後的經注傳統中成為主流。❺根據程朱學派,此種詮釋預設孔子對其所目睹的無序狀態有所抱怨。由此,「夷狄」被認為是較為優越的,因為他們尚且保存宗法制度,而周王朝卻亂於諸王爭霸。

《論語》3.5──版本比較

直至今日,各經注對皇侃義疏傳本的真實性各持其見。每當引用《論語〔集解〕義疏》,大多數經學家不是依賴版本甲就是版本乙,而不去探討其間的文獻差異。❺程樹德(1877－1944)在其所輯《論語》注解中,則提出對版本甲某一文句真實性的質疑。❺由於程樹德參考書目所引義疏皆為版本乙,在其二手資料中所提及的這一文句問題,他感到有必要予以進一步說明。❺像程樹德這般深具才學的學者,我們相信他不可能不注意到版本甲。既如此,那麼其沉默是否顯示他對唐殘本及日本古本的可靠性持否定態度,這一

---

❺ 見白牧之、白妙子(E. Bruce Brooks & A. Taeko Brooks):《論語辨》,頁127 及列維(Levy):《論語》,頁 121。

❺ 見王書林:《論語譯註及校勘》,第 1 冊,頁 40,羅哲海:《軸心時期的中國倫理》,頁 149,及康義勇:《論語釋義》,第 1 冊,頁 144。

❺ 見王書林:《論語譯註及校勘》,第 2 冊,頁 66f,及曾秀景:《論語古注輯考》。

❺ 見程樹德:《論語集釋》(〔1939〕4 冊;北京:中華書局〔1990〕1996年),第 1 冊,頁 148。

❺ 見程樹德:《論語集釋》,第 4 冊,頁 1384,提及《知不足齋叢書》本(1776－1823 年)及《古經解彙函》重印鮑氏本。

點讓人頗費猜疑。

今將仔細檢視皇侃《論語》3.5 義疏，以求釐清經注文獻當中的某些疑惑。❺❾為使結構更為清晰，此段義疏分為五小節來討論。

小節 1：

版本甲在此皆述說《論語》3.5 大意：

> 此章重中國賤蠻夷也。❻⓪

版本乙則大為不同，集中於僭越亦即《論語》第三章（八佾）的中心主題。文體上，版本甲中的「重」與「輕」，與版本乙的「上」與「下」並置。版本乙曰：

> 此章為下僭上者發也。

小節 2：

此處重覆包咸（約 10）的訓解，兩部版本文句相同：

---

❺❾ 版本甲主要包括唐殘本（伯 3573），元治翻印根本遜志校本（1864 年），《論語集成》所收《知不足齋叢書》本（1966 年），及武內義雄校勘懷德堂本（1923 年）。

版本乙的各樣載體，則包括王亶望本，收入吳騫：《皇侃論語義疏參訂》，根據《續修四庫全書總目提要·經部》，第 2 冊，頁 860，《論語集解義疏》影印文淵閣本（兩種四庫全書本文句皆同），《知不足齋叢書》本（1776－1823 年），及《古經解彙函》重印鮑氏本（1873 年）。

❻⓪ 唐殘本（伯 3573）部分文句稍有不同：「……明孔子重中國……」。

諸夏中國也。亡無也。

小節3：

此處對《論語》經文進行迂迴解釋。最早的唐代殘本曰：

夷狄之有君生，而不如中國之無君。故云不如諸夏之亡。❻❶

雖然關鍵的「不如」二字，此處並未有所更動，但很清楚是解讀為「不及」。版本甲另一例則提供更為明確的表述：

夷狄雖有君主，而不及中國無君也。

有關兩部版本間的爭論，版本乙顯示出無論是文句上或是概念上，皆與版本甲無有關聯之處。版本乙曰：

中國之所以尊於夷狄者，以其名分定而上下不亂也。

小節4：

此處兩個版本雖皆為引文，但差異頗為明顯。版本甲引用早期學者之言而做成結論，版本乙則以歷史經驗為例來說明。

版本甲義疏引用孫綽及惠琳之言，後者是佛教僧人，其講說深獲劉宋（420－479）開國君主劉裕（363－422，在位 420－422）

---

❻❶　此處筆者以「生」為錯簡，讀為「主」。

的讚賞。⑫惠琳曾治《孝經》、《老子》及《論語》。皇侃義疏所引孫綽之言不下三十七處，而所引惠琳或其《論語說》則僅見一條，即為此處。⑬版本甲曰：

> 故孫綽曰：諸夏有時無君，道不都喪。夷狄強者為師，理同
> 禽獸也。釋惠琳曰：有君無禮，不如有禮無君也。剌時季氏
> 有君無禮也。⑭

此段爭論，在邢昺《論語注疏》中有進一步發展，將作為行為規範精髓的「禮」「義」二字視為衡量文化成就的指標。由此認為文明於諸夏為盛而夷狄所無。在版本甲，皇侃指季氏僭用天子之樂，為孔子所不可忍。另方面，邢昺藉由提及周代初期的典範，採取較不具個性的進路。其視《論語》3.5 為孔子刺時，此一解讀在稍後的程朱學派又再度流行。宋代早期《論語》定本曰：⑮

> 夷狄雖有君長而無禮義。中國雖偶無君，若周召共和之年，
> 而禮義不廢。⑯

---

⑫　見沈約：《宋書》（8 冊；北京：中華書局，〔1974〕1987 年），卷 33，頁 1902。

⑬　見陳金木：《皇侃之經學》，頁 238、240。有關第二個引文，亦見程樹德：《論語集釋》，第 1 冊，頁 148，乃以版本乙為依據。

⑭　伯 3537 則文句稍為口語，最後一句以「言」一字為引導。

⑮　注意《論語正義》即為《論語注疏》的另一名稱。

⑯　《論語注疏》（《十三經注疏》本），頁 26〔卷 3，頁 3b〕。有關此過渡期，見司馬遷：《史記》（10 卷；北京：中華書局，〔1959〕1982 年），卷

此處所指周王遭流放（公元前 841 年）後由二位首輔執政的十四年共和時期，開啟了新的前景。後代某些經注將此無主時期或部分土地為非漢族統治作為一特例，其他則強調真正王道。如此則爭論集中於為君之人是否能善盡其責，而不是僅有其名。

與邢昺疏相比，版本乙的皇侃義疏則顯得普通：

> 周室既衰，諸侯放恣，禮樂征伐之權，不復出自天子，反不如夷狄之國，尚有尊長統屬，不至如我中國之無君也。

此偽皇侃義疏的陳腔濫調，乃仿自《孟子》3B.9 中講述周道衰微。㊻更甚者，版本乙義疏可說是回顧《論語集注》中朱熹引程頤（1033－1107）及其弟子尹焞（1071－1142）之言。享有數百年尊榮的《集注》，對《論語》3.5 的注解是：

> 程子曰：夷狄且有君長，不如諸夏之僭亂，反無上下之分。
> 尹氏曰：孔子傷時之亂而歎之也。亡非實亡也，雖有之不能盡其道爾。

4，頁 144，視「共和」為一朝代。有關以《竹書紀年》為依據的另一解讀，見崔述：《豐鎬考信錄》，卷 7，頁 4－6，收入於楊家駱主編：《考信錄》（2 冊；臺北：世界書局，1989 年〔中國史學名著〕），第 1 冊。相關詳情見夏含夷（Edward L. Shaughnessy）：《西周史料：青銅銘文》（柏克萊：加州大學出版社，1991 年），頁 272。

㊻ 見《孟子注疏》（《十三經注疏》本），頁 117－118〔卷 6B，頁 3a－5b〕。

此處「不如」二字，不再指的是「不及」，而是「不像」之意。此外，尹惇重提皇侃義疏（版本甲）中的解釋，此一詮釋為後代學者所延伸。孔子由此被視為是在批評其國人，這一解讀引發部分學者的激烈反對。甚至於教育程度低下的明代（1368－1644）開國君主朱元璋（1328－1398），也對此一解讀發表意見，毫不保留他對「宋家迂闊老儒」的批評。他對《論語》的見解，如軼事般流傳後世：⑱

　　　宋儒乃謂中國之人不如夷狄，豈不謬哉？⑲

尹惇之語的最末部分，其用字遣詞再次是來自於《孟子》的啟發。⑳明顯的，這是從君主之有無轉向能否「盡君道」。㉑

　　探究偽皇侃義疏的可能來源，程頤及程顥（1032－1085）的著作亦應一探。《程氏遺書》對《論語》3.5 的解說是：

　　　此孔子言當時天下大亂，無君之甚。若曰夷狄猶有君，不若

---

⑱　有關朱元璋對《論語》另一段文句的評論，見傅熊（Bernhard Führer）：〈孔子教導弟子攻乎異端？論語 2.16 解讀〉，收入於賀麥曉（Michel Hockx）及史密茲（Ivo Smits）主編：《解讀東亞書寫：文學理論的限制》（倫敦：Curzon，2003 年），頁 117－158。又，此文漢譯收入於林慶彰主編：《國際漢學論叢》第三輯，2005 年。

⑲　李賢：《古穰雜錄》（1617；《叢書集成》翻印《〔國朝〕紀錄彙編》涵芬樓本），頁 10。

⑳　見《孟子注疏》，頁 125〔卷 7A，頁 6a〕。

㉑　一如劉殿爵所譯：《孟子》（倫敦：Penguin，1970 年），頁 118。

是諸夏之亡君也。⓻

此言孔子關注當時天下無君，這一解讀可與版本甲義疏中所提季氏僭越相關聯。二程在《論語》3.5 注解中所用「若曰」二字的語言風格，似在版本乙義疏中被予以改述。

關於這段文字，最後要提及的是，版本乙義疏與《孟子》3B.9 的密切相關並非巧合。《孟子》3B.9 是最早提到《春秋》乃孔子所作的文獻，包括「世衰道微，邪說暴行有作……孔子懼，作《春秋》」此段著名文句。陳櫟（1252－1334）等學者在其解讀《論語》3.5 中，即將孔子感歎世道之衰與孔子作《春秋》聯繫起來，因而建立起《論語》3.5 與《孟子》3B.9 之間的緊密聯結。⓽

歸納以上對皇侃義疏兩個版本的調查，我們聲稱邢昺及二程皆似乎以版本甲義疏為本而展開其論點。邢昺解讀乃與前輩所持相同，而二程則有新的詮釋，成為日後經注家靈感與爭論的來源。可以確定的是，版本乙與二程注極為相似。若考慮版本乙的可能文獻來源及觀點，則很難不讓人懷疑這不過是一部拼湊之作。總之，不論是何人重寫《論語》3.5 義疏，其作法就是擷取自《孟子》及著宋代名儒著作中的文句，來取代可能地冒犯性文句，而在版面的數量上與原版維持一致。

小節 5：

⓻　朱熹編：《河南程氏遺書》（上海：商務印書館，1935 年〔國學基本叢書〕），卷 9，頁 116。

⓽　見陳櫟：《四書發明》，摘錄於程樹德《論語集釋》，第 1 冊，頁 150。

　　《論語》義疏的最後一小節則轉向第一層注解，即包咸注「諸夏」為「中國」。版本甲曰：

　　　謂中國為諸夏者，夏大也，中國禮大，故謂為夏也。諸之也，語助也。

由於版本乙已於前面論述過「禮」的重要性，故此處有關「禮」的部分有所裁減。版本乙曰：

　　　謂中國為諸夏者，夏大也。諸之也，語助也。

結　語

　　有關《論語》3.5 的部分爭論，可歸咎於皇侃義疏在傳回中國後，其兩個版本的並存。筆者堅信，所采證據可證明版本乙自日本傳入後曾遭審查。儘管筆者尚未能肯定是由何人進行文獻改動，但在筆者看來，已知線索足以認為是王寰望顧忌滿人之諱，而事先將義疏部分文字作有修改。

　　既然假定《論語〔集解〕義疏》之偽並非在古代所為，則我們可以放心斷定，流傳於日本的抄本可以代表最為原始的本子。此外，藏於日本的抄本與唐代殘本二者的相同，這一事實可以進一步證明此種觀點的正確。在兩個版本中，只有版本甲才是真正皇侃所作文本。因此，懷德堂本可說是《論語〔集解〕義疏》祖本的最佳重建。

　　《論語〔集解〕義疏》這一個案，對於過去認為中國在經書的傳布上比日本要好的說法，提出了嚴峻的挑戰。日本的文獻傳承顯示出相當一致的傳統，也就是說，被纂改的情形極少。而《論語〔集解〕義疏》起先是在中國失傳，而後又回到漢土，但可靠版本的傳遞則因審查制度而受到嚴重破壞。

　　有關《論語義疏》的文獻，《四庫全書總目》稱「其經文與今本亦多有異同」。❼除了著名的文獻異同外，具諷刺意味的是，本文的考察指出，皇侃義疏正是在《四庫全書》纂修大業的背景下被纂改。

　　由於《四庫全書》纂修過程中的某些缺失，相當一部分文獻得以保存下來──禁毀書尚存、某書被《四庫全書》所禁卻出現在另一版中、文本在此處被查禁而又在彼處絲毫無恙，這些只因不同纂修官各有標準。但儘管如此，《論語》3.5 皇侃義疏卻顯示纂修官的努力並未白費，乃至如今中國及臺灣對《論語》3.5 皇侃義疏的解讀，依然被當年文字獄下所作靜默的修改所迷惑著。

　　　──譯自 Bernhard Fuehrer 編 "Zensur. Text und Autorität in China in Geschichte und Gegenwart" (Wiesbaden: Harrassowitz, 2003)，頁 19－38。

---

❼　《四庫全書總目》，第 1 冊，頁 290。

座談紀錄

中外學者論中國經典詮釋問題

第一場：
漢學傳注在中國解經傳統中的地位問題

何淑蘋、廖家君整理*

時　間：民國九十四年（2005）六月十日（星期五）
地　點：中央研究院中國文哲研究所二樓會議室
主持人：楊晉龍（中央研究院中國文哲研究所副研究員）**

發表人：張寶三（臺灣大學中國文學系教授）
講　題：詮釋與再詮釋
　　　　——略論中國解經傳統中注與疏之關係及其相關問題

發表人：張素卿（臺灣大學中國文學系教授）

---

*　　何淑蘋，成功大學中國文學系博士生；廖家君，成功大學中國文學系碩士生。
**　　編案：本書所收錄三場〈座談會紀錄〉，其學者單位職級，皆以座談會當時所登載為主。

講　題：「古義」與經義
──從「新疏」薈萃清代經學之成果談起

楊晉龍：

　　大家好，我是楊晉龍。本來這個場次不是我主持的，而是我的學姐張壽安教授主持的，因為她今天有課，所以就拜託我來代理。不過我覺得林老師的安排是有點小問題的，應該安排我和寶三學長、素卿學妹三個人在同一場次，因為我們都是張以仁老師指導的前後期學生，我剛好插在他們兩個中間，所以我上承寶三學長，下開素卿學妹，屬於中間份子，這就好像乾隆皇帝寫的《詩義折中》一樣，我是屬於折中派的。他們兩位今天談的題目，尤其是素卿學妹談的，跟我下午要討論的研究構思其實是有滿密切的關連性，所以我昨天讀了之後就在琢磨要不要把我下午講的觀點在早上就先拿出來說。我覺得我的一些想法對她文章的深入度有幫助，而她的很多想法可以增進我文章的說服力。很有趣的是，如果把我們三個連在一起的話，基本上是可以構成經學傳注詮釋的聯貫性。我們並沒有事先講好，我是在兩個星期前才被通知要寫這麼一篇文章，我在接到這個命令的時候，不知道要怎麼辦，想來想去，因為大家都在談清代的漢學，我比較叛逆，想說「清代就只有漢學而已嗎？」就打算來討論一下這個問題。我想大家都認識寶三學長和素卿學妹，他們兩個都是屬於臺大助教系統出來的，好處是比較能夠了解民生疾苦，我講這個的目的不是要說他們兩個怎樣，而是要強調一件事，就是你只能從已知去談未知，不可能從未知去談未知。所以我們在進行任何詮釋、注解的時候，實際上必須受到時空的語文限

制。這大概也是素卿學妹要討論的一個問題焦點，不過她沒有在文章裏提到，而我的文章有提出這個觀點，可以提供大家作參考。至於寶三學長要談的是整個注疏傳統的內涵和它的轉變。我想我就簡單講這些，以下就請他們兩位發表，原則上每位發表時間是二十分鐘，現在先請寶三學長發表他的文章。謝謝。

張寶三：

　　主持人楊晉龍教授，張素卿教授，各位來賓、各位朋友大家好。因為我禮拜五下午的時間有課，過去一直想過來，但是想到下午要上課就有一些顧慮，所以一直沒有機會來參加這個讀書會，感到非常地遺憾。今天有機會來出席，首先感到非常地榮幸，心裏也感到非常興奮。剛剛楊晉龍先生也提到，被交付這個任務其實是一兩個禮拜前的事，時間上有點匆忙。不過，當時林慶彰老師在交付這個任務的時候，是希望我可以來談一談漢學傳注的問題，而這也是我自己關心多年的一個題目。我想可以來這裏跟大家交換一下意見，也是讓我感到很珍貴的機會，所以雖然很匆忙，還是決定應該把握這個機會來把我的想法給說一說，這一次我就在發言稿裏把一些過去想過的問題作比較簡要的陳述。這個部分寫得相當地簡單，很多地方並沒有作詳細的論述，主要就是把一些在學術界比較容易被誤會，或者是過去也常被提到，但是大家並沒有詳細地去討論的一些問題，在這裏先做個簡要的報告。對於我所提到的這些內容，等一下在座的朋友、各位來賓，如果有什麼更好的意見，或者有需要更進一步討論的，請大家能夠提出來。我想我在前言裏面提到這只是一個拋磚引玉的陳述，希望透過這場研討會，可以對所謂「漢

學傳注在中國解經傳統中的地位問題」這樣一個議題，能夠有更深入的了解。

今天我的發言稿主要重點是放在解經傳統中注跟疏的關係，我在這裏用了一個 title 叫作「詮釋與再詮釋」。我覺得主要的一個想法是就解經來說，「注」它等於是一個詮釋的層次，到了「疏」的時候，它是依附在「注」這樣一個解經的基礎上，再把經典作進一步的詮釋，所以它可能是構成了一個詮釋與再詮釋的雙層詮釋關係，這是我所要論述的一個主要看法，下面我就分成幾點來做說明。

第一點提到的是注跟疏對經典的詮釋與再詮釋。我們經常會提到「注疏」這樣一個詞彙，而在很多談經學史跟談訓詁學的書裏，往往也都把注疏歸到一類，把注跟疏合稱為注疏。不過嚴格來說，如果我們仔細對注跟疏的性質來做區分的話，雖然都是在解經，它們畢竟還是屬於不同層次的東西。所以即使注疏連稱，我們還是必須對注跟疏的性質有所區別，這樣的話比較不會有所誤會。過去我也看到一些論文或著述把注錯看成了疏，或者把注、疏完全不區別而作籠統論述的，經常就會出現一些問題。所以我在這裏特別希望能夠透過這樣的討論，提出一個想法，就是我們以後在論述注疏的時候，也許能夠有一個基本觀念，就是注跟疏畢竟還是不同層次的解經著作。

在這裏我提到有些學者會提到說注是來解經的，而疏是來解釋注的，好像疏的作用就是專門來解釋這個注。這樣的說法恐怕不是很合適，因為我們看到疏的解經方式，事實上它是先解經，用注的看法來解經，解完之後，再來對注加以詳細說明，說明注的意義。

所以在這裏我引用孫詒讓的《周禮正義》，在〈略例十二凡〉裏頭他就講到：「凡疏家通例，皆先釋經，次述注。」我想孫詒讓這應該是比較恰當的一個說法。疏在解經的時候，它往往是先說經義是怎麼樣，接下來談對注的訓詁、字句，再做進一步的說明。以《毛詩》為例，《毛詩正義》在解《詩經》的時候，先對經文談，它會說毛以為、鄭以為；或者是毛、鄭有別的時候，它會直接以毛、鄭的看法來解這個經，解完經文之後，它再來解這個傳，或者解這個箋，也就是孫詒讓所說的「先釋經，次述注」的一個情況。我想我們如果對疏要做一個體例上的說明的話，它應該是經、注並釋，它不純粹只是來解這個注，事實上最重要的目的還是在解經，它只是依附在某一個注文來對經義作發揮，所以應該是經、注並釋。所以我說如果以注對經的詮釋來說，它可能是第一層的詮釋，等到某一個注被看成是一個最具有典範性的解經典範、標準的時候，後來的作述者就按照這個注再對經典作進一步的詮釋，所以我稱它叫作再詮釋。我在這用了一個「subcommentary」，我想請各位指教，尤其在座的貝克定先生，不曉得我用這樣的一個英文名詞恰不恰當？等一下請您指正。

第二個部分我要討論的就是「注」這樣的名稱。我們過去常提到經注的問題，或者說是傳注。我在這裏要說的是「注」這個稱呼可能起源並不早，我們如果就「注」在文獻當中出現的時間來看，可能到後漢的末葉，大概要到鄭玄或者稍早才開始有「注」的名稱出現。但是對解經的著作來說，它並不是那麼晚，事實上在先秦我們已經看到很多對經典解釋的著作，或許還不是個專著，只是出現在正文，比如說在《孟子》、《荀子》裏頭一些篇章，已經對經典

有了一些詮釋的活動。我們最近也看到上海博物館所藏的楚簡，裏面有《孔子詩論》，大家也在討論到底《孔子詩論》的時代是怎麼樣？作者是怎麼樣？儘管到現在還不容易下一個定論，但是它是某一家對《詩經》所作的一個詮釋，這樣的一個著作，應該是可以確定的。這更能夠讓我們知道，在戰國時期或者更早可能對《詩經》已經有一些詮釋了。我在發言稿的第二頁提到，從先秦開始到後來，到漢代之後這個解經的著作也慢慢地更多了起來。剛開始的時候它並沒有叫作注，那時可能叫作「故」，或者叫「傳」、叫「說」、叫「記」、叫「微」、叫「通」，或者叫「章句」，或者叫「條例」，有很多很多的稱呼。這些稱呼我們可以在《漢書·藝文志》或者在其他的史傳裏面看到。最開始它並沒有叫作「注」，它可能叫什麼「傳」或什麼「故」。所以我們今天雖然把這些著作都稱為「注」，這是我們後代的一種泛稱，就是把解經的這一類著作泛稱為「注」。把「注」這個名稱作為一個書名、作為一個專名來說的話，大概我們較早可考見的就是這裏提到的《後漢書》的張楷，《後漢書》的〈張楷傳〉裏說到張楷曾經作了《尚書注》。後來在〈鄭玄傳〉裏我們也看到它說鄭玄注了很多書。我們也從一些《藝文志》，或是像後代的《隋書·經籍志》裏頭，也看到了很多稱之為「注」的書，就是所謂的專名，就是書名用「注」來稱呼的，我們也看到了很多。但是，事實上還有很多解經的著作它們還是稱「傳」，或者是用其他的名稱，但是在敘述這些名稱的時候，比如說馬融的《周官傳》，雖然它的名稱叫「傳」，但是在提到這本書的時候，有人也會說馬融作了《周官》的「注」，或者我們也習慣用「注」來稱呼這一類解經的著作。所以注就變成了它本身可

以是一個專稱，也可以是一個泛稱。我們今天往往把這一類的著作稱之為傳注，可能是採用了泛稱的一種習慣。這就是我提到「注」這個名稱有它的專稱跟泛稱。

接下來我要談「疏」，這是在發言稿的第三頁。「疏」也稱為「義疏」，最早有時候也稱它叫「講疏」。「疏」的興起，我們根據牟潤孫以及戴君仁幾位先生的論述，大概是在東晉末年或者是南朝初年，「疏」就有這個專稱，把它稱之為什麼「講疏」，或者什麼「義疏」。所以從儒家「義疏」的興起來看，大概也可以看到那個時候佛家的義疏也非常地興盛，所以就儒家跟佛家之間義疏的互相影響到底孰先孰後？學者也產生了一些討論。我在這裏引用了戴君仁先生在〈經疏的衍成〉這篇文章內的說法，他認為我們中國本身也有像章句這樣的傳統，後來再加上了佛教講疏的影響，就產生了義疏。這是對義疏興起的原因，過去學者們所作的一些討論。我本來也希望在寫完博士論文《五經正義研究》之後，能夠來處理一下這個義疏起源的問題，可惜後來雜務很多，沒有辦法繼續在這一方面做努力，也感覺到這本身也有一些困難的地方，比如說對佛教的經典需要有相當程度的熟悉，所以希望在座年輕朋友，將來如果有興趣進一步地來探討義疏的起源問題，我覺得這雖然複雜，但是值得繼續再作討論。

疏或者是義疏，它在當時有很多不同的名稱，或稱講疏，或稱義記，或稱義略、義章、私記、述義等。雖然有不同的名稱，後代在提到它們的時候，也會用疏這樣的泛稱來稱呼這些疏體著作。所以同樣地疏也產生了有些書名本身叫作某某疏，像顧彪有《尚書疏》、蔡大寶有《尚書義疏》，請參考我發言稿第三頁最下面注釋

第十七條。我們也可以看到在《隋書·經籍志》裏面有以義疏當書名的情況。另外雖然有不叫作義疏的，但是後人提到他們的著作也稱它叫疏，比如說二劉，他們的著作叫「述議」，我們也會說是劉炫對《詩經》、《左傳》等的疏。所以疏，我們有時候用專稱，有時候用泛稱。我們現在對這些義疏體大概也一律泛稱它叫作疏，事實上疏本身也是有很多不同稱呼的。那麼因為它本身的稱呼不一樣，也許有它個別體例上強調的特色。比如它叫「疏義」，說不定它在義的成分上會比較強調；或者它叫「義章」，可能在章句這方面會有比較特別的強調也不一定。但可惜很多著作現在都已經亡佚掉了，留下來的就是像皇侃的《論語義疏》或者劉炫《孝經述議》的殘卷，完整的著作並不多。所以對於義疏的研究，我們大概比較常見的就是用唐代這幾本，像《五經正義》或者是賈公彥、楊士勛的這些疏來作討論。不過我想這些已經是進入唐代了，我們能夠用南北朝的義疏來看保存義疏體的狀況，情況可能會比較好一點。

　　接下來我要討論的是注疏上所謂「疏不破注」這樣的說法。這個說法其實早期已經很多人討論過了，像龔鵬程先生在他的碩士論文《周易正義研究》裏面，已經有一章專門在討論「疏不破注」的問題。我們從早期留下來的義疏，也看到像劉炫《春秋左傳述議》中有很多地方對杜預的注作了批評。另外像劉炫的《孝經疏義》也是一樣，對孔安國的注也有很多批評。皇侃《論語義疏》對何晏《集解》的說法也有很多批評。所以從早期的義疏體，南北朝或唐以前的義疏體來看，我想應該沒有一個所謂的「疏不破注」的體例。後來所以會讓我們感受到好像有「疏不破注」這樣的一個情況，大概是唐代在修纂《五經正義》時，因為要當成科舉制度的標

準，必須有一個定本，要有一個所謂的「正義」，有一個標準的說法，所以修纂者就把注跟疏讓它一致，把違注的部分刪掉。我們就《五經正義》來看，大致上並沒有太多破注的地方，不過仔細地讀還是有一些遺留下來的破注的痕跡，這些痕跡我們看起來當然比例並不大，所以從《五經正義》或者其他唐代的幾本疏來看，它們雖然大體上是疏不破注，但是並不能說所有的義疏體都是不破注，因為從早期魏晉南北朝留下來我們所看到的疏體的體例來說，它有些是可以對注的看法作一些議論，甚至很明白地說這個注的說法是不對的。所以對經學上的某些問題，如果我們所研究的成果能夠讓更多不是以經學作為專業的學者多了解的話，他們就比較不會隨便對這些議題作出一些不恰當的說法。我們現在也常聽到很多人說，既然疏不破注，那疏就沒什麼好研究的了。既然注不駁經，疏不破注，那麼注就不會對經做太多的議論，或者說不會去駁經的看法。既然疏都不駁注了，它所有的發言就是完全依賴在注的說法裏，那就沒有什麼新意了。這是一般人很容易下的結論，而事實上並不如此。義疏體在解經的時候，雖然是依某一家的注來解經，但疏的撰作有其時代性，也有可以發揮的地方。在這些比較細膩的地方，如果我們對注疏多做研究的話，就可發現其中也蘊藏著一種複雜的解經傳統。這些我想就需要比較詳細的研究跟論述，才能夠凸顯出它們的重要性。

第五個就是最後提到注疏在中國解經傳統上的重要性。因為我們這個主題是談「地位」問題，所以我想要談談它的價值或重要性。這裏我引了阮元的〈重刻宋板注疏總目錄〉，後面他有一段話說：「竊謂士人讀書當從經學始，經學當從注疏始。」我想這是清

人、尤其是阮元這一派學者的看法。注疏是一個讀書的基礎，尤其是研究經學的基礎。他說有一些高明之徒或空疏之士，讀注疏「不終卷而思臥」是「不能潛心研索」，他覺得這樣子可能就沒有辦法進入學問的階梯。我自己從前在作《五經正義研究》的時候，也常常不能免於「不終卷而思臥」，尤其讀《禮記》注疏的時候，有時候一天晚上點讀十頁、二十頁就已經很疲倦了。我常常這樣想，這好像是手工業，在現在工業革命後的時代，好像顯得很沒有效果，有很重的挫折感。如果以投資報酬率來看，讀注疏是非常吃力不討好的事情，但是如果要研究經學的話，我想注疏是不可避免的自我訓練的一個過程，雖然這個東西在現代似乎已經很不合宜了，但是能夠透過注疏來對自己基本的研究基礎作一點訓練，我想這對經學研究來說是有其必要性的。

朱熹雖是位理學家，但是他也曾經說「本之注疏，以通其訓詁」，這見於他的〈論語訓蒙口義〉裏面。另外在《朱子語類》裏他也提到說注疏是不能丟的，所以他說：「祖宗以來，學者但守注疏。」又說：「注疏如何棄得。」可見他對注疏是有相當程度的重視。另外像日本的吉川幸次郎先生，他曾經特別強調：「作為中國精神發展史的材料，《正義》頗具價值。」也就是說在「正義」繁瑣的解經內容當中，可以看到一些中國人的思維，或者說是精神。他所說的「精神史」，就是我們現在說的「思想史」。所以中國人對某些文化，或者是語言，或者是某些想法，往往會透過解經的過程當中呈現出來，所以這個可以作為我們研究中國精神史的重要資料。

雖然時間已經到了，但是能不能再借我一分鐘的時間？今天我

帶來了這個參考資料，簡單地介紹一下為什麼要帶這一份資料。我們舉這樣的例子來看，就是要說明如果我們對注疏有比較清楚的理解時，在做學問的過程中就比較不會出現某些其實是可以避免的錯誤。比如引《十三經注疏》的《毛詩注疏》，我們現在看到的是藝文印書館影印的阮元重刻宋本《十三經注疏》，因為當時阮元他們把各經注疏的《四庫全書總目》擺在各書的最前面，以示尊重，《四庫提要》是講義第二張這一張，《四庫提要》在著錄這一本《毛詩注疏》的時候稱為《毛詩正義》四十卷。我想因為紀昀他們在編《四庫提要》的時候，對注疏這個問題還不是非常清楚，要把注疏這問題弄清楚還必須等到更晚的學者，才對這個問題有所了解。我曾經在閱讀《爾雅注疏》的《提要》時，看到《提要》說邢昺的疏很奇怪，他覺得邢昺「既列注文，而疏中時複述其文，但曰郭注云云，不異一字，亦更不別下一語，殆不可解」，他覺得很奇怪，認為會不會疏在當時是單行的，因為是一個單行本，疏是單疏，所以必須以這樣的方式呈現，他說：「今未見原刻，不可復考矣。」從這個地方我們可以知道《四庫提要》的作者大概還沒有看過單疏本，所以他不能理解什麼叫做單疏。

我在這裏必須做一個說明，就是疏原先是單疏的，後來因為跟注合刻以後，我們就稱它做注疏。現在看到的《十三經注疏》，以《毛詩注疏》來說，它有經有注，注包含《傳》跟《箋》，《疏》就是孔穎達的《正義》，所以它包含了經、注跟疏，所以書名應該叫做《毛詩注疏》才比較合理。像阮刻本的扉頁上面題為「重刊宋本毛詩注疏附校勘記」，所以稱為《毛詩注疏》。為什麼現在很多人在論文的參考書目上就直接引《毛詩正義》這樣的名稱呢？這大

概是受到它前面引的《四庫提要》影響，《四庫提要》就稱《毛詩正義》。還有藝文版前面的目錄，當然這個目錄是藝文印書館的人自己編的，後人打的，它的目錄上面也寫《毛詩正義》。所以在參考這本書要著錄它的時候，很多人就受《四庫提要》的影響，把這本書稱為《毛詩正義》，事實上這樣的稱呼是不合適的。因為「正義」稱的是孔穎達的疏，我們如果要稱呼這本書，應該要稱呼它叫《毛詩注疏》，它裏面有注有疏。我想在寫論文的時候，如果要引用《十三經注疏》和《五經正義》有關的這幾本書，比如說《禮記》，我們應稱它叫《禮記注疏》，不要稱它《禮記正義》。我藉這個機會提出來，為什麼要這麼說呢？是因為我們對注疏的問題如果有多一點的了解，在做學問或者在寫論文的時候，也多增加一些可以注意的地方，比較不會出錯。今天時間非常匆忙，我想一定有很多需要各位朋友、各位來賓指教的地方，我就先講到這裏，謝謝大家。

楊晉龍：

謝謝寶三學長。我讀高師大碩士班時，系上規定要從十三經裏面找五本來點，我點到《禮記》的時候跟學長不一樣，學長是點得想睡覺，我是邊點《禮記》罵聲不斷，在旁邊寫了很多孔糊塗、鄭搞怪之類罵人的話。所以我點過的書非常精采，因為裏面罵人的話比學術性的話還多。我的學生很喜歡看我點過的書，因為他說看過我點的書以後就不會想睡覺了。其實寶三學長已經很簡略地把注跟疏之間的內涵跟關聯性提了一下。每一本書的標題當然跟它的內容、體例有非常密切的關係，可惜我們現在沒有辦法比較全面性地

去了解。實際上在經書裏面這個關係是非常密切的，後來可能就慢慢地比較沒有了。比如說「正義」是官方的，可是到明代的時候像許天贈有《詩經正義》，他也要來「正義」一下。就實際來講，「正義」就是說你們其他都是不對的，只有我是對的，那應該是官方才能有。你可以看到後來官方反而比較客氣，像清代叫「彙纂」、「折衷」，就不敢再叫「正義」之類的，這是一個滿有趣的現象。我們謝謝寶三學長，接下來請素卿發表她的文章。

張素卿：

主席還有各位與會學者大家好，我今天發表的這篇文章標題是〈「古義」與經義〉。「古義」打上引號主要是強調它代表一種經解。清代有很多學者的著作用「古義」來命名，可以用這個詞彙來當作某一類經書注解的通稱。「古義」這一種類型的經解，跟清代的「新疏」關係密切。因為學者們通常都以「新疏」當作清代經學的主要成果，我就拿這個作為談論的起點。

依鄧實〈國學今論〉的說法──事實上同樣的說法很多，他的說法發表時間明確，而且舉例詳細，所以就拿他作為代表。鄧實提到：「自惠、戴以來，諸儒治經，各守其家法，別為義疏。其裒然成書，專門名家者，於《易》有惠棟《述》……」，也就是惠棟的《周易述》等等，各經他都羅列幾種「新疏」。包括鄧實以及後來的梁啟超等，他們在羅列清代群經「新疏」的時候，都以惠棟的《周易述》為最早。從惠棟、戴震開啟新的學風，於是一系列的群經「新疏」陸陸續續地產生。當然，通常大家比較關切或熟悉的應該是道光、咸豐年間的學者，如劉文淇、劉寶楠、陳立……等，他

們互相勉勵，分頭撰寫「新疏」，這是著名的典故。那時積極從事撰寫「新疏」的人多起來了，所以比較受大家矚目。實際上，這樣的學術脈絡，自乾隆初期一直延續到清末都還沒有完全終止。

　　如果我們回顧一下經學的歷史，以漢代、唐代、宋代作為參照指標來對照的話，可以更清楚看出清代「新疏」的確有它的特點。漢代的經解，如剛才張寶三教授所說，書名的變化雖多，大概可以統歸為「注」，它們是直接解釋經傳的。相對來講，唐代經解特別的地方在哪裏呢？主要應該是他們依據既有的傳注，再進一步地加以疏通、補充、辨證，就是所謂的「疏」，這是唐代經學著作中比較具代表性的一種類型。到了宋代，宋儒的思考不一樣了，他們不再遵循從漢到唐這一路發展下來的脈絡，相反地，他們認為漢、唐的儒者在解釋經書的時候，並沒有真正掌握到聖人之道或孔、孟的真精神，所以紛紛標榜要擺落漢、唐，獨抒新意。基於這樣的一種新主張，宋代學者在解釋經書的時候，他們基本上是「獨抱遺經」，有意跳過漢、唐的注疏，直接解釋經傳，表示自己對經書的新的理解。當然，他們難免會採取漢人或唐人注疏中的訓詁，但是標榜「獨抒新意」，無疑是宋代經學的一項特點，代表宋代有別於其他朝代經學發展的新方向。漢、唐、宋的經學，各有發展的特點，那麼，清代經學的獨特之處又在哪裏呢？相較來講，清儒解經，既不採取宋人「獨抱遺經」而自出新解的途徑，也不是像漢人依經傳作「注」，直接解經，而是強調依據古訓來解釋經傳，這是跟漢人、宋人不一樣的地方；而且，也跟唐人的「疏」有所不同，他們總強調根據漢儒古訓，再進而申述或疏通證明，因此，相對於《十三經注疏》中的「疏」（清儒通常稱為「舊疏」），清人撰寫

的「疏」大家通稱為「新疏」。

第二節緊接著要討論的就是：為什麼清人要另外撰寫「新疏」？為什麼不直接回到《十三經注疏》，依照漢儒的注、唐宋人的疏來理解經傳，為什麼需要重新撰新疏呢？其實，從漢到唐解釋經傳的「注」很多，南北朝又出現許多的「疏」，為了統一經說，唐代於是纂修《五經正義》，後來一直到宋代陸陸續續地撰定各經義疏，這是十三經的舊疏。這樣一路發展，基本上都是選定某一家的「注」作為依據來解釋經傳。這自然牽涉到選擇，選擇的背後就會涉及長短優劣的判斷，而這樣的判斷，一方面宋人不滿意，另一方面，清人事實上也不滿意。

宋儒不僅對舊疏不滿，包括疏所根據的漢、魏、晉人的注也不滿意。他們認為自漢至唐的學者根本沒有掌握到聖人之道，所以在上接道統的前提之下，選擇了直承孔、孟，這是宋人在發展經學時所標榜的一個新方向。相對地，清代重振「漢學」，批評宋儒對於經書的解釋有穿鑿、臆造的毛病；而且，理解經典也不能完全回到《十三經注疏》，不是回歸到唐、宋的義疏，而是應該上追兩漢經師。為什麼是「漢」呢？主要是因為漢代經學講究師法、家法，以這樣師承傳經的脈絡來取代道統的觀念。清儒認為漢人的訓詁、經說有這樣一種師法相承的脈絡，最後可以追溯源頭到孔門七十子，可以作為探尋經義的憑藉。因此，他們自我標榜為「漢學」。確立「漢學」的指標人物應該是惠棟。戴震在〈題惠定宇先生授經圖〉裏提到：「先生之學，直上追漢經師授受、欲墜未墜、蘧蘊積久之業，而以授吳之賢俊後學，俾斯事逸而復興。」特別推崇惠棟能夠復興漢代經師的傳授統緒。江藩寫《國朝漢學師承記》，阮元的

〈序〉說：讀《國朝漢學師承記》這本書「可知漢世儒林家法之承授」，並了解「國朝學者經學之淵源」。初讀時，曾經納悶：為什麼一下說是知道漢儒的儒林家法，一下說是知道清代學者的經學淵源？如果結合戴震對惠棟直承漢儒之業的說法，就比較好理解清儒的思路，可以明白為什麼清人要說自己的經學是「漢學」。其實，他們是在標榜自己直承漢儒，而直承漢儒的訓詁經說，最終可以上溯孔門，庶幾乎「大義微言，不乖不絕」。他們想要透過漢儒來直承孔門的微言大義。正因為這樣，所以他們不是回歸到唐、宋的舊疏，而是有意另外撰寫新疏。

　　這當然還牽涉到他們對於舊疏的不滿。理由是什麼呢？首先，清儒不滿意唐人在依「注」撰「疏」的時候，沒有完全採取漢儒，一部分依據魏、晉學者的「注」，所以他們先針對這個部分提出了批評。比如惠棟就特別指出《周易》用王弼《注》的不當；而《尚書》用的是偽《古文尚書》，而且依偽孔《傳》，這也不好；另外，惠士奇還提出何晏《論語集解》、杜預《左傳注》等。所以惠棟、江聲、孫星衍等率先針對《周易》、《尚書》，開始重新撰寫新疏，標榜要復興「漢學」。當然，除了上述幾部經典外，又慢慢地擴散到其他諸經，即使是依漢儒注所撰的舊疏，也有意取而代之。如凌廷堪所說的：「其視唐以還固無足重輕矣，且欲軼魏、晉而上之。」惠棟以來的乾嘉「漢學」，的的確確是要「軼魏、晉而上之」，是要直承兩漢的。

　　這牽涉到另一個問題，值得我們注意。大家都知道，《四庫全書總目》的〈經部總序〉把西漢到清初的經學歷史分為六個階段，所謂「學凡六變」，而又總歸為「二家」，也就「漢學」、「宋

學」兩大學派。仔細比較的話，這說法其實跟惠棟、戴震、淩廷堪等人所說的「漢學」是有差別的。紀昀等所代表的《四庫全書總目》的說法比較寬泛，把漢代一直到唐代，包括《十三經注疏》都歸為「漢學」，這其實是一種廣泛的說法。相較之下，惠、戴、淩等乾嘉「漢學」中堅人物的說法則比較嚴格明確，直承兩漢，並一再表達對魏、晉「注」以及唐、宋「疏」的不滿，這促使清代儒者紛紛朝向為群經撰新疏的脈絡發展。

撰寫「新疏」，為什麼會牽涉到「古義」呢？這是第三節討論的要點。我這篇文章裏嘗試提出的一個觀念：新疏應該當作是清代經學主流趨勢的最後發展結果，在這之前有很多預備工作，牽涉到許多學者，而且經過長時間的努力，這個階段的著作，主要就是「古義」類型的經解。「古義」的代表首推惠棟《九經古義》，比較早，而且，對後來的影響也比較大。《九經古義·述首》特別標舉出「經之義存乎訓」的解釋觀念，基本上「古義」這類經解的宗旨，可以用這一句話作代表。這是強調：認識經義必須藉由訓詁的進路，而且特別看重漢儒的訓詁，如錢大昕說：「詁訓必依漢儒，以其去古未遠，家法相承，七十子之大義猶有存者，異於後人之不知而作也。」事實上「異於後人之不知而作也」是在暗暗地罵宋儒，清人通常認為宋儒有這種空疏、臆造的弊病。那麼，為什麼漢儒的訓詁或經說就比較可靠呢？漢代「去古未遠」是理由之一，這是比較弱的一項理由，真正重要的應該是「家法相承」，這是另一項理由。因為時代的早晚是相對的，漢儒除了比較接近聖人的時代這個相對優勢，更受清儒看重的是漢人重視師法，清儒相信他們的經說都是老師傳給弟子，一代一代相承，最後來自孔門七十子，七

十子又得自孔子。基於這樣的信念，所以清人認為漢儒古訓可以作為重新解釋經傳的憑藉。除了上述兩項理由外，阮元還強調漢儒經說的優勢在於不雜糅佛、道，在魏晉玄學盛行，尤其是佛學傳入中國、影響中國思想界之前，比魏、晉乃至於唐、宋學者的經說，更加精粹。

然而，清代以前，很多漢代的舊注早已經失傳散佚了。清儒只能從現存的書籍裏，儘量將古訓蒐集起來。先從事輯佚的工作，以考據為基礎，再闡述古訓以解釋經傳，於是乎形成「古義」的解釋類型。如果漢儒的訓詁足以解釋明白，有時就單單輯存古訓，必要時再加補充，甚至疏釋、辨析。慢慢地，補充的說明越來越多，就逐漸趨向「疏」的體例了。「古義」是一個通稱，各家的著作會使用不同的名稱，依它們的體例、撰述宗旨，可以看得出來這類經解有相通的地方，清儒往往就通稱為「古義」。「古義」跟一般的輯佚書是有差別的，一則，「古義」為解經而作，有積極、明確的著述動機，並非單純地恢復古籍面貌；二則，「古義」是有目的的輯佚，特別針對漢儒的舊注或古訓；三則，「古義」通常在輯述之後，還有所裁斷，或申述、補證。「古義」輯述的對象，有些時候會延伸到魏、晉，這主要是因為清儒認為魏、晉仍有部分學者能夠保留漢儒師法相承的古訓。大概是由於這樣的觀念，雖以漢儒為主，有些時候也會延伸到魏、晉人的說法。另外，如果以李貽德的《春秋左氏傳賈服注輯述》來看的話，可以明顯看出「古義」的轉型趨勢以及侷限。以輯佚、考據為基礎工作的「古義」，很容易受到舊注的限制，畢竟漢儒舊注已經散佚失傳很久了，比如《左傳》的賈、服注，經過許多人的努力仍然蒐集不完整，那麼，完全侷限

在依照漢儒的注釋來解經，就沒有辦法全面地重新解釋經傳。有些儒者意識到了這個問題，於是把範圍稍微放寬，不完全依照某家舊注，而是廣蒐各家之說，並且運用漢儒在解釋其他書籍時提及的訓詁，也都把它們蒐集、彙整起來，詳加疏通證明。這樣運用漢儒古訓及訓詁方法，逐步地全面重新疏解，就趨向於「疏」體。

　　基本上，從「古義」到「新疏」的發展趨勢是一個整體脈絡，「新疏」以「古義」為基礎，而「古義」又以「新疏」為歸趨，兩者都是落實清代「漢學」解釋觀念的代表性經解。「古義」基本上仍只是「注」，是發展過程中的初步成品，薈萃諸家「古義」所形成的「新疏」，更是乾嘉以來「漢學」思潮中學術群體的延續性成果。

　　風氣轉變，非一蹴可幾，清代「漢學」別開新局的新義究竟何在？這是第四節要進一步探討的。重新注意漢儒，這樣的風氣事實上在明代已經有一些跡象，有一些先驅者。這方面，林慶彰先生的研究很值得注意。林先生很多篇文章都提到從明代中葉以後一直到清初，不斷有學者提倡《十三經注疏》，重視漢儒之學等等，這些都可以視為是清代「漢學」的先驅。比如漢儒「去古未遠」跟「師法相傳」而能上承孔門之微言大義等說法，的確在明代儒者的言論中屢次提及。但是，我們應再加留意的是，到了惠棟、阮元時，他們又提出新的觀念來補充，又進而強調漢儒經說未雜糅道、佛兩家，因而凸顯漢儒的可貴，以及魏、晉以後學者的問題所在。為什麼魏、晉以後學者解經比較不可信？主要就是涉及思想混雜的問題。惠棟之後，不僅明確標舉「漢學」，帶動輕唐、宋而軼魏、晉的潮流，而且積極地輯存「古義」，並朝向撰寫「新疏」發展，凝

聚成可以具體依循的解釋類型。他們有共同的目標，共遵的步驟和方法，有具體落實學術觀念的解釋類型，甚至形成一股時代思潮，因而跟明代儒者零星提出的說法有了不同的效應。這也是我特別針對「古義」跟「新疏」，著眼於解釋類型，根據這個來區分明、清儒者對於漢代學術的重視有何差別。從上述差別，我們看到清儒又往前走了一步。學術發展是一步一步地在往前走，到了清代，形成「漢學」思潮的關鍵性一步主要在此，因而清代經學開展出了新的局面。

除此之外，清代「漢學」家強調漢人「近古」或守「師法」的優勢時，他們特別是把這兩項優勢跟「訓詁」結合起來談，這當然跟清代「漢學」家注重訓詁之學有關係。我試著以陳澧《東塾雜組》裏面引述林承芳的一段話來作為一個具體討論的對象。依陳澧引述，明儒林承芳曾說：「國家以宋儒傳注取士，今舍而取於漢者⋯⋯」，這是說明當時國子監為什麼要重刻《十三經注疏》。明明是重刻《十三經注疏》，卻說是「取於漢」，為什麼強調漢儒之學呢？林承芳強調的重點在於「夫宋固撽乎漢者也，博乎漢，而後知宋之原也」，這是當時重視《十三經注疏》的理由，林氏認為這有助於追溯宋儒訓詁的源頭，所以他說：「自漢儒傳訓詁，宋儒因而釋其義」，明儒其實已經注意到，宋儒解經其實未嘗沒有憑藉漢儒的訓詁。可是下面的話慢慢地就與清代「漢學」家有所差別了。林承芳這樣說：「夫義主理，理，吾心所固有者也，即微宋儒，吾得而以心逆之也。」他還存有「以意逆志」的觀念，意謂沒有宋儒，後人還是可以「以意逆志」來了解經書之義，而經義主乎「理」，「理，吾心所固有者也」，因此讀者可以「以意逆志」來

上契聖人，由心明「理」。既然可以「以意逆志」，宋儒的義理闡釋就不是必要的了。他相對地轉而強調訓詁的重要性，而訓詁必不能沒有憑藉，他說：「訓詁非得焉」——如果不求助於古人的話，今人讀古人之書，就好像「窮僻之人，聽中國之言語，稱其相似而不相通也」，將不能彼此理解，不知道對方在講什麼。就訓詁這一點來講，也就可以看出為什麼要重視漢儒了，因為「微漢儒為之譯，宋儒亦安所釋其義哉？」這想法跟後來清儒的想法有相通的地方，稍後會再作討論。最後，陳澧對林承芳這段話作了簡單的評論，他說：「此所論與近時議漢學者無異。」可是，我想這當中其實是有差別的，下面就從差別何在，再作些補充跟討論。

首先，到了清代，是否為宋儒經說探源已經不是清儒標榜「漢學」所關注的重點，這是一個差別。其次，像林承芳這位明代學者，他有意表彰《十三經注疏》，要學者重新關注漢、唐注疏，可是明儒往往沒有嚴格區分諸經之「注」是否全屬漢人之學，而清代學者則相當注重這一點，如果沒有作這種區分的話，就沒有辦法再往前去談新的解經方向，這是清儒有別於其先驅者的地方。第三，從林承芳說：「理，吾心所固有者也，即微宋儒，吾得而以心逆之也」，他基本上還沒有脫離理學的思維，清代的「漢學」家恐怕就不會有這樣的說法了，對照於戴震〈題惠定宇先生授經圖〉的說法，它代表戴震受惠棟影響之後的一種新的論學方向，這個新的方向就很明確地把由訓詁及通經達義的進路貫通為一，而不再是二分。尤其在這樣一個觀念底下，他特別說到：「夫所謂理義，苟可以舍經而空憑胸臆，將人人鑿空得之。」這就有別於林承芳的說法，不認為後人可以空憑胸臆去「以意逆志」而領會聖人之理義，

戴震斷然認為「空憑胸臆之卒無當於賢人聖人之理義」，那麼，要探求聖人理義的話，「必求之於經」。這是很重要的論點。唯其探求聖人理義必得求之於「經」，才重新彰顯出經學在學術思想上無可替代的的中心地位，經學才會在清代興盛，並重新成為學術的宗主。

　　清儒當然也注意到，經書距離清代的時間已經相當遙遠了，所謂的「古今懸隔」，怎樣才能夠通經呢？這正是他們重視「訓詁」的理由。透過訓詁，而且特別注重漢儒之訓詁，而不是直接單憑訓詁方法，漢儒的優越地位因而凸顯出來。這整體觀念組合起來，才能真正掌握清代「漢學」解經的思路。第五節主要就是要把這個觀念凸顯出來。

　　相當有趣的是，林承芳、戴震以及陳澧有類似的說法，他們都曾經把訓詁類比於翻譯。翻譯主要是不同語言之間的轉換，以這種語言去說明那種語言是什麼意思，有些時候他們把方言的差異也擺在翻譯這樣的一個觀念裏面。翻譯主要是空間上的問題，不同地點的人，他們因語言不同而產生溝通的障礙，透過翻譯來互相溝通。相對來講，隨著時間變遷，古今的語言也產生變化，今人想理解古人說的話、寫的書也有障礙，這就需要借重訓詁。訓詁主要是要溝通古今的語言，讓今人可以克服障礙，順利理解古人的語言文字。訓詁和翻譯都牽涉到語言的轉換。林承芳、戴震、陳澧把訓詁類比於翻譯，這樣的類比顯示出訓詁關注於語言的特點。陳澧曾經這樣說：「蓋時有古今，地有東西、有南北，相隔遠則言語不通矣。地遠則有翻譯，時遠則有訓詁；有翻譯則能使別國如鄉鄰，有訓詁則能使古今如旦暮。」好像沒有時間的差異、沒有時間的距離了，

「所謂通之也，訓詁之功大矣哉」，就是從這種角度來肯定訓詁解經的功能。克服語言障礙之後，清人認為在面對經書時，就好像是聽老師在我們耳邊講話一樣，在理解上似乎就沒有障礙了。然而，真的是這樣嗎？

我下面接著提出一些想法，供大家參考和討論。清人認為：古今懸隔，因此必須以漢儒古訓作為憑藉。我們可以接著追問：漢儒的經說古訓，對清人來講也有上千年的時間距離了，那麼，清儒又如何理解漢儒的古訓呢？這本身難道沒有語言隔閡的問題有待跨越嗎？由此推想，我們就不難了解清代「漢學」終究不能僅僅停留在輯存「古義」，勢必朝向撰寫「新疏」發展，因為連漢儒的經說古訓也有必要再加以闡釋。清儒藉著先理解漢儒的說法，然後再依循它所指引的方向，進一步理解經書之義。其次，訓詁的進路，事實上也會有它的侷限。同樣依循訓詁之法，後人解釋經義必須憑藉漢人，那麼為什麼清儒就可以跨越這一千五百多年的時間距離，直接來疏釋漢儒之說呢？清儒很少說明這一點。第三，訓詁本身會不會有它方法上的侷限，這也需要省思。其實，訓詁的進路會有它的限制，如林承芳、戴震還有陳澧，他們都把訓詁類比為翻譯，試著順此方向思考：翻譯主要是語言之間的轉換，跨越不同語言之間的障礙，然而，翻譯之後就可以窮盡其意嗎？我們看了翻譯之後是否就能完全理解作者的意思呢？事實上沒有那麼簡單。同樣地，假設訓詁能夠完全地溝通古今言語，讓今人面對經書的語言文字，就像跟同時代的人對談一樣毫無語言障礙，那麼，理論上經典本文只需要全部翻譯成白話。事實上，理解古書應該沒那麼簡單，理解的問題應該不僅僅是跨越語言障礙而已。所以如果重新省思戴震的話，他

說：「故訓明則古經明」，這句話就語言層面來講，固然有些道理；但是，他接著延伸到經書所蘊涵的義理層次，是否「故訓明則古經明」就有商榷的餘地了。我們應該注意，經書之義不僅僅涉及語言層面，語言文字的字面意義或語義外，還牽涉到戴震所謂的理義或聖人之道，這屬於涵義。經書的語義所蘊涵的涵義，或者延伸的指歸，那恐怕不是如戴震所說的「古經明則賢人聖人之理義明，而我心之所同然者乃因之而明」，後面這部分其實沒那麼簡單，還有很多問題尚待辨析。

　　講到這裏，可以再回頭看一遍林承芳的話。如果我們考慮到戴震的說法有其侷限，他忽略了很多問題沒有說明清楚，清儒也沒有說明清楚，從這一點來看，重新注意林承芳的話還是相當有意義的。林承芳認為，透過注疏理解經書的訓詁，古今語言的問題克服了之後，讀者還需要一番「以意逆志」的工夫，那是理學影響下的觀念，這是說：當語言沒有障礙了，每一個讀者直接面對經書時還有所謂「以意逆志」的工夫，兩者是連在一起的。陳澧也有類似的想法。我在〈經及其解釋——陳澧的經學觀〉這篇論文裏談到，陳澧提倡「讀經」，這其實是相當值得玩味的主張，在清代「漢學」思潮中也算是很有特色的主張。他省思清代「漢學」的流弊之後，重新勸人讀《十三經注疏》，不僅如此，他還鼓勵學者讀了注或疏之後，不應忘記閱讀經典，亦即回到經典的本文；他強調經典本文的閱讀是不可偏廢的。他批評清代「漢學」家，往往停留在讀注或疏的階段，甚至為一字一句不斷地考證，反而忘了回歸於「經」，他認為：為考證而考證並不是真正的「經學」。這個說法其實很有趣，相當值得玩味，陳澧顯然意識到：克服語言障礙之後，讀者面

對經典本文，其實還有著閱讀、理解的課題有待解決。

清儒的思考大致到這個層次。我順著清儒的思考也暫時談論到這裏。閱讀、理解的課題，現代的西方詮釋學談得很多，「理解」的課題，不只是時空距離上的問題。就算沒有時空的隔閡，是同時性的，還有很多彼此理解的問題有待克服。因此，第六節簡單地梳理一下古人若干思考。當然，最終還應該觀古而思今，思考我們現在經學的發展課題，應該注重什麼？什麼是我們接續前人步伐應該再往前邁進的那一步？最後拋出這個問題，希望能夠多聽聽大家的意見。謝謝。

楊晉龍：

謝謝素卿。我想她已經很簡略地把清代有關古義和新疏作了滿有趣的對照。這是滿弔詭的。清人的主流思想是要恢復古義的，可是後來變成一種新疏。這個古義其實是相對於宋人今注而言的古，然後它自己又變成了一種新。就他們而言，這個新原來是具有貶意的，可是後來又變成有正面意義。這是滿有意思的。O.K.！他們兩位都把他們的主要觀點陳述清楚了，接下來就開放給大家來發言。如果大家沒有話說，那就只好由我來說話。因為有時候當主持人最大的麻煩，是人家沒話說的時候，主持人就必須要說話。剛才寶三學長已經指定了一個人要作答了。貝克定先生！張寶三學長請問你「詮釋」和「再詮釋」的英文用法有沒有問題，這當然牽涉到非常嚴重的語言不可共量性的問題，請你幫忙解釋一下，謝謝。

貝克定（美國哈佛大學東亞語言與文明研究所博士候選人，中研院文哲所博士候選人）：

平常西方漢學家翻譯注和疏，我習慣看到的是 commentary 和 subcommentary 這兩個字，但是這兩個字並沒有像中國的「注」和「疏」那麼清楚的區別。而且 commentary 這個字的意思很寬，可以有不同的含義，如果合併用 commentary 和 subcommentary，讀者可以知道就是「注」和「疏」兩個中國概念的翻譯字。但是，如果「commentary and subcommentary」的意思跟「注和疏」的意思有差別，那就是英文本身的問題了。

楊晉龍：

謝謝貝克定。不過我在猜測，寶三學長應該不是要問你這麼一個簡單的問題。我們在講「傳統」，實際上是在用 tradition 來翻譯，但是我們知道，英文的 "tradition" 和中文的「傳統」，意思應該是不太一樣。英文 tradition 代表的意思，到底和中國的風俗、習俗這類的東西有沒有差距？像我比較喜歡講，我們經常用 "style" 來翻譯「風格」。就一個中國的傳統來講，如果你去讀從《文心雕龍》以下所謂中國的風格的話，那個義涵當然是不一樣的！我在猜寶三學長想你既通西又通東，又通中，是不是可以從我剛才提的角度，來看看他用的詞彙來表達中文意涵之下的詮釋和再詮釋這樣的詞彙，到底適不適當？是不是很適當？有沒有什麼局限？有沒有可以再加解釋的？我在猜這樣比較清楚，要不然你那樣講我不是洋人也會。

貝克定：

　　但是恐怕在英文方面，真的沒有你所說的那麼細微而且清楚的區分。因為在英文的用法裏面沒有中國的傳統或是 tradition 的背景，所以英文沒有那個定義，只有它的用法。因為在英文裏面，tradition 或是 style 都沒有唯一的單獨定義，所以如果我們不是討論某個特定的 context，很難說某個英文字跟某個中文字究竟一不一樣。

楊晉龍：

　　好吧！如果貝克定沒有辦法解釋清楚，我們這裏還有兩個人可以幫忙。第一個是陳界華先生，第二個是宋家復。家復是晚輩，所以就由你先來說說看。

宋家復（美國哈佛大學東亞語言與文明研究所博士候選人，中研院文所訪問學員）：

　　我覺得這個問題是這樣子，subcommentary 當然是 commentary 的一種，可是 reinterpretation 假如說是再解釋的話，因為它有個 re 在前面，往往就蘊含著你對前面那個第一序的解釋可能有進行進一步地解釋、判斷或糾正的意味，可是 subcommentary 不一定有。馬上出現在我腦海裏面的一個例子是，比如說朱子的《四書集註》，可是後來又進一步有趙順孫編《四書纂疏》，放了一大堆朱子的語類和其他東西上去，去 comment on（對……加以註釋）、去 annotate on（對……加以註釋）朱子原來的註釋，可是那個中間我們看到，他是一個 subcommentary，可是你很難說他是一個

reinterpretation。也許有一些蛛絲馬跡可以去說他特別去摘取了朱子哪一個傾向的解釋，可是我想大概比較難說他有強烈到同時是一個 reinterpretation 的味道。

好！我 fulfill（完成）掉我的 obligation（責任、義務），另外我想提幾個問題來請教發表人。第一個問題是請教張寶三教授，我覺得這是一個非常有趣的事情，就是注跟疏。您當然幫我們分梳了注的起源是什麼時候開始，跟疏的起源是什麼時候開始，可是我覺得注、疏合在一起最有趣的事情，是當它們並列出現，你可以說是宿主和寄生蟲的關係，它們 co-exit（同時存在）的時候最有趣，為什麼呢？因為它們同時出現的時候，意味著有一種詮釋史的意識的出現。假如說我單純寫一個疏，那就是我再發表一個「宋注四書」之類的，然後我在我的「宋注四書」裏面可能同時引了蔣秋華、楊晉龍等人的說法，可是最後結論還是要說我自己說法的時候，這個還是我的。可是當注和疏同時出現，就是說我把它放在一起，有時候不管我破不破，不管我要不要用疏去破注，或是我要follow（沿襲）它。為什麼會出現這種我覺得我一定要把前人的解釋 take it very seriously（看得那麼重要），我要很認真的在做疏的時候把它放進來？我覺得這才是最有趣的問題。您是專門研究《五經正義》的專家，所以把注跟疏放在一塊，把前人的解釋必須被認真考慮的這種意識和這種著作，不知道是在《五經正義》或是在更早或更晚的什麼時候出現？我覺得注疏這個問題對我來說最有趣的是在這個方面。

另外一個問題是請教張素卿教授，我對您最後引的林承芳和戴震用那個翻譯的 metaphor（隱喻）的比喻非常感興趣，我覺得這

是非常有趣的事情。不過另外一方面，我的問題用一句話去說，就是您在這樣的比喻裏面，看得到一個如同我們在西方詮釋學裏面或是在西方解經傳統裏面，有一個基本的概念，有一個很極端的概念，簡單來講，就是有一個終極的他者的概念。我們現在講翻譯的時候，不自覺的心目中有一個根本的問題，就是我們會懷疑、會擔心、會害怕，其實翻譯的那個被翻譯者沒有真正到達我們，那個他者是 unreachable（不可及）的，這當然變成現在討論西方詮釋裏面的一個問題，它像一個 paradox（似是而非的論點），像一個 ghost，像一個鬼魂在那邊一樣。一方面我們不能承認它完全達不到，因為承認它完全達不到，我們就不用討論了；另一方面我們又時時擔心它的問題。那您覺得林承芳、戴震等人在用這個比喻的時候，您有感受到他們有這種擔心和緊張嗎？因為我看到您在最後一節的討論，其實是把您這種擔心和緊張介入進來，所以在考慮這個經學問題，那我想請問的是歷史的問題，您覺得他們本身有這樣的擔心和緊張嗎？以及會不會去考慮這個問題變成是我們下一步去討論這個問題的時候的一個後設性的要先想清楚才能再進一步去想的問題。謝謝。

楊晉龍：

　　謝謝家復。界華學長您有沒有話要說？

陳界華（中興大學外國語文學系專任講師）：

　　commentary，假設我們認定它是可以蔓延的，它基本上就是「注」和「疏」的意義都包含在內了，所以，在這種情況之下，我

們假設「疏」為一個 subcommentary，那恐怕意義上不容易區分。
另外一個，在構成上來講，在 commentary 之外，我們也不容易在
既有的英文學術體系文件裏面，把它（subcommentary）當一個定
詞來使用。所以，這恐怕是英文的語言上本來就不太允許。還有一
個問題，剛剛宋家復先生所提到的，就是詮釋作為 interpretation 的
概念。現在有既成的學術體系叫作「over-interpretation」，就是
「超過這個解釋」，這等於「蔓延」那樣的概念，屬於總體文化、
知識文化的一個 commentary。但是 Umberto Eco（烏姆貝托·艾
科，1932－）他本身就不用「over-interpretation」，他可能會認為
那仍然是一個 reinterpretation，可是 reinterpretation 這個詞在使用
時，還是把它歸在一般的 interpretation 的概念裏面，只是來表示我
們對一個符號系統的持續關懷。碰巧「注」和「疏」都是我們對經
這個知識系統作為符號系統的持續關懷，所以我們在這個地方發
現，好像你的這個解釋或是我們傳統上的「注疏」的意義，跟 Eco
的 interpretation 是非常相合。可是在西方漢學裏面，好像對「注
疏」這個詞的英譯，是不用 interpretation，而是用 commentary。所
以，這個地方就非常玄妙了。我個人的理解是這樣。

楊晉龍：

　　謝謝界華學長、家復和貝克定。那現在就請寶三學長和素卿來
回答。先請學長。

張寶三：

　　謝謝幾位對詮釋、再詮釋這個英文詞彙的指教。這當中有一點

因緣，我在這裏做個報告。在二○○一年的十月份，剛好是美國九一一事件發生後不久，我們幾個參加「大學學術追求卓越計畫」的朋友一起到美國紐澤西（New Jersey）Rutgers 大學開了一個類似中西詮釋學解經傳統的會議。那時九一一剛結束，大家都不贊成去，很多親友都採取比較保守的態度希望不要去，不過大家還是去了。在紐澤西的機場看到很多荷槍實彈的警察在走動，那時正是最緊張的時候，我印象很深刻。在那個會議我準備要談注疏的問題，在那裏必須用英文來發表，所以我就請了中文系的美國學生吳傑夫（Geoffrey Voorhies）同學來幫忙把論文翻譯成英文，當時就在傷腦筋注、疏怎麼翻譯，這是一個非常棘手的問題。如果直接用音譯，當然是最方便，但是如果要凸顯注和疏的涵義，就必須要給它們之間的關係作一個定義。我想如果說用 commentary、subcommentary，可能無法完全對應注、疏這兩個專有名詞，只能透過這樣的意思來說明它們之間具有一個是對於經典的詮釋，而另一個是再詮釋的關係。剛才經過幾位的指教，我想它跟 reinterpretation 用哪個較好，或它們在取捨之間對應的關係上面要怎麼樣用一個英文的名稱來對應它，的確很費周章。這又牽扯到疏本身的性質到底是怎麼樣，它到底只是對注的解釋嗎？或者是根據注的意思對經再說一遍嗎？還是它有蔓延出去，也有疏本身增加上去的解釋？如果只是一層、下一層的解釋，沒有什麼新義的話，那也許 subcommentary 比較能凸顯這種關係。但是像這些，剛才晉龍兄也提到，必須學貫中西，才能夠仔細地來辨析這些比較細微的問題。我想今天這個場合也許沒有辦法作詳細的討論，倒希望將來有機會可以跟幾位專家來討論一下。就是將來我們要用這些詞彙或翻

譯成英文來表述的時候，到底要使用什麼詞彙才能精準地來說它。

接下來，剛才提到注疏合稱這個問題，據我的觀察，從早期來看，現代以前，學者用注或是用疏他們應該是有一定的習慣性，或者說古人在用注或疏來作為他們的書名，或者來描述這些著作的時候，他們多半還是有這樣的觀念。以宋代的朱熹為例，朱熹為自己的著作定名，或叫《論語集注》，或叫《中庸章句》，或叫《詩集傳》，他不會把自己的書叫疏，他認為自己是在注的層次上來解經，不是依附在某一部注上來做疏解的。所以他們用的詞彙也表示他的著作定位在什麼層次上面。所以古人對於用注或用疏或用傳，有他自己的取捨，大概也符合古代對注或疏的用法。因為現代人對注、疏的區分比較不在意，所以有時候明明在說某一本注，他也許會說是對某書的疏，那是他不了解注、疏是不一樣的，甚至注和疏就不分了，也許就說這是對某一本書的注疏，當然這時候他用的不是古代注、疏的原意了，可能只是說對某本書的注解。因為疏本身有疏解這樣的用法，這是一般性的用法，所以我常常說這就變成了一種泛稱。像下午貝克定要討論的就是。剛才家復先生說這個詮釋學的意涵，我想這是有趣的，就是現代人怎麼用注疏這個詞彙。它可能脫離了原來的注疏含義，把它等同於訓詁或注解這樣的詞彙，所以當某人提到注疏的時候，事實上不是在講注疏原來的型態，而是說注解。我們在研究古代經典或是經典傳統的時候，也許仍須把注、疏分開來討論，但是現在被當作一般性詞彙來使用時，一般人也許就不會那麼講究。這是我想到現在可能的現象，希望等一下還有其他先生可以再多多指教。

張素卿：

　　謝謝宋先生的問題。有一家值得注意，那就是我最後提到的陳澧。我以前寫過一篇文章，談陳澧的經學觀。❶在那篇文章中，提到他很強調「讀經」的觀念，強調要閱讀經典本文。我在文章中引述到他的一個說法。他回顧整個經學歷史，注意到怎麼解釋經的著作層出不窮，好像永遠解釋不完。他注意到這個現象，就做了個比喻：經好像天一樣，解經者則像是在測天，無法完全與天合，只是窺其一部分，把自己的心得寫出來。事實上從他這個比喻你就可以看出來，他認為所謂窺測天這樣的解經工作，是無法窮盡的。也就是因為這樣，陳澧他有一個態度，自己的心得在讀書劄記中寫出來，不再注經。他寫《讀書記》（《學思錄》）仿照《日知錄》的寫法，把他的心得以劄記方式纂輯而成，基本上就不再積極地去走注疏的路，不再注經。陳澧應該是一個值得注意的人，他面對清代漢學發展的盛行期已經過了，有一些流弊產生了，因而思考下一步究竟要做什麼。基本上他還是很重視注疏的，對於漢學的成績也懂得肯定，但是他也注意到一些流弊，尤其是整個時局促使他反省，經學應該負起更積極的拯救世道人心的作用，可是在當時好像發揮不到這樣的功能，怎麼辦呢？所以他有這種種的思考。最後，他提出「讀經」的觀念，滿有意思的。但是，讀經雖有解釋的性質——因為人在閱讀時須理解本文，理解就具有解釋性。陳澧沒有積極告訴大家讀經之後接下來應該做什麼，如何表達。不管是「注」還是

---

❶　整理者案：〈經及其解釋——陳澧的經學觀〉，收入《中國哲學》第 24 輯（瀋陽：遼寧教育出版社，2002 年 4 月），頁 640－680。

「疏」，都對經書作具體的解釋，有新的著作產生，這就有對經典解釋的創造意義。陳澧基本上有宋家復先生提到的這種緊張，有這種思考，但是他並沒有告訴我們說接下來要怎麼解釋經典比較好。如果只是閱讀的話，讀者的理解還只是保留在個人的腦海裏，事實上是個人內在的理解活動，而不像「注」或「疏」有書寫的行為及著作。讀經之後該怎樣積極闡發？這是陳澧之後，有待大家思考的課題。如果還有其他專家學者注意到別的人物，歡迎補充。謝謝。

楊晉龍：

好，謝謝學長和素卿。其實剛剛談到注疏這個詞彙，基本上我們現在一般人在用注疏這個詞彙都把它當成一個詞來看，而並沒有在區分注和疏，所以這個就是說書讀得太好，訓詁讀得太好，反而有點麻煩，就像我剛才提到的「傳統」，在中國裏面，傳和統是可以分開解釋的，可是如果你用 tradition，它就是「傳統」，它就是當成一個詞彙來看，它不可能分為兩個不同的東西，因為傳是有傳承的意思，統指得就是正統，就是政治上正統的意思。就是在中國來說是在講傳皇帝的正統，那比較接近現在傳統的意思大概到明代才出現。不曉得其他人還有沒有什麼意見？好，請林老師發言。

林慶彰：

剛才寶三和素卿都有提到，明人開始表彰十三經注疏，其實十三經的注疏被刻成十三經注疏以後，一直到清末的整個發展過程，是相當有趣的。我們看明中葉以後的人，因為他們覺得漢人去古未遠，所以要表彰它。漢儒的東西在哪裏呢？就在十三經注疏裏面，

所以要去讀它。但是讀它，份量太多了，所以要抄，抄一部分重要的，而且分類來抄可能比較好一點。因為當時很多典章制度可能也在十三經注疏裏面，要治理國家的話當然要懂典章制度。典章制度從哪裏去找呢？就從十三經注疏裏面去找。大抵上明末學者是這樣的一個觀念。他們對十三經注疏只是說應該要認真讀它，但是到了揚州學派的學者，像阮元、焦循等人就花時間研讀它。我個人認為揚州學派最大的特色，就是花好多時間去研究十三經注疏。像阮元，當然對十三經注疏的了解相當有限，因為他能看到的單疏本大概只有一種！可是現在大部分的單疏本都存在日本，所以阮元如果活在現在可能會好一點。他刻它或者做校勘記，都是比較傳統的作法。焦循則只是在上面做一些批語，這些批語當然也是滿傳統的。但是到了劉文淇和他兒子劉毓崧的時候，情況又完全不一樣，真正開始對十三經注疏的資料來源，一條一條去檢證它。像劉文淇作《左傳舊疏考正》，劉毓崧聽說是做了四種——《周易》、《尚書》、《詩經》、《禮記》，但是《詩經》和《禮記》的舊疏考證找不到，現在能找到的只有兩種，加上劉文淇的就有三種。他們幾乎把每一條注疏裏面的疏到底是從哪裏來，通通都把它挑出來，發現原來都是抄六朝的。照這樣一個過程發展，十三經注疏或是五經注疏，本來是漢學被人家尊崇的一個根據，這樣下來，他們通通都是抄六朝的，而且把他們的名字都塗掉了，這樣根本是剽竊。所以乾嘉之學就是所謂古學，他們用來根據的東西都是剽竊來的，這也是古學所以衰亡的一個最重要的原因所在，因為用來根據的東西都是偷來的，今文學所以發達起來也是這個因素。我們現在看它這樣一個發展過程，其實涉及六朝疏和唐人疏之間是一個怎樣的關係，

也就是傳承六朝疏到底傳承到怎樣的一個地步。這樣的一個問題還不止我剛才講的這些人，像詁經精舍的文集裏面，它的作文題目就是〈五經正義得失論〉等等這一類的，像劉壽曾也寫過〈五經正義得失考〉。現在是有一個問題我想請教寶三，就是說朱熹讀這些注疏的時候，他常常說哪一家注疏做的比較好、哪一家做的比較不好，他說《周禮》做的比較，那好的標準是怎樣？疏到底是怎樣的一個標準，疏到什麼程度才能算好？這樣的一個標準當然朱熹並沒有把它寫出來，什麼樣的疏才能算是好的呢？這是一個很值得探討的問題。

　　剛才素卿也提到新疏這個問題，我這麼多年來一直在研究明清的經學，其實宋學和漢學都是三個層次。漢學是經，漢魏人的注，六朝、唐人、宋人的疏，這樣是三個層次。那宋學呢？宋學也是同一種經，那宋人只能作注，所以剛才寶三也提過，他做的研究在注的層次，疏的層次就是元明人，最具體的成果通通都在《四書、五經大全》裏面了，所以不論是漢學傳統還是宋學傳統，都是三個層次。現在有個問題，其實注的層次，我們看漢人的注，像《毛傳》、鄭《箋》、偽《孔傳》，也是這樣算在裏面，但是我們看宋人的注，裏面容納的也都是漢人的注，也就是說朱熹《詩集傳》的解釋其實基本訓詁大部分是抄《毛傳》的，蔡沈的《書集傳》都是抄偽《孔傳》的。所以宋人的注表面上看起來是新注，其實裏面含有很多的舊注在裏面。清人的學問自稱漢學，所以注採用很多漢人的注，叫作古注。就注這個層次來看，漢學、宋學、清學其實都是漢人的東西。疏的話，漢學是有漢學的疏，宋學有宋學的疏，清學的疏是叫新疏。我是常常覺得很懷疑，當然針對以前的舊疏來講叫

做新疏，很少人在做這一方面的研究，就是說清人疏和前人疏的比較。當然引用的人不一樣，他可能引用清人的東西，變成清人經解的彙編，但是就詮釋經典的意義上，到底跟以前的五經義疏又差多少呢？有多少創發性呢？或者說對經典的疑義解決了多少呢？這一點還沒有人下功夫去研究，也就是說像十三經注疏裏面的疏要到劉氏家族才有人下苦功去研究。我們現在研究清人的新疏，這些新疏到底貢獻多大，應該是值得去研究的。我是想請問素卿，在這一方面你也下了很多功夫去做研究，不知道你的意見如何？

楊晉龍：

我順便提問題來請問寶三學長，因為跟這個是有點關係。就是我讀了寶三學長的文章後，大概有三個問題想請教學長。第一個是經和注在疏的地位是怎樣的？我覺得一般疏是要先把經的說法說一遍，再把注的說法說一遍，然後再加以判斷，那它們兩個之前的關係是怎樣的？看起來是並列的，可是好像又不是並列的，而是有上下階層的關係，但是不是每個都是這樣？第二個是我比較喜歡追根究柢，「疏不破注」這樣一個觀念是什麼時候才開始出現的？誰說的？就是一個所謂創生學的意見。第三個是跟林老師問的有關，朱熹重視注疏和清儒重視注疏，他們在意義上會一樣的嗎？另外一個，就是《十三經注疏》實際上是到明代才刊刻出來的，而刊刻《十三經注疏》的人很多都跟楊慎有關係，因為我當時做的是明代《詩經》學研究，這也是一個滿有趣的問題。就是說他們當時其實是有一個集團的，而這個集團對有關這種注疏的部分都特別的注意，在朱熹的時代是不可能看到十三經注疏的，因為他可能只能看

到單疏本之類的東西。O.K.！那我們現在先請寶三學長回答，再請素卿回答。

張寶三：

謝謝林老師提出了幾個問題，我感覺好像又回到博士論文考試的時候，那時候林老師也問了很多問題。晉龍兄剛才也提出了一些可讓我再思考的地方。首先我必須補充一下剛才家復問的那個注疏的問題。我想，我們回到一個學術性的角度來說，如果我們討論經學，或是作學術性研究的時候，那麼我們還是必須把注和疏的問題很明白地瞭然於胸，也就是說注和疏是不一樣的。但是就一般的人，或不研究經學的人，他們使用注疏這個詞彙，說古代朱熹曾經為《四書》作了一本注疏，如果他這樣講，那是一般人的講法，我們也許就不再追究他，說他沒學問，因為畢竟他不是研究這方面的學者。但是如果我們對注疏知識能夠慢慢推廣，讓更多人能夠了解注疏存在的一些問題的話，也許以後大家慢慢能夠知道我們中國解經傳統裏面，是有一個注的傳統，也有一個疏的傳統，將來對這些問題就可以更清楚瞭解了。

那麼接下來我就談幾個問題。林老師提到朱熹在議論唐代經疏的時候，說《周禮》疏大概是最好的，《周易》疏做得不好。我想會這樣地去判斷好跟不好，朱熹應該有自己的一套標準，這也就同時形成了一個對疏的要求是什麼的問題。過去也有說為什麼《周禮》疏會做得好，《周易》疏做得不好。因為《周禮》中談典章制度比較多，那麼在做疏的時候，對古代不管是經或注裏面提到的典章制度，可以發揮的地方，就注得特別詳細。可是《周易》的話，

它是談義理的東西，所以過去大家都說《周易》不僅是疏做得不好，可能連王弼的注也注得不好，這是因為在義理的闡釋方面，可能這些注疏不能夠讓很多人滿意，尤其是替王弼注在做疏的時候，如果在思想上沒有辦法做太多的闡釋時，也許就會讓大家覺得不夠滿意。這也可能牽涉到它本身疏解的對象，跟《周易》它所能憑藉的注，造成了《周易》疏是大家所不滿意的結果，我想也有這樣一個原因。以上是簡單的談到這個問題。另外，宋人的注，在形式上雖然是用了注，也許他們跟漢代做注的內涵應該是有點不一樣的。所以我常常在思考，所謂解經傳統中的形式跟內容之間的關係到底是怎樣。我想這是值得探討的，也就是說它的方式是什麼方式，可能也會決定它的性質的改變。宋人重新作注，像朱熹這些人，重新用注的形式來解經的時候，他當然也知道有漢人的注，有唐人的疏，可是他還是用注，或是集傳，或是章句，或是集注等等，用這樣的方式再來重新對經典作了注解。我想可能在內涵上來說，應該跟漢人做注的方法有些不一樣。如果我們對古人集注的體例能夠更了解，然後再來觀察漢人和宋人做注，雖然形式上都是做注，但是在內涵上有何不同，我想這是未來可以做比較細緻研究的地方。也就是看起來我們這個經學傳注的研究，還有很大的研究空間。

楊晉龍：

　　對不起我插一句話。集注設定的閱讀對象跟十三經注疏設定的閱讀對象，跟清人設定的閱讀對象，如果不一樣的話，當然就會影響他們的注解。那麼清人的十三經注疏可能是給專家看的，而朱熹的集注可能不是給專家看的，所以這兩個當然就會不太一樣。

張寶三：

好，那麼不曉得晉龍兄認為，朱熹集注是給誰看的？也就是說你覺得《詩集傳》最先是給誰看的？

楊晉龍：

我認為是給他的學生看的。

張寶三：

不是給學者看的嗎？

楊晉龍：

應該不是給學者看的。因為我們從裏面可以感覺到很多東西不是那麼的深入，甚至有的是非常淺顯。

張寶三：

設定的閱讀對象可能也會影響到他做注的詳細程度。

楊晉龍：

因為給小孩子看的和給大人看的，當然寫的會不一樣。

張寶三：

這個我倒沒有仔細思考過。不過朱熹有一些有關童蒙的著作，很明顯是小學的。但是《詩集傳》是不是只設定給一般讀者看呢？還是有學術上的考慮呢？我想這個問題可以再思考一下。好，接下

來我想回答晉龍兄談到的幾個問題。第一個是經注在疏的地位裏面來看，馬宗霍《中國經學史》曾經批評，他說到了後來，經學變成了注學，變成了注的學問，不是經的學問。為什麼呢？那是因為六朝的義疏是根據注來疏經，雖然是在疏經，但是都是在將注對經的看法加以闡發，所以名為經學，事實上是注學了。如果馬宗霍這個觀察我們能同意的話，我想疏在解經的時候，雖然也有分層次，有經、注的層次，但是我們看，以《詩經》來說，疏在解經文的時候，會說毛以為怎麼怎麼樣，鄭以為怎麼怎麼樣。或者毛、鄭不別的話，他就直接用毛、鄭的意思去解經。所以他雖然是在解經，但是基本上還是以一個注的典範作為闡發經義的基礎。他是把自己先隱藏起來，不說個人對經有什麼看法，而是依據某一個注家，是漢代的毛亨或是鄭玄，他們對經的看法是怎麼樣的，把他們的看法疏解出來。雖然在疏解經的時候，他還是按照注的觀點去闡發經義，所以應該是在解經，但是先設立了一個條件，就是我疏解的是前面某一個代表性的經學家所闡發的看法，所以我才說那是一種subcommentary，因為他是在前面詮釋的基礎上再加以詮釋。在這個地方我們當然不能說疏完全沒有新意，他有時候也會有一些自己的闡釋。比如說《豳風・七月》裏面，「我心傷悲，殆及公子同歸」，鄭《箋》說：「悲則始有與公子同歸之志，欲嫁焉。」疏可以在模糊地帶用自己的想法去說明注的看法，事實上就是他對注的了解。所以透過注，因為注已經是大家認同的一個解經標準，一個典範，透過它來解經，可以讓更多人相信我的說法。可是我在比較模糊地帶的時候，可以加入我個人對注的了解，說鄭玄在這個地方是這樣認為的。所以《正義》在疏解《箋》時，就說鄭玄是解「公

子」為「女公子」，解「歸」為出嫁，說《箋》以為這句話的意思是「言始與豳公之子同有歸嫁之志」，這裏其實已參雜了《正義》自己的闡釋。以上是我的一個想法。

至於疏不破注的說法，明白地說出來，我曾經在皮錫瑞《經學歷史》中見到過。另外《四庫全書總目》也有類似的看法，他在《爾雅注疏》的提要中說：「疏家之體，惟明本注，注所未及，不復旁搜，此亦唐以來之通弊，不能獨責於昺。」但他並沒有明白說出「疏不破注」。所謂的疏不破注，很明白地像我們現在常提到的，我想這個說法不會太早。另外，朱熹對注疏的看重，我想可能就跟這裏引的一樣，在訓詁方面他們認為是可以倚賴注疏的，但是在義理方面，他們大概認為注疏說得不夠，所以他才說「本之注疏以通其訓詁」。剛才林老師也提到，在朱熹的《詩集傳》裏面，承襲漢人比較多的部分是在名物訓詁方面，這方面承襲很多。至於義理的解釋方面，像《詩》的內涵，或是對《詩序》的看法，他有些是不倚賴傳統注疏的看法。我想，他所重視的和清人重視的應該是不太一樣。訓詁方面是他比較看重的地方。我簡單的談到這裏，由於時間的關係，我們還是請素卿繼續說明。

張素卿：

謝謝林老師。剛才林老師做了很好的補充，宋人的傳注其實也有他們的疏，我們通常都比較忽略這一層，以後寫論文的時候可以補充這個部分。其實我一邊在寫這篇文章，也一邊在想：究竟清人「新疏」的新意何在？這個問題可以先從幾方面來想。如果先一般性地看他們的一些新嘗試的話，我覺得有一點是可以注意的：其實

清人比較清楚地在辨析經學的歷史流程。這從他們的很多論述可以看得出來。例如他們提出所謂師法、家法的問題，在論辯為什麼漢儒是比較值得重視的這樣一個問題的時候，他們常常會去回顧整個經學史，他們稱為「學」或「學術」，清儒論述學術的流變，往往指的是經學的歷史流變。當然最明顯又最為人熟知的，就是《四庫全書總目》。他們透過回顧經學的歷史，重新辨析自古以來這麼多解釋經書的著作。這麼多著作當中，有不同的解經路線，如果用《四庫全書總目》的說法，就是「漢學」、「宋學」兩家，那個「家」應該解釋作「學派」。這事實上是他們為重新出發而作的思考，而這個思考是建立在回顧上。

他們有了這樣的思考之後，另一方面開始在方法上深究，而他們在方法上最主要的貢獻，當然就是在訓詁學方面。這也是大家談最多的。而且他們不只是引述漢人的訓詁，又進一步精鍊識字審音之法，在文字學、聲韻學方面，尤其古音的研究方面，都比前人更加精進。他們試圖從方法上突破，能夠有他們進一步的貢獻，事實上也有一些新的說法。

另外，剛才聽到大家在談「疏」的問題，我們可以相對來看，清人的新疏在寫作時，比較清楚地意識到唐人的正義基本上是「疏不破注」的，那是因為唐人正義具有官方統一經說的權威，清人自己在寫「新疏」的時候，或者稱「正義」，或者稱「疏證」，基本上並沒有「疏不破注」這樣一個戒律。他們事實上是憑藉漢人的說法，如果漢人說法分歧的時候，他們便加以辨證，舊注是可駁可證的，當然他們是以證為主，因為是要替漢人申說、申述，可是漢人說法不對的時候，他們可以反駁，未必有「疏不破注」的限制，這

是一個與唐人正義不同的地方。

如果我們從張寶三先生說法裏面去引申的話，可以看出另外一項特點。其實清人對一件事相當重視，有人也許覺得它是細節，當然現在也慢慢覺得它不是細節，那就是引述的方法。魏、晉一直到宋代，可能有些人引述的比較嚴謹一點，就會把說明引述的出處，至少寫個人名或書名，有些時候大概以為是常識，可以不說，是否註明出處好像是沒有關係的事，大家不會看得太嚴重。可是清人開始具有清楚的意識，引述前人說法往往詳細交代人名、書名、篇名，甚至卷數，他們認為引述前人的說法而不指明出處來源，這是剽竊、攘善，視為嚴重的心術問題，是道德瑕疵。清代大概是一個很清楚的指標，他們非常清楚地談到這一點，而且拿這一點來攻擊魏、晉人，比如嚴厲批評杜預因襲漢儒賈逵、服虔等的注釋，卻沒有明說。雖然因襲、攘善的指責，重點不落在宋人身上，比較少就這點去駁宋儒，但對於引述不明確的這一點，都會予以抨擊。相對的，大家對於怎麼去引述，會有很多考究。就嚴格的學術倫理來講，清人對引述方法的討論和考究，自有其貢獻。

當然，以上談的都是在方法的層面，撰述的方式、解經的方向等，如果說真正具體到各經經義的解釋上有沒有特別的地方的話，可能各經的情況會不太一樣。我個人比較注重《春秋》學，尤其是《左傳》方面，我就注意到，清人對杜預不滿意，把他稍微拋開而轉向漢儒的時候，事實上他們對漢儒的說法也有選擇。像漢儒比較重視義例，一直到杜預都是這樣，談《春秋》學、《三傳》，都重視義例，漢、魏的時候有這種傾向。可是清人在重新疏證《左傳》的時候，像劉文淇，就很明確地說他不談書法義例的問題，相對地

他們強調「禮」，當中牽涉到典章制度的時候，他們會非常注重。在解經的方向上，什麼才是重點，會被凸顯出來，有些東西事實上則是被淡化掉了。我想有一點值得注意的，漢人也滿重義例，可是清人在注釋時不會特別標榜義例，只有在賈逵他們提及時，才輕描淡寫一下，不會想要積極去解釋。這種情況到後來今文學家盛行以後又有一點點變化，劉文淇的時候是很明顯不講「例」的，但劉師培稍微有點改變，又開始談義例書法，以回應今文家。

究竟清儒「新疏」重新解釋群經的貢獻何在呢？其實還有很多方面可以深究，這是我們研究清代經學的人應該繼續努力加以表彰的。

楊晉龍：

好，謝謝大家。我想我們的時間大概已經超過，所以這一場可以結束了。謝謝大家的努力，我們今天就到此為止。謝謝大家。

中外學者論中國經典詮釋問題

第二場：西方學者論中國經典詮釋問題

林素芬整理[*]

時　間：民國九十四年（2005）六月十日（星期五）

地　點：中央研究院中國文哲研究所二樓會議室

主持人：林慶彰（中央研究院中國文哲研究所研究員）

發表人：貝克定（哈佛大學東亞語言與文明研究所博士候選人，
　　　　中央研究院中國文哲研究所博士候選人）

講　題：人類學的詮釋模式：
　　　　西方漢學的中國經典詮釋的一個方向

發表人：陳界華（中興大學外國語文學系專任講師）

講　題：譯者尋覓新文本
　　　　——嘗試描述經傳平行語境的符號機轉

---

*　林素芬，現任慈濟大學東方語文學系助理教授。

The Canon Open to Exegetical Fallacies; Or, the
Translator in Search of a New Text – Describing the
Canon System as a Parallelistic Discourse unto a
Semiotic Mechanism

主持人：

　　今天貝克定先生要談的是西方漢學中的中國經典詮釋方向的問題。這裡我們可能要稍微說明一下。因為最近幾年在國內談經典詮釋的人越來越多，其中最典型的就是臺大黃俊傑教授主持的卓越計畫，現在轉變為東亞文明中心，已經開過很多次的會議，成果也很多。我們文哲所經學組有一個「經典與文化形成」的計畫，這個計畫是因為院方覺得史語所本來是研究中國古代史的，但是史語所現在已經沒有古代史的研究人才了，許焯雲院士很擔憂，所以就找院長談這件事情，說要振興古代史的研究，因此這個計畫叫「古代文明的形成」。要做「古代文明的形成」時，發現應當關照到經典方面，所以就找我一起去開會，最後大家商量的結果，就把「古代文明的形成」這個計畫分成兩個部分，一部分叫做「古代國家及其周邊」，由史語所負責，另外一半叫做「經典與文化的形成」，由文哲所經學組來負責。我們現在舉辦的讀書月會，就是「古代文明的形成」的分支計畫，是「經典與文化形成」的一部分。這個讀書會先期規劃要做兩年半，也就是說這場熱身要熱身兩年半，那我們已經做了一年多了。現在有陳界華教授和貝克定先生的幫忙，所以我們這次舉辦的跟以前比較不一樣，其中這場就是談經典詮釋問題中，西方人對中國經典的詮釋。因為國內雖然辦了這麼多次會議，

但是總是好像一陣風，吹過，就過去了。我覺得對一個學中文的人來講，如果把西方比較好的經典詮釋的書，翻譯過來，應該能夠提升整個學術研究的風氣。所以我們準備翻譯九冊經典詮釋學的書。現在第一本 Henderson 的書，就是由陳界華教授跟林素芬女士，還有蕭開元先生，共同負責。貝克定先生也參與策劃。所以我們準備暑假過後就出版第一本，然後每一年出版兩本，陸續出版七、八本，合稱「西方學者中國經典詮釋學叢書」。這對整個中文界應該會有相當大的影響。今天貝克定先生就是要來談相關的問題。第二位發表人，陳界華教授。我們這次開的會實際上就是跟中國符號學學會一起合辦，這當然都是陳界華教授的穿針引線，我在這裡表達十二萬分的感謝。我們的翻譯也因為陳界華教授的幫忙，所以做得比較順利。陳教授是臺灣大學比較文學博士班的，現在在中興大學外文系教書。他的專長很多：比較文學、歐洲文學、符號學、英語聽講教學等等。我對陳教授的專長相當陌生，所以他等一下講的很多話，我們要注意聽，才能跟他提問題請教。現在我們請貝克定先生先來發表。

貝克定：

很抱歉，我今天沒有準備中文的論文，但是我提供一些英文的講稿，希望有一點幫助。不過最近又經過一些重新整理，我的口頭報告跟講義可能還是有些差別。我想先談人類學化的概念，再來介紹 Henderson 的著作，我希望多討論一點人類學化，因為我是用這個概念來說明 Henderson 的著作。這個詞跟「人類學」這個學科有點不一樣，因為人類學的重點是做文化比較，也就是最基本的方

面。也可以說，當某一個文化碰到另外一個很不一樣的文化。這個情況可能是人類學的一個最基本的課題，人類學家平常就說，一個學者應該研究一個除了自己本身國家的文化之外的另一個文化，這個方面的研究在十九世紀已經激發了學者思考其他文化不同的興趣，所以英國、德國和法國等等國家的學者，藉著殖民地的過程，來研究所謂的其他國家的原住民或是不同的文化。而且，人類學或人類學化的發展，和殖民主義也的確有重要的關係，這點在 1990 年之後受到學術界的注意，比如 Nicholas Thomas 的 *Colonialism's Culture: Anthropology, Travel and Government*（《殖民主義文化：人類學、旅遊與政治》）。現在，我可以說明一下我對人類學化的定義是，殖民主義不是指政治上或是經濟上的情況，而是一個文化的過程，經過了一些意義結構（structures of meaning）的變化過程，而透過人類學來產生一個現代的論述。這種論述可以把不同的人民或是文化看成是具有某些意義的系統，或是社會政治方面的性質。我要接下來說明一下這方面的觀念跟西方漢學家比如說 Henderson 的關係，但是我希望可以注意他們之間的不同。我是從一個西方人的角度來看，特別是類似宗教的方面，這是十九世紀以來學者們很重視的一個議題，也成為了我們現在二十世紀學術發展的一個基礎。在此，我想到了一些歐洲的學者，如 Frazer 博士、Max Mueller 博士，和韋伯。下面在討論 Henderson 時會對他們做進一步的論述。從人類學的角度，我是在說一種文化的比較，所以今天我想討論兩方面，第一方面，Henderson 這本書，我們要翻譯的這本書，它的詮釋方法。

　　John Henderson，1977 年從柏克萊大學畢業，他的博士論文是

關於清代的研究（*The Ordering of the Heavens and the Earth in Early Ch'ing Thought*，《清初思想中天地之歸類》），指導老師是杜維明跟 David Keightley。他的博士論文一方面關於思想史，同時也討論了科學史。畢業之後，他在路易斯安那大學教書，同時在歷史系和宗教系開課。他的著作，在他的博士論文之後，比較重要的是第一本書，在 1984 年出版的 *The Development and Decline of Chinese Cosmology*（《中國宇宙論之發展與衰落》），跟他的博士論文有關聯，是從先秦開始，經過漢代、宋代，討論中國宇宙論的過程，最後又討論了清代末年的宇宙論。

第二本書，也就是今天要討論的這本，*Scripture, Canon, and Comenmatry: a compareison of Confucian and western exegesis*（簡稱 SCC，《聖典，正典與注疏：儒家與西方注疏傳統的比較》）。這本書出版的時候很受到歡迎，至少有八個書評，四個書評在英文方面的漢學期刊，一個在比較文學的期刊，另外三個在宗教方面的期刊，而且有一些是比較專門討論宗教方面的。寫書評的人大部分都是比較有名的學者，比如說艾爾曼（Benjamin Elman）。雖然在這些書評當中，Henderson 的這本書受到一些批評，但是他們都同意這本書對西方人研究中國經學的傳統，是一個比較重要的開頭。在臺灣，也有一篇在《中國文哲研究集刊》出版的一個很好的書評，大家有興趣可以看看。

Henderson 的第三本書更進一步比較學派異同，在 1998 年出版，書名是 *The Construction of Orthodoxy and Heresy: Neo-Confucian, Island, Jewish, and early Christian patterns*（《正統與異端之結構：新儒家、回教、猶太教與早期基督教之模式》）。這本

書在漢學界比較不受重視，但是在漢學界之外像宗教學或是阿拉伯學，還蠻受注意的。除了這三本書之外，他也參與編輯了一本有關於儒家學術的書，*Imagining Boundaries: Changing Confucian doctrines, text, and hermeneutics*（《設想邊界：儒家學說、文本和詮釋的演變》），並且有一篇期刊論文："Ching Scholars' Views of Western Astronomy"（〈清代學者之曆法學與西方天文學〉），是關於中國古代的天文學與曆法，與西方天文學發展做比較。現在我們回到 SCC 這本書。Henderson 討論經典是如何產生的，爲什麼這些著作會被認為是經典，而經典跟注疏之間的關係又是如何，注疏的結構演變，注疏又是怎麼發展到一個中心的位置，後來又變成不重要，等等這些問題。Henderson 的研究範圍包括了中國儒家的經典，猶太教經典，伊斯蘭教的《可蘭經》，還有希臘的史詩──荷馬的經典等等。Henderson 在中文方面選了四本經書──《易經》、《春秋》、《論語》、《孟子》。他說明了為什麼選這四本書，可是我們也可以注意這四部經典其實就是西方人討論中國經書時最常討論到的。從中國的背景來說，什麼書是經書，不是很難，中國本來就有「經、史、子、集」的分類辦法。這是沒有問題的。但是對 Henderson 而言，當他要拿中國經典與其他的文化作比較，這個問題就變得很重要。他為了解決這個問題，找出了七個不同的特色，來說明一本書若是一部經典，就應當多多少少具有這些特色。我恐怕今天沒有時間來討論這些特色，但是這正是 Henderson 的一個研究基礎。而且在他的討論中，Henderson 沒有解釋類似像今天早上張寶三老師討論的一些不同的部分，像注疏、章句、訓詁這方面，我們都知道若要真正的了解這個傳統，這些方面都很重

要。而且 Henderson 也沒有很詳細的討論經典或是注疏的傳統的過程，比如這個傳統中從開頭到後來的演變，比如古本或今本的問題。我想，這些方面不一定是缺點，只是因為 Henderson 的目的，他的焦點和我們不同，所以他不能去討論這個傳統中的每一方面的特色。他的重點是對不同文化、不同傳統，進行比較，所以他想找到一些共同性，不同傳統的共同性，所以於是他比較會注意理論方面，而不是經典的解釋異同方面。像張素卿老師今天的演講，可以說是重要的補充。Henderson 幾乎沒有討論漢學方面，因為他是在做比較學。而且在中國傳統以外，像基督教的傳統，也被有些學者批評說，Henderson 運用了二手資料，比較注意理論方面，而忽略了詳細的原始注疏方面。這本書裡面有很多地方值得討論，但是因為時間的關係，我想就開始討論他的詮釋方法。這本書的一個特色我覺得很有意思，或許可以用手背來作比喻。我們都知道手有兩面，一面是手掌，一面是手背。我們平常注意我們的手掌，手掌是比較容易看到的，而且是比較有用的部分。有人說從手掌可以看到我們的未來。因此我們有時候會忘記我們還有個手背，但是 Henderson 沒有忘記，他會比較重視那些相對上不被重視的方面。比如我們大家都知道宇宙論在中國思想傳統中很重要，Henderson 則注意到那一段在清代末年的一個非宇宙論的時期。當他討論經學方面，西方學者一般比較認為 commentary 不值得研究，commentary 有點類似 footnotes，Henderson 卻認為 commentary 跟經典有很密切的關係，所以他注意到 commentary。正統與異端，我們當然知道正統很重要，但是他會說異端也值得注意。因為兩者之間雖然有對立關係，他認為這是具有「生產性」的對立關係，不

是對抗性的,他們有密切的關係,而且它會產生一些文化的特色。所以是一種「連貫對立關係」(linked dichotomies)。

　　接下來我要討論比較學或是人類學化。Henderson 的 SCC 跟他其他的著作有點類似,都是在做比較研究。但是他的重點是進一步了解中國的傳統,對中國的傳統、以及其他的傳統作更詳細的討論。但是,Henderson 沒有運用一手資料,他運用的是中國其他學者的解釋。他的比較研究有兩方面的詮釋策略,第一個是 Henderson 構設了一個歷史模型,我們可以說是歷史的發展過程。第二部分就是人類學化。先討論 Henderson 歷史的模型。這可以說是有一個自然或是自然科學的模式,一個國家或是文化,就像植物,種下一個種子,發出葉子,長大,結果,果實掉下來。在西方跟中國歷史的傳統,這樣的模式很普遍,就好像是一個自然規律。但是,這不一定是自然規律,而這正是作者所設計的一個結構。討論 Henderson 的比較學的詮釋方法,我想先說他的方法是什麼。有一種方法,是強調要了解一個文化,應該從它產生的背景來了解,這個觀念可以以德國歷史學家 Dilthey(1833－1911)為代表。Henderson 和他不同,Henderson 認為應該先把每一個文化的經典跟注疏,和它們的背景分開,去觀察它們的特質,強調它們的特質,所以他可以不管它們的背景,而對這些不同文化傳統的經典,進行討論跟比較。而且 Henderson 的詮釋方法也跟 Gadamer 的有很大的不同,因為 Gadamer 強調的是有一個 historically effected consciousnesss,那就是說每一個人應該是被某一個世界跟文化的歷史知覺、意識所型塑。但是 Henderson 的詮釋方法比較偏向於一個韋伯的模式(Weberian model),因為他們都是在從事不同文化

的比較。韋伯的研究方式是將基督徒的歐洲、儒家的中國、印度和古代猶太人，把這些不同的文化結合起來，並不是進一步去了解所有的文化，而是用來了解作者自己的文化。所以韋伯認為這些文化中具有西方的特色，同時它們之間也有共通的文化意義。可見說做這方面的比較，一方面與歷史學家的背景有關係，而且是著眼於人類文化的共通性。

除了 Henderson 的著作以外，從事比較學研究的，還有一些例子，比如西方漢學裡面，Paul Wheatley，在 1971 年出版的 *Pivot of the Four Quarters*，這本書第一部分是討論商周城市的模式，第二部分則是討論南美洲、中美洲古代城市，進行比較。另外一個更接近的例子，就是以色列著名學者 S.N. Eisenstadt，他經過長期的研究，最近在 2003 年出版一本書 *Comparative Civilizations and Multiple Modernities*（《比較文明與複合的現在性》）。這本書特別可以用來和 Henderson 做比較，因為這本書和 Henderson 的書有一個共同的特色，就是關心所謂「軸心文化」。這類的「軸心文化」和「軸心時代」不一樣，因為這些軸心文化或是軸心文明是指對我們現在的世界文化最有影響的某一些文化，而且這些文化就是 Henderson 在 SCC 裡面所討論的。此外，我們也要注意到，比較學裡面還有另外一個發展方向，並不是在一本著作中討論比較不同的文化，有一些期刊可以代表這個方向。現在有三種比較文化的期刊，日本關西外國語大學跟澳洲墨爾本大學各有一種，在美國則有一個 1958 年開始的社會歷史比較學期刊，是密西根大學發行的，他們同時出版了一系列不同主題的書籍，比如時間的觀念、殖民地文化等等。這些期刊論文，每一篇論文都不是在比較不同的文化，

而是透過不同的學者的專長來作一個共同方向的討論，因此我覺得從這方面的期刊論文來反觀 Henderson 的著作，也可以有所批評，因為這些期刊論文比較能夠深入討論某文化的問題。在 Henderson 的書裡，雖然試圖討論了不同的文化，但是對個別文化無法做深入的分析，所以有一點難以從中了解那些我們不熟悉的文化的重要性，或是他們的特色。雖然如此，我還是覺得 Henderson 的 SCC 貢獻很大，特別是在經學方面，我覺得，如果比較其他的西方漢學家關於中國經學的著作，比如說 Michael Nylan 在 2001 年出版關於五經的一本書，或是 Daniel Gardener 1998 年出版對儒家與中國思想史的研究，這一類著作，對西方人學習中國文化思想有貢獻，但是對中國的學者貢獻可能比較少，比如像 Nylan 五經這本書，有一點類似「國學導讀」，但是對西方人這些都是很新的東西，然而，對中國的學者不是很有參考價值。所以我覺得 Henderson 這一本書，把不同的文化放在一起比較，這種作法對西方跟東方的學者都有啟發。謝謝大家很有耐心的聽我講完不流利的中文，謝謝大家。

主持人：

我想大家對 Henderson 的書應該都很有興趣，由於時間的關係，我們現在不能講得非常的詳細，我想等一下討論的時間還不少，可以一起來討論。我們現在就請陳界華教授來發表。

陳界華教授：

大家好，今天我要給的題目是一個任務性的題目，任務性的題目就是我跟貝克定先生兩個人是搭配從 Henderson 這本書出發，討

論相關的問題。這基本上可以分成兩個部分，一個是經典翻譯的問題，另外一個是經典詮釋的問題。從議程上第二部分的主標題來看，大致上是轉向經典詮釋或者是說轉向西方學者對中國經典詮釋的看法。我本身還是在材料上，以 Henderson 的這個資料為範圍來討論的。我有一個很簡單的口頭發表稿。我順著這個來唸一唸，有些地方需要停下來解釋的就停下來解釋。這樣的話我想可以一則減少時間，二則比較讓大家曉得我唸到的詞是哪一個詞。要不然因為有的時候聽不懂我的國語或聽不懂我的什麼語言，造成溝通上的困難。（笑）大家手上有這個資料喔？只有三頁，包括影印的加起來，總共大概符合相關條件五千字喔？（笑）好，剛才我說明過了，我是從翻譯的立場來討論的，所以主標題方面我在這邊是寫「譯者尋覓新文本」，副標題是「嘗試描述經傳平行語境的符號機轉」。平行語境是什麼？經傳是什麼？以下會提到。所謂「譯者尋覓新文本」，在這個尋覓新文本的過程中，有譯者對原始文本的詮釋權，選擇詮釋的過程中的一點作為過程的終點，整個過程裡面你選定哪一點作為終點的話，那個地方就有可能會產生新的文本，就是你的譯文啊。這個譯文稱作新文本。這個新文本在這個場合裡面就稱做目的文本。尋覓新文本就是產生新文本，就是翻譯，譯者尋覓新文本經歷了一個符號機轉的過程，詮釋的過程與尋覓新文本的過程一般是相一致的。這個過程在經典詮釋的案例來講，就是經典詮釋學史中傳注的競相附類的過程，比如說我們從今天早上以來所討論的，本來有一個本經，但是那個本經在我們今天看起來假設是五經或者是可蘭經的話，那個本經基本上並不獨立存在，而是跟我們的「注」或者是「疏」三個東西合在一起，變成經。所以我們原

來的本經，譬如說《春秋》，他已經變成一個 ur-txt，不直接成為我們經典的第一對象。這就是經典詮釋學史中傳注的競相附類的過程。在經典翻譯來講，就是經傳作為平行語境如何延伸目的文本的符號機轉的過程，描述譯者尋覓新文本的過程就是描述經傳平行語境的符號機轉。這個經傳就是我們今天早上講的注疏那些東西，包括本經作為其中的一部分，描述經傳平行語境的符號機轉基本上可以解釋經傳定詞或術語的來源。我們這種文章的寫法屬於形式分析，經常會面對一個問題：人家會問，你做這種形式分析有什麼用？或者是在幹什麼？（笑）所以我現在就把這兩行寫下來，免得以後我說我這個分析很有用的，假如你還聽不懂，那至少可以看到我寫在這邊的兩行。第一個就是解釋經傳術語的來源，而在這個形式分析的過程裡面能不能證明這個定詞或術語是怎麼來的，建立材料與學科的領域？今天早上不是有人提到說「注」、「疏」假如合稱的話，它有詮釋學史上的意義嗎？那麼注釋學如果可以成為一個學科，它的材料領域就可以確定。那麼這個學科大概在什麼時候建立呢？從注疏這個詞成為一個定詞而言，以便在詮釋學史裡面佔一個 moment，佔一個階段，時間的起點。這樣子，就可以幫我們定下這個學科，包括知識倫理的分配，還有材料的分配，都可以有一個歸屬。這個是非常重要的概念。同時也可以銜接經傳文本與翻譯目的文本為新平行語境。到後來我們這個譯本跟原來的經典文本可以一起來讀，但那不一定是印在一起像 Legge 的版本一樣。再來，解釋平行語境。平行語境也就是平行論議。這個是因為來自英文的 discourse。Discourse 在臺灣也被翻成論議，那這地方講的論議或者是語境指的是你的 ur-text。比如說《春秋》作為一個原始、假設

性的原始文本。它後面有所謂的注疏、傳等等之類的東西。這些東西你假設放在同一本書裡面構成所謂《春秋》的經典的話，它是一個平行語境的呈現。因為這些各家注或各家疏，彼此會有互相衝突的地方，或者是會有互相競爭的地方。可是就我們讀經典的人來講，我們實際上是將這些注疏當作為一個複合的單一文本，它實際上是一經多本，所以它是多文本的單一文本，作為我們所謂的閱讀對象的經典。所以這個對我們而言是後起的，像我們今天六月十日來讀《春秋》這部經典的話，我們實際上是在一個平行論議裡面來周旋我們自己的知識。在經典詮釋的過程中，各家傳注會競相宣稱趨近於原始經典文本，那這個部分可能有一點要稍微停下來講，也就是說假設是政治勢力的介入，算不算是宣稱趨近於原始經典文本呢？這也是算的，因為它後來會變成經典詮釋學史的一個階段，一個 moment。所以這個也是算的，像漢代或清代的「漢學」就是這樣的一個例子，非常明顯。或者說各經正義的編定，也是這樣的例子。大概可以說整個中國的經學史這個學術倘若沒有政治的介入的話，就不會存活這麼久。或者說它的面貌會走樣。所以說政治的介入基本上應當當作事實對待，後因經典詮釋史的需要，比如說教學上的需要，他本身假設把經典本文、或者是「注」或者是「疏」印在一起，這樣一來，一個新經典本身就具有啟發性。而這個啟發性是內部的，當內部已經有一個解釋系統存在，這種經典被稱做正義，是教育上的這個啟發性的。傳注平行附列於原始經典文本，建立了經典平行語境，在這裡，後起平行附列的傳注以及原始經典文本構成經典詮釋史中的共同論議，這個共同論議我們今天稱做經典。所以我們今天稱做的經典是這樣子一經多本的，而它本身就有

image 的性質。而既然你這個傳注可以附列到原始經典上面，那你的白話譯文或者是英文譯文可不可以也附列上去呢?我想這個沒有妨礙。那我這邊有一個地方特別要解釋的，就是這個地方我們今天稱做經典後面有個括號稱做 canon，然後又增加一個 the classic，我可能比較傾向於認定 canon 才是。它趨向一個宗教或是一個國家體制裡面的唯一知識的共同來源，那種經典，就是 canon，所以它原來在宗教的定義裡面，都是 canon，絕對不可能是 the classic。有的時候，假設我們純粹從語言來看的話，可以認定它是 the classic，就是我們俗稱的經典。這種經典原來就是一經多本的平行語境，那麼，我後面打方括號的是註解。「平行語境」這個詞彙在 Henderson 的第五章、第六章裡面提到兩三次，我們翻譯小組在五月中旬討論的時候，我曾經表示想要把這個詞升高為術語。它用的是 language 而不是 discourse，但是我在這邊把它改成 discourse。我印了幾份講義，因為我不知道今天早上發表的兩位先生會提供這麼豐富的資料，現在我發現經過一個早上大家的討論以後，我印的這幾張，大概不談也無所謂。那麼我們從早上延續下來，這個延續性可以幫我們解釋，這個「平行語境」到底是什麼東西。經注並存或者是注疏並存，這些都是「平行語境」的例子。這裡舉兩個案例，這兩個案例都是從 Henderson 那邊過來的，所以我基本上還是守在 Henderson 這個任務的資料上面。

第一個案例是底下 Henderson 的新文本，這個地方是在它的 148 頁，有的地方我自己畫了底線，所以大家只要瞄過這個形式就可以了，內容不用唸。關於形式，我等一下會有說明。請大家翻到第二面。這是翻譯成英文的目的文本，對這個目的文本我們的理解

是第一個 the honorable and the humble，它是作為主題的。所以翻譯的時候主要是要對這個東西進行翻譯。第二個就是所謂的乾與坤，這個是斜體字。《易經》以 the change 為機轉符號。這是什麼意思呢？把 1 和 2 銜接起來之後，我們說，銜接經段文本與翻譯文本為「新平行語境」，所以你就可以看得出來實際上這個譯文，它是在討論《易經》的基本主題，假設《易經》是作為 canon，做一個案例的話，那它裡面可能有些詞會保留在我們的譯文裡面，作為定詞或是作為術語。而這個定詞或者是作為術語，就是說在我們的符號機轉裡面，作為機轉標誌，譬如說這裡的乾和坤，你只要看到這段裡面所討論乾跟坤，它是不會翻成英文的，它會用擬音方式，後面會用一個方括號注明這是一個 hexagram，說那它等同於天、等同於地。那表示它是在對《易經》或者是對《易經》所延伸出來的觀念進行解釋。我們假設這是一個《易經》學的系統的話，那乾跟坤這兩個字的擬音，可以作為一個符號機轉的標誌。你從這邊可以辨別出來。整個知識體系就在這個地方標識出意義的流傳跟累積，換言之，從這兩個字可以認定這是一個《易經》學的知識的流傳跟累積。根據這樣的理解，乾與坤是案例中銜接經、傳、注以翻譯目的文本為新平行語境的標準，稱做定詞或者是術語，是平行語境的機轉符號，這也就是為什麼在英譯目的文本中我們有擬音的乾與坤，也在後面分別附加方括號解釋擬音詞的意義。接著看後面這個，這是我直接抄錄的。在這個案例裡面，譯者在面對原始文本的時候，或者說在尋覓這個新文本的過程中，是充分面對選擇的。這裡我是引進了 Greimas，他在討論翻譯的時候用的一個觀念。他認為從這個 A 文本翻譯成的 B 文本，這個是不可能發生的事情，因

為 A 文本會先轉換成 image，然後再從 image 轉換成 B 文本，所以從 A 文本到 B 文本之間是有兩個階段的轉換，那個不叫做翻譯。所以我們講的翻譯，不是一個直接行為，它是一個兩階段的間接行為，總共加起來應該是三階段，其中有一個地方是重疊的。所以它是從 A 文本到 image，就是你腦袋裡的一個總體理解，而這總體理解是會散掉的，有些你根本沒有辦法複整，整理不起來，所以你翻譯成 B 文本的時候，有些會丟掉、有些會走樣。這就我們人文科學來講，是合法的。這是人的產品，人的理解力本來就是這樣子。其中沒有不對，翻譯沒有不對的問題。所以我們這一個翻譯小組，四個人合力翻譯一本書，大家今天聽我這樣講，會放心一點。翻譯沒有不對的問題。

接著我們念後面的大綱。第二行，譯者面對的選擇是自己，是自己對待原始文本作為一經多本的平行語境的理解，以及自己在制作目的文本或確立新文本之前的非語言的理解，底下這個表可以解釋非語言就是 image，這二層理解在譯者確立新文本以前是非順序的存在。這不是說第一行轉到第二行的過程是在腦袋裡面，它一直停留在整個文本順序的第一階段，它 not in order，甚至也可以說它不是按照順序排列的。是非順序的存在，但是對不同的譯者都有不同程度的訴求力，有時候會喧賓奪主，比如說原本 Henderson 寫的這個地方的焦點明明是某種東西，大家都這麼認為，可是對某個譯者來講，比如我們用中文翻譯 Henderson 的書時，焦點會走樣。這也是合法。有這個非語言意象，所以我們才會畫出這樣的關係圖，這個是根據 Greimas 的講法畫出來的。那所謂的 source text，就是那個我們一般稱做原文，經過轉換以後，你唸了以後會形成

image1、image2 這樣的東西，然後這些東西等等在你的腦袋會重新組合，被語言化，被語言化以後你才有可能寫出 target text，新文本才有可能出現。語言化有它語言化的複雜過程，我們這邊沒有仔細的把它寫出來。

　　請大家翻到第三面，第三面是中文版，第三面是「原始經典文本作為平行語境」，經過轉換以後，在古文翻成白話文的過程中也是一樣的。意象 1、意象 2、到意象 N 之類的，再轉化之後會變成新文本，新的平行語境，會轉化成這個東西。所以你發現從原始經典文本到新文本，這個中間是有一個轉化到意象以及意象轉換到新文本這樣的一個複合式的兩階段，其中有一階段在中間這邊重疊，所以我們才說它是三個步驟、三個階段的。這其中意象 1、意象 2 等等之類的這些在新文本中會有殘留痕跡，表現為非完全語詞或表示。所以你要講講不出來，但是這個 image 是在的，後來就是要讓它變成文言文的定詞，而留存在白話文裡面，或者是漢語的定詞，留存在英語裡面，比如說「乾坤」、「陰陽」，「陰」字不翻成 lunar，或是 lunarity，而音譯成 Yin，這個就是這種殘留痕跡。這些殘留痕跡有時候很珍貴，它會變成術語。表現為非完全語詞，或顯示為非語言，卻又形諸語言的道德命題。這些保留，實際上就在你的文本裡面會變成主題。在道德命題底下可以舉《公羊》跟《穀梁》的例子，這也是 Henderson 所用的例子，我這邊是把它抄出來討論。這裡我們需要以下的譯例，所以就有第三部分，三個譯例裡面的第二類。所以 2.1 這個地方是翻成英文的，這是在討論《公羊春秋》的時候，用這樣子截段，這跟我印給大家手上的文本是完全不一樣的。我印給大家手上的文本是「元年」合稱，可是它這個地

方的截段方式我們可以看得出來「元年」合稱有機會可能會被切開的，那被切開的話，這個「元」是個殘留痕跡，後來就變成道德主題，也就是為什麼《公羊春秋》它會對「元」花功夫去解釋，你從這個翻譯、Henderson 的翻譯就可以找到證據，而不是說各位手上這個影印本上面有一個何休《公羊》學這樣的詞，然後他所翻譯的就是何休《公羊》學。你光是從英文的譯本的切段方式，就可以證明這個地方一則是殘留痕跡，二則是道德主題的轉化，因此，從我們傳統的經學史來講，它就很適合拿來做翻譯《公羊春秋》的比對。這是左邊文本和右邊文本的一個比對資料，這是一個形式分析造成的結果，並不是從意圖上來講的。如果說它在別的地方也講《穀梁》，《穀梁》有所謂的道德命題，它英文是說 Zhou moral，或 moral lesson from 《穀梁春秋》，所以我們在這裡就要談一個很詭異的問題，到底《穀梁》跟《公羊》有什麼差別？在這裡會發生一個問題，就是根本就分別不了。如果說《穀梁》好引道德命題（這是在 Henderson 裡面的話），那麼我們就說《穀梁》傳注家在面對經典平行語境的時候，其意象 1、意象 2 等等的選擇是充分的，其語言理解的充分表述則是不足的。有些話講不出來、講得不完整。然而這個例子是為《公羊》之例，《公羊》、《穀梁》在這個地方會不會因為這種斷句或者說由於理解充分表述的不足，使它成為殘留痕跡而轉化成道德命題，讓我們誤以為公羊跟穀梁春秋是沒有差別的，因為兩者都是道德命題。這是經典平行語境翻譯的不解之題。所以雖然 Henderson 他本身宣稱他 2.1 我抄錄出來的例子，是在解釋《公羊春秋》，可是拿這個例子來照應《穀梁》也是根據 Henderson 自己的講法，那完全沒有兩樣。所以從他的譯本來

講，他在區別《公羊》跟《穀梁》的時候，我們只能夠說他是在第幾頁講《公羊》，第幾頁講《穀梁》，而兩個主題講起來都是一樣的結果。那事情就嚴重了！再來 2.2 這個地方，他選擇《穀梁》，全部都是在講道德命題，這個地方是他的 moral lesson 的一些例子。我認為一個翻譯的課題，或者是說他的翻譯是為了要來解釋他對經典的看法，也就是說，Henderson 將漢語的資料翻成英文，而翻成英文以後是要來 support、要來解釋他對經典解釋的看法。因此可以假設造成這樣一個翻譯的不解之題，就代表著這本書還有的地方是有待加強。他應該要把這個東西搞清楚。下面還有一些是附帶給大家的幾個例子，在 2.2，這裡他認為全部都是《穀梁》，假設根據我們之前的解釋的話，這 2.2 可不可能重新切割，然後把他歸到《公羊》呢？這也是一個翻譯上的不解之題，就是我們根據 Henderson 他把漢語學術、漢語經典翻譯成英文，再根據他的理解來切割，而我們把他翻譯成英文的新文本重新切割，發現他切割出來的東西可以符合 Henderson 自己講《公羊》的例子，也可以符合他講《穀梁》的例子。那這表示對他的學術體系而言，以這本書為例，《公羊》跟《穀梁》是沒有差別的；這個會造成嚴重的問題。我暫時報告到這裡。

主持人：

好，我們謝謝陳界華教授。

會後討論：
宋家復：

Tim（貝克先生）和陳教授的 paper 的主題，都是我個人長期非常關心的事情，所以忍不住有一些問題想要問一下。先是 Tim，我可不可以給你幾個建議，有幾個地方也許我們可以再去查一查，比如說我聽說過 Dilthey 跟 Karl Jaspers 很久，不過從來沒有人家稱過他們是 historian。

貝克定：

對，當然你可以說他是心理學家或是哲學家，但是我個人覺得在這裡……

宋家復：

OK！這是個 minor 的問題啦。也許……，Karl Jaspers 他是寫過一本關於歷史意識的起源的書，所以他是一個歷史哲學家，但是 Dilthey，as I know，他不像 Voltaire，Voltaire 還真的寫過歷史書，大概是這樣。然後，我想最主要是比較研究的問題，也就是 comparative study 的問題。我不確定的一點就是，Henderson 最主要的貢獻當然就是把 comparative perspective 和 anthropology 帶進來，但是我不確定如果這樣就可以稱之為人類學化，這給 anthropology 太多 credit。因為做比較研究的人太多太多，而且有很多是有洞識的，有 insight 的。打個比方，比如說在你自己舉的做比較研究的人裡面，像你舉的 Paul Wheatley 和 Eisenstadt，這兩個人都不是人類學家，Paul Wheatley 其實是在英國的一個做建築

史的人，他最早研究的那個問題是因為就早期的建築形式跟空間的結構，那 Eisenstadt，我們知道他基本上是 sociology。那麼，你為什麼不說 Henderson 是社會學化或者是這個建築史化？而且這個也涉及到學術史上一個長期的問題，是一個有趣的常識問題，就是說把比較的視野帶進漢學研究、帶進中國研究裡面，我想幾乎已經有半個世紀到一個世紀以上的長期的鬥爭，所以到現在還有人在繼續抗拒，所以今天還有人繼續只是做傳統的漢學家。可是另外一方面也有人像 John Henderson 這樣子，原來 by training 是一個 sinologist，可是後來走的路向……。我覺得最有趣最明顯的是我們兩個的共同老師杜維明，其實 Henderson 和 Daniel Gardner 兩個都是他的學生，Henderson 是他早期在柏克萊大學指導的學生，Gardner 是在他剛到哈佛的時候指導的學生，可是這兩個人很有趣，接受一個美籍華裔學者的指導之後，同樣他們都對於在比較屬於中文世界裡面會受重視的注釋這樣的事情，都比較重視，所以這一點他們都受杜先生的感染。可是他們在受到感染之後發展的道路非常不一樣，像 Henderson 後來走的就是這種比較研究的道路，他要去比較不同的文明傳統，可是 Gardner 走的是、試圖去找的是這一個中國注釋傳統裡面的內在的，用你的話說是 internal dynamics，內在的各種差別，所以 Gardner 第一本書研究朱熹注大學，那 2003 年又出了一本研究朱熹注的論語，他特別重視的是這個傳統內部的種種變化的問題。Henderson 有他的貢獻，可是我覺得像你中間對 Gardner 就比較有微詞，聽起來就比較不走 Gardner、不喜歡 Gardner 這個路線，可是也很難說，因為，尤其是 Gardner，我看你引了上面他這些文章，然後後來你又引用他講

朱子跟注《論語》的那個書。因為 as far as I can remember，Gardner 在那篇論文裡面講的事情，是說我們如何運用中國豐富的注釋傳統裡面的材料，來幫助我們去認識歷史上面不同時代的人的思想跟心態，這個其實有點接近早上張寶三先生引了卻沒有多說明的吉川幸次郎的觀點，就是說怎麼樣把注疏看成是研究，日本人的術語是研究中國人的精神史的材料。那我覺得 Gardner 是走這個路線，那跟 Henderson 是很不一樣，不過 I am not sure 就是說，我當然自己 I am very much into comparative study, that's why I went to the States to study，但是 on the other hand 就是說我也覺得，我們應該給另外一邊走傳統漢學路線的人比較多的 appreciation。再來，即使是對於比較研究關心的人，像 Henderson 這樣，我有一個很懷疑的地方，這其實你已經提出來了，你用的那個字是……你一直在說的是 essentialize，那用我的話說就是，這種比較研究基本上是在找同，他在求同，但是他卻是很難去解釋或是說，他沒有辦法再進一步去說明很多差異產生的可能。這點其實你也已經提出來了，那我的問題只是，提出來之後，你覺得該怎麼辦？（笑）比如說假如我們用 Henderson 這樣，他的確提出了六個 defining features 來說一個 classic 可能是這樣子，而且一個 classic、一個 canon 可能是這樣，不但是在中國傳統裡面，在伊斯蘭、在其他傳統裡面一個 classic 也可能是這樣子。那你覺得站在他的基礎之上，我們怎麼樣再去找到，在這個 commonality 上面進一步去找到更多的 differentiation，或是說 difference？我這部分很好奇，因為既然你這麼 into Henderson，可是另一方面你又批評他的確有 essentialize 或 essentialism 的傾向，那你覺得出路會是怎麼樣。

　　另外一個問題是給陳先生的，我先試著釐清，我希望我能夠合理而且適當的了解你的 paper，在我看起來你的 paper 是不是這樣子……你試圖在連結兩種現象，一種是在……尤其是在中國經典傳統注疏裡面的一個經典跟注疏，另外一組關係則是我們平常在翻譯裡面看到的 source text 跟 target text，就是你翻的原始文本跟目的文本，所以這兩個都是文本，那它們這兩個過程，一個叫做注疏，一個叫做翻譯的過程，共同點都是，用你的話來說，他們都是一個文本衍申的過程。另外它們的共同點是說，他們衍申出來的結果都造出了某一種你稱之為平行語境。就平行語境跟文本衍申這兩個概念講起來，注疏跟翻譯的確是可以相提並論，的確是可以做互相比較的，可是另外一方面，我們這樣做的時候，是不是也付出了一些代價？就是說翻譯跟注疏不管作為兩個創作過程或是文本生產的過程，他們有一些其他的差異，但是在這些過程裡面被忽略掉、被掩蓋住了。打個比方，他們雖然都可以說在最後的結果造出了平行語境，可是我們想一想我們今天看到一本翻譯書的時候，多半中英對照、中法對照的不多吧？這個平行語境的 source text 其實是隱形的，我們只看到了 target text，可是就我們在絕大多數的中國注疏傳統裡面，至少就 19 世紀之後看到的結果，這個注疏傳統的 text，原來的本經跟注疏，換言之，source text 跟 target text 是在一塊的、是並現的。然後我們也同時看到，假如本經可以被看成翻譯中的 source text，而注疏看成是 target text 的話，你看到這兩者之間權力跟衍申過程的關係，也很難想像他們是一致的。翻譯某個部分，其自由度遠超過你在本經跟注疏中間的自由度，尤其是本經跟注疏作為這種著作形式來講，本身收到的規範性，注疏本身所受到

的規範性，某個意義上講起來，我不說大於……我不說數量上大於，至少性質上似乎不同於翻譯的 target text 所受到的 source text 的規範，我想這個也要考慮進去。又比如，如果翻譯跟注疏都作為文本衍申的過程好了，那可是我們知道翻譯的過程真的是一個花果飄零衍申的結果，也就是說，說實在話，我們想想林紓的翻譯，或者是今天我翻譯一個從來大家都沒有看過的一個法文的 text 出來，天啊，我把它衍申到什麼程度，這個流衍的過程，用德里達（Derrida）的話講，是一個找不到父親的，你只會看到子嗣的，你只會看到生出來的孩子的結果，可是找不到父親的。可是在經典文本衍申的過程裡面，是不是也同樣的有一個流展的性質？我這有一點懷疑。所以我的意思是說，這是一個有趣的視角，可是我們怎麼樣同時在做這樣的，把這兩組關係理在一塊的時候，怎麼樣能夠做一個同時也……簡單講就是要付出的代價跟成本是什麼？所以我很好奇你自己在理論上的考慮是什麼？謝謝！

貝克定：

學長，真謝謝你的建議。我自己也很關心這方面的問題，而且我今天討論的就是我一直以來思考的問題，到現在我還沒有真正解決，如果我們可以多討論一下，對我來說會有些幫助。首先，Jaspers 是不是歷史學家？一方面，他在心理學上的研究，當然跟歷史沒有關係，但是我在討論經學方面的時候，注意的是他所討論的歷史的背景，所以我把他當成為 historian。但是你說得對，我應當使用另外一個字。第二，你認為比較學超越所謂的人類學，但是我所說的人類學這個詞，也超越人類學那個學科。我的意思是說，

我覺得重要的是，比較學沒有那麼單純，而且人類學也沒有那麼單純。人類學是做文化的比較，對我們學歷史的人或是我們現代人，有非常大的影響。在殖民地研究方面，尤其有很大影響。所以討論 Henderson 的書，我是用「人類學化」這個詞，來提出一些問題。某一個文化如何運用另外一個文化，有的時候是為了經濟或是政治權力，有的時候是為了文化研究。Henderson 的這本書，有一點像是殖民地學者的文化研究，因為特別不只在漢學方面，而且還從其他的文化，從他們的一些文化層面，來證明、證實他自己的觀念。所以這是我所謂的「人類學化」。我可以再考慮有沒有另外一個比較適當的詞，或是可以進一步解釋。至於 Henderson 之外的漢學家，正如你剛剛說的有兩個不同的「陣營」。對，一個是傳統的漢學家，比如像 Peter Bol（包弼德），另外一個是比較學，比如像 Henderson。一般來說，比較學方面不會那麼熱烈的批評傳統的學者，但是傳統漢學家則很會批評比較學的研究，認為他們的研究沒什麼價值。當然他們這些傳統的說法有他們的道理，我今天想解釋的就是說，這方面的比較研究也是有道理的。事實上，傳統的漢學研究裡面，在他們的眼中還是不免有一種比較，雖然他們直接研究漢學，但是用西方的學術觀念來討論東方的東西，因此多多少少有一些比較，只是他們沒有把它們標明出來，所以我覺得他們在這方面同樣也應當面對。因此，我覺得比較學方面跟單純漢學方面，這兩方面的漢學研究路徑，都值得重新評量。比如說，Gardner 的研究很有價值，很有參考價值，因此，我自己討論經學的時候，Henderson 的書我不會放在我的 footnotes 裡面，因為比較不會引用到他，但是 Gardner 的書，就很可能被引用。至於你說 Henderson

追求 commonality，所謂文化之間的共通性，而忽略了各文化的不同，我想這是 Henderson 不能避免的批評。但是，因為我們現在生活的世界，各種不同的文化，常常有互相碰撞、遭遇的機會，所以我們應該做一些文化的研究，甚至翻譯。正如陳老師剛剛討論的，我們應該做一些翻譯，從中國到西方，或從西方到東方，這些我們應該面對，應該開始想辦法來做。因此，我個人雖然不是完全同意 Henderson 的研究方法，我還是覺得這種方法會引起我們的討論和發現一些問題。

陳界華：

就像剛剛你提到的這個，把我談的一個單一問題切割成兩個部分來談。這個假設，我可以這樣建議，比如說我們回過頭來看看，口頭稿的題目是：「譯者尋覓新文本」，所以，基本焦點是在這個地方。我也有講過我這個題目是非常任務性的，而且我沒有偏離今天要完成的任務，就是從今天這個 Henderson 的這個翻譯中（指：*Scripture, Canon and Commentary* 一書的翻譯工作）過來的。所以，我也是從這個地方照抄他的例子，然後從他的例子來討論「譯者尋覓新文本」的過程，到底會遇到什麼樣的問題。那遇到的問題會有正有負……剛才宋先生提到的就是有正有負的問題，可是我這邊所要談的是副標題──「嘗試描述經傳平行語境的符號機轉」，這是正的，所以負的部分我們這個地方不在任務之內。假設初步這樣回答呢，當然就是已經完成了，所以剛提的問題是不存在的，就我這個口頭稿來講是不會發生問題。針對你剛提的那個問題，假設以我們學術上的共同關懷來講，它是存在的，這個存在也許就是

說，或許哪一天我重新寫文章來討論它也可以。這是一個學術的共同問題，就是負面的那個部分我們怎樣去面對，因為我們在討論「尋覓新文本」的過程裡面，會有那種所謂的文本構成不了，或者文本會走樣，或者是說會有劇變的問題。還有一個就是倫理代價，倫理代價基本上會牽涉到你是一個民族主義者，假設你是的話，你就會認為（如何如何）……，比如說從本經到傳注，或者是到注疏，這個衍申的過程，所牽涉到的當事人，這個傳注家或是注疏家，他可能要付出的成本非常的高，那這個是你處在你這個漢語傳統經典文化裡面，你有這個民族情感……我未必沒有。那假設從翻譯的立場來講，那譯者所付出的代價也不見得低，這個不是一個量的問題，是沒辦法放在一起討論的。所以我們是從語言上來討論這個問題，從平行語境的語言問題來討論這個問題，基本上，從 Henderson 入手，那你提的問題是存在的，可是不是我現在這個題目所要面對，不在責任範圍裡面。但是可以再做。

林慶彰：

　　宋先生是不是要再做出回應？

宋家復：

　　當然啊，我可以接受這樣的回答，不過如果順著這個線路再討論下去的話，就變成是權力的問題了，權力分隔不一定直接跳到民族情感的問題，就是說還有其他的權力網絡的問題等等之類的，那是 context 裡面的問題。不過，我可不可以再問一個問題，我覺得應該是屬於你任務範圍之內的問題（笑），就是說，……我不太明

白，你可不可以多說明一下這個 non-linguistic image 是什麼意思？因為在你舉的這個 Henderson 的例子裡面，我第一次讀的時候，我以為你指的 image，是指比如說像「乾」和「坤」這個 transformation 裡面，本身作為一個 image。可是它看起來是 linguistic，它並不是 non-linguistic，所以這點可不可以再跟我們多說一點，這個 image，你說在翻譯的過程中間會經過一個我讀這個經文本身或是讀說翻譯的這個原本，然後我腦袋裡面會有一個 imagine，這是怎麼一回事？你可不可以再多說一點？而且我最好奇的就是說，它為什麼一定是 non-linguistic？我非常好奇，這算不算你的任務範圍之內？（笑）希望這次沒有超出。

陳界華：

現在給的這個題目是在任務範圍之內的，這是沒有問題。但是你提的問題，實際上你本身已經回答了。那現在分成兩個部分、兩個階段。先把你後來追加的這個問題先擱著了。前面那個你當然也很清楚，所謂的正面負面、衍申或者平行語境這樣的一個相關的問題，或者是說民族主義，或者是說當事人付出的代價之類的問題……實際上你是用 discourse 的方式來問我問題，我用 discourse 的方式來（回）問你問題，所以馬上就可以把問題給解決掉了。這是一個同行的一個對話，非常簡單。

那第二個部分你現在所提到的乾跟坤，你原來認為你的理解就是我這邊講的 image，non-linguistic image，這是沒有錯的。就英文來講，Henderson 的語境是英文的語境，(1)「乾」、「坤」不是英文，所以你只要保留這個聲音，它不是屬於英文，(2)它是

images，在腦袋裡面有東西的，到後來(3)它變成「語言化」
（lingualized）以後，才被相間到英文裡面的 syntax 以及它的
vocabulary 的整個系統裡面，參與了總體語義的提供，所以，它本
身是有一個被 pragmatic adjacency（語用近鄰性）的一個命題所要
求的一個過程，它才有機會在這個 Henderson 的譯文裡面扮演一個
角色，而且是可以理解的，而且理解成中國傳統經典，尤其是在
《易經》，或者是在《易經》衍申出來的「春秋（學）」的問題的
這個主題目錄裡面被了解，所以，它有這樣的一個三個過程的存
在。所以，它原來是 non-linguistic image，這是沒有錯的。

再來，我們講這個所謂的「殘留痕跡」，就是我們一般俗稱的
你沒有辦法完全理解，或者你經過理解成 image 以後，沒有辦法重
新語言化變成目的文本裡面的語言的一部分（的東西），（它）進
入它（目的文本）的 vocabulary 的系統，或者是 syntax 的系統裡
面後，變成定詞或是術語。但是，還有一個就是屬於「過度的語言
化」（over-lingualization）。「過度的語言化」這部分我剛剛是沒
有談，它是屬於「負性的語言化」。「負性的語言化」會造成所謂
的譯文喧賓奪主，到後來人家把對譯文的了解當成經典。這在中國
傳統的注疏裡面多如牛毛，非常的多，所以我們說整個中國（經
學）演進史，基本上是建立在注疏所建立起來的語彙跟語法上面，
而不是建立在原始的經典上面。這個也可以解釋經典詮釋學史，還
有翻譯的基本現象。

張素卿：

有一個問題請教貝克。你們現在正在翻譯 Henderson 的書，我

們看一下英文書名跟你的中文譯名，做一下對照。早上張寶三先生正好提到中國漢唐的「注疏」，那麼，你以「注疏」翻譯「commentary」一詞，是否真的合適？

貝克定：

這個書名「典籍、正典與注疏：儒家與西方注疏傳統的比較」，並不是我翻譯的。但是你提出的這個問題很重要。

張素卿：

我想你們正在翻譯這本書，書名是大家一開始就會看到、都會注意的，「commentary」究竟應該怎麼翻譯，也許可以再斟酌。另外，後面還有副標題，意思是比較中西的注釋，可是中譯文作「儒家與西方注疏的比較」，這好像是指儒家有注疏傳統，西方也有個注疏傳統，來為這兩個傳統做比較。可是副標題原文只有「exegesis（註解）」，沒有「傳統」的意思。而且中譯文同樣用了「注疏」這個辭彙，前面對應主標題的「commentary」，後面又對應副標題的「exegesis」。（笑）

貝克定：

對！這裡是有一些問題。一方面，是在英文裡面，我們沒有一個字可以直接翻譯「注疏」這個詞，通常只是翻作 commentary 和 subcommentary，但是，不管是「注疏」還是「註解」等等這些中文的詞，都和 commentary、subcommentary 有一點點不同。這個翻譯是李淑珍的書評的翻譯，所以我就是暫時用她的翻譯，但是我們

也不一定會找到一個更適當的翻譯。我覺得像這類的問題就像我們今天討論怎麼翻譯 classics 或是 canon。恐怕美國人在應用 classic 跟 canon 的時候，常常並沒有很明確的區分。比如在 Henderson 書裡的一些資料，在同一個 paragraph 裡面，同時會出現 Chinese classic、classic canon、Confucian canon，他們用很多不同的方式來指示同一個東西、一個傳統，因此在這裡要怎麼找到一個完全適合的對應翻譯，不太容易。但是我們應該面對這個問題。

另外，我也想請問陳教授，關於 Greimas 的那個翻譯的模式，和 commentary 的模式，是不是有一點類似？有一個 ur-text，source text，接著會變成一個 image，接下去而成為一個新的文本。這是第一個問題。第二個問題就是如果你是討論意象或是 image、non-verbal image，因為我們所有的 image 都受到語言的影響很深，所以你覺得 Greimas 這種模式真的不存在語言的意象嗎？

陳界華：

好的。就 Henderson 的書來說，他在書裡面雖然是 canon、classic，有的時候在同一段裡面，會同時使用；但是……classic 加 s 變成複數的時候，它跟 canon 加複數，這兩者就不會混在一起來使用，這個是不會發生的。我們在比較早期的中國傳統經典的這個譯本裡面，譬如說 Legge，他對中國《四書》的翻法是「The Four Books」，或者是說「The Four Classics」他不會翻成「The Four Canons」，他知道 canon 這個字的宗教意味很濃，不可以用「The Four Canons」。canon 是單一、唯一的。它的原來的概念裡面是單一唯一的，在宗教系統裡面，可能是教會理念選定出來的單一唯一

的，你應該讀而且也是允許你讀，保證你絕對不會被抓去殺頭的那個東西。

宋家復：

canon 本來就不能加 s 的，對不對？它是個抽象的集合名詞，它可以指一群東西、複數，但是你不能說 four canons，因為 canon 本身，它可以指……比如說天主教裡面有一批書被當成是聖典，as far as I know，在字典裡面原來的意思是不能加 s 的。

貝克定：

但是，譬如這個句子：In China, Buddhism and Confucianism have different canons……

宋家復：

喔，那變成另外一個意思了。我想這個問題是分兩個層次，就是說有時候在一般的字典，有一些字典裡面是 interchangeable，that's true。可是另外一方面，它雖然是 interchangeable，可是，就好像張寶三先生一再的要提醒我們的，「注疏」有普通大家就隨便用用的意思，可是它有特別在某個 context 裡面的意思，所以我覺得這些字眼也有類似的狀況，就像你剛剛說 tradition 這個字，如果你是在特殊的天主教的社群裡面，我們都知道其實它有另外一個意思，它指的是說由天主教會所欽定的有一套解釋方式，甚至是一套文本，那個東西跟一套的注釋，所以你對聖經的跟教義的詮釋必須根據那個，那個叫 tradition。那這跟一般人講說傳統中國文化的

tradition……那是兩個層次。那像 Legge 那個例子，我們知道最近有一本研究他的書，八百頁厚出來了，他們就特別說他的確有一個特殊的傾向，就是說他雖然是蘇格蘭的一個新教徒，可是他在翻譯中國人的經典的時候，則是非常有意的 detach himself，也就是把他的宗教意識抽出來，所以，我同意你剛剛的那個判斷，就是說他翻譯「四書」，為什麼特別選擇 The Four Books，而不選 four canons。我還是覺得用 canon 本身就是不 grammatical，不過這算另外一個層次，就是說在每一個翻譯者的特殊例子裡面，有時候……比如說你要去看 Benjamin Schwartz 寫中國思想史的時候，其實他有些字眼涉及到 Jewish tradition 的時候，他就非常小心的，一直避免，雖然他本身是非常虔誠的正統猶太教徒，可是他就一直很避免不要用到那些字眼。可是另外一方面，我們會看到 Frank Kermode 寫 classic 對不對？因為他是研究文學的人，所以他用那個字的時候，你就會看到他……。我覺得這是每一個譯者、每一個 context 裡面，不在那個字的 interchangeable 的部分，而是在那個字可以產生其他的 association 的時候，那我們才可以仔細的去辨別出那個 nuance 是在什麼地方。

林慶彰：

陳老師是不是要談一談呢？

陳界華：

對對對，剛剛貝克有提兩個問題還沒有回答。關於 Legge 在宗教上的迴避……他當然是想迴避文化上的衝突，所以他在措辭

上⋯⋯尤其是翻譯一級經典啊！在整個的中國政治史裡面，《四書》有它相當的地位，而且它的通俗性也高，所以他選的是 books 跟 classics，他不用 canon 這個詞。那他的意圖、他的背景來歷我們可以考察，大致可信。我們現在回到剛剛貝克所提到的那兩個問題，第一個問題，就是：從經到傳注，或者是說從翻譯 A 文本到 B 文本，其間有沒有一個類似衍申跟創造平行語境的一個情況？根據我們今天這場最早的時候，宋家復先生對我的理解是有的，那我也認為是有的，所以，這個是沒有問題。那第二個問題是 Greimas 的這個模式。在第二面跟第三面的英文版跟中文版這邊，中間這個 image，我的理解當然是 non-verbal，那你認為在這個 image 之前跟之後，我們甚至說，image 在腦袋裡面的這個長相，而我們都是充分受到語言的掌控的，對不對？但是你假設牽涉到 A 文本與 B 文本之間，以 B 文本為定位⋯⋯比如說 Henderson 在翻譯「乾坤」的時候，「乾」、「坤」這個漢語的聲音保留在英文裡面，它在進入英文的譯文之前，它是 image，所以不能因為「乾」、「坤」這兩個詞的聲音在漢語裡面是語言，就說它不是 image。假設我們的基準點是在英文上面，那「乾」、「坤」作為漢語的語言在腦袋裡面，在它進入英文的目的文本之前，它是 image，這是完全沒有問題的。所以不會因為「乾坤」在漢語裡面它是語言，它就不是 non-verbal image。這個命題不是這樣講的⋯⋯所以，這個 non-verbal image，是指我們在完成目的文本⋯⋯也就是說尋覓到，或者是在這個整個衍申的過程裡面的終點確定之前，所存在的那個 image，那一定是 non-verbal。

華瑋（中央研究院中國文哲研究所研究員）：

　　我是外行……。我只是對解經對於文學批評的影響，很有興趣，所以今天我來了。我想問一個很簡單的問題，我覺得很有意思的就是，陳界華教授今天的這個中文的題目以外，還有一個英文的題目，可是中文的題目又跟英文的題目不太一樣，您的英文題目「The Canon Open to Exegetical Fallacies」，用的是「一個詮釋的錯誤」，就是經典可能會造成一個詮釋的錯誤。你又說或者是「the Translator in Search of a New Text」，也就是說「譯者尋覓新文本」，所以我很好奇，因為陳教授有一個很特別的表述方式，我今天第一次接觸到，非常有意思，所以我很想了解那個詮釋錯誤是誰的錯誤？然後為什麼是這樣的題目，您的思考是什麼？還有，我不太了解您的這個中文翻譯跟英文翻譯中間，有一個符號是斜線向下的，這有沒有一個特別的意思？還有，您的中文和英文，英文的這個部分是一條斜線，中文的部分就用兩條，這我不了解。（笑）這是兩個小問題，好，謝謝。

陳界華：

　　後面這個部分先回答。因為我們打開眼睛可以看到一條、兩條，所以你講的是第三頁最後面這個部分，第三頁這個中文版的最上面嗎？這個問題是，一則是個人打字技術的問題，應該是打成一條，或者是從左邊到右邊的話，它會超出右邊的邊線，我不得已只好打兩條，（笑）所以那個最左邊那個是原始經典文本作為平行語境，然後後面是一條。那最後面右邊也是一條的。所以這個部分我們的理解是沒有問題的。至於這個箭頭往右下，表示它本身是個轉

換，但是那個方向不等於單一方向，所以，這個是一個物質符號的概念。再下來是回到那個所謂的 fallacy。fallacy 是在那個邏輯上，比如說，你根據因果率或者根據矛盾率所建立起來，不能證明為真，叫做 fallacy，那我們今天一般來講就是稱它為「錯誤」。那我剛剛在討論的時候，我們有提到一個政治因素對於解經或者是傳注或者是注疏的介入，這在經典詮釋學裡面的例子是很多的，尤其是中國的案例，那我們剛剛的講法是說，它到後來都會衍申出平行文本，也就是說傳注到後來都會長篇累牘解讀，一件一件加上去，到了某一個階段，我們假設以《十三經》做一個終結，或者以哪一經，或者以正義作為終結的話，那個點之前我們就稱它為經典。那在經典裡面就是以注疏作為它的主體，本經反而是次要的，那這裡面我們就說我們實際上的這個解經的對象不是《春秋經》「本文」，而是《春秋經》的「注疏本文」，這是一個 fallacy，那你仍然稱它做《春秋經》、或者《春秋公羊傳》，那也稱它為《春秋》的系統，概括為《春秋經》。所以，這個是我講的 fallacy，而這個是合法的。跟我們翻譯的對錯……翻譯是不會錯的，翻譯是沒有對錯的……。像剛剛我講的 Henderson，他舉的《公羊》的例子經過切割以後，他講出來的道理跟他在討論《穀梁》的時候竟然是一樣的，可是他自己說《公羊》跟《穀梁》是不一樣的，所以他舉的例子、他翻成英文的、自己翻的，那我們根據他的講法來執行切割、分析，發現它前後是不一致的……命題不能夠成立。

華瑋：

很有意思就是西方的漢學著作，有時候一個中文原文的引文被

翻譯成英文的時候，它是有一個詮釋的，可是通常翻回中文的時候，其實就把原來的書的引文找到，就擺回去，所以在翻譯的過程之中，除非加了註解，否則會失去很多很多東西。就像你剛剛講的《公羊》、《穀梁》這種，是很有趣的。因為它在用字選字的時候，其實在中文裡頭可能它有一個創造性的模糊，其中會有一個創造性的詮釋，可是英文的話一定要把它翻出來，那個是一個很好玩的問題，所以有的時候會覺得西方的有一些著作會變成翻回去就沒有意思了，有的時候會有這種不好的一個例子。

陳界華：

林老師，請借我二十秒……。您剛剛所提的這個，我其實在解釋宋家復先生他的第三波提問的時候，有講到一個叫做平行語境的建立跟衍申的過程，它是沒有最後的終點的，除非我們的整個人文活動停掉，那就是不該有的命題。那這個衍申的過程裡面，所謂的衍申成平行語境，有一部分是為了要幫助理解，當然裡面也包含誤解，那是新的經典——以傳注為主的這個經典——它本身具有教育啟蒙的性質，叫做 heuristic，這個教育啟蒙的經典使得裡面的一經多本的各個本，它都接受所謂的語用 pragmatic adjacency，在平行語境裡面接受「語用近鄰性」這個命題的約束，所以，這個就是可以幫我們理解，為什麼有一些經的後期的譯本比較受歡迎，或者是在教育價值上比較高，或者比較有積極的功能，而且也應該算是合法。

林慶彰：

時間已超過，這一場就到此結束，謝謝各位。

中外學者論中國經典詮釋問題

第三場：
宋學傳注在中國解經傳統中的地位問題

沈明謙整理[*]

時　間：民國九十四年（2005）六月十日（星期五）
地　點：中央研究院中國文哲研究所二樓會議室
主持人：蔣秋華（中央研究院中國文哲所副研究員）

發表人：楊晉龍（中央研究院中國文哲所副研究員）
講　題：朱熹《詩集傳》與清代詩經學的關係

發表人：陳恆嵩（東吳大學中國文學系副教授）
講　題：從《五經大全》論宋元明傳注的承繼關係

發表人：林素芬（國科會人文學研究中心博士後研究員）

---

*　沈明謙，臺灣師範大學國文學系碩士生。

講　題：「新義」與經義
　　　──試論王安石《三經新義》的注解方法

蔣秋華：

　　這場演講的主講人先報告。首先先介紹第一位主講人楊晉龍教授，他是中研院文哲所的副研究員；第二位是陳恆嵩教授，他現在任職於東吳大學中文系；第三位是林素芬博士，她現在是國科會的博士後研究。楊教授的研究專長，上自天文，下至地理都不斷，不論上下（時代、朝代）他都可以承接的。他懂得非常多，但他自己說、他自己提供，他的專長是經學史、四庫學和教育思想，這幾個方面是他更為專長、更拿手的。他今天要來為我們討論的是朱熹《詩集傳》和清代《詩經》學的關係。之前他也說了，不論朝代，上下他都可以承接的；而他之前主要研究的領域是明代的《詩經》學。那我們現在就來歡迎他為我們演說。

楊晉龍：

　　不要聽秋華學長亂蓋。其實我對整個學術所知有限，我的專業還是在明代的《詩經》學，其他的部分，我所知道的只有一點點而已。但不管做什麼事，我幾乎都有一個毛病，就是都希望把它做到最好。可是因為時間的關係，接到這個命令的時候──為什麼說接到命令呢？因為我不知道我有參加這樣的一個會議，所以呢，我知道的時候大概只有兩個禮拜的時間準備。在那兩個禮拜的時間壓力之下思考，想要找出新的問題來探討比較困難；因為我之前做過《詩經傳說彙纂》與《詩傳大全》研究，對朱熹《詩集傳》與它的

影響比較熟悉。在做這些相關問題的研究時，我就思考到一個問題：我們所知道的經學史、學術史，這些相關的史類著作，都在強調清代學術中最重要的部分是在漢學，認為漢學在清代十分興盛。而這一種說法究竟有沒有問題呢？當然沒有問題；可是這時我覺得沒有問題之中，一定還是有些問題存在。因為我們很瞭解，整個清代從頭到尾，都是以朱子學作為官學，則朱子的《詩集傳》到底在清代具有什麼樣的地位？我一直在想這個問題，可是呢，我是有喜歡沒研究，只是一直去進行思考。為什麼我沒進行研究呢？因為要去進行這樣的論述會遇到一個困難：當我們去想到一個大家都不去注意的、不去懷疑的問題時，當我們開始論述時就會有一個重要的問題，那就是你所有的資料都必須重新蒐集、重新開始，人家不可能提供給你任何意見或幫助。也就是說，「你若要自己吃米就要自己去種稻子」的意思，不可能人家已經把稻子種在那裏等你去收割。如果你做的是別人都已經談了很多很多的議題，那你就可以到那裏去收割人家種下的稻子，也就是拿人家的東西做為奠基，再進行繼續的發揮。問題就是我所思考到的這一個問題，是從來沒有人去進行研究，因為他們可能覺得沒有價值，或他們沒有去注意到。

就像我當時在做明代經學傳播史的研究一樣。我當時在寫明代經學傳播史的時候，我的老師張以仁教授曾就問我說：你真的要寫這個題目嗎？我說對啊。他第二個問題問我說：你真的可以寫這個題目嗎？我就說我當然可以寫。張老師最後居然問我：你覺得你寫這個題目你可以畢業嗎？啊這個問題就大了！我說可以啦，可以畢業啦！張以仁老師就問我說，那你要怎麼寫？當我報告完之後。張老師就又問我：你要多少年畢業呢？為什麼張老師要這樣問我？因

為我當時跟他說的，就像現在所要列的，是上自天文，下至地理，臺灣現有明代的書，我希望通通都讀過一遍。因為我看書的速度很快，我一天大概可以看三十萬字到五十萬字，也就是說我認為自己有這個能力，我就是這樣跟我的張老師講。但是我還是搞了八年才畢業。八年畢業的原因，也是因為規定的時間到了，不能不畢業。如果可以弄個十年，我大概也會十年才畢業。我的個性就是這樣，做一件事就要徹徹底底地做到好，殺一隻雞我也會好好地去殺牠，不會把牠殺得零零落落的。所以對我來說，這樣的報告我是有點心虛的，因為我被他們逼得把一個很好的題目，只能這樣草率地處理。我之前所擬的這份大綱，後來又進行了修改。所以等一下的報告內容，雖然多數是和大家手上的大綱相同的，但也有些許的不同，至於沒有寫到的部分，並非我刻意暗藏，實在是因為剛剛才趕出來，還有點熱熱的。也因為我剛剛才趕完，所以如果說有些粗疏或不夠詳密的地方，就請大家提供意見。我想透過大家對我的幫助，應該可以更加完備我未來可能的寫作，會對我的寫作有很大的幫助。因為這個題目只是一個比較屬於第一序的概略性構思，並非一個非常嚴密，經過詳細論證、析論性的論文。

　　底下我文章的講述，分為三個範圍──也就是分為三個區塊來討論：第一，為什麼要研究這個題目？我首先要做的，是確立這個題目研究的理由，就是這個題目在經學研究上所應有的價值和定位，與進行這一研究的必要性。因為當我們進行一個研究時，必須先告訴別人我為什麼要選擇這個研究。這不是我喜歡所以我去研究，而是因為它有學術研究的必要性，只有你喜歡是沒有價值的；你要喜歡它，加上它的學術必要性，這個問題才能構成提問的理

由。所以我第一點要談論這個問題。

第二，我要透過朝廷的官學，與文獻學和朱子學這三個角度，對這個問題進行初步的歸納分析，然後來討論朱子學說——或是宋學——在清代的運作與表現，以確定朱子學在清代《詩經》學必然有它的作用和地位。

第三，結論。結論的目的，當然在告訴別人，我寫這篇文章，有什麼偉大的貢獻。如果你去看我這篇文章，當然會希望明白它究竟有什麼偉大的貢獻或突破之類的。這個部分當然是做為回應第一部分的提問，釐清與確立這一論題的價值與意義。

第一個，前言的部分，主要是陳述與探討現在學術界已經形成的有關清代學術一般性的認知和論述的觀點。這正如我剛剛所說，幾乎所有學術界的討論，都認為清代學術籠罩在漢學的氛圍之下；從乾嘉時期開始，古文學——也就是東漢的漢學，到今文學——也就是西漢的漢學；好像整個清代都是在漢學系統的籠罩之下，那宋學哪裏去了？朱學哪裏去了？沒有人去關注這個問題，難道宋學和朱學都沒有了，不見了嗎？雖然在這個討論過程之中，有一部分談到漢宋之爭，那漢宋之爭的意義是什麼？他們實際上是把宋學放在漢學的對立面，做為一個對比性的存在，而不是具有一個獨立學術價值的存在意義之下來進行討論。換言之，到現在為止在整個清代的中國學術討論中，並沒有真正的把宋學——我所強調的是經學研究——並沒有真正的把宋學帶入一個具有學術價值，將宋學視為一個學科獨立的架構之下的學問來進行討論，宋學變成一個旁襯。可是在實際的運作當中，恐怕剛剛好相反的，朱學反而是一般性的群眾最主要認知的學問。為什麼這樣說呢？這很簡單，因為大家都需

要透過科舉考試來取得官位,對古代的讀書人而言,除了透過科舉考試取得資格以便有機會取得官位,或者透過科舉考試取得生員資格,以充任私塾的教師。一般來說,假使不具有生員的身分,想要擔任私塾教師是比較困難的;相反的,如果具有這樣的身分,你要擔任教師是較為容易的。我想各位看《儒林外史》就可以知道,明代擔任教師、老師的,都具有生員之類的資格,或者通過鄉、會試。此外根據乾隆二十五年時,有人曾經提倡這整個的科舉考試,要進行改革;改革的內容是什麼呢?因為當時科舉只要選考一經就可以了,那當時的大臣就認為,五經應該每一經都要讀,怎麼可以說,一個讀書人只讀一經呢?然後其他經通通不讀。就像你學現代史,你只學現代史的部分而前後的歷史你都不知道,那不是很奇怪嗎?所以當時就有大臣認為,考試應該五經輪流,不宜一經考到底。就像今年考《易經》,第二年考《書經》,第三年考《詩經》,五經這樣輪流考。乾隆帝說,好的,這樣的建議很好,但因為《易經》是群經之首,它的義理過於縝密,可能在一年的時間之內來不及準備。乾隆帝就根據他所瞭解的,全中國考試選考最多的經是《詩經》,因為選考《詩經》的最多,所以乾隆帝認為應當從《詩經》先考,第二年再考《易經》。這樣的五經輪考從此便成為一個基本的考試制度。可見《詩經》在整個清代的讀書界,是屬於比較多人閱讀與選擇的。這我在過去研究明代考試時,也曾經發現,在明代選考的也以《詩經》最多。到了清代,則以《詩經》和《易經》為最多。很奇怪,《易經》是最難的,可是選考的人卻最多;在清代選考《易經》的人數大約都在第一或第二名的位置,也就是說在清代,《詩經》和《易經》是科舉考試中,最多人選考的

科目，在五經裏面佔前面兩名，不管是在任何地方都一樣，地區像雲南在清朝早期的時候，每一次的科舉考試，大概就有二千多位選考《詩經》。雲南是個小地方，每年大概只有五千多個人參加，光選考《詩經》的就佔了一半。我沒有做過全部的統計，而是我剛好記住這類資料性的東西。從這裏可見《詩經》的考試在清代的興盛。當時科舉考試的標準讀本，主要是《詩經傳說彙纂》與《詩義折中》，《詩經傳說彙纂》就是以朱熹《詩集傳》作為中心點，然後根據這個來做解說與補充。那有沒有其他部分？有，但是卻另外放在旁邊做參考，與正文分開。這就是我對相關背景所做的大略的解釋。

　　底下我就根據整個的大綱進行簡單的講述。當我們在提到清代的學術的時候，首先我們要去反省，構成我們目前的清代學術的觀念，究竟是從哪裏來的？換言之，也就是我認為當我們在進行一個學術研究的時候，必須要從歷史發生學的角度進行自我思考。當我們進行研究之先，我們必須去問：現在我所知道的訊息是怎麼來的？透過這樣的提問，我們才能夠知道我們獲得的訊息本身的正確度多大。我們今天很多的漢學或清代學術的觀點，基本上就是從皮錫瑞、梁啟超、錢穆先生，或熊十力先生，這些人的觀點而來的。但我們必須知道這些人的立場是什麼，我們才能進一步去討論他們的說法。每一個人對某一件事情進行一種斷言，進行一種論證，他一定有他自己不同於別人的立場，對不對？一個反清復明的立場，跟一個贊成清朝人的立場，對同一件事情的解釋，當然會有不同的結果。換言之，如果我們去了解這些不同的論斷立場，那我們就能對他們給予我們的、我們所接受的這些斷言論證，抱持比較謹慎一

點的態度，不會馬上把它當成一個決定性的最後答案，因為它可能是還可以再討論的、它也可能是有特定立場的。

比方說，顧炎武對明代《五經大全》的討論，就我的瞭解，我可以同情顧炎武的立場，但我不認為顧炎武的立場就是正確的。因為根據林慶彰先生和我及恆嵩兄的研究可以知道，顧炎武的說法是有問題的——不能說完全錯，但也不能說完全沒有過錯，只能說他在講這些話時講得太快了，沒有經過一個較為縝密的思考，他只從大略來說，不像我們現在中文系所的要求，從一個比較實證的角度去進行，所以他說的話有很多是很有問題的。但是我們可以同情顧炎武的立場，因為他那個時代不可能有像我們今天這樣嚴謹的學術要求。所以他以他大致的認識去批評《五經大全》，也還可以被接受。可是就我們今天來講，我們不能像顧炎武這樣做，因為我們一直在進行比較細緻學術研究的追求。像我很喜歡問人家說：「你說明人束書不觀，可是明代的出版業是非常發達的。如果明代人都不看書的話——你說他們束書不觀就是不看書！那麼明代人都不看書的話，明代那麼發達的出版業，出版的書給誰看啊？」那時候的出口行業又沒有很興盛，可以出口到什麼韓國、出口到日本、出口到美國，只能出口到中國圈——也不是說中國圈啦，例如出口到越南。那主要的就是出口到韓國跟日本而已嘛！那印刷技術那麼發達，卻只出口到這幾個國家，那是很不合理嗎？所以你講他們束書不觀，是很奇怪的。事實上，束書不觀這句話最早出現是在宋代的蘇東坡，他是針對當時的社會情況講束書不觀，他說的是當時的科舉，那些參加科舉考試的士子們，因為當時的印刷太過普遍、太過容易了，因此他們拿到科舉考試要考的東西之外，其他的書籍通通

不讀，這叫做束書不觀。問題是他講的這個是說，除了科舉考試以外的書束書不觀，不是說他什麼書通通不看。這個說法放到楊慎那個時候，也是這個意思。拿到顧炎武跟閻若璩的時候就不對了！也就是說，東坡所謂束書不觀，是對一種特定性對象的指涉，是有特定範圍的指涉；可是到了顧炎武、閻若璩的時候，他們指涉的範圍是不一樣的。因為當顧炎武跟閻若璩說這句話的時候，他們所指涉的，是當時的人不讀漢朝的書，也並不是說他們什麼書都不看。那是他們當時的風氣，就是說每一個人認為束書不觀的對象是不一樣的。

所以當我們在進行這一類思考的時候，我是比較會去思考這樣一個比較實際的問題，因此今天講到清代漢學存在於現在一般人的那個觀點，倒底是怎麼來的，我去想這個問題的結果，還是認為這個現代人的清代學術論斷很有問題，必須要重新再去思考。為什麼？因為我透過核對《清實錄》發現一些問題。《清實錄》有六十卷，我只是約略的翻了一下，很認真地看的只看到嘉慶朝而已，底下我比較沒有很認真地看。我發現基本上朱熹的學問還是一直被朝廷所尊重，從來也沒有被拋棄或被修改過。從這個角度我覺得光講清代的漢學興盛，其實是有問題的，值得再討論的。那清代漢學是不是真的很興盛？它是真的很興盛！可是興盛的意義是什麼咧？因為「興盛」這句話一定有一個基準點，是相對於什麼而興盛呢？如果沒有對比就沒有盛衰可言。對比於什麼叫做興盛？興盛當然是有個對比的對象，才可以有這種興盛的意思。這樣時候，我就去想，他們為什麼這樣說？所謂清代的漢學興盛是相對於什麼？是不是相對於明朝的朱學，是不是有這樣的意義在裏面？當然這是個開放性

的問題，就是說還沒有一個決定性的答案。基本上，我對於很多事情的觀點是這樣的，我認為存在不一定是真理，但是存在一定有它的道理，對不對？這個道理不是我發明的，雖然我很早就講了，但我沒有寫出來，湯一介先生在某一本書裏曾經講過一個觀點，說一個民族國家的文化能夠長期存在而且經常被使用的話，就表示這個民族文化是有一定的價值的，所以不能完全一口就把它抹殺掉。我覺得這個觀點我可以接受。所以我會從這個角度——一個比較尊重既存觀點的價值性跟有效性及合法性的角度去思考它不同的地方。因此我並沒有否認清代漢學興盛這樣一個既存觀點，而是我認為現在的這一個觀點，所謂清代漢學興盛的這一個觀點，應該可以容許再進一步的分析，以及再進一步的補充，或是進一步的去糾正。我所以會進行這個題目的研究，就是基於以上我所說的那幾點思考。底下我想從四個部分來討論，為什麼我們會出現這樣的一個問題。

　　第一個，我認為長期以來對朱熹《詩集傳》在清代地位的這個問題，跟清代朱熹詮解的問題，所以沒辦法突破，主要是源於刻板印象的殘害。為什麼？因為臺灣的教育長期以來，都處於一種缺乏反省跟批判的學習態度，因為師範教育一開始告訴你，你只要聽在心裏就夠了。我們臺灣人最喜歡講「囝仔人有耳無嘴」這句話，你只要聽就好了，你幹嘛要講？還有就是「嘴上無毛，說話不牢」什麼之類的話。就是從來就不會承認反問是有道理的，總是認為年輕人的反問是沒道理的，我想現在在座很多人接受的教育就是這個樣子，這就把師範教育窄化成只是為了現在的科舉考試而存在，就是為升學之類的考試而存在——本來考試只是為了要進行某一種學習反饋的瞭解，以便進入另一種學習階級的過程而已——可是我們現

在把考試當作讀書的終極目的了。我想大家跟我一樣，在讀中學的
時候，就是連標點符號都不能背錯，為什麼？因為背錯的話就會被
扣分，在這樣長期的制約之下，使得許多人很少願意去思考，我們
整個文化跟整個教育也很少願意空出時間，讓我們這些讀書人花時
間去進行思考。為什麼？因為思考是找麻煩的，問問題是製造問
題；你最好是聽話，不要多說話，這才是乖。然後老師講什麼你就
照抄不誤，而且最好每句話都一模一樣，這就是我們的教育。在這
種教育的狀況之下，讓我們即使念到研究所，還有很多的的學生不
知道思考，不知道什麼叫做思考，從來沒有想到要思考。在這種狀
況之下，我們很可能就會把讀到的答案、可能會有問題的答案、暫
時性的答案，通通當作是終極性的、唯一的答案。所以就不去想，
而不去想的結果，就是現在這個樣子。但我也很感謝他們，因為有
這麼多叫你不要去想的人，我們才有機會在這個地方討論學問，否
則的話，我們就會更苦，對不對？

　　第二個就是說，評價標準的區隔。我認為評價標準有兩種：一
種標準是所謂學術創見的標準，一種是所謂學術傳播的標準。我們
一般比較重視的其實是學術創見的標準，有沒有錯？沒錯。可是學
術創見的標準，基本上如果沒有透過學術傳播的話，這個學術創見
是沒有意義的。為什麼？就像你寫日記，你寫了很多年，除非你寫
的日記被公開以外，否則那份日記並不具有任何影響力。就像我們
說王夫之，當時在清朝初期他有沒有影響力？他自己在山裏面，大
唱他的歸去來兮，沒有人注意啊！對不對？非要等到那個湖南老
子、湖南小子發現了以後，因為這個老鄉的緣故，把他的著作大量
印行，因為有傳播才受到注意。任何東西如果不透過傳播，就不可

能發揮真正的影響力；但真正發揮影響力的，都是大家認為沒有價值的東西。為什麼？因為它太通俗了。不通俗，就不能影響。我當然講的是多數人，是從數量上面來講，而不是從學術成就的高低來講。學術成就的高低，和影響力的高低，不必然成正比。一個學術很好的東西，如果沒有通過傳播的管道，讓它變得很「俗」的時候，那它就不可能造成影響。所以朱熹《詩集傳》造成重大影響的時間是在明代以後，而不是元代、宋代。事實上在宋代的時候，還有許多人對朱熹的東西，有很多不同的意見；說他是偽道學。聽說他死的時候，還有很多人不敢來送葬。所以我們讀書讀久了之後，會覺得學術創見很重要；沒有錯，學術創見是很重要，但是它如果要造成影響力，就必須要俗化，我是從傳播的角度來看待這個問題。多數人寫這個學術史的，是從學術的角度來看，並沒有像我這樣子——因為我本身就是從工人出身的，工人就會比較注意到這些。像你們在看、在談論《看海的人》之類的小說，這些對我來說只是狗屁。我看的是什麼？瓊瑤的小說。對我們、多數我認識的人，絕不去看《看海的人》，絕不去看這些什麼偉大的小說，我們根本不看這個，所以我才會想到從俗化的角度去思考，當然之後也覺得看《看海的人》不錯，可是我在當工人的時候，我認識字，我會看書，但是我決不去看這類的書。因為對我們來講，那沒有價值，沒有意義。看小說本來就是好玩，讀書也是好玩，並不是為了進行分析、研究。我從這個角度去思考，真正對民間造成影響、對大眾造成影響的，可能還是這一部分有傳播的，而我們認為不怎樣的東西，它的影響力可以非常大。這些不怎樣的東西所以會出現，當然還是自上層階級而來。就是說學術創見是屬於上層階級的，上

層階級要落實到下層階級，這中間需要有個媒介，這個媒介就是我講的所謂普遍性，價值有時候要從這個角度去看。

接下來是實際運作的瞭解，我們知道整個清代官方的學術，除了我剛剛提到的關於乾隆皇帝的事以外，光緒皇帝到光緒二十五年八月，還頒布一個詔書，命令書院的士子要崇尚程朱之學，並刊刻朱子的《小學》、《近思錄》，頒發各書院，並命令要朝夕講貫，如有用釋老之書，及一切時說，闌入「四書文字」的，將予以嚴厲的議處。光緒二十五年，清朝快要滅亡的時候，還是這樣重視推崇程朱之學；雖然從這段文字的前後看來，意味當時的程朱之學，事實上已經備受威脅，可是即使受到威脅，程朱之學還是官方的主流。所以你要講說，那一個才是清代學術主流，我覺得這還需要討論。這裏所謂一切時說，當然指的是非朱子學的學說，而非朱子學的學說，是否包括漢學的東西在裏面，這我不敢講。為什麼？因為這還需要經過仔細的論證，才能釐清當時詔書所指的是什麼，因為前面說的是釋老之學，並沒有把漢學包括在內。

另外一個，清代科舉考試的殿試題目，殿試就是科舉最後一項考試，殿試的題目當然就是代表官方重視的學術內容與範圍。一直到光緒二十九年的殿試，我們都還可以發現它的題目當中，至少還有：「古者六官以外無卿名，漢置九卿，漸更古制，唐宋以降，建設滋繁，朱子深譏之，謂徒多芻擾。能言其裁併之便利歟！」要求這些考試的讀書人，根據朱熹的觀點去發揮，針對所謂置官制這個問題進行闡述。請問你如果沒有讀朱熹，你怎麼能夠按照這個要求答題？而且要注意的是，當時的考試是有出格的問題存在——所謂出格，就是你所用的是非官方指定的觀點，一旦出格是絕對不會被

錄取的。以前的科舉考試不是像我們今天自由發揮，是有一定的要求。古代科舉考試，不要以為考過就沒事，它還有一個「磨勘」的過程。什麼叫做「磨勘」呢？就是鄉試完了以後，卷子拿到中央，中央會隨便抽幾個卷子出來；如果要取一百個，他會從裏面隨便抽出幾個，然後仔細檢查答案有沒有超出官方制定的範圍。例如說規定用《詩經彙纂》或《詩義折中》的解釋作為標準答案，假如不是用這兩本書的內容來答題的話，士子就會被取消資格，所以有人鄉試考過以後，後來又被取消資格。為什麼？因為被發現解題不是官方規定的內容，這樣的事，在明代就發生過了。清代我還沒有深入瞭解，但明代的書我讀了大概百分之六、七十，所以我比較有把握，清代我就沒有把握了。從官方的角度來看的話，根本沒有所謂漢學興盛不興盛的問題，只有朱子學傳播得夠不夠廣的問題；就官方的立場，他不可能「完全」——請注意我是說「完全」——但可能會支持漢學，可是這個漢學，剛好和我們今天的認知相反，漢學是作為輔助朱子學的純粹性價值和意義而存在，不是一個獨立性存在價值和意義的「學派」。但我們現在是倒過來，從民間學術的角度來看問題，當我們從官方的角度來看問題時，答案就完全不一樣。這樣的一個觀點，可以做為我們今天進行學術研究時提供反省的切入點，這個角度不一定對，可是我覺得它是存在的，你不能藐視它。

　　第四個，研究資料的篩選。我們進行研究一定要有文獻資料，如果沒有這些文獻資料，我們根本沒有辦法進行討論。這就要問我們現在能夠看到的文獻資料是什麼？是我們想要看的資料嗎？我們想要看的資料又是什麼？當然就是那些有學術創見的資料，那些沒

有學術創見的資料，我們根本不想去看它，也不會去注意它，所以它自然而然的就不會納入你的討論系統裏面。我說的這些資料是什麼？就是一般所謂的高頭講章之類的書籍。當我們在進行資料篩選的時候，當然是從這些資料有沒有我們所需要的必要性立場出發，這就像我們讀書一樣，每一個人讀書都有一個閱讀預期，所謂的閱讀預期，就是讀書的人希望在這一本書裏面看到什麼。你總不會在黃色小說裏面希望看到經學的論述吧？如果有，也是很意外的，對不對？那你也不會希望在經學論述裏面看到黃色小說的寫作內容，對不對？所以當你看一本書的時候，你就已經對這一本書的性質有一個閱讀的預期，透過這個閱讀的預期，你就可以從你看的這一本書吸取到、或看到、或拿到你所需要的東西、你所需要的資料。當時我在進行錢謙益研究的時候，我就有一個毛病，那就是見「錢」眼開，只要看到一個「錢」字馬上眼開，趕快看一下那是不是錢謙益。所以我相信很多人在進行學術研究的時候，是跟我一樣的。也就是說，每個人在閱讀的時候，都抱著一個預設，在這個預設之下，你才會去找到你想要看的資料。我們不可能全面性的閱讀——有啦！比如說像我還沒開始讀書的時候，我讀武俠小說就會全面地照顧到。可是現在不行，現在看書時都有一種目的：我要寫什麼題目，可以從我閱讀的這些書裏找到什麼可以幫助我要寫作的這個題目需要的東西，或者可以從這個範圍找到相關的資料。

　　將範圍放大一點，像我要做朱熹學的研究，那我在閱讀時就會找看看跟朱熹學、經學有關的，其他的範圍的東西，我可能就漏過去了，閱讀預期會影響到我們對資料的採取，所以對於一些你不認為重要的資料，自然而然就從你的眼中滑落過去了，因為「簍子洞

這麼大，它就從洞裏掉下去了」。所以會談到這個問題，因為我覺得我們缺乏這樣一個思考，透過這樣的思考反省，可以知道我們蒐集到的資訊，總是還有一些盲點存在。

現在談到第二部分，「有關清代經學史籍的論述，從官方的角度去觀察」；接下來就是「清代朱熹學論著的觀察，從文獻學的角度觀察」；第四個就是「清代朱熹學內涵的觀察，從一個徵引學的角度來觀察」。這個「徵引學」是我發明。所謂「徵引學」就是說把人家寫的一個答案或是一個結論，當成經典引進書裏，或是引進某個經學的觀點進行辯駁，像這一類的東西，我稱之為「徵引學」。剛剛的那個角度可以講得比較簡單一點。基本上是說，我會從《詩經傳說彙纂》跟《詩義折中》，以及以《詩經傳說彙纂》與《詩義折中》為核心而纂作的那類高頭講章的著作，以及《詩集傳》在官方地位的穩固性等為基礎，然後來討論《詩集傳》在清代該有的學術或詮釋的地位，因為在清代實際的學術表現中，你可以不喜歡《詩集傳》，但你絕對不可以繞過《詩集傳》；就像現在你可以不喜歡陳水扁這個人，但他就是總統，你不能假裝不知道。你可以不喜歡《詩集傳》，但《詩集傳》就是官方要大家讀的；除非你不考試，不考科舉考試，否則你就非讀《詩集傳》不可。你不讀《詩集傳》，你就考不上。所以從這樣的角度，我們就可以瞭解說，《詩集傳》在清代不可能被冷落忽視，它一定有存在價值，當然這需要很多細部的討論，但現在因為時間的關係，我就不要佔用太多。

所謂「文獻學角度的觀察」，主要是說，我們可以從清代出現的論著，所出現的、所表現的、所呈現的內涵訊息，來看它究竟是

屬於朱學的，或是漢學的。如果是完全承襲朱熹的，這個不必談；如果是那種我們認為它是漢學的系統，在這個所謂漢學的系統裏面，是不是完全都沒有朱熹《詩集傳》的訊息在裏面？事實上是沒有的。多數我們所謂純漢學的書籍，多多少少都隱含朱熹《詩集傳》的某一部分精神在裏面，為什麼？因為「走過的必留下痕跡」，他們從小就要讀《詩集傳》，或是《詩經傳說彙纂》、《詩義折中》，這些都是《詩集傳》的衍生物。這類的書籍，就具有一種「銘記作用」──我們用動物學來講，所謂「銘記作用」即先入為主的作用，這對每一個人都會產生某一種程度的影響或作用，對某些人或大多數的人產生功能性的作用。更何況《詩集傳》還是官方學術的權威，它不可能被完全地抹殺掉。

以下要談到的就是接受《詩集傳》觀點的問題，這包括有幾個部分，我們可以探討的：第一個問題是，《詩集傳》的詮解態度。朱熹的《詩集傳》預設一種從熟讀涵泳就能獲得文本內容理解的詮解概念，這個詮解的概念，其實就是一種超歷史性的詮解概念，而這種超歷史性的詮解概念，跟漢學是不太一樣的。第二個是有關學術上差別的問題。有關形式上的差別，《詩集傳》有八卷本和二十卷本之分，裏面的有關大、小雅篇章的分配是和《毛詩正義》不一樣。另外在內容上則《國風》裏面是否有淫詩這類問題的觀點，也跟漢學是不一樣的。我們在觀察清代《詩經》學的著作時，不管是在形式上、精神上跟《詩集傳》是有類似相關的，我們就可以相信它就是受到《詩集傳》影響，尤其是〈詩序〉是否正確使用的問題，因為《詩集傳》是不以〈詩序〉作為解經的宗旨。

第三個，朱熹反對刺君之詩。朱子是一個非常尊君敬上的人，

所以他反對《詩經》中有諷刺時君的作品，就是罵國王之類作品的說法。

第四個，主張笙詩有聲無文的，這是朱熹比較特殊的觀點。

第五個，朱熹重新界定賦比興。

第六個，朱子是站在一個比較是「言道說理」的理學立場進行解讀。

假如你在非朱子系統的著作裏面看到這些特徵，那我想它還是受到朱子的影響，只是影響的程度有大有小。從這樣的分析來看，我們就可以知道朱熹的《詩集傳》，在整個清代的《詩經》詮解著作裏面，究竟擁有什麼樣的關係或地位。這個部分要著手的文獻是《經義考》、《四庫全書總目提要》、《四庫全書總目提要補正》、《皇清經解》、《皇清經解續編》、《續修四庫總目提要》，以及現在一般性的，像日本有全日本所藏漢文著作的網站，可以查詢全日本的中文著作的資料；除了這些網站，或許還可以看一些屬於地域性的、地方性的資料，這些地方性的資料可以提供參考，像《方志》。此外，還有他人作的〈序〉、〈跋〉。如此就可以瞭解到究竟有那些著作，以及這些著作的主體內涵是什麼？透過這樣的瞭解，我想就可以較為全面地去探討朱熹的《詩集傳》在清代是有什麼樣子的地位。其他還有像《百部叢書》、《叢書集成》、《四庫全書續編》、《稿本叢編》等等，還有《販書偶記》、《販書偶記續編》、《叢書子目類編》、《山東文獻通考》、《清史藝文志》等等，這些東西加起來不少啊，大概有上千本，我們可以透過閱讀這些文獻來瞭解。

第四個部分，「清代朱熹學內涵的發展，用徵引學角度的觀

察」。透過所謂「徵引學」的角度，就是我剛剛提到的，在寫作的過程當中，包括其他經學的論著，如果有引用到與朱熹相關的文字的時候，它會對朱熹相關的文字進行解釋或進行反駁。那在進行解釋或反駁的時候，它會引用以前的人的解釋進入它的解說系統，那這個時候引用的說法，到底是來自於朱熹的或是來自於漢學的，這很容易就可以釐清。但這部分執行起來是比較困難的。現在惟一做到的是有關於《易經》的論述，黃沛榮老師花了好多年的功夫，把所有他所能找到關於《易經》論述的資料都整理出來，大概有六七大本，我不知道有沒有出版。他曾經找我做《詩經》的部分，我說我不要，因為我不喜歡和自己的老師一起工作，我覺得我會不夠自由，所以就沒有答應，但是我沒有答應他，不曉得黃老師後來有沒有找別人去做？說起來有點對不起黃老師，因為老師也是好意嘛，但是我就是不喜歡被束縛，而且我喜歡自己玩自己的啦，我不大喜歡集體活動，我喜歡打坐、自我冥想，我不喜歡集體唱佛曲，我大概是這個樣子。所以這一方面的資料還需要花一點功夫去找。那我大概會從底下幾各部分來討論：

第一個，就是官書裏面體現的朱學訊息。這些官書包括《清實錄》、《清會典》、《清朝文獻通考》、《國史列傳》、《康熙字典》、皇帝的論著等等。這些東西裏面可以看到他們徵引推崇《詩集傳》或是朱熹的一些話語，然後用來證明朱學影響力存在的事實。

第二個，漢學論述中的宋學訊息。這我剛剛就提到了，在清代有不少的漢學著作，其實含有不少的宋學訊息。像早上談到的傅青主的思想，戴震對《詩經》的說法。例如戴震說鄭玄的義理怎樣，

其中所用的「我心所從然何」，這就是一個宋學的訊息。因為一般來說，漢人不會說「我心所從然何」，某些話語是要在特殊的語境之下才可能出現的，一旦出現「我心所從然何」的話語，就表示他已經被宋學污染了，不再是單純的漢學了。像清代漢學有個預設，儒學有個非常純粹性的、本質的東西存在，所以像宋學受到佛道的汙染，不再純粹了，所以清代的漢學家不要它。既然說到純粹的話，那就要溯源到最早的，最早的就要提到先秦的孔子和七十子。為什麼要提七十子呢？因為七十子是傳播孔子學說的人，或是透過七十子的後傳將儒學傳給漢人，所以漢人所講的儒學才有一種純粹性的可能存在。那不單純只是時間的前後，還包括了一種師承的關係，這師承的關係就證明了漢人儒學具有一種純粹性在其中。所以清代漢學家正是要追求這樣經學的純粹性價值，這當然是清代漢學家背後的預設，有沒有說出來我不知道，但是可以從他們反對宋學的論述中得到這樣的訊息。

第三個，經學論述中的朱學觀點。這剛剛也有提到，就是說清人許多經學的論述，像《大學》、《中庸》、《論語》、《詩經》，都有一些與朱熹相關的東西，他們引用與朱熹相關的論點來加以解釋，那他們所要強調的究竟是宋學還是漢學呢？

第四個是最麻煩的資料，就是要探究普通論著中對朱熹《詩集傳》的吸收的表現。所謂普通論著，是指一般的詩文、戲曲小說、筆記等等的文學作品。千萬不要小看戲曲，清代至少有一部全套七本的戲曲，叫作《詩經戲曲》，用《詩經》論述的方式來演述《國風》、《大雅》、《小雅》跟三《頌》；另外有一套我沒有寫在這裏，那就是《詩經樂府》，收在《全清散曲》裏面。這在當時是非

常有趣的現象。但用戲曲來表現《詩經》內容的文學作品，其實早在明代就有了，明代還用人物來表現《國風》，所以顯然在當時被重視的程度滿高的。

透過以上的論述，我們可以得到一個結論，這樣的結論至少可以對清代《詩經》學有一個重新檢證的作用，或者說對清代《詩經》學有一種增補性作用。就是說在清代漢學的學術中，以宋學為主要內涵的《詩集傳》，對整個清代的《詩經》學，是有它的作用的，並不是完全沒用。這篇論文的目的，在於希望讓大家對清代的《詩經》學史，甚至是清代經學史，做一個重新的反省和思考。

另外一個是，因為我個人是比較全面性地去考慮一個問題，就是希望透過這篇論文可以讓大家用全面性地思考清代經學史發展的問題。因為我們過去關於清代經學的論述，我覺得並不夠全面，也就是說它執著於一個特殊的觀點，可是這個特殊的觀點，有時候它並沒有講出來；如果從它那個特殊的觀點來看的話，當然都沒有問題，可是如果抽離出這個特殊觀點來看的話，是會有一些問題存在的。就像我們討論經濟學，如果我們沒有肯定那個「人人追求利益最大化」的「經濟理性」存在的話，經濟學是沒有辦法討論下去的。我的角度大概就是這個樣子，我的報告到此為止。謝謝

蔣秋華：

下面，陳恆嵩教授發表的是關於經學文獻學方面的題目。他的博士論文就是《《五經大全》纂修研究》。今天他要從《五經大全》來討論關於宋、元、明傳注的承繼關係。（蔣老師與陳老師討論）那因為部分關係，我們次序調一下。我們先請林素芬博士來發

表。林博士主要研究的範疇是宋代學術，她的博士論文是《北宋儒學道論研究:以范仲淹、歐陽修、邵雍、王安石為探討對象》，她的研究主要是以王安石為重心。今天她要來跟我們討論從《經義考》的論述來看王安石《三經新義》有關注解的方法。現在讓我們歡迎林素芬博士。

林素芬:

謝謝主席，在座的各位與會學者參加。其實我的研究領域，老實說跟經學還是有一段距離，所以今天來這裏跟大家做這個報告，真的是誠惶誠恐，還望得到各方專家學者給予我各方面的指教。這場是討論宋學傳注，我的題目是「『新義』與經義──試述王安石《三經新義》的注解方法」。

首先，我們講到宋學，首先會聯想到的是道學，也就是程朱、陸王的理學。在北宋，也就是在道學之前，或者和道學形成對立狀態的其他學派，例如像蜀學或新學，他們的學術思想是否和道學有任何的共通性？或者說，其他的學派只是因為和道學同時代才被總稱為宋學？我意思是說，所謂宋學──我們今天用「宋學」這個詞彙，重點在於是否具有一個實質的意義？我在思考我今天要報告的問題的時候，首先產生的就是這樣的一個問題。

接下來就是說，經學的問題，在宋學（指道學和同時期的學派）的經學是否有某種共通的實質意義？這當然是個老問題，但是仍然還是有繼續討論的空間。而比較少被注意的，就是王安石的《三經新義》。我們今天用《三經新義》來做一個觀察的對象，或許也能獲得一些啟發。徐復觀在《中國經學史的基礎》的〈自序〉

裏面寫到：「經學史應由兩部分構成。一是經學的傳承，一是經學在各不同時代中所發現所承認的意義。」一方面就是說，經學史應該關心經說的繼承跟發展，另一方面應該關心經說的時代意義。王安石的《三經新義》在經學史中的地位，就經學傳承的方面來講，他所得到的肯定是很有限的，但他經說開新的意義，則比較明顯。如果我們用今天早上張寶三老師的說法，就說從解經傳統裏面的詮釋跟再詮釋這樣的說法來講的話，王安石（1021－1086）的《三經新義》可以說是不同於此兩種的一種新詮釋。也就是說，《三經新義》並不屬於注疏傳統，不屬於漢唐的注疏傳統，且在很大的程度脫離了漢唐注疏的縛限。你也可以說《三經新義》是對唐代《五經正義》之後的新進。下面有兩條資料，是經常被引用到的，一條是晁公武（1105－1180）《郡齋讀書志》，另一條就是王應麟的《困學紀聞》。這兩條資料基本上都認為，宋代慶曆之後，經學走到了一個新的階段，這個階段就是不守漢唐注疏，用新的觀念來重讀經典，重視經義的重新發明，而這可以說是北宋經學當代化的一個重要特色。所謂當代化就是突破舊的思維，開創新的局面，那其中王安石的《三經新義》被視做一個很經典的標誌，而這個鮮明的標誌，得到了兩面的評價。

　　像張載曾經說：「世學不明，千五百年。大丞相言之於書，吾輩治之於己。聖人之言庶可期乎！顧所憂謀之太迫，則心勞而不虛，質之太煩，則泥文而滋弊。此僕所以未置懷於學者也。」所謂「千五百年」，是指從秦漢以來到張載的時代。他認為長久以來，儒學一直沒有受到肯定。張載將大丞相與吾輩刻意地區分開來，我們知道，大丞相就是王安石。王安石在闡明世學有他的方式，而張

載在這裏所指的很可能就是《三經新義》。吾輩——張載意謂包括自己等不同於王安石的學術群體，闡明儒學也有自身的另一套方式，所以把王安石和其他的學術群體加以區隔。很明顯地，張載肯定王安石宣揚儒學的努力，但他並不贊同王安石闡明儒學的方式。

蘇軾在王安石過世後，寫了一篇〈王安石贈太傅制〉，在其中也說到：「少學孔、孟，晚師瞿、聃，網羅六藝之遺文，斷以己意；糠秕百家之陳跡，作新斯人。」所謂「網羅六藝之遺文」，包括了王安石的經義，在這裏蘇軾也指出，王安石為學是專斷自恃。

關於王安石「斷以己意」的經注，也呈現褒貶不一的情況。比如像黃庭堅他的詩歌就有說到：「荊公六藝學，妙處端不朽。諸生用其短，頗復鑿戶牖。」

在這裏黃庭堅很隱約——其實也沒有很隱約，是很明顯地指出，王安石的經說有他的妙處，也間接的指出他的經說有他的短處。這個短處，從黃庭堅的詩句可以看出，就是「穿鑿」；這個「穿鑿」的短處，主要是說使用王安石說法的諸生不懂辨別，其結果是玉石俱焚。王安石的妙處跟短處皆被後人誤用所害，都被批評為「穿鑿」了。王安石的《三經新義》除了被批評為「穿鑿」之外，最嚴重的批評是「壞了天下人心術」，這句話是朱熹的話，而這樣的批評是來自於理學陣營的批評。那這裏的「穿鑿」是可以再討論的，我想在這裏「穿鑿」可以有兩方面解釋，一方面是因為王安石不守漢唐注疏，解釋經書都斷以己意；另一方面，王安石往往都脫離經文而自發議論。所以王安石的思想之所以被批評，都是根據他注經的方法方面有關係的。

下面我有兩條資料，一條是二程的話，一條是胡宏的話，這兩

條話也都在批評王安石，我在這裏稍微唸一下：二程說：「今異教之害，道家之說則更沒可關，唯釋氏之說衍蔓迷溺至深。……然在今日，釋氏卻未消理會，大患者卻是介甫之學。……如今日，卻要先整頓介甫之學，壞了後生學者。」在二程認為，王安石的學說比佛老異教還要毒害學者之心。

胡宏是說：「只如王學士說佛氏：『實見道體，差了途轍，故不可與入堯、舜之道。』大意雖是，而言語則有病矣。……既云途轍，則只是一個途轍。若佛氏實見道體，則途轍何緣有差？故伊川謂佛氏略見道體。今王氏乃改『略』為『實』，既以為實見，又言『差了途轍』，豈不迷亂學者哉！」王學士就是指王安石，胡宏在這裏很明顯地在批評王安石對道體的認識不正確，所以才會迷亂學者。在看這些材料的時候，我想現在我們可以比較平心而論來看以上的這些攻擊，包括「穿鑿」跟「迷亂學者」這些攻擊，這些攻擊主要的原因是出自學派思想的不同，以及正統之爭。王安石和他的論題之間，到底有那些議題，這些議題牽涉的層面很廣，研究的人也很多，我今天則打算從解經注疏這方面著手，也就是今天讀書會的主題「經典詮釋」的議題，來探討王安石他如何詮釋經典。從他的解經方法，來探討《三經新義》之所以有新義，我想我們也可以想一想，他的方法是不是有所侷限。那最後我們也可以來想一想，王安石所遭受的這兩種評價，所謂「解經穿鑿」與「迷亂學者」，是不是公平的？

接下來呢，我想先歸納出王安石對經書的幾種預設，也就是預先的認見，而從這些預設呢，他有一些注解的策略。預設是主觀的，所以關於造成注解差異的客觀因素；比如說，王安石作《三經

新義》是為了符合科舉策論所作，他所採用的注疏方法就會不同，
這在本文暫且不談。

我在這裏所用的，是所謂「注解預設」與「注解方法」，我是
用 Henderson 他的書裏面，他就用了這個方式。他說即使是最淺顯
的經書，經師在注經之前，都會對他將要注解的內容，懷抱著一些
假設，而這些假設，會影響經師注經的策略與方法。Henderson 的
論點是不是可以放諸四海而皆準，我們也可以再檢驗，它可以接受
不斷的檢驗，但是呢，我想在王安石這裏是可以使用的。所謂「注
解預設」，是指注釋者對他所要注解的文本先做了假定，其中包括
對文本的本質、文本的思想所作的預設。「注解方法」則包括注疏
的形式內容、形式構造、寫作的文體、注解的方向－也就是內容意
義的詮釋。下面我就分開來說明一下。

王安石的注解預設至少可以分出三項對經書的預設：第一個，
王安石認為經書是古代聖王施政的記載，而這些記載是可以在這個
世間施用，可以用來經理世務的。在〈周禮義序〉裏他說：「惟道
之在政事，……其人足以任官，其官足以行法，莫盛於成周之時；
其法可施於後世，其文有見於載籍，莫具於《周官》之書。」我們
可以看到他要作《周官新義》這部書其實懷抱著這樣的動機。然後
他在〈書義序〉裏他也說：「惟虞夏商周之遺文，更秦而幾亡，遭
漢而僅存，賴學士大夫誦說，以故不泯，而世主莫知其可用。」
「世主莫知其可用」是因為大家都不瞭解這經義，所以他要來作、
他要來闡發這個經義。王安石在施政上也往往以經義為去捨，他修
改《三經新義》，跟他的施政，往往是呼應的。

第二個預設呢，他認為「道」大於「經」。現存的經書已經不

是「全經」，可是這個「道」呢，卻是可以追求到的。他認為「經之大體」（一道，或是說整全的道）可求，那該怎麼求呢？在〈答曾子固書〉裏他提到：「然世之不見全經久矣，讀經而已，則不足以知經。故某自百家諸子之書，至於《難經》、《素問》、《本草》諸小說，無所不讀；農夫、女工，無所不問；然後於經為能知其大體而無疑。蓋後世學者，與先王之時異矣，不如是，不足以盡聖人故也。」他所謂的無所不讀、無所不問，是從整合儒家之外的學說，甚至是整合經驗世界來驗證儒學經書中的「大體」。在〈周禮義序〉裏他又再度提到「全經」的概念：「自周之衰，以至於今，歷歲千數百矣；太平之遺跡，掃蕩幾盡，學者所見，無復全經。於是時也，乃欲訓而發之，臣誠不自揆，然知其難也。」王安石謂現在要看到全經、接續周代太平之道很難，但他仍然要努力去做。所以今日雖無復再見全經，但王安石想要透過自己的經注，將全經中的大義「訓而發之」。

第三個預設，王安石認為經書中的義理，這個「大體」、「先王之道」，可以通過「傳心受意」、切問深思，而得之。〈書洪範傳後〉：「古之學者，雖問以口，而其傳以心；雖聽以耳，而其受以意。故為師者不煩，而學者有得也。……孔子沒，道日以衰熄，浸淫至於漢，而傳注之家作。為師則有講而無應，為弟子則有讀而無問。非不欲問也，以經之義為盡於此矣，吾可無問而得也。豈特無問，又將無思。非不欲思也，以經之義為盡於此矣，吾可以無思而得也。夫如此，使其傳注者皆已善矣，固足以善學者之口耳，不足善其心，況其有不善乎！宜其歷年以千數，而聖人之經卒不明，而學者莫能資其言以施於世也。……嗚呼！學者不之古之所以教，

而蔽於傳注之學也久矣。」這段文章大概的意思是說，聖人之經義不明的原因，是說漢唐傳注這種口耳之學，傳到現在還是口耳之學，現代的學者如果不能思考，不能獲得聖人的心意，就導致經書不能施於世。他這裏提出口耳之學和傳經授意之學的區分，在文中很明確地提出來了，是屬於王安石個人的想法，比較不同於長久以來在傳注傳統下一般的想法，這是值得注意的。綜言之，通經致用、經書裏面聖人的心意、或道體的內涵，主導王安石解經的方向；這樣的方向，就不同於漢唐訓詁以及民間對經書傳注的方向。

那接下來我們就談一下王安石注解的方法。我想，一個解經者他在面對將要注解的一個文本的時候，他要做選擇跟判斷，特別是在他之前已有一個龐大的注疏傳統的時候。王安石選擇的是什麼呢？王安石的選擇顯然不是法官，他選擇的顯然是一個總裁——在這裏我不好意思說他選擇做一個上帝。但是他的選擇性質和他的動機，顯然是因為要製作科舉的考試定本是密切相關的。也就是這樣，所以他的《經義》被認為價值不高，但是是不是真的價值不高？這還是可以再商榷的。他的經注形式跟依訓詁來解經義，或者是說透過字義，或透過典章制度的考察這些方法，是完全不同的，他是將自己當作一個全知的注釋者，並予以顯露出來。可是他的《三經新義》完整的版本並沒有傳世，目前研究《三經新義》最好的本子，是程元敏老師所輯校的版本。輯本雖然不能完全反應《三經新義》原始的經注結構，但是可以清楚呈現出《三經新義》在形式上也是有經注訓詁，章句分釋等與傳統注疏類似的地方。但是《新義》不是集注形式，而是根據注疏者的選擇解釋形成唯一的注解，所以我們可以說《三經新義》其實是透過注疏者的意志來解

釋，而成一家之言的。注疏中大多是注疏者個人的訓斥，這講一個人比較明顯，就是王安石，雖這其中編修的過程還是有其他的人參與，但是我們還是可以說是他一個人，為什麼？因為王安石自己曾經說，他在《三經新義》呈書之前，呈上給皇上之前，都有經過他的修訂。就是像他的兒子王雱有訓其詞，他是訓其意，他的學生弟子有做些訓詁解釋，但他做了完整的修訂工作，才呈上去的。所以可以說是他一個人的意思。即使他在很少的地方有引用前人的注解，他也是在他自己的脈絡之下來引用，基本上他很少並置一個以上的解釋。所以我想這就是蘇軾所謂的「斷以己意」。他會用這樣的一種方式，其中一個很大的原因是，是要傳達自己認為的聖人之意。

第二個就是「經注的文體：尋索文意以解經」。《三經新義》的經注往往是尋求一種文意的表現，王安石會在文義之中尋求一個可以斷判的文句，然後斷以己意，進而透過經注表現他的思想。這裏我用一段王安石自己的話來說就是：「考其辭之終始。」也就是他經由掌握文章脈絡，可以掌握文章內部的意義，就能得到實質的意涵，他所認為的實質意涵。這方面的例子很多，但我想時間的關係，例子不要舉太多。先說一下，我這裏如果有標頁多少，例如這裏的《書義·周官》王安石說：「全篇文意皆相續」，這個頁210，都是程老師輯本的頁碼。他這樣的考其辭知終始，這種方法，林之奇在他的《尚書全解》裏面就已經批評王安是這種作法是「從而為之辭」、「從而為之說」；他認為經文裏面原本是沒有這個道理的，但王安石往往「非有義理於其間，王氏曲生義訓，從而為之辭」。而這個「從而為之辭」的結果呢，是王安石的注解常常

出現許多的長篇大論，且往往溢出了經文的範圍，放大議論，延申經義。所以像《宋史》本傳也講：「安石傳經義，出己意，辨論輒數百言。」

如果大家能參考一下我的參考資料的第一條，王安石的《周禮・夏官・司馬四》可以看到，這是一個例子，其實還有更長的。王安石在尋索經文的字裏行間，他再用他自己的一套所謂「大體之道」的觀念去彌縫經義，或者發揮出一套議論。另外還有一個很明顯的例子，其實不是一個，而是很多明顯的例子，可以歸做一類。王安石把《詩經》中漢唐舊解以為「興」的部分，他都以為具用實質的意義。我們可以看《詩經新義・秦風・蒹葭》中的「露」，王安石解為：「仁，露、義，霜也，而禮節斯二者。襄公為國而不能用禮，將無以成物，故刺之曰：『蒹葭蒼蒼，白露為霜』。」而他也把天道、人道的思想體系，灌注到這一段注解裏面去：「降而為水，生而為露，凝而為霜，其本一也。其升也，降也，凝也，有度數存焉，謂之時。此天道也。畜而為德，散而為仁，其本一也。其畜也，斂也，散也，有度數存焉，謂之禮。此人道也。」因此呢，「蒹葭蒼蒼，白露為霜」這八個字呢，在此就具有非常重大的意義了，體現了天道、人道的規律和秩序，而不只是「興」的手法而已。那他的這段注解就被宋代人李樗批評他說：「其言破碎，一至於是。」（《毛詩李黃集解》卷 14）唐仲友也批評他的這種說法「穿鑿苛碎」。其他的例子非常的多。

他的注經方法還有「正反合的辨證思維」，我想他是受到《老子》思想的影響，這裏我先跳過不講。接下來我講第四個。

第四個是「經注的內容：導向『道』、『器』的思想主題」。

像參考資料一，就是《周禮》的那一段話的注解，王安石在制度的
梳解裏面，便把內聖外王的概念放進去，形成「外王之禮」、「內
聖之道」的說法。我想我可能要稍微講一下王安石的「道」是什麼
意思，為什麼他會引起理學陣營強烈的批評，主要是因為他們彼此
對「道」的認知與解釋不一樣。王安石把「道」區分為兩個層次，
一個是「形上的層次」，一個是「體現的層次」：「形上的層次」
就是「道」的本質，他說「道」是「微妙、虛無不可見」；從「體
現的層次」來說，他認為「道」是可以體現為一種全道，這種全道
可以分為天道和人道。這個天道，就像我們剛剛在〈蒹葭篇〉提到
的「度數存焉」，天道有度數，人道也有度數。天道所體現的其實
可以說是道跟德兩個層面；人道可以體現的是道跟業這兩個層面。
這裏我想就不要說得太多，因為時間的關係。我想理學的陣營之所
以會對王安石有這麼多的批判……我想我還是用例子來說比較清
楚，大家請看《尚書義·堯典》在解「在璿璣玉衡，以齊七政」這
一段：「〈堯典〉言『歷象』，〈舜典〉言『璣衡』；璣衡者，器
也。〈堯典〉言『日月星辰』，〈舜典〉言『七政』；七政者，事
也。〈堯典〉所言，皆『道』也；於此所言，皆『器』也，事
也。」於此指的就是〈舜典〉，然後王安石利用「道」、「器」的
觀念來主導詮釋，而天道、人道有別。所以他在總論〈堯典〉、
〈舜典〉的時候又說：「堯行天道以治人，舜行人道以事天。」這
樣的說法，程頤就反駁：「介甫（王安石字介甫）自不識『道』
字，道未始有天、人之別，但在天則為天道，在地則為地道，在人
則為人道。」理學家他們認為「道外無物，物外無道」，道是無形
的理則存在於萬物的律動之間，那就與王安石虛無不可見的道，以

及劃分為天道、人道的道不一樣。事實上，王安石在這裏區分天道、人道，言「堯行天道」、「舜行人道」，他主要的目的其實是在講「無為」、「生物」的一種境界；而行人道呢，則在平天下、定制度、定禮樂刑政這樣的一種理想。

接下來我們可以來看林之奇的評論：「審如是說（指王安石的說法），則是道之外復有事，事之外復有道。既有道之序，復有事之序。使道無預於事，事無預於道。此王氏患天下之術之源。」可見王安石的「道」、「事」之說，就是理學家批評王安石的學術壞天下人之心術的地方，道學家基本上認為王安石對「道」的認識是有問題的。如果王安石現在可以來反駁林之奇的話，他應該會說，道和事雖是兩件事，但它們的終極目標是可以合一全備的。我想這樣的回答，才會滿足道學家的想法。基本上程頤以下的道學家他們說道，不講虛無的，也不講感通層次，但王安石是講感通的。

王安石在道論部分，有很大的成分是傾向老學的。我想要歸納王安石注釋的方法還有許多的方面，比如他要將道導向政治教化，導向學的主題，這些都還可以再談，但因為時間的關係我就不再說了。

我想《三經新義》產生的背景，包括政治改革的需要、通經致用的觀念，以及在當時剝棄注疏的新學風，與佛老宗教的盛行，還有當時很流行的論道風氣，所以才有王安石這一家之言的興起。經過一千多年，我們現在來反省歷代對他的評價，然後來觀察他的學術成就。我在前幾天看到一段文章，日本學者小島毅在他新的文章有一段話是他在分析王安石與朱熹的詩經學時講的，他說王安石的《詩經》學是透過一個字一個字的訓進以構築出整個他的學術觀

點；朱熹呢，是將他的道學思想很成功地融入他的經學裏面，而形成緊密結合的朱子學。其實我讀到這段文字是在另外一位學者的論文裏面提到的，那我一直很想找到小島毅的這篇文章，可是我找不到，因為小島毅的那本書是 2004 年出的，可是我在這邊都沒有買到。這篇文章是遠藤耕一寫的文章，他就因為小島毅的這個說法，所以他就去考察王安石的《詩經》學，與朱熹的《詩經》學的各自的傳承關係。我並不能確定小島毅的說這段話時，對整個的文獻的要旨是不是已完全掌握，但我想王安石的這三部《經義》，雖然有著重經文與經文字義的解釋的特色，例如他寫了《字說》這樣一部書，表示他認為字義的解說對詮釋經書是很重要的；但是呢，在我閱讀王安石的書的時候，我覺得他跟朱熹其實是一樣的，都是把自己的學說體系融合入經說裏面，然後形成自己的一套理論系統，而成為一家之學，並不是像小島毅說的這樣。所以要了解王安石的經學，恐怕要先掌握他的思想，因為他的理論體系是藉由整部書表彰出來的，倒不是透過逐一的字義解釋堆砌出來的，這跟小島毅說的不一樣。我想這可以當作是宋學的一個特色，與漢學的一個不同。這是牽涉到經典詮釋的形式跟內容關係的問題，我想這方面還有很大的研究空間。今天早上張寶三老師也提出，我想這部分以後還有很多空間可以做研究，我先報告到這裏，謝謝。

蔣秋華：

因為已經到五點了，晉龍要趕到高雄去，所以如果等下有要討論的，我們再提出來討論，然後紀錄下來給晉龍參考。那下面我們就請陳教授來報告。

陳恆嵩：

主席，各位在座的朋友，與會的各位，大家好。報告這個題目，是林老師兩個禮拜前臨時打電話給我，接到這個任務時，我盤算兩個禮拜應該可以寫一篇出來，但是兩天後家裏發生事情，就忙得昏頭、焦頭爛額，沒有辦法完成。所以今天來的時候，我連稿子也沒有辦法擬好印出來，所以我等一下只能就我以前的研究成果來做一個簡要的報告。請各位在座的老師多包涵。林老師請我來講是因為以前我做過《五經大全》，以《五經大全》來講的話，楊晉龍楊老師也做過《五經大全》中的《詩經》——《詩傳大全》，所以他其實也相當相當的熟；還有在座的許華峰教授所做的是《尚書》部分，當然也有所涉獵，基本上他也是這方面的專家。林老師更是不用說。那這個部分我只能簡要地做個說明。

我們知道宋學興起以後，因為宋學本身對經典有他們自己特殊的看法，他們重視義理，拋棄了漢學的束縛以後，他們自己注解了一些經書；例如《易》、《詩》、《書》、《禮》、《春秋》都有他們獨到的注解跟代表性的著作。後來朱熹的著作——最後集大成的人是朱熹。朱熹的書在南宋以後才被解禁（因為被指為偽學而被禁），到了元代被立為官學，被立為官學以後，程朱理學在學術上的地位就奠定；元代人全部都在注解程朱的書，那種書在元代相當相當的多，像許華峰教授就是在研究董鼎的書。以宋人的注和疏，像元人就在注解宋人注經的注，宋元的系統一直沿承到明代初年，由明成祖下詔書命胡廣編定《五經大全》為其集大成，集宋、元、明三代經注的一個大成，這跟《五經正義》有異曲同工之妙。不過《五經正義》從我們現今來看，裏面是包涵了孔穎達他們自己的意

見，你可以看到，除了注以外，大部分都是孔穎達他們的意見，因為根本沒有標誰寫的，所以我們歷來都認為這是孔穎達他們自己發揮意見的說法，所以個價值就比較高。但《五經大全》裏面，你根本不可能會看到有胡廣他們自己的意見，為什麼？因為裏面全是引人家的話，所以這個價值就比較不高。這個之後，康熙、乾隆之後又編纂了御纂七經，那御纂七經就是楊晉龍老師剛剛提過的《詩傳彙纂》等等。御纂七經編纂時，基本上就是採取用《四書五經大全》作為底本，加以改編並增補明代至清初學者的意見，然後有加上一些案語，所以御纂七經的評價基本上也是超過《四書五經大全》的。也就是說，以中國歷史上官方所修訂的集大成的著作來講，《五經正義》的評價應該是最高的，其次是御纂七經，最差最差的是明成祖時候修訂的《四書五經大全》。當然中間牽涉到很多的因素，林老師在他的〈五經大全及其相關問題研究〉一文中提到，我個人的博士論文《五經大全修纂研究》裏面也提到一些，那當然是因為它修纂的時間不夠，以要修兩百多卷的一部大書，他們總共只用了十一個月就修好了，所以時間非常倉促；再者，明代初年的許多大儒基本上都死光了，因為被明成祖快殺光了，所以當時的很多的大儒也已經不在，這大概也是其中一個因素。接下來我們談「五經大全對宋、元、以及明代經注的一個關係」。基本上我們要撇開《五經正義》來談，因為《五經正義》是承襲魏晉南北朝來的，《五經大全》也是承襲宋元的經注而來。那我們要談這個問題其實比較籠統，所以我去印了一些《四庫全書》的本子來，包括《五經大全》，以及和《五經大全》相對的一個東西。

我們來看一下《周易大全》第一段的上面，我們先看一下結

構，因為等會我要細講，這個部分，《四庫全書提要》和顧炎武罵得最厲害，裏面講的話其實有很多都是不對的，有的甚至離譜到非常離譜的一個地步。以《周易大全》來看就是，因為我前面只印了一個〈乾卦〉，那我們看一下〈乾卦〉：「乾，元亨利貞」這是經文，底下就是那個傳，這裏的是《易傳》跟朱熹的《本義》，可是《本義》這地方我們沒有印出來，這個部分就是注。經是頂格來寫的，傳呢，是往下第一格。就像孔穎達他們在寫《周易正義》時一樣，集王弼和韓康伯的《注》來做標準的注解，然後下面就是他們的疏。那麼在翻過來，你看那個小字的地方，第 64 頁第 4 小頁的地方，那這個部分就是所謂的「大全」。所以這部書應該叫做《周易傳義大全》，不能簡稱叫《周易大全》，因為這部書叫《周易大全》的話，《傳》跟《義》就不見了，那個《傳》是《易程傳》，《義》是《周易本義》，所以它的全名應該叫做《周易傳義大全》。《四庫全書》將這部書的名字呢，也沿用明末以來的簡稱，將《傳》跟《義》刪掉了，所以名字應該不是這樣子的。所以你看它所引的那個注解，會先引程朱的說法，然後下面一條一條，你會看到底下，一直下來有所謂的第 5 小頁「東南與室」等等。

　　接下來要思考的是，《五經大全》的資料從哪裏來？他要在十一個月之間，這麼短的時間蒐集到這麼多的注解，來輔助這個注（程朱的說法），當然是有所承的。下面我們看到董鼎的，董真卿的《周易會通》，基本他是以董真卿的書來作為依據；可是他又不是全然不漏一個字的抄，你看「元亨利貞」下面它就有一個《集解》，《集解》下面它只有一個程子，程子下面有「上古聖人始畫八卦」，但當你回過頭來對時，他卻不是全然一樣的。但是大部份

會有選擇性地，他會有選擇性地去挑，挑他所要的。

我們再看到《尚書》，《書經大全》這一份，《書經大全》這一份我也是印了，這一份它主要依蔡《傳》，蔡沈的《書集傳》為主。它整個注也以蔡沈的《書集傳》為主，所以你看〈虞書〉下面就引了蔡沈《書集傳》對〈虞書〉的解釋，這一段話就是蔡沈的注解。然後下面「牧誓曰」這部份是大全。小字就是它的大全。翻過來第二小頁的時候，你會看到它引了一堆的宋、元人的說法，甚至是明代初年人的意見，來解釋蔡沈《書集傳》以及《尚書》經文的這個部分。可是這個部分……為什麼這麼說呢？好，讓我們往下翻一頁，因為《四庫全書提要》認為他是抄陳櫟的《尚書集傳纂疏》和陳師凱的《書蔡傳旁通》。可是當你翻過來看的時候，你看《書傳旁通》那個樣子，它開頭是〈堯典〉，那我們看〈堯典〉解釋，是單獨找幾個字出來解釋，可是跟《書傳大全》的形式完全不一樣。我個人從頭到尾把它對了一遍，發現根本一個字都沒抄，一條都沒有抄，可是《四庫提要》卻說他是抄《書傳旁通》。所以我就不知道他倒底怎麼抄的？然後這個說法一直延續到今天，還是有人在講，就是沿用《四庫提要》的說法，說他抄陳櫟的說法以及陳師凱的《書傳旁通》。可是你看這裏我從頭到尾對過一遍之後，發現他根本沒有參考，一條都沒抄，《四庫提要》的編纂者怎麼會把它寫進去？這真的是非常不可思議的事情，而董鼎的說法反而跟《書傳大全》的接近，但《四庫提要》的編纂者卻完全都沒說到董鼎，這真的是不知是怎麼一回事。你看董鼎那部書，董鼎的書叫作《書傳輯錄纂注》，《書傳大全》是以他的書為底本的，你可以看到這整個地方都是按照董鼎的書，連注疏意見都是一樣的，我們就可以

看出是董鼎的東西。《四庫提要》的編纂者，可以知道的是，有些書他有翻，可是有些書他連翻都沒翻；沒翻的時候，他就隨便寫，隨便寫的結果就是，意見完全亂說。

然後看到《禮記大全》。《禮記大全》這部書基本上是最妙的，所有講《五經大全》的人——包括顧炎武、朱彝尊和《四庫提要》，他們在講《五經大全》的時候，錯得最離譜的，就是《禮記大全》這本，錯得最厲害。《禮記大全》這裏我印了〈檀弓〉三卷，《禮記大全》經文下面，就是陳澔的《禮記集說》。次一格的部分是陳澔的《禮記集說》，往旁邊看那個「嚴陵方氏小誌」下去那些小字的部分才是大全。經文跟傳才是陳澔《禮記集說》，那陳澔引了誰的？「嚴陵方氏等」。然後再翻過來第二頁可以看到，陳氏這些東西，才是「大全」。那《四庫提要》是怎麼說的？它說，胡廣的《禮記大全》呢，是抄陳澔的《禮記集說》，然後再增加四十二家的說法❶，四十二家是什麼？嚴陵方氏、長樂陳氏等。這不是一件非常荒謬的事嘛？他既然已經以陳澔《禮記集說》為底本，他怎麼會回頭去抄陳澔的《禮記集說》？這種話都會出現！這跟我們現在說的「古史層累說」，大概是有點道理的。就像我在讀《史記》的時候，明朝人就說，陳子龍他們就說，司馬遷的《史記》中有缺十篇—班固說有錄無書。那十篇缺的，像〈孝景帝本紀〉、〈孝武帝本紀〉是缺的，可是你看今本的《史記》都有。那今本怎麼會有呢？他們說是褚少孫補的。褚少孫怎麼補的呢？褚少孫是拿

---

❶ 《四庫提要·禮記大全》：「以陳澔《集說》為宗，所採掇諸儒之說，凡四十二家。」

班固的《漢書》去補《史記》的〈漢武帝本紀〉。這聽起來好像是對的，可是我們仔細去想的時候，會發現不對啊！褚少孫是西漢昭帝、元帝之間的人，班固是東漢人，西漢中晚期的人會拿東漢人的書，去補司馬遷的《史記》，這不是就是所謂的「古史是層累說」的嗎？這是一個範例。就像曾國藩拿孫中山的書，去補方苞的書一樣，真是活見鬼了！《四庫提要》也是一樣，所以下面到了《禮記大全》時就無法解釋，沒有辦法解釋的原因就是，他們不知道小字到底哪裏來的，「大全」的資料到底從那裏來？他找不到，找不到就說是陳澔的《禮記集說》。那《禮記大全》其實不能叫《禮記大全》，應該叫《禮記集說大全》，他們後來把中間的《集說》刪掉了，他其實就是《禮記集說大全》，非常清楚；頭一部分就是《禮記》，再來是《集說》，再來是《大全》。那到底「大全」部分的內容是哪裏來的呢？我們看下面一段，宋朝衛湜《禮記集說》，他的「大全」的部分就是從宋衛湜的《禮記集說》找來的，這個歷來都沒有人去翻閱。我特地把他找來的原因，是因為他有引了一個「嚴陵方氏」。那我們回頭看《禮記·檀弓上》這裏一條，然後往後翻，他開頭引了鄭氏——鄭玄的說法、孔穎達的說法，再來是唐朝的陸氏——陸德明的說法，再來長樂陳氏；以及再翻過來就是第四小頁的，第四小頁上面有一個嚴陵方氏，你把它對一下你就會知道，他其實就是從衛湜的《禮記集說》上面把它整個引下來。其實我們稍微看一下就知道，幾乎一模一樣的句子。衛湜的《禮記集說》引了很多人的說法，可是他只挑一條出來，而且《禮記大全》還不一定全部抄，他是有選擇性的，有些他會把它刪掉，文句不要的就把它刪掉。

　　基本上《五經大全》的形式都是這樣，都是先經文，然後注，注之後就是疏。這個疏的部分他一定都有所承的，沒有錯，他都寫得很清楚，我是從那一本書，誰的話抄下來的，後人很容易找到他的依據，然後要罵也比較快。可是《五經正義》你無法找到他的依據，因為魏晉南北朝的人的書都已經亡佚了，所以你無法拿書來對他是不是抄的？然後是不是僭沒人家的名字？完全沒有依據。可是《五經大全》不是，因為他完全用人家的話，所以很容易抓到毛病，今天你一對就知道。以《禮記大全》來說是比較難去對的，可是其他的各經大致如此，但他又不是全部都取，就是說他取的時候，他是有選擇性地。尤其我個人一直有一個看法，清代章學誠曾經說過一段話：「古人之去取，古人之心也。」他去或取，你看衛湜《禮記集說》裏這麼多條，可是他都刪光了，只留了這麼一條，或是兩條這種資料，那為什麼他要在這麼多裏面只取這一條，而其他的都不要抄呢？每一經的情況並不一樣，他有些是刪掉文句，後面也不是一個字不漏地抄，那表示他是有所選擇性的。有選擇，是因為有符合他的思想宗旨的，他才要，只不過他編纂的時間很短，他還是能做這樣的編排，他還是有他的中心思想存在。只是當我們用一種的鄙夷的眼神去看待他，或者以為那不是代表他的意見的時候，就比較難以去尋找出他的理路，然後去推溯他的思想脈絡。因為如果一個人要發表意見，我們會很清楚地看到那是他的意見，但是《五經大全》看起來不是他的意見，可是沒有意見，卻將他的思想隱藏在他的編選去取裏面。就好像我們看錢穆先生有一部書叫《莊子纂箋》，那《莊子纂箋》幾乎全部都是錢先生在引人家的意見，但是錢穆先生是不是沒有他的意見呢？恐怕不見得。他在去取

的時候，其實就有他的意見存在。只是我們沒有時間一條一條去比對，思考他為什麼刪掉？他為什取？

　　這裏我只談到這個部分，接下來要談《五經大全》的承傳。我簡略地說一下《五經大全》在整個承傳的價值。《五經大全》集合了宋、元、明三代經說，將宋、元、明經說最好的部分集中在一起。《五經大全》並不是一字不漏地通通要，是有選擇地去取。後面的人就可以以《五經大全》作為基礎去發展，例如增訂、補充、刪減，你可以依自己的取捨去發展。《五經大全》的資料也可以作為輯佚的資料，因為其中抄錄了一些前人經說，可是這些經說的書已經亡佚，亡佚的書《五經大全》就有所保留，就可以作輯佚的工作。另外，在《五經大全》裏面所保留的經說，我們可以發現主要是在輔助程朱理學的或程朱思想，所以《五經大全》裏的言論有一種強化程朱理學的功用，也可以反應宋元明一脈下來，朱學流傳的一個面貌。《五經大全》將反對朱熹的經說，或對朱熹說法有駁斥的經說，都加以刪削，所以整部書都是在強化朱熹的思想。這部書在程朱理學的流傳史上，有其重要的地位，不過歷來為後世所忽略。明代以後的科舉考試，基本上都是以《五經大全》與《四書大全》為科舉考試的一個範本來出題，但怎麼出題，卻又牽涉到整個經學的脈絡，這裏我就不再多說。因為前人一直批評這部書，所以我總是有一些疑惑，可是還沒有時間去思考，就是說，清代基本上也是以程朱理學做科舉考試的範本，明代是以程朱理學與《五經大全》、《四書大全》來考試，可是前人一直批評這部書，例如顧炎武罵說：「《大全》出而經學亡。」但是清代也是以程朱理學作為科舉考試範本的，清代經學為何會興盛？同樣的東西（程朱理

學），為什麼會導致明代經學的衰落，而清代經學就會興盛？同樣的東西，結果為何相差這麼懸殊？難道就是因為他用《大全》做為科舉考試定本的因素嗎？就像我們現在大學聯考，以前用國立編譯館的標準本，現在開放民間課本，可是開放之後，學生程度就會變得比較好，他們就比較喜歡讀課外書呢？以前，因為只讀標準本，所以學生的程度就比較差？現在學生程度就比較好？可是明清兩代怎會相差這麼懸殊？因為對清人許多的說法，我是不太相信的，但因我個人才疏學淺，所以還不能研究到這麼深遠的層面，我今天就簡要的說明到這邊，我的報告到此結束。

蔣秋華：

因為已經超過時間了，那我們延長時間，延後十分鐘。但我想三位主講人都報告得很好，大家似乎也有很多問題要問，那我們就延後二十分鐘結束。大家就趕快提出問題，看有什麼問題可以提出來讓大家討論的。

林慶彰：

我看大家都沒有意見，那我就講一點吧。剛剛恆嵩提到說，明代經學的衰落，可能是《四書五經大全》的緣故。前人大體上是這樣講，說《四書五經大全》把漢儒的東西都刪掉了，學生要讀《四書五經大全》，因為是考試用書，他們小學的基礎就不夠，訓詁的基礎不夠，經學就衰落了。所以把經學衰落的罪過歸咎於《四書五經大全》。

　　這裏提到很多問題，我之前也寫過《四書五經大全》的文章❷，當中也討論過這個問題：第一個，我們要思考的問題就是說，明朝的經學是不是真的就衰落了？這是很有問題的。就好像你現在看不到魏晉南北朝的書，所以你認為魏晉南北朝的經學衰落；但是根據錢穆先生的統計，魏晉南北朝的經學著作，是經史子集四部裏最多的，既然是這樣的話，當然不能說魏晉南北朝的經學衰落。那如果我們統計明代經學著作，當然還沒有人做這樣的統計，晉龍兄他做了明代《詩經》的統計，因為他做明代的《詩經》學。明朝的《詩經》著作就有三百多種，純就《詩經》一經來講，我們看到可能只有幾十種，但實際上有三百多種，那這樣是不是說明代的《詩經》學衰落？這很難說。所以不能說你看不到漢學的資料在《四書五經大全》裏面，你覺得有失落感，所以就衰落了。這是就清人的角度來看，但是顧炎武他們的觀點其實不正確。因為《詩集傳》裏面是抄《毛傳》抄很多，早上我也說過；蔡沈的《書集傳》抄《偽孔傳》也抄很多。這些都是漢學系統的訓詁。《詩集傳》後來就被劉瑾的《詩傳通釋》拿來當底本，《四書五經大全》裏的《詩傳大全》又是以劉瑾的當作底本，這樣傳承下來，《四書五經大全》還是有不少漢人的注解在裏面。只不過他不把它當作最主要的東西來看。所以說《四書五經大全》裏面沒有漢人的注解，那是不對的。依這樣的觀點，前人說明人經學衰落，是可以質疑的，再說《四書五經大全》裏面沒有漢人的東西，所以經學衰落，這也可以質疑。

---

❷　〈《五經大全》之修纂及其相關問題探究〉，收入林慶彰撰：《明代經學研究論集》（臺北：文史哲出版社，1994 年 5 月初版），頁 33－59。

所以我認為前人對明人經學衰落這樣的結論，我覺得這必須從新檢討。還有恆嵩剛剛提到清朝經學復興這個問題，那假如明朝經學沒有衰落，就沒有清朝經學復興、興盛這個問題。也就是說，明清經學其實是一脈相承，只不過他們研究經學的方法與著重點不同而已，如果就這個角度去理解，就無所謂那個時代特別興盛，那個時代特別衰落這樣的問題存在。也就是說，我們現在討論的一些問題，或是我們現在說的一些結論，只不過是一種不存在的事實，而前人把它當作結論來討論，不過是一種庸人自擾的行為。

張素卿：

我想請問林素芬教授。在經學的脈絡裏面，各時代的主流多半是官學，主流著作成為科舉考試的定本，像剛剛提到的王安石《三經新義》，王氏寫書的目的在於取代既有的考試定本，也就是唐《五經正義》。其實清代也有這樣的現象，清代始終以朱熹或程朱理學脈絡下的新傳注做為科舉考試標準，清代「漢學」的發展是希望形成新的注解，最終取而代之，成為新的解釋權威。清代「漢學」的新注疏甚至想取代漢唐注疏。原本已有權威的注解存在，學者們卻想發展出新的注解來取代，不論是宋代理學或清代漢學，這必然是對先前的經學發展有所不滿，以此為前提，風氣一開，於是積極提出自己的新解釋、新經解。您如何看待此一現象呢？而且，以《三經新義》而言，王安石很快就受到攻擊，為什麼王安石會這麼快受到挑戰或攻擊？相對來講，《五經正義》是使用一段時間之後才受到挑戰，經過漫長的累積和延續，到宋代才對《五經正義》正式展開攻擊。而王安石的《三經新義》則幾乎馬上受到挑戰，為

什麼？另外，請問《三經新義》作為考試的標準本大概有多久的時間？

林素芬：

第二個問題比較簡單。《三經新義》大概用了六七十年，也算有一段時間，但要就它的影響來說則更久。就是說，如果是以官學來說，它獨大的話是六七十年，那如果說是延續到南宋，也就是它定型的時間，也就是說你除了要讀什麼，還要讀王安石的《三經新義》的時間，還要更久。如果說它的經義可以延續那麼久的話，那應該會產生它的重要性。事實上並不是所有的人都不喜歡王安石那一套，我剛剛有說過，其實還是有人覺得他說得不錯。朱熹也說他有些地方不錯，有些地方是穿鑿。他很快就受到攻擊，大概幾年間。但就我的觀察，很有趣的，會發展出《三經新義》，事實上是一個潮流。就是說，當時的人，從宋初就有很多人主張剝棄漢唐傳注，要從經書裏面直接去找聖人之道、先王之道。所以他們覺得漢唐傳注礙手礙腳的，這種要創立新傳注的想法與說法，從宋初就一直存在著。但是，當時還是有很多人在遵守著漢唐傳注，而且官學也沒有廢。他們有許多人已經不在乎官學了，例如一個不用參加科舉考試的人、一個已經通過科舉考試的人、一個做大官的人，他們有他們自己的想法，他們就不在乎官學了。他們就會很大膽地提出來，像孫復他一直提倡過，雖然他進士都考不上，但是他就是一直認為我們應該有一個想法出來。另外像歐陽修，他的《詩本義》也是，雖然他不是對漢唐所有的注疏作辯證，但是不同意的地方，他就大膽地寫出來。所以這個想法一直存在，到王安石時他也覺得不

奇怪，但這是一個高峰，他自己製造一個高峰。所以說他棄經注的話，應該不至於引起太大的反彈才對，因為他是在這麼一個潮流裏面，但是他很快地就受到攻擊了。

他被攻擊有兩方面，一方面就是我說的「穿鑿」，另一方面就是「壞了天下人心術」。在「穿鑿」這方面，我們可以分兩方面來說：其中一方面你可以看到，他有用前人的說法，但是他很少用漢唐的注解來解經，那多半是他自己的意思，他從經文裏面去推敲經義，但這是他的意思，說難聽一點，就是「師心自用」。他就用自己的那一套去理解，然後做出那樣的論述，他覺得這樣很好，大家都會接受包容他這樣的想法，治國就會很有用。這樣的做法確實引起很大的批評，像蘇東坡就不贊成他這樣子，司馬光也不贊成他這樣子。他或許是想發展剝棄傳注的新思想，所以這樣做，但是他低估了讀書人的力量。除了擺脫漢唐注疏以外、用自己的意思之外呢，他還加入了很多經書本來沒有的東西，他全部加進去，例如，原本只是在講制度，簡短的幾句話，可是他可以寫成一長篇的內聖外王之道，裏面講了一大堆，這些不論當時的人或後來的人，他們在看的時候，都會認為這些都是他自己的意見，但是王安石就認為這些東西很重要。他認為這些就是用來教育，先王之道就在這個地方。他受到攻擊當然還有跟理學思想的不同，理器的問題，一些理解上的不同。

蔣秋華：

如果大家對《三經新義》有興趣的話，可以參考程元敏老師《三經新義》的輯校本子，裏面對《三經新義》的內容做了很詳細

的輯佚跟校釋。對於《三經新義》，王安石的信徒大概都根據這個，而推翻漢唐的舊疏，舊的注疏，但他不能行之久遠，不能像《五經正義》、《五經大全》那樣，大概是因為政治力的緣故，因為政治的不穩定，因為政治力的介入，所以使它不能行之久遠。除了學術與他個人之外，我想政治也是很重要的一個因素。大家知道北宋的時候，王安石在神宗時受重用，但他下來的時候換一個皇帝，司馬光就出來了，《三經新義》就沒辦法繼續維持下去了。但司馬光在的時間也很短，後來新黨的人又起來了，他的學說又稍微受到重視。到了南宋他又很倒楣地，把北宋滅亡的原因歸罪在他身上，所以他又受到很大的攻擊。另外一個就是學術上的攻擊，學術上的攻擊，就是理學家他們有一套自己的學說，大家知道南宋理宗之後，他們推行程朱這一套學說，那自然王安石那一套就因為學說體系的不同而被冷落。那又因為政治上的因素，他那一套自然就被壓下來，久了也就失傳了。這是因為政治上、學術上對他不利，所以他的學說就無法傳之久遠，他的影響力不久也就結束了。相對的《五經大全》和清代的御纂七經那些書，因為在科舉上被長期使用，所以憑藉一股朝廷的力量，雖然有少數對它的解說不滿或覺得不妥，可是就像剛剛晉龍提到的，它卻有一股穩定的力量支持它，因為讀書人必定讀它，所以它就可以穩定地存在，並擁有它的影響力。

張素卿：

　　再問一個問題。很明顯的，清代「漢學」家不滿當時的官學，而「漢學」的發展重心不在官方，而是民間新興的一股學術力量，

由民間學者起來撰寫群經新疏。而先前，如唐代《五經正義》或宋
代王安石《三經新義》，他們都由官方主導，是王安石在當權力之
後才推動《三經新義》，可是清代「漢學」新疏卻是從民間做起。
為什麼有這樣的差別？又，藉此機會請教在座的陳恆嵩教授，《五
經大全》中有《禮經大全》，他們對禮的解釋在治世或致用方面究
竟有何特點？為什麼清儒竟如此輕視明代人的解釋？

陳恆嵩：

　　基本上，它比較重視義理。因為它本身依循就是從程朱那邊來
的，他本身就不是很重視典章訓詁，明人比較重視思想方面的闡
發。所以典章制度方面比較少。這部分跟清人不太一樣。明人認為
義理方面程朱已經做得非常好，接下來的就是去實行。所以我們看
清人批評明人時，有很多是很有問題的。禮方面的話，明人很多禮
都在家禮方面，不是在《禮記》或是《儀禮》，所以你可以看到，
像朱熹的《家禮》、司馬光的《書儀》，其實在明代很受重視，這
小島毅以前就提過了。他是拿來實行，像《四書》裏面的道理是拿
來做，不是拿來講的。但清人是拿來講的，比如說我文章寫得很
多，做是另外一回事。像現在我們有很多是拿來做文章，但裏面的
道理不一定拿來用。明人基本上是拿來用。所以顧炎武批評明人談
心談性，但你看明朝滅亡，很多讀書人為國犧牲，清代人就不是這
樣，清代人很多是趕快逃跑，然後去做官。所以看這東西必須從不
同角度去看。

林慶彰：

剛剛素卿講到這個問題，應該要從明末來看。我們來看陸嘉淑為《十三經類抄》所做的序，他就講得很清楚，他說，聖人之道寄託在名物典章制度裏面，名物典章制度當然在《十三經注疏》裏面去找。所以他們為什麼要去找名物典章制度這些東西？因為他們認為只有這些東西才能去理解國家整個情況。所以那個時候才開始重視國家典章制度。看明人的書如果從禮方面的書去看，可能不是這麼清楚，我們要從《詩經》類的書去看，他有很多書都牽涉到名物和典章制度。所以說禮的書很少，很衰落，只有家禮這類的書，只就統計來說，是沒錯；但是如就《詩經》或《尚書》一類的書來看的話，碰到跟典章制度有關的段落的時候，他們就講得很清楚。

我們可以看張爾岐的《儀禮鄭注句讀》，他就說得很清楚，中國滅亡，清朝的人是異族，如果不把跟中國有關的典章制度的書好好去讀的話是不行的，所以他當時做《儀禮鄭注句讀》就是這個緣故。從這個脈絡下來，我們看毛奇齡其實也是這一種心態。所以浙東、浙西那邊從明末開始就有重視典章制度的傳統，這樣一個傳統一直到清中葉、清末都是這樣傳承下來的。如果我們以這樣的心態來看這樣的一個傳統的話，可以發現清朝人尤其到清末這樣的重視禮方面的書，應該也可以這樣去理解，就是這樣的一個脈絡。但是這樣一個脈絡，一直沒有人去寫成一篇文章，或寫成一本書，這個有待學者的努力，謝謝。

蔣秋華：

關於素卿教授提出禮的問題，我個人還是認為是政治因素的影

響，因為朝廷並不特別去提倡，反而一直去提倡宋學。另一方面他
當然也有其他影響，政治可能不是最高層的影響。我們可以發現從
清初開始的話，像徐乾學等人啊，中期的阮元，到最後來的曾國
藩，他們都有幕府，幕府下面都聚集了一批學者，這些多半是考據
學家的多。他們這些就是推動漢學的主要人才，像閻若璩，他也是
到幕府之後，被栽培去編書。這其中尤以阮元最重要，他在廣東將
這個風氣給帶動起來，所以清代的經學最多、最重要的地域，多半
在江浙一帶，像廣東、湖南，這些大學者的提倡，我想這些跟政治
也擺脫不了關係。我想可能可以從這裏理解。

張素卿：

　　對不起，我想再作追問。像阮元，他做過學政，掌管地方教
育，這一類學者難道不怕犯忌諱嗎？推動「漢學」，跟朝廷官學提
倡「理學」不一樣，阮元等人究竟抱持怎樣的想法來推動新思潮？
這值得玩味，令人好奇。

蔣秋華：

　　我覺得他們辦的像詁經書舍這些書院，可能跟傳統的書院，它
所要求的、所要教導的東西，不完全一樣。當然也有些是一樣，但
有些它會去強調，像訓詁一類的，對考試可能不是那麼有用。不能
說完全沒用，可是可能沒那麼有用。所以他們辦的書院就要去強調
那些跟傳統書社不一樣的地方，一樣的當然不用強調，這樣才能知
道他們跟傳統書社不一樣在什麼地方。這當然和他們教授的學問有
關，但卻又不完全不一樣，像他們都讀經書，像學海堂等等都考上

科舉考試就是。其中細微的地方，我是覺得可以再討論。

林慶彰：

　　做點補充，說朝廷喜歡程朱之學，大概康熙、雍正這兩代比較喜歡朱學，其實到了乾隆皇帝，朱學考試用它可是並不是這麼喜歡它，因為乾隆本身就是一個考據學家。我們看他對朱熹「涇清渭濁，涇濁渭清」這件事情，就可以得到了解：他認為朱熹注《詩集傳》注錯了，把涇水注成濁的，渭水注成清的，他就派陝西巡撫秦承恩騎馬從涇水和渭水的上游分別考察下來，然後寫了一篇〈御筆涇清渭濁記實〉。你看他連這種雞毛蒜皮的小事他都要去考據，覺得弄清楚了很舒服，所以既然乾隆都喜歡做這種事情，那他底下的人做這種事也覺得很自在啊。你看《文淵閣四庫全書》，為什麼要故意抄錯幾個字？因為他讀的時候，就去考證一下，他會覺得我弄對了，我很舒服。所以我們可以知道，考試用書是一套，漢學是一套，自己舒服就好，根本就沒關係，大家相安無事。

蔣秋華：

　　因為時間已到了，大家也坐很久了，我們就到這裏結束吧。

「經典與文化的形成」研究計畫
讀書會學術活動一覽

時　間	主 講 人	發表時單位職級	講　題	會 議 名 稱
92.09.27	鄭吉雄教授 莊雅州教授	・臺灣大學中國文學系教授 ・玄奘人文社會學院中國語文學系教授兼系主任暨所長	・周易經傳的形成及其相關問題 ・群經天文史料的價值	「經典與文化的形成」研究計畫第一次讀書月會
92.10.25	（日）丘山新教授 （日）橋本秀美教授	・東京大學東洋文化研究所教授 ・東京大學文化研究所副教授	・中國漢譯佛典之受容 ・禮說的形成──點校黃以周《禮書通故》小識	「經典與文化的形成」研究計畫第二次讀書月會
92.11.28	朱維錚教授	・上海復旦大學歷史系教授	・經史關係與史學史	「經典與文化的形成」研究計畫專題演講
93.01.03	陳廖安教授 季旭昇教授	・淡江大學中國文學系副教授 ・臺灣師範大學國文學系教授	・隱元正朔曆譜之異同 ・《詩經》的形成、詮釋及其流傳	「經典與文化的形成」研究計畫第三次讀書月會
93.02.05	周鳳五教授 殷善培教授	・臺灣大學中國文學系教授 ・淡江大學中國文學系副教授	・《性情論》與《性自命出》比較研究 ・讖緯研究的幾個關鍵問題	「經典與文化的形成」研究計畫第四次讀書月會

93.02.28	（美）貝克定教授	·中研院文哲所博士候選人	·夏含夷(Edward Shaughnessy)的周易研究	「經典與文化的形成」研究計畫第五次讀書月會
	（美）顧史考教授	·美國郡禮大學東亞語言文學系副教授兼系主任 ·中研院文哲所訪問學人	·先秦出土文獻與傳世經典的對照及其有關問題	
93.03.23	姜廣輝	·北京中國會科學院歷史研究所研究員	·上博藏簡整理與孔門詩教	「經典與文化的形成」研究計畫專題演講（因故取消）
93.03.27	魏慈德教授	·東華大學中國語文學系助理教授	·古文字資料對先秦古籍的補正舉例	「經典與文化的形成」研究計畫第六次讀書月會
	許學仁教授	·花蓮師範學院中國語文教育學系教授	·簡帛文獻的性質定位與內涵開展	
93.04.24	黃復山教授	·淡江大學中國文學系教授	·陰陽五行與先秦文化之形成	「經典與文化的形成」研究計畫第七次讀書月會第二場次與「道家簡帛資料暨上博新出簡研讀會」合辦
	袁國華教授	·中央研究院歷史語言研究所助研究員	·由書寫方式談楚簡文字的考釋	
93.05.29	龔鵬程教授	·佛光人文社會學院文學研究所教授	·宗廟、宗族與會社	「經典與文化的形成」研究計畫第八次讀書月會
	徐富昌教授	·臺灣大學中國文學研究所副教授	·睡虎地秦簡通假釋例	
93.06.13	駢宇騫教授	·北京中華書局編輯部編審	·出土簡帛書籍題記述略	「經典與文化的形成」研究計畫第九次讀書月會
	廖名春教授	·北京清華大學	·上博藏楚竹書《恆先》	本讀書會與「道家簡帛

		思想文化研究所教授	新釋	資料暨上博新出簡研讀會」合辦
93.09.06	陳少明教授　　　沈　冬教授	・廣州中山大學哲學系教授　・臺灣大學音樂學研究所教授兼所長	・被描繪的孔子——以儒道的記述為中心　・中國律學的發展與研究	「經典與文化的形成」研究計畫第十次讀書月會
93.09.13	季旭昇教授　　　王基倫教授	・臺灣師範大學國文學系教授　・臺灣師範大學國文學系教授	・《上博三・恒先》「意出於生，言出於意」說　・「《春秋》筆法」的詮釋與接受	「經典與文化的形成」研究計畫第十一次讀書月會
9310.02	馮　時教授　　　徐少華教授	・中國社會科學院考古研究所研究員　・湖北武漢大學歷史學院教授暨歷史地理研究所所長	・戰國楚竹書《子羔・孔子詩論》與詩教　・從出土文獻看早期儒家學說的發展與變化——以《五行》與《民之父母》為例	「經典與文化的形成」研究計畫專題演講
93.10.30	吳　銳教授　　　王　博教授	・中國社會科學院歷史研究所副研究員　・北京大學哲學系教授	・1949年以來的古史辨派　・論寓作于編	「經典與文化的形成」研究計畫第十二次讀書月會
93.12.02	陳廖安教授　　　林啟屏教授　　　楊晉龍教授　　　郭梨華教授	・臺灣師範大學國文學系副教授　・政治大學中國文學系教授　・中央研究院中國文哲研究所副研究員　・東吳大學哲學	・古曆與《春秋》經傳日辰　・「歷史斷層」與「學術想像」　・《詩經》的形成與流傳　・哲學問題與經典研究	「中國古代文明的形成」研究計畫聯合會議：「上古文明研究的新趨向」（「經典與文化的形成」研究計畫部分）

		系副教授	——以先秦道家哲學為例	
94.01.14	岑溢成教授 劉文強教授	·中央大學中國文學系教授 ·中山大學中國文學系教授	·董仲舒的五行觀 ·《左傳》的軍與師	「經典與文化的形成」研究計畫第十三次讀書月會
94.02.26	高柏園教授 賴貴三教授	·淡江大學副校長暨中國文學系教授 ·臺灣師範大學國文學系教授	·朱子對《大學》與《孟子》的理解態度 ·說「易」在上古的形成、流傳與詮釋	「經典與文化的形成」研究計畫第十四次讀書月會
94.03.20	夏含夷教授 趙生群教授	·芝加哥大學東亞語言與文化系教授 ·南京師範大學文學院教授	·《周易》研究獨斷 ·經典的傳播與歧異——以《春秋》經傳為中心	「經典與文化的形成」研究計畫專題演講
94.04.20	馮　時教授 佐藤將之教授	·中國社會科學院考古研究所研究員 東吳大學哲學研究所客座教授 ·臺灣大學哲學系助理教授	·《尚書》中的天文知識 ·荀子研究的「脈絡化」與其未來方向	「經典與文化的形成」研究計畫第十五次讀書月會 與高雄中山大學中國文學系合辦
94.05.25	季旭昇教授 林慶彰教授	·臺灣師範大學國文學系教授 ·中央研究院中國文哲研究所研究員	·從《上博一·孔子詩論》談《詩經》形成與流傳的相關問題 ·日本《詩經》學的發展	「經典與文化的形成」研究計畫第十六次讀書月會 與高雄師範大學經學研究所合辦
94.06.10	張寶三教授	·臺灣大學中國文學系教授	·詮釋與再詮釋——略論中國解經傳統中，	「經典與文化的形成」研究計畫第十七次讀書

			注與疏之關係及其相關問題	月會 與中國符號學學會合辦
	張素卿教授	·臺灣大學中國文學系副教授	·「古義」與經義	
	貝克定教授	·哈佛大學東亞語言與文明研究所博士候選人	·人類學的詮釋模式：西方漢學的中國經典詮釋的一個方向（英文）	
	陳界華教授	·中興大學外國語文學系講師	·譯者尋覓新文本——嘗試描述經傳平行語境的符號機轉	
	楊晉龍教授	·中央研究院中國文哲研究所副研究員	·朱熹《詩集傳》與清代詩經學的關係	
	陳恆嵩教授	·東吳大學中國文學系副教授	·從《五經大全》論宋元明傳注的承繼關係	
	林素芬教授	·國科會人文學研究中心博士後研究員	·「新義」與經義——試論王安石《三經新義》的注解方法	
94.06.19	普　鳴教授	·美國哈佛大學東亞語言與文明學系系主任	·西方漢學研究評介	「經典與文化的形成」研究計畫第十八次讀書月會
	邸積意教授	·福建師範大學文學院中國文學系教授	·劉歆之學的閱讀史分析	
94.07.12	汪學群教授	·中國社會科學院歷史研究所研究員	·〈繫辭傳〉思想探微	「經典與文化的形成」研究計畫第十九次讀書月會
	張善文教授	·福建師範大學文學院教授	·易道之內涵探微	
	蕭漢明教授	·武漢大學哲學學院教授	·論朱震易學中的象數易	

94.08.29	平勢隆郎教授 朱淵清教授 彭　林教授	·東京大學東洋文化研究所教授 ·上海大學古代文明研究中心副教授 ·北京清華大學歷史系教授	·論春秋時期的漢字傳播問題（日文） ·記注與撰述 ·《考工記·輪人》尺寸的驗證與相關問題	「經典與文化的形成」研究計畫第二十次讀書月會
94.09.30	周鳳五教授 黃人二教授	·臺灣大學中國文學系教授 ·廣州中山大學中文系古文字研究所博士後研究	·大陸出土文獻相關問題研究 ·再讀上海博物館藏楚簡〈容成氏〉并論其史觀為兩漢古文家經說之一源	「經典與文化的形成」研究計畫第二十一次讀書月會 與高雄師範大學經學研究所合辦
94.10.14	佐藤貢悅教授	·日本筑波大學哲學·思想學系教授	·脫亞論思想的意義	「經典與文化的形成」研究計畫專題演講
94.10.22	姜廣輝教授 王小盾教授	·中國社會科學院歷史研究所中國思想史研究室主任 ·北京清華大學中國語言文學系教授	·上博藏簡整理與孔門詩教 ·從六詩看《詩經》的形成	「經典與文化的形成」研究計畫第二十二次讀書月會
94.10.26	魯瑞菁教授 郭靜云教授	·靜宜大學中國文學系主任 ·俄羅斯科學院東方學研究所研究員 中央研究院歷史語言研究所博士後研究員	·「〈離騷〉稱經」問題考辨 ·甲骨文「神」義鉤沈	「經典與文化的形成」研究計畫第二十三次讀書月會 與高雄中山大學中國文學系合辦

國家圖書館出版品預行編目資料

經典的形成、流傳與詮釋（一）

林慶彰、蔣秋華主編. – 初版. – 臺北市：臺灣學生，
2007[民 96]
冊；公分

ISBN 978-957-15-1386-7 (第 1 冊：精裝)

1. 經學　2. 研究考訂　3. 文集

090.7　　　　　　　　　　　　　　　　96023341

經典的形成、流傳與詮釋 (第一冊)

主　　　編：林　慶　彰　、　蔣　秋　華
編　　　輯：張　　　穩　　　蘋
出　版　者：臺　灣　學　生　書　局　有　限　公　司
發　行　人：盧　　　　　保　　　　　宏
發　行　所：臺　灣　學　生　書　局　有　限　公　司
　　　　　　臺　北　市　和　平　東　路　一　段　一　九　八　號
　　　　　　郵　政　劃　撥　帳　號：00024668
　　　　　　電　話：(02)23634156
　　　　　　傳　真：(02)23636334
　　　　　　E-mail：student.book@msa.hinet.net
　　　　　　http：//www.studentbooks.com.tw
本書局登
記證字號　：行政院新聞局局版北市業字第玖捌壹號
印　刷　所：長　欣　印　刷　企　業　社
　　　　　　中　和　市　永　和　路　三　六　三　巷　四　二　號
　　　　　　電　話：(02)22268853

定價：精裝新臺幣九六〇元

西　元　二　〇　〇　七　年　十　一　月　初　版

09071